8349

735

в каком органе (ГКИП)

(должность и подпись)

(должность и подпись)

Осип
МАНДЕЛЬШТАМ
И ЕГО СОЛАГЕРНИКИ

Павел Нерлер

Осип
МАНДЕЛЬШТАМ
И ЕГО СОЛАГЕРНИКИ

Павел Нерлер

Издательство АСТ
Москва

УДК 94(100)"1939/45"
ББК 63.3(0)62
Н54

Мандельштамовское общество

Мандельштамовский центр школы филологии
Национального исследовательского университета
«Высшая школа экономики»

Нерлер, Павел Маркович.

Н54   Осип Мандельштам и его солагерники / П.М. Нерлер ;
научн. редактор О. Лекманов. – М.: АСТ, 2015. – 544 с. –
(Ангедония. Проект Данишевского).

ISBN 978-5-17-090599-7

Новая книга Павла Нерлера – реконструкция последних полутора
лет жизни О.Э. Мандельштама: от возвращения в середине мая 1937 года
из воронежской ссылки в Москву (точнее, в стокилометровую зону вокруг нее) и до смерти поэта в пересыльном лагере под Владивостоком
27 декабря 1938 года. Но и в лагере поэт был не один, а в массе других
заключенных, или, как он сам выразился, «с гурьбой и гуртом». Автор
собрал по крупицам сведения и о тех, кто окружал поэта в эшелоне
и в лагере, и кто являл собой тот своеобразный гулаговский социум,
в котором протекли последние недели жизни поэта. В разделе «Мифотворцы и мистификаторы» собраны различные отголоски лагерной жизни и смерти поэта, звучащие в прозе Варлама Шаламова, стихах Юрия
Домбровского, песне про товарища Сталина и др., а в разделе «Следопыты» показана история поиска Надеждой Мандельштам и другими энту-
зиастами сведений о тюремно-лагерном – завершающем – этапе жизни
Осипа Мандельштама. В приложениях публикуются полный именной
список «мандельштамовского эшелона» и рассказ о непростой истории
первого в мире памятника поэту, созданного в 1985 году и впервые уста-
новленного в 1998 году во Владивостоке.

УДК 94(100)"1939/45"
ББК 63.3(0)62

ISBN 978-5-17-090599-7

СОДЕРЖАНИЕ

В ФОКУСЕ ВРЕМЕНИ 13

МЕЖДУ ССЫЛКОЙ И ТЮРЬМОЙ:
ПОСЛЕДНИЙ СВОБОДНЫЙ ГОД 21
ПОСЛЕ ВОРОНЕЖА 23
   Москва: режим и зажим 23
   Савелово: дачники и неудачники 31
   Калинин: зимовка и путевка 44
ЗАГОВОРЫ ПИСАТЕЛЕЙ 57
   «Заговор писателей против Сталина»
   в Ленинграде. 57
   «Заговоры писателей против Сталина»
   в Москве 67
   Заговор писателей против Мандельштама 71
   Ставский и Костарев 77
   Петр Павленко 85

ЧЕТЫРЕ ТЮРЕМНЫХ МЕСЯЦА И МЕСЯЦ
В ЭШЕЛОНЕ. 91
ЛУБЯНКА И БУТЫРКИ. 93
   В Саматихе: мещерская западня и арест 93
   На Лубянке 103
   В Бутырках 113
ЭШЕЛОН 114
   Арестантские эшелоны 114
   Мандельштамовский эшелон. 119
   Эшелонные списки: попутчики. 124

Эшелонные списки: социальный портрет
страны 129
На пересылке: последние одиннадцать
недель 131
ЛАГЕРЬ 133
Вторая речка. И синее море! 133
«Сдал – принял» 135
Пересылка: врата Колымы 137
Пересылка: лагерь 141
БАРАК, БОЛЬНИЧКА, БАНЯ 146
«Эмильевич». Первая неделя (13–19 октября) 146
«Черная ночь, душный барак, жирные вши…»
вторая неделя (20–26 октября) 153
«Последние дни я ходил на работу, и это подняло
настроение». Третья неделя (27 октября –
2 ноября) 160
«Очень мерзну без вещей…». Четвертая неделя
(3–9 ноября) 163
Ночной визит. Пятая неделя (10–16 ноября) 167
Махорка в обмен на сахар. Шестая неделя
(17–23 ноября) 168
Неделя на простынях. Седьмая неделя
(24–30 ноября) 170
Карантин. Восьмая неделя (1–7 декабря) 172
Диктатура санитаров. Девятая неделя
(8–14 декабря) 174
Доходяга. Десятая неделя (15–21 декабря) 175
Конец карантина и прожарка. Одиннадцатая
неделя (22–27 декабря) 177
Смерть 180
Пальчики 183
Похороны жмурика 185

ДО́МА 187
НАДЕЖДА МАНДЕЛЬШТАМ
В СТРУНИНО И ШОРТАНДАХ 189

**«ГУРЬБА И ГУРТ»: СОЛАГЕРНИКИ
МАНДЕЛЬШТАМА.** **207**
ОЧЕВИДЦЫ И СВИДЕТЕЛИ 209
Посланцы с того света. 209
Первый свидетель: Юрий Казарновский (1944). . . 213
Второй свидетель: «брянский агроном М.»,
Или Василий Меркулов (1952, около 1968, 1971) . 261
Третий свидетель: Самуил Хазин (1962) 268
Не разысканный свидетель: Хинт 271
Четвертый свидетель: Давид Злобинский
(1963, 1968, 1974). 274
Пятый свидетель (первый неопрошенный):
Борис Ручьев via Борис Слуцкий (1964). 282
Шестой и главный свидетель: «физик Л.»,
он же Константин Хитров (1965). 285
Седьмой и не слишком убеждающий свидетель:
Филипп Гопп (1966, 1978). 314
Восьмой свидетель: Крепс (1967–1968, 1971,
около 1989) 319
Девятый свидетель: Иван Милютин (1968). 326
Так и не заговорившие свидетели:
Виктор Соболев и Михаил Дадиомов 336
Десятый свидетель (второй неопрошенный):
Доктор Миллер via Владимир Баталин (1969) 343
Эпистолярные свидетели: Матвей Буравлев
и Дмитрий Тетюхин (1971). 345
Одиннадцатый свидетель (третий неопрошенный):
Роман Кривицкий via Игорь Поступальский
(1981) 347
Двенадцатый свидетель: Дмитрий Маторин
(1991) 349
Тринадцатый свидетель: Юрий Моисеенко
(1991) 364
Четырнадцатый свидетель
(четвертый неопрошенный): Сергей Цинберг
(2013) 377

Аберрации памяти: Бруно Ясенский, Лев Ландау, Евгений Лансере, Василий Шухаев и Юлиан Оксман 380

МИФОТВОРЦЫ И МИСТИФИКАТОРЫ 384

Реконструкция смерти или перевоплощение? Нина Савоева и Варлам Шаламов 384

Петрарка у костра, или кукушкин куплет: не Юз Алешковский 396

Неотвязный завкафедрой: мистификатор Павел Тюфяков 406

«И снова скальд…»: мистификатор Юрий Домбровский 409

СЛЕДОПЫТЫ 427

Надежда Мандельштам, Моисей Лесман и другие 427

Валерий Марков: пена на губах. 434

КРУГИ ПО ВОДЕ 446

Приложение 1. Мандельштамовский эшелон: поимённые списки 450

Приложение 2. Памятник Мандельштаму во Владивостоке 499

Postscriptum. Вдогонку рукописи. 504

Принятые сокращения 507
Именной указатель. 511
Географический указатель 531

Памяти «миллионов, убитых задешево…»

Уведи меня в ночь, где течет Енисей...

Так вот бушлатник шершавую песню поет
В час, как полоской заря над острогом встает...

На вершок бы мне синего моря!...

И в кулак зажимая истертый,
Год рожденья, с гурьбой и гуртом...

Мое дело не кончилось и никогда не кончится...

В ФОКУСЕ ВРЕМЕНИ

Почему-то мне интересны эти расска-
зы о погибшем поэте, как давно уже ниче-
го не было там интересно.

В его судьбе фокус времени и других па-
раллельных судеб.

А.К. Гладков[1].

1

Эта книга – о последних двадцати месяцах жизни Осипа Мандельштама, о полутора с лишним годах между его смертью и возвращением из воронежской ссылки, куда его привела эпиграмма на Сталина.

Мы живем, под собою не чуя страны,
Наши речи за десять шагов не слышны,
А где хватит на полразговорца,
Там припомнят кремлевского горца.
Его толстые пальцы, как черви, жирны,
И слова, как пудовые гири, верны,
Тараканьи смеются глазища
И сияют его голенища.

А вокруг него сброд тонкошеих вождей,
Он играет услугами полулюдей.
Кто свистит, кто мяучит, кто хнычет,
Он один лишь бабачит и тычет.
Как подкову, дарит за указом указ –
Кому в пах, кому в лоб, кому в бровь, кому в глаз.
Что ни казнь у него – то малина
И широкая грудь осетина.

Между ее написанием и посадкой прошло с полгода. За такие стихи могли сгнобить или шлепнуть даже в «либеральном» 34-м году, но вышло иначе. Адресат прочел эти стихи (или ему их прочли) – и неожиданно их одобрил! Лучшего подтверждения той атмосферы страха, в которые он хотел ввергнуть и вверг страну (а стало быть, и эффективности своего «менеджмента»), он еще не встречал.

Мандельштам получил за это «Сталинскую премию» самой высшей ступени – жизнь!

Получал он ее тремя траншами. Сначала ему заменили земляные работы на канале высылкой в северную провинцию, в уездную Чердынь. Затем ему заменили высылку ссылкой, а Чердынь Воронежем, где ему были созданы поначалу почти эксклюзивные для ссыльного условия. И, наконец, ему разрешили, отбыв срок ссылки, вернуться из нее и еще почти год побарахтаться за стоверстной зоной вокруг столицы, но на свободе.

В мае 1938 года – спустя без малого четыре года после ареста в Нащокинском – его снова арестовали (впрочем, уже приезд в мещерскую Саматиху и сам по себе был не только западней и подготовкой к лишению свободы, но и лишением свободы: выехать оттуда было почему-то решительно нельзя!).

Далее все пошло с ускорением и сужением – как в водовороте: три месяца – следствие (Лубянка), месяц – пересыльная тюрьма (Бутырки), месяц – эшелон и еще два с половиной месяца – самые последние 11 недель до смерти – пересыльный лагерь близ Второй Речки.

Казалось бы – это не более чем рассказ (точнее, рассказ-реконструкция) о последнем отрезке жизни поэта, заключительная глава любой биографии.

Но, хочется надеяться, что не только.

2

Повсюду – и в тюрьмах, и в эшелоне, и в лагере – Мандельштам был не один, не сам по себе, а частицей некоего социума – «гурьбы и гурта», как он сам назвал его в «Стихах о неизвестном солдате».

Поэтому, собирая по крупицам любые и всякие сведения и слухи, я всматривался и в тех, кто их сообщает, собирал и о них самих – об этих свидетелях и, нередко, лжесвидетелях – крупицы сведений и слухов.

Сталин все делал для того, чтобы о его любимых игрушках – архипелаге ГУЛАГ, архипелаге спецпоселений, голодоморе и пр. – не узнал никто и ничего. И мы не знаем сокамерников Мандельштама ни на Лубянке, ни в Бутырках.

Но уже попутчиков поэта по эшелону мы знаем всех поименно, хотя попутчиков по вагону – ни одного (если не считать Кривицкого; Хитров ехал в другом вагоне).

Оказалось, что самые минимальные сведения – хотя бы имя или фамилию – мы знаем примерно о сорока лицах, с которыми О.М. в том же пересыльном лагере встречался, говорил или просто находился рядом. Сорок небезымянных лиц в безымянном гурте – это совсем немало!

Около десятка из них, то есть каждый четвертый, оставили свои – прямые или косвенные – свидетельства о поэте, в том числе один (Милютин) сам написал о нем мемуар[2]. Добавим к этому информационные источники другого плана – следственные, тюремно-лагерные или реабилитационные дела Мандельштама и других лиц, документы ГУЛАГа, конвойных войск, эго-документы, биографические штудии и др.

И тогда мы увидим, что даже об этой тоненькой, последней полоске жизни поэта – длиною всего в 77 дней, или ровно в 11 недель, – поколениями следопытов – собирателей и исследователей – выявлено и опубликовано не так уж и мало свидетельств.

Прежде всего – это заключительные главы «Воспоминаний» Надежды Яковлевны Мандельштам. Главные ее информаторы – поэт Юрий Алексеевич Казарновский, биолог Василий Лаврентьевич Меркулов (он же «агроном М.»), студент-физик Константин Евгеньевич Хитров (он же «физик Л.»), а также Самуил Яковлевич Хазин.

С Казарновским она встретилась в Ташкенте еще в 1944 году, а остальные нашли ее через Илью Григорьевича Эренбурга, прочитав о Мандельштаме в его воспоминаниях «Люди. Годы. Жизнь». С Хитровым, чьи свидетельства Н.Я. считала самыми достоверными и надежными из всех, она встретилась, вероятней всего, летом 1965 года, когда «Воспоминания» были уже закончены. Их заключительная главка «Еще один рассказ», – сжатый пересказ того, что ей сообщил «Л.», – смотрится в них как своего рода постскриптум, добавленный в последний момент.

Очень важный источник – письмо Давида Исааковича Злобинского[3] Эренбургу: Эренбург переслал его Н.Я. (а потом она и сама контактировала с ним), но в своей книге не учла ни его, ни коротенький мемуар Ивана Корнильевича Милютина (потому, вероятно, что книга уже была у издателя или на пути к издателю).

В распоряжении биографов и рассказы солагерников Мандельштама – Евгения Михайловича Крепса, Владимира Алексеевича Баталина (отца Всеволода) и Василия Лаврентьевича Меркулова, записанные известным коллекционером Моисеем Семеновичем Лесманом. А также полученные от Марка Ботвинника имена еще двух солагерников Мандельштама – альпиниста Михаила Яковлевича Дадиомова и библиотекаря и учителя танцев Виктора Леонидовича Соболева.

Имелись и мои собственные записи аналогичных рассказов – Дмитрия Михайловича Маторина (по моей просьбе его опрашивала и Светлана Неретина), Евгения Михайловича Крепса (с ним разговаривали также Марк Ботвинник и Евгений Мандельштам, младший брат Осипа) и Игоря Стефановича Поступальского.

Волна мандельштамовского юбилея в январе 1991 года вынесла наверх еще одного ценнейшего очевидца – Юрия Илларионовича Моисеенко (его опрашивали Эдвин Поляновский и мы с Николаем Поболем), а волна другого юбилея – 75-летия со дня гибели поэта – позволила «вычислить» личность Константина Евгеньевича Хитрова – того самого таинственного «физика Л.» из «Воспоминаний» Н.Я. Мандельштам.

Наконец, очень многие точки над i в свое время расставили следственные, тюремно-лагерное и реабилитационное дела О.Э. Мандельштама, впервые обнаруженные, соответственно, в ЦА ФСБ, ГАРФ и Магаданском областном архиве МВД[4] и введенные в научный оборот Виталием Шенталинским и пишущим эти строки.

То же можно сказать и об обнаруженных в РГВА конвойных списках того эшелона, с которым Мандельштам прибыл на пересылку (см. *Приложение 1*). Масса важных деталей об этапе, о пересыльном лагере под Владивостоком и о морском этапе на Колыму – в многочисленных воспоминаниях бывших заключенных, проходивших через эти «чистилища», а также в публикациях владивостокского краеведа Валерия Маркова.

3

…Разъяв все эти источники, часто путаные и основательно затронутые «аберрациями памяти», на отдельные факты – как бы на кирпичи и сдув с них строительный мусор, приходишь к рискованному желанию построить из них заново то, что согласится построиться

Попробуем же, суммируя все собранные свидетельства и лавируя между их скудостью и противоречивостью, огибая информационные мели и избегая водовороты, проплыть по фарватеру судьбы поэта и реконструировать то, чем были заполнены последние дни его жизни.

Применим ко всему сообща разысканному презумпцию не-фальсифицированности, но и не будем испытывать никаких обязательств перед мифическим, мистификаторским или просто бредовым[5].

Воображению же позволим включаться лишь там, где иначе уже никак не восстановить небольшие звенья общей цепи, начисто отсутствующие в источниках.

Иными словами, постараемся в меру сил воссоздать событийную канву этих последних месяцев и недель[6].

И, опять же в меру сил, дополнить трагический контекст мандельштамовской судьбы рассказами или отрывочными сведениями о жизненных траекториях его товарищей по «гурту», таких же, как и он, солагерников, убивавшихся задёшево, хорошо битых, но так и не убитых, коль скоро остались их свидетельства или свидетельства о них (такой подход делает, увы, неизбежными некоторые фактологические повторы).

Но именно мандельштамовская судьба – этот, по выражению А.К. Гладкова, «фокус времени», – направленная, словно световой луч, на все эти судьбы, собрала их в единый и благодарный пучок и наполнила особым смыслом и содержанием.

* * *

Благодарю всех тех, кто оказывал мне постоянную, разнообразную и систематическую помощь при работе над этой темой, – Николая Поболя, Габриэля Суперфина, Сергея Василенко, Леонида Видгофа, Бориса Фрезинского, Валерия Есипова, Валерия Маркова, Дмитрия Зубарева, Никиту Петрова, Александра Гурьянова, Владимира Коротаева, Лию Штанько, Сергея Мироненко, Ларису Роговую, Диамару Нодия, Дину Нохотович, Василия Христофорова, Олега Матвеева, Наталью Ваякину, Галину Злобину и Анатолия Разумова.

В иллюстрировании и оформлении книги использованы материалы Российского государственного военного архива, Файерстоунской библиотеки Принстонского университета, Центрального архива МВД, Центрального архива ФСБ, Мандельштамовского общества, собрания Е. Голубовского и В. Маркова, семейных архивов М. Лесмана, Д. Маторина, И. Милютина, П. Митурича, Ю. Моисеенко, М. Рабиновича, М. Смородкина, Б. Фрезинского и К. Хитрова. За помощь в подборе иллюстративного ряда благодарю А. Дунаевского, А. Калачинского, Н. Князеву, Р. Либерова, Э. Рабиновича и О. Рубинчик.

---

[1] Из дневниковой записи от 10 октября 1960 г. (РГАЛИ. Ф.2590. Оп.1. Д.100. Л.56)

[2] Автор мемуара – И.К. Милютин. Довольно полным, адекватным и, отчасти, критическим сводом всех этих источников является глава «Вторая Речка: последние месяцы жизни» в: Нерлер, 2010. С. 135–157. В другой работе (*Нерлер*, 2014) к перечню охваченных первоисточников добавились новые, а также те, что лишь частично были учтены в (*Нерлер*, 2010): это книга Э.Л. Поляновского (Поляновский, 1993), искрящееся подробностями оригинальное аудиоинтервью с Ю.И. Моисеенко (2003) и статья В.М. Маркова «Очевидец», содержащая – впервые – сводку его краеведческих разысканий (*Марков, 2013*). В настоящем издании в соответствующий контекст добавлены и сведения из ранее не публиковавшихся набросков Н.Я. Мандельштам (РГАЛИ. Ф. 1893. Оп. 3), а также из многочисленных следственных дел солагерников поэта – москвичей (ГАРФ. Ф. Р-10035) и ленинградцев (сообщено А.Я. Разумовым).

[3] Ранее, с подачи А.А. Морозова, первопубликатора его письма к Эренбургу, фигурировал как Злотинский: едва ли это была оплошность, скорее – намеренное желание публикатора скрыть идентичность автора, о чем тот просил адресата.

[4] В 1988 г. при активном содействии сотрудников Центрального архива МВД СССР В.П. Коротеева и Н.Н. Соловьева.

[5] Байки про расчлененный труп Мандельштама в четырех ведрах, случайные оговорки про Сучан и некоторые другие «истории» см. в: *Марков, 2013*.

[6] Сведения о погодных условиях осенью и зимой 1938 г. даются по данным Пулковской обсерватории (сообщено Э.Г. Богдановой) и данным метеоролога А.А. Петрошенко (сообщено В.М. Марковым).

МЕЖДУ ССЫЛКОЙ И ТЮРЬМОЙ: ПОСЛЕДНИЙ СВОБОДНЫЙ ГОД

ПОСЛЕ ВОРОНЕЖА

МОСКВА: РЕЖИМ И ЗАЖИМ

1

…16 мая 1937 года истекал трехлетний срок воронежской ссылки Мандельштама.

Как-то оно будет дальше? Продлят ссылку или не продлят?[1] Отпустят или не отпустят?..

С тревогой в душе шли О.Э. и Н.Я. в здание областного управления НКВД на Володарского, 39, где находилась и приемная комендатуры. Будучи в Воронеже, Мандельштам сюда практически не заглядывал: сталинское «чудо о Мандельштаме» избавило его и от «прикрепления», то есть от необходимости отмечаться здесь с месячной или какой-то иной заданной частотой.

Идти было недалеко – проулками по кромке косогора по-над рекой Воронеж. Очередь в приемной к окошку совсем никакая – с полтора десятка мрачных интеллигентов. Почему? Объяснение пришло быстро: времена изменились, и высылками и ссылками НКВД больше не пробавлялся. Из следственной тюрьмы дорога вела уже не в губернские города и даже не в ссылочную глухомань, а прямо в лагеря или на смерть.

Самое верное, на что можно было рассчитывать, это на отсутствие ответа, на что-то вроде *Ваших бумаг нет, приходите завтра или через неделю*. Но рука из окошка протянула Мандельштаму бумажку, справку по форме № 13, где черным по белому стояло:

«Настоящая справка выдана для представления в Управление (Отдел, Отделение) РК Милиции по месту избранного жительства для прописки. / Справка действительна при предъявлении паспорта и при прописке оставляется в соответствующем Управлении (Отделе, Отделении) Милиции»

Перечитав, О.М. «ахнул» и даже бросился назад переспрашивать: *«Значит, я могу ехать куда хочу?»* Но дежурный рявкнул, не отвечая, и недоумевающий счастливец отошел, словно боясь утерять в счет ответа, если бы он был дан, толику своего счастья.

...Начались предотъездные хлопоты. В тот же день Надежда Яковлевна завершила переписывать для Наташи Штемпель «Наташину книгу», а Осип Эмильевич подарил ей «Шум времени» с надписью: *Милой, хорошей Наташе от автора. В. 16/V–37 г.»*[2].

Еще как минимум неделя ушла на «ликвидацию воронежской оседлости». Скарб распродали и раздарили, но всё равно осталась груда вещей, на которые троица – поэт, его жена и его теща – однажды уселись на воронежском вокзале в ожидании поезда. В кармане мандельштамовского пиджака веером разлеглись три небольшие картонки – плацкарты на Москву[3]. А на следующее утро та же троица, передавая друг другу корзинки, узлы и чемоданы, вылезла уже на столичную платформу.

Везение, однако, продолжилось и в Москве. Ни Костарева, ни его жены и ребенка, ни даже его вещей в квартире не было: короткая записка на столе извещала о том, что всё это откочевало на дачу.

И сразу же предарестная жизнь и жизнь нынешняя «склеились» в единое целое, словно и не было той страшной трехлетней пустоты посередине, заполненной Лубянкой, Чердынью, Воронежем, Воробьевкой, Задонском, стукачом Костаревым за одной стеной и гитаристом Кирсановым за другой. Оказавшись одни и у себя, Мандельштамы враз забыли и про новые ежовые времена (а ведь был самый канун того, что позднее станут называть Большим террором!), и про свои «минус двенадцать»[4]. Они вдруг потеряли страх и уверовали в прочность своего возвращения, в то, что они достаточно намаялись и отныне их ждет нормальная и спокойная жизнь. И неважно, что Костарев, их жилец и персональный доносчик, не съехал, а всего лишь на даче, как неважно и то, что всё время давало о себе знать больное сердце, и Осип Эмильевич всё норовил прилечь и полежать. Важно то лишь, что они снова дома, что они *у себя*, что вокруг трамваями позвякивает курва-Москва, где живут и где ждут любимые друзья и братья и где водят по бумаге пером собратья по цеху.

И первый же московский день Мандельштама задался! С самого утра он обернулся двойным счастьем – встречей с Ахматовой, подгадавшей свой приезд к их и остановившейся еще накануне в их же доме у Ардовых, и вожделенным походом «к французам», в масляное царство обморочной густой сирени, кустившейся за стенами Музея нового западного искусства.

Ну разве не чудо, что первым гостем была именно Ахматова? Всегда, когда Мандельштаму было особенно трудно, она оказывалась рядом – вместе с Надей встречала в Нащокинском «гостей дорогих» и тотчас же пошла хлопотать, провожала его в Чердынь и проведывала в Воронеже. Нет, при ней Мандельштам и не думал лежать – он бегал взад-вперед и всё читал ей стихи, «отчитывался за истекший период», аккурат вобравший в себя «Вторую» и «Третью» воронежские тетради, которых Ахматова еще не знала. Сама она прочитала совсем немного, в том числе и обращенный к Мандельштаму «Воронеж»: на душе у нее самой скребли кошки – заканчивался пунинский этап ее жизни…

2

На следующий же день Мандельштам пошел в Союз писателей к Ставскому – устраивать свои литературные дела: договариваться о вечере и публикациях, может быть, о службе и возобновлении пенсии и уж наверняка – о московской прописке (а заодно и выслушать слова признательности за то, что он, несчастный ссыльный поэт, так помог всемогущему Ставскому в эти годы со временным устройством его товарища Костарева).

Но!..

Владимир Петрович оказались, видите ли, чрезвычайно заняты и в спонтанном приеме отказали. «Через неделю, не раньше», – передали оне через секретаря.

А в этой «неделе» таилась для Мандельштама самая настоящая административная западня – столько ждать, не нарушая режим, он не мог. Он должен был куда-то уехать! – и именно этого от Мандельштама ожидали, собственно, и «занятый по горло» Ставский, и его деликатный дружбан и дачник Костарев, готовящийся стать отцом.

Проблема Костарева, кстати, и вообще не должна была возникнуть, ибо по мартовской, 1936 года, «джентльменской» договоренности между ним и Мандельштамами он поселялся в Нащокинском под поручительство Ставского самое большее на 8–9 месяцев и, стало быть, должен был смотать свои удочки не в мае 1937-го, а самое позднее в январе[5]. Но для джентльменских договоренностей надобны джентльмены: удочки Костарев не смотал и в конце концов прописался на мандельштамовской жировке! (Этот прямой профит от мандельштамовской зэковской судьбы и близкая личная дружба со Ставским заставляют лишний раз задуматься о, возможно, и гораздо более зловещем участии и Костарева во всей истории со вторым арестом Мандельштама).

Но друзьям-дальневосточникам не повезло, вернее, чрезвычайно «повезло» самому Мандельштаму – в Доме

Герцена, куда он доковылял после холодного душа в приемной у Ставского, на внутренней лестнице, ведущей в Литфонд, куда он направлялся, с ним приключился стенокардический криз. «Скорая», которую вызвали сотрудники Литфонда, оказала Мандельштаму первую помощь и доставила его домой, наказав лежать, не вставая, как минимум два или три дня.

Случилось это скорее всего 22 мая, поскольку 25-го он сам отправился в поликлинику Литфонда. Там его осмотрела профессор Разумова, консультант экспертизы нетрудоспособности, и, кажется, всё-всё поняла. Вот ее комплексный медико-социальный диагноз: *по состоянию здоровья показан абсолютный покой в продолжении 1–2-х дней*.

Соответствующая справка, в сочетании с постоянно продлеваемым бюллетенем (листком о нетрудоспособности), защитила Мандельштама и на протяжении еще целого месяца(!) обеспечивала легитимность его пребывания в Москве. Чуть ли не каждый день заходил и литфондовский врач – откуда такое внимание и сострадание?..

Разумеется, и Мандельштам не сидел на месте. Он ходил по Москве и наслаждался свободой, хотя бы и мнимой. Сильнейшее впечатление оставило новое, с иголочки, московское метро (самая красивая из станций – «Кропоткинская» – была буквально в двух шагах от его дома).

А вот люди – люди скорее огорчали: «Какие-то все поруганные», – сказал он о москвичах Эмме Герштейн[6]. А ведь каждый прятал от других – на самом дне души – свой страх и драгоценные имена тех близких, кто уже пал в Большом терроре.

3

…Но однажды кончилась и медицинская защита: последний раз бюллетень был продлен 20 июня – по обыкновению, на три дня, до 23-го числа. Именно в эти несколько дней, наверное, и приехал Костарев, сказав, что на несколько дней. Кульминацией его приезда стал визит милицейского чина, косившего под «монтера».

Мандельштам его сразу же «разоблачил»! Выйдя из-за шкафа, где он сидел вместе с женой и заехавшим в Москву Рудаковым, он пошел прямо на «монтера» и сказал: *«Нечего притворяться, … говорите прямо, что вам нужно – не меня ли?»*[7]

Милиционер не покраснел и не стал отпираться. Предъявив свои документы, он потребовал у Мандельштама его, после чего повел его в отделение милиции. Но далеко они не ушли: по дороге с ведомым опять случился припадок, и «Скорая» вновь водворила поэта в его проходное царство. Поднимали его на последний этаж на кресле, одолженном у Клычковых, живших в том же подъезде на первом этаже: не исключено, что и «монтеру» пришлось поучаствовать в этом неожиданном для милиции трансфере. Дождавшись, когда Мандельштам придет в себя, он попросил все его медицинские справки и бумаги и ушел в костаревскую комнату, где стоял мандельштамовский телефон. Выйдя из этой своеобразной телефонной будки, он кинул справки на стол и бросил сказанное на том конце провода: «Лежите пока» – и ушел.

Происходило это всё скорее всего 20 или 21 июня: до реального отъезда в Савёлово оставалось всего несколько дней. Пару дней Мандельштама посещали и врачи, и милиционеры (последние даже дважды в день – соблюдается ли режим?).

Если днем Осип Эмильевич развлекался (вон, сколько у них со мной хлопот!), то ночью его охватывало отчаянье: однажды он даже пригласил жену вместе выпрыгнуть из распахнутого окна, но та, памятуя о Чердыни, произнесла: *Подождем*, – и Мандельштам не стал настаивать.

Поводом же для суицида мог послужить классический и экзистенциальный вопрос советского человека –

вопрос прописки и, соответственно, жилплощади. Сообразив, что весь сыр-бор с «монтером» в штатском только из-за этого, Мандельштамы улучили момент, когда не было ни врачей, ни милиции, и спустились в домоуправление. Там-то и выяснилось самое главное: сволочь Костарев сумел, во-первых, выписать Надежду Яковлевну, а во-вторых, оформить себе в порядке исключения («*звонили, просили сделать исключение!*») постоянную прописку взамен временной!

Побывали они – по поводу прописки – и в милиции: сначала в районной, а потом и на Петровке, в центральной. В прописке им отказали (ну не Ставский же будет за него просить!), а заодно объяснили, что и в Воронеже их теперь не пропишут: после отбытия срока приговорные «минус двенадцать» превращались для лиц с судимостью в пожизненные «минус семьдесят»!.. И не только для репрессированных, но и для их ближайших родственников![8]

Наконец, терпение «монтера» лопнуло, и он сказал однажды утром, что пришлет «своего врача». О.Э. воспринял это адекватно – как угрозу прекратить это либерально-медицинское безобразие, и в тот же день он и Н.Я. бежали из своего дома. Ночевали у Яхонтова на Новом шоссе[9], а назавтра, когда Н.Я. пришла к матери за приготовленными к отъезду вещами, Костарев немедленно вызвал милицию, потащившую в отделение уже ее. При виде вздувшегося живота жены изуверско-мародерское его терпение тоже грозило лопнуть: дочь Наташа родилась буквально через несколько дней после бегства из своего дома Мандельштамов – 3 июля 1937 года[10].

Н.Я. в милиции соврала, что Мандельштам уже уехал из Москвы, а куда – неизвестно. Но и с ней самой, женой контрика, выписанной из *московского злого жилья* и более не прописанной, церемониться больше не стали и взяли подписку об оставлении пределов Москвы в течение 24 часов.

Но даже в такой административной малости Мандельштамы, эти государственные преступники и нарушители паспортного режима, отказали родному государству. В «бесте» у Яхонтова они отсиживались еще три дня, обложившись картами Подмосковья и только теперь задумавшись: а куда же податься?

---

[1] Свежий пример Пяста говорил им, что очень даже продляют.

[2] *Штемпель Н.* Мандельштам в Воронеже // «Ясная Наташа». Осип Мандельштам и Наталья Штемпель. М.–Воронеж, 2008. С. 52 (оригинал передан в РГАЛИ).

[3] Прямых поездов Москва – Воронеж в 1930-е гг. не было, было два проходящих пассажирских – № 42 и 44, шедших до Москвы, соответственно, 18 часов и 15 минут и 16 часов и 44 минуты (сообщено А. Никольским)

[4] А напоминание об этом не могло не стоять в документе, полученном в воронежской комендатуре.

[5] В.Я. Хазина, теща Мандельштама, аккуратно вносила за зятя ежемесячно по 155 рублей в порядке его расчетов с жилищно-строительным кооперативным товариществом «Советский писатель» (*РГАЛИ. Ф. 1893. Оп. 3. Д. 81*).

[6] *Герштейн, 1998. С. 66–67.*

[7] *Мандельштам Н.* Воспоминания // Собр. соч. В 2 тт. Т.1. Екатеринбург, 2014. С. 382.

[8] Там же. С. 381–384.

[9] Ныне Тимирязевская улица.

[10] Самого Костарева репрессии не миновали, но его семья – Н.А. Баберкина (жена) и Наталья Николаевна Костарева (дочь) – проживала в мандельштамовской квартире и в 1950-е гг.

САВЕЛОВО: ДАЧНИКИ И НЕУДАЧНИКИ

1

23 мая 1937 года, когда Мандельштам уже покинул Воронеж, Политбюро ЦК ВКП(б) выпустило Постановление о выселении из Москвы, Ленинграда, Киева троцкистов, зиновьевцев и др., а 8 июня 1937 года – о выселении троцкистов и вообще правых[1]. Второго же июля вышло и Постановление Политбюро ЦК ВКП(б) «Об антисоветских элементах»[2]. Так что зацепиться за Москву было практически невозможно, прописаться можно было не ближе чем за сто пятым километром.

Отказавшись от поисков счастья в Александрове, куда за 20 лет до этого он ездил на поклон к Марине Цветаевой, Осип Эмильевич остановил свой выбор на Кимрах, точнее, на Савёлово. На одном конце маршрута привлекала Волга (а свою летнюю жизнь чета хотела бы организовать как дачную), а на другом – близость Савёловского вокзала к Сельхозакадемии и к Марьиной Роще, где жили Яхонтовы и Харджиев.

Не было и никакой работы – даже переводной. Так что жить оставалось только на помощь друзей и подаянье знакомых. Деньги на лето подарили братья Катаевы, Михоэлс, Яхонтов и Лозинский, давший сразу 500 рублей.

…Итак, 25 июня[3] Мандельштамы распрощались с Москвой.

Вещи на Савёловский вокзал принесли братья, а с Верой Яковлевной они конспиративно попрощались на бульваре: «Здравствуйте, моя нелегальная теща!» – сказал ей Мандельштам, прежде чем обнять и поцеловать.

Не раз и не два они еще будут приезжать сюда, но всякий раз нелегально и с риском (отныне уже общим) быть задержанными за нарушение режима.

В Москве они останавливались то у Харджиева, то у Яхонтовых, то у Катаева, то у Наппельбаумов, то у кого-то еще. А однажды съездили даже в Переделкино к Пастернаку.

Выбирались и в Ленинград – пусть и всего на две ночи. Остановились у Пуниных, повидали Эмиля Вениаминовича, отца, и Татьку, любимую племянницу, Стенича, Вольпе и даже Лозинского в Луге.

А вот с Беном Лившицем повидаться не удалось. На ранний, с вокзала, звонок Тата мужа будить не стала, за что потом была жестоко отругана – весь день Бенедикт Константинович просидел у телефона, словно догадываясь или предчувствуя, что этот их тысяча первый за жизнь разговор, если состоится, будет последним.

Но Мандельштам так и не позвонил[4].

2

Надежда Яковлевна родилась в Саратове, так что Волгой ее не удивишь.

А вот когда в январе 1916 года в стихотворении «Зверинец» Волгу помянул Мандельштам, то река существовала в его сознании разве что в виде абзаца и картинки из учебника географии или же синей ленточки на карте Ильина:

> В зверинце заперев зверей,
> Мы успокоимся надолго,
> И станет полноводней Волга,
> И рейнская струя светлей, –

> И умудренный человек
> Почтит невольно чужестранца,
> Как полубога, буйством танца
> На берегах великих рек.

Но когда в июле 1937 года он же писал:

> На откосы, Волга, хлынь, Волга, хлынь…
> Гром, ударь в тесины новые…

– то это была уже живая Волга, более того – в волнующий для нее самой момент наполнения Угличского водохранилища.

Здесь, в Савёлово, на правом, на крутом волжском берегу, Мандельштамы прожили несколько полудачных месяцев – с конца июня и по конец октября 1937 года.

От Москвы это 130 км: сегодня это неполные два с половиной часа электричкой от Савёловского вокзала, а во времена Мандельштама ходили только обыкновенные поезда, как сейчас до Сонково, и дорога занимала, самое меньшее, на час дольше.

Но для Мандельштама все это были пустяки, – ведь дорога была их домом: «Дорога легкая короткая слушал Щелкунчика смотрел Волгу Москву большой привет Яхонтову – Мандельштам»[5].

3

…Жилье в Кимрах они нашли в Савёлово, правобережной части Кимр, некогда самостоятельном большом селе, давшем свое негромкое имя одному из тихих московских вокзалов[6].

В собственно Кимрах они и не пробовали искать. В точности следуя совету Галины фон Мекк селиться в любой дыре, но не отрываться от железной дороги («лишь бы слышать гудки…»), Мандельштам с самого

начала делал «ставку» на правобережье. *«Железная доро-*
*га была как бы последней нитью, связывавшей нас
с жизнью»*[7], – а необходимость переправляться на пароме через Волгу[8] серьезно осложнила бы их спонтанные
поездки в Москву.

«Дачей» служил двухэтажный, на несколько квартир,
дом Чусова, на тенистой савёловской улице, бревенча-
тый и с зеленой крышей[9]. Комната, которую они снимали, была полупустой, но в этом, по ощущению Наташи
Штемпель, *«была какая-то дачная прелесть, казалось,
больше воздуха»*[10].

Конечно, не раз они переправлялись на пароме или на
лодке на левый берег – в собственно Кимры, старый
и облупленный город, где гуляли по его центральной ку-
печеской части. Но чаще оставались на «своем» берегу:
шли вдоль реки, купались или ходили в жидковатый лес,
до которого было рукой подать.

Лето 37-го выдалось жаркое, Волга и та обмелела.
Мандельштамов часто можно было видеть у берега: река
и тенистые улицы, спускавшиеся к ней, были настоящим
спасением от зноя.

Другим аттракционом был пристанционный базар,
где *«торговали ягодами, молоком и крупой, а мера была
одна – стакан. Мы ходили в чайную на базарной площади и просматривали там газету. Называлась чайная
"Эхо инвалидов"*[11] *– нас так развеселило это название,
что я запомнила его на всю жизнь. Чайная освещалась
коптящей керосиновой лампой, а дома мы жгли свечу, но
О.М. при таком освещении читать не мог из-за глаз. …
Да и книг мы с собой почти не взяли…»*[12]

Перебраться в Кимры можно было только на лодке.
Переправой, а также продажей рыбы промышлял бакенщик Фирсов, чей домик находился всего в 30 метрах от
электростанции. Фирсов-то и перевозил Мандельштамов и их редких гостей, например, Владимира Яхонтова
с Еликонидой Поповой или Наталью Штемпель, в Ким-

ры. От той поры и поныне сохранились бакен, стрелка Волги и Кимрки да нетронутая брусчатка по улице, загибавшейся от пристани мимо торговых рядов к Соборной (ныне Октябрьской) площади, где нынче стоит театр.

Тут же, рядом, в доме № 5 по ул. Пушкина, проживала тетя девятилетнего савёловского мальчика, Юры Стогова[13]: он-то и увидел, а главное, хорошо запомнил Мандельштама.

Тетя как-то услышала – от подруги-учительницы, а та в свою очередь от заведующего гороно Тулицына – про приезд в Кимры Мандельштама. Узнав его на улице, она произнесла при племяннике это необычное и потому врезавшееся в его память имя. А вскоре из окна теткиного дома он и сам увидел поэта.

Окно тогда было тем же, чем сейчас является телевизор, и однажды в нем «показали» следующую «картинку»: по улице не спеша шла необычная троица – полный мужчина в парусиновых брюках и в рубашке-кавказке с частыми пуговицами, женщина в белом платье и в легкой вязаной шляпке на голове. Третий же, Мандельштам, как бы в противовес, был в темных брюках, мало разговаривал, но казался серьезным и сосредоточенным. Двое других – это Владимир Яхонтов и Лиля Попова. Они остановились в тенистом местечке возле электростанции и долго беседовали.

Юра набрался смелости и подошел к ним поближе. Один – Мандельштам – был всё время задумчив и грустен, другой же, напротив, без умолку балагурил. Заметив восхищенный мальчишеский взгляд, обращенный к женщине, «балагур» сказал: «Вот у Вас еще один поклонник появился».

4

В середине июля приезжала в Савелово и «ясная Наташа».

Подойдя к нужному дому, увидела в окне О.Э. Тот встретил ее таинственно: поднес палец к губам, молча вышел на улицу, поцеловал и ввел в дом, где ждала и Н.Я.

За день обернуться не получилось, и Наташа задержалась до утра. За полночь они гуляли вдвоем с О.М. по лесу и вдоль берега Волги (Н.Я. осталась дома). Мандельштам рассказывал ей о послеворонежском житье-бытье и прочел все новые стихи – десять или одиннадцать пьес (часть стихов была «изменнической», Н.Я. не знала их и не запомнила наизусть; списков же ни у кого не было, и большая часть стихов сгинула в Саматихе).

Когда они вернулись среди ночи домой, Н.Я. напоила их чаем и постелила всем на полу: жестко, неудобно, но никому не обидно и не огорчительно. Утром Мандельштамы проводили Наташу на вокзал, а затем, более поздним поездом, поехали в Москву и сами.

О встрече вечером было договорено заранее: на концерте Яхонтова. Наташа, большая любительница звучащей поэзии, была страстной его поклонницей и не пропустила ни одного концерта в Воронеже (композиции «Чиновники», «Поэты путешествуют» и др.). Прекрасный голос, исключительное внешнее обаяние, предельно скупые и выразительные жесты – все это слагалось в неповторимый актерский облик и в зрительскую симпатию.

Дружба О.Э. с Яхонтовым только добавляла к ее симпатии личную краску. Но то, что Яхонтов считал Мандельштама своим учителем, было ей непонятно: оба читали превосходно, но совершенно по-разному. У О.Э. был очень красивый тембр голоса, энергичная, без тени слащавости или подвывания, манера чтения, подчеркивающая ритмическую сторону стихотворения.

Яхонтов же читал совершенно по-другому, театральнее, производя не менее сильное впечатление. Концерт, посвященный столетию со дня гибели Пушкина, целиком состоял из «Евгения Онегина». Наташу поразило, как раз за разом Яхонтову удавалось открывать для нее новые грани в этом чуть ли не наизусть заученном романе.

Они с мужем слегка опоздали, но их впустили в зал: сев на свои места, они не обнаружили рядом никого из Мандельштамов. Но, как только объявили антракт, О.Э., улыбаясь, вышел из-за кулис и спрыгнул к ним со сцены прямо в партер.

После концерта зашли в гастроном и, купив сухое вино и ветчину, вчетвером отправились на Поварскую, на квартиру Наппельбаумов, где Мандельштамы остановились на эту пару ночей (хозяева, архитектор Лев Моисеевич и художница Людмила Константиновна вместе с годовалым сыном Эриком были, очевидно, на даче[14]).

Сюда, надо полагать, О.Э. наведывался и в июне. Увидев Эрика, стоящим в кроватке в халатике лилового цвета с рисунком из лилий, он тут же заметил, что и имя у него тоже королевское! (Ему, Эрику, было посвящено стихотворение, из которого память его матери сохранила лишь два стиха: «Кинешь око удивленное / На прошедшие года»[15]).

Назавтра Мандельштамы повели Наташу с мужем по своим московским друзьям. Маршрут начался у Шкловских – в писательском доме, что в Лаврушинском переулке (№ 17). Здесь, в квартире 47 на 7-м этаже, всегда, как в самой родной семье, останавливалась Н.Я., наезжая в столицу из Воронежа, а потом и из Ульяновска, Читы, Чебоксар или Пскова. Квартира была большой, но и семья немаленькой: шестеро.

Жара стояла невыносимая, и хозяин встретил гостей в трусах, чем несколько шокировал Наташу, по обыкновению застегнутую на все пуговицы. Но стоило этому веселому округлому остряку заговорить, как глупый шок прошел, сменившись ощущением светлой и доброй легкости. В Василисе Георгиевне Шкловской-Корди поразили излучаемые большими серыми глазами простота и естественность, мудрость и спокойствие, сочувственное внимание. В ее дочери – Варе – ослепительное сияние глаз, как бы подсвечивавших и освещавших все лицо…

Назавтра Наташа зашла к Шкловским еще раз. Вдвоем с О.Э. они перешли дорогу и нырнули в Третьяковскую галерею. Оказалось, что осмотр имел четкую и единственную цель: Андрей Рублев! Не останавливаясь и не смотря по сторонам – в точности так, как он учил читателя осматривать музеи, – О.Э. прорезал анфиладу залов, пока, наконец, не нырнул в зал икон, где и затих.

Тогда же проведали и Николая Ивановича Харджиева. Полноватый, невысокий и крупноголовый брюнет, с волосами до плеч (тогда это не было модой), с горящими от вечной готовности съязвить глазами, и классический холостяк, он произвел на Наташу несколько странное, чтобы не сказать отталкивающее, впечатление. Но было заметно, что он и О.Э. относятся друг к другу с большой теплотой.

Жил он в Марьиной Роще, в деревянном двухэтажном доме барачного типа в одном из переулков Марьиной Рощи – Александровском. Вместе с ним в квартире проживали Наталья Корди, свояченица Виктора Шкловского, и драматург Борис Вакс («Вакс ремонтнодышащий»). Комната Харджиева на первом этаже не производила впечатления опрятной, но в еще меньшей степени она производила впечатление пустой.

Целую стену от пола до потолка занимал огромный стеллаж, где обреталась вся русская поэзия начала XX века – именно вся, от и до и от потолка до пола! Плюс периодика – и как только все помещалось? Ценителю же – не оторваться!

А еще там был комод, набитый рукописями, фотографиями и письмами Хлебникова. Харджиев перманентно готовил к изданию его стихи и, огорченно сравнивая оригиналы с уже сделанными публикациями, язвительно ругал редакторов-конкурентов. Читать рукописи Хлебникова, сетовал он, невероятно трудно… Занятый своими мыслями Мандельштам к этому разговору не прислушивался, – а зря: ведь он находился – еще не в руках, но в гостях – у своего будущего редактора!..

Из Воронежа приезжала Наташа, а из Ленинграда – Рудаков. Обоих гостей хозяева водили к Эмме Герштейн, на Щипок (дом 6/8), в белый высокий дом с террасой в тенистом саду больницы имени Семашко, где в казенной квартире главврача жил ее отец, главврач Григорий Моисеевич[16]. Наташа запомнила удлиненную комнату, направо от двери обеденный стол, а в глубине письменный. Стоя у стола, оживленно разговаривали и, почему-то стоя, попивали сухое вино и закусывали сыром.

Заглянули и к Марии Вениаминовне Юдиной, чью игру Мандельштам очень любил.

Зная Наташино восхищение стихами Пастернака (а их она ставила не ниже мандельштамовских!), О.Э. повел ее к Борису Леонидовичу, но тот был в отъезде. Не оказалось в Москве и Михоэлса, которого О.Э. нежно и восторженно любил.

Гулять с О.Э. и Н.Я. по *их* Москве было до чрезвычайности интересно и приятно, но угнетала искусственность и неприкаянность такого времяпрепровождения, ведь оба были здесь нелегалами и изгоями, без крыши над головой и без работы. В Воронеже, в ссылке, и то были и жилье, и работа…

5

И все-таки савёловское лето – с частыми наездами в Москву, с влюбленностью в Лилю Попову и адресованными ей и не только ей стихами, с приездами время от времени друзей (Наташи и Яхонтова с Поповой), – было сравнительно благополучным и не то чтобы беззаботным, но каким-то бодрым и обнадеживающим.

Первые раскаты Большого террора, уже вовсю громыхавшего в столицах и промышленных центрах, как бы и не доносились до кимрской глуши, и только газеты в чайной не давали расслабиться.

Н.Я. Мандельштам вспоминает некую командировку на канал Москва – Волга, устроенную для Мандельштама Лахути. Понятно, что такая командировка не была долгой, а скорее всего – и вовсе однодневной. Вероятней всего, она была как-то приторочена к 15 июля – дате открытия канала для движения судов.

Написанный тогда по впечатлениям командировки «канальский» стишок был уничтожен Н.Я. в Ташкенте – с благословения Ахматовой. Остальные же написанные тогда стихи почти все пропали при аресте – лишь несколько уцелело в архивах С. Рудакова и Е. Поповой.

Все лето – и в Москве, и на Волге – Мандельштам был одержим идеей своего поэтического вечера в Союзе писателей. Во-первых, из памяти еще не выветрился оглушительный успех вечеров в Москве и Ленинграде на стыке 1932 и 1933 гг. Во-вторых, ему казалось (и чудесный опыт «сталинской премии» только укреплял его в этом), что спасительна не затерянность в толпе, а именно выделенность в ней. Люди и редакторы услышат его стихи, схватятся за голову и тут же станут наперебой предлагать публикации и работу. Отсюда та энергия и напор, с которыми О.М. бомбардировал Союз письмами и звонками. Сама идея вечера нравилась и Гасему Лахути, чья элементарная приветливость, на фоне холодной враждебности Ставского, уже казалась добрым знаком.

Но, видимо, самостоятельно решить такой государственный вопрос, как вечер Мандельштама, никто в Союзе писателей не мог. Когда же наконец 14 октября решение было рождено и спущено, то звучало оно скорее издевательски: вечер разрешить, но назначить – на завтра!

14 октября кто-то из Союза позвонил Евгению Яковлевичу и попросил срочно передать Мандельштаму о вечере. До этого брат Н.Я. не слишком-то верил в эту идею фикс свояка, но тут, не полагаясь на телеграф, он бросился на вокзал и последним поездом приехал в Савёлово.

Назавтра все трое выехали первым поездом в Москву и в назначенный час пришли в Союз. На стенах – никаких объявлений, все комнаты в клубе закрыты, никого из начальства (даже Лахути) не было, а из секретарш никто ничего определенного про вечер не знал («что-то слышали…»). Фиаско, облом!

Бросились к телефону – узнавать, а рассылались ли повестки. Шкловский не получал, но посоветовал позвонить кому-нибудь из поэтов – приглашения часто рассылались только по секциям. Набрали Асеева, и тот ответил, что как будто что-то слышал, но что разговаривать не может, ибо торопится в Большой на «Снегурочку». Больше никому звонить не стали.

Оставалось одно – понять, кто же звонил из Союза и зачем? Если отдел кадров, то уж не выманить ли О.М. в Москву захотели, чтобы, не тратясь на бензин и командировочные, здесь его арестовать? – Ежели так, то почему не арестовали? – Потому что не успели получить чью-нибудь санкцию? – И так далее: мозги советского человека словно специально заточены для подобного моделирования.

О.Э. вовремя осекся, решив, что хоронить себя раньше времени не стоит. Переночевав у Евгения Яковлевича, Мандельштамы вернулись в Савёлово и еще на неделю-другую прикинулись поздними дачниками.

Но «Снегурочка» действительно шла в этот день в Большом! И повестки действительно рассылались Сурковым! В архиве А.Е. Крученых даже сохранился экземпляр, посланный, в частности, Иосифу Уткину[17]. Повестки, похоже, получили не только поэты, но и прозаики, по крайней мере Пришвин. 16 октября 1937 года он записал в дневнике:

> *«Встретился Мандельштам с женой (конечно) и сказал, что не обижается».* И затем – загадочная приписка: *«И не на кого обижаться: сами обидчики обижены»*[18].

Загадочная фраза, но явно относящаяся к разгильдяйскому – или хорошо организованному? – конфузу предыдущего дня, а точнее вечера – с несостоявшейся читкой стихов.

Может быть, Союз хотел показать Мандельштаму, насколько не востребованы и его новые стихи, и он сам?.. Но тогда почему не было никого из начальства, кто мог бы это зафиксировать – ни Суркова, ни Лахути?

Или никто не верил в то, что поэт поедет – или успеет! – на свой вечер, устроенный на таких провокационных условиях?..

---

[1] *Там же.* С. 216.

[2] *Там же.* С. 234–235.

[3] Для установления точной датировки служит единственная сохранившаяся телеграмма, отправленная – по-видимому, назавтра – из Савёлово. Надежда Мандельштам, по памяти, датирует этот переезд началом июля.

[4] Екатерина Константиновна, и в старости не склонная к сентиментальности, рассказывая это, словно заново переживала свою невольную «вину» и не сдерживала слез. Ведь до ареста ее «благоразумного» мужа оставались тогда считаные месяцы!

[5] Из телеграммы Лиле Поповой от 26 июня 1937 г.

[6] В черту города Кимры села Старое и Новое Савёлово были включены в августе 1934 г. (Постановление ВЦИК № 31

от 20 августа 1934 г. // Собрание узаконений и распоряжения Рабоче-крестьянского правительства РСФСР за 1934 г. М., 1934. Ст. 185. С. 246).

[7] *Мандельштам Н.* Воспоминания // Собр. соч. В 2 тт. Т.1. Екатеринбург, 2014. С. 385.

[8] Современный мост через Волгу был построен в Кимрах лишь в 1978 г.

[9] Ни дом, ни даже улица не сохранились до наших дней.

[10] *Штемпель Н.* Мандельштам в Воронеже // «Ясная Наташа». Осип Мандельштам и Наталья Штемпель. М.–Воронеж, 2008. С. 25.

[11] Настоящее название чайной – «Эхо», промартель инвалидов была ее корпоративным хозяином (сообщено В. Коркуновым).

[12] *Мандельштам Н.* Воспоминания // Собр. соч. В 2 тт. Т.1. Екатеринбург, 2014. С. 385.

[13] Юрий Георгиевич Стогов (1930–2011).

[14] Отношения с Наппельбаумами были весьма близкими. Когда им нужно было во время ремонта своей квартиры куда-то переехать на некоторое время, они жили у Мандельштамов в Нащокинском.

[15] Строки эти, конечно, перекликаются с двумя строками из стихотворения «Твой зрачок в небесной корке...», которое было создано в Воронеже в январе 1937 года: «Омут ока удивленный, – / Кинь его вдогонку мне!».

[16] Главврачом он был в 1920-е гг., в 1930-е такая должность была уже недоступна беспартийному. В 1930-е гг. он заведовал хирургическим отделением, но квартиру закрепили за ним.

[17] *РГАЛИ. Ф.1334. Оп. 1. Д. 557.*

[18] *Пришвин М.М.* Дневники. 1936–1937. СПб.: Росток, 2010. С. 771.

КАЛИНИН: ЗИМОВКА И ПУТЕВКА

1

Впрочем, «дачной» савёловский жизни оставалось всего пара недель. Полупустая комната в доме Чусова была, видимо, оплачена только до конца октября. Для зимнего проживания она определенно не годилась, и к концу октября вопрос о местожительстве встал заново и с не-меньшей остротой.

Аркадий Штейнберг, в то время сам сидевший в лаге-ре, позднее рассказывал, что Мандельштамы заходили к нему домой и расспрашивали его мать о Тарусе.

Ездили они и в Малоярославец к Надежде Бруни – жене Николая Александровича Бруни, «отца Бруни» из «Египетской марки», тоже арестованного. В этот неосве-щенный, непролазный в дожди город они приехали поздно вечером: но даже на привокзальной площади ни фонарей, ни прохожих. На стук в окна – искаженные страхом лица: оказалось, что в последние недели город накрыла волна арестов, и наутро Мандельштамы в ужа-се бежали в Москву из такого «пристанища»[1].

В начале ноября 1937 года они поселились в Калини-не – в давешней и нынешней Твери, где прожили около четырех месяцев – до начала марта 1938 года.

Почему именно здесь?

А с легкой руки Исаака Бабеля, сказавшего: «Поезжай-те в Калинин, там Эрдман, – его любят старушки...»[2].

2

Приехали Мандельштамы, вероятно, 5 ноября, ибо 6-го
они в Калинине уже определенно были. Остановившись
в лучшей гостинице «Селигер»[3], и первым делом – об а-
сами – написали по письму Кузину[4], сложили в общий
конверт и отнесли на почту[5]. Письмо О.М. вполне себе
бодрое, даже радостное: он не жалуется, а как бы отчи-
тывается за всё время отсутствия вестей друг от друга
друг о друге:

> *«Жизнь гораздо сложнее. Много было трудностей, бо-
> лезней, работы. Хорошего было больше, чем плохого. На-
> писана новая книга стихов. Сейчас мною занялся Союз
> Писателей: вопрос об этой книге и обо мне поставлен, об-
> суждается, решается. Кажется, назревает в какой-то
> степени положительное решение».*

И дальше о музыке – между Кузиным и О.М. было
принято обмениваться музыкальными впечатлениями:
«Он достиг высшей простоты. Его принимали холодно». Кончается письмо так: *«Хочу вас видеть и если не вы,
то я – когда-нибудь да приеду. Мы легки на подъем»*[6].

Н.Я. вспоминала: Эрдман ютился в маленьком пе-
нальчике, где едва-едва помещались койка, стул и сто-
лик. Увидев Мандельштамов, он вскочил с кровати, от-
ряхнулся и повел их на окраину, в Заволжье, к Ленинградской заставе, где в собственных деревянных домах
иногда еще сдавались комнаты[7].

Мандельштамам тогда повезло. Бродя по Заволжью
в поисках комнаты, они набрели на дом, из которого,
узнав их голоса, вышел жилец, ленинградский знакомый,
которого Н.Я. аттестовала в своей книге как бывшего литературного секретаря П.Е. Щеголева[8]. Хозяйка, поняв,
что наниматели не проходимцы, сразу же сдала им ком-

нату в своей пятистенке (за тонкою перегородкой между двумя комнатами жила семья «рекомендателя»). Не раз их здесь потом навещал и Эрдман.

Место почти идиллическое летом, Волга под боком, но летнего Калинина О.М. не вкусил. Осенний же и зимний Калинин в Заволжье – не идиллия: мгновенно пустеющая привокзальная площадь (двух-трех шальных извозчиков мгновенно разбирали более пронырливые седоки) и непролазная грязь за мостом – осенью и ледяной, насквозь пробирающий ветер, особенно на мостах – зимой.

А от вокзала до дома не ближний свет – восемь больших трамвайных перегонов или не меньше часа-полутора пешего хода. Путь лежал сначала через Тьмаку, правый приток Волги, в устье которой был устроен затон, а потом по единственному (кроме железнодорожного) и тогда еще деревянному мосту через саму Волгу – не широкую, но основательно и со всех сторон продуваемую. С 1931 года шла по мосту до вагонзавода трамвайная колея, по которой челноком дребезжали трамваи, но – без пассажиров, зато с грузами или порожняком, в парк[9].

Почти четыре месяца – с 17 ноября 1937 и по 10 марта 1938 г. – Мандельштамы снимали комнату в избе на 3-й Никитинской ул.[10], 43, в доме рабочего-металлурга Павла Федоровича и Татьяны Васильевны Травниковых. По вечерам устраивались «концерты»: Осип Эмильевич ставил раздобытые им пластинки Баха, Дворжака, Мусоргского и др. и просматривал «Правду», на которую был подписан хозяин, а хозяйка ставила самовар и угощала всех чаем с вареньем.

Сначала Мандельштамы поселились, по-видимому, в отдельной комнате, может быть, на утепленной террасе. Но там было все-таки очень холодно, и со временем (наверное, еще в ноябре) они переместились на теплую половину дома. В этот день они написали Кузину:

Дорогой Борис Сергеевич!

...Вы хорошо, даже соблазнительно описываете свое житье. Зависть берет. Да.

А у нас? На стенах эрмитажные фото: Рюисдаль, Рубенс, Рембрандт, Тенирс, Брейгель, Madonna litta, Madonna benna, а также рядком как лубки: в красках извозчик Монэ, девушка в кафэ Ренуара и мужчина Сезана. Всё это приколото иголками и патефонными булавками.

Сегодня мы переезжаем на теплую половину дома, под защиту бревенчатой стены. Ход через хозяев. Между нами и стариками также неполная перегородка. Это выйдет много спокойнее. Тверской говор радует слух. И в Воронеже я много слушал живую речь. Особенно женщины приятно говорят по-русски. Но здесь, в Калинине – настоящая академия живого языка, гибкого, оборотистого, в меру жесткого.

Испанским я занимался. В Воронеже отличные книжные фонды в Университете. Читал Сида (великолепно), романтиков в издании братьев Гримм и многотомную коллекцию кастильских классиков.

Однако не узнал кастильских форм на винной этикетке (Castel de Romey) – белое сухое вино и был посрамлен Львом Никулиным.

Несмотря на болезнь, я пью легко и охотно. Вот увидите, когда встретимся. Книга моя будет для вас большой неожиданностью. Более характерное на днях пришлю. Сейчас мои стихи читает Ставский. Жду оценки. Сейчас не работаю. Стариной заниматься не хочу. Хочу двигать язык, учиться и вообще быть с людьми: учиться у них.

Пожалуйста, не скрывайте своей болезни. T.b.c. так легко не проходит. Вы живете в очень вредном для вас климате. Не поговорить ли с кем-нибудь о новой работе, где-нибудь в средней полосе?

Сейчас же на это ответьте. До свиданья.

Жму руку. Ваш О.М.[11]

Мужчины – хозяин и постоялец – вскоре подружились, а О.М. раздобыл – у Эрдмана или в Москве – пластинки (Баха, Дворжака, Мусоргского, итальянцев). По вечерам устраивались концерты, Татьяна Васильевна ставила самовар и угощала всех чаем с вареньем, а Осип Эмильевич всё норовил заварить чай сам, по-своему, и изо дня в день упорно просматривал «Правду», на которую был подписан хозяин.

Уже одним своим видом газета, именно тогда и попавшая в мандельштамовскме стихи, будоражила воспоминания о том, что впоследствии назовут Большим террором:

> *Вот «Правды» первая страница*
> *Вот с приговором полоса...*

Не раз и не два, вспоминала Надежда Яковлевна, О.М., прочтя в газете что-нибудь новое – шельмующее или угрожающее, – ронял: «Мы погибли!» А хозяева махали на него руками и сердились: «Еще накликаете!.. Никуда не лезьте – и живы будете!»[12] – концепция, прямо противоположная мандельштамовской.

12 декабря состоялись самые первые причудливые выборы в первый советский парламент – Верховный Совет СССР. Травниковы проголосовали, как им и велели на заводе, в 6 утра, Мандельштамы – попозже, после завтрака.

Калинин (Тверь) побывал под оккупацией, и неудивительно, что пятистенка Травниковых не сохранилась. Однако и здесь образ ссыльного поэта запечатлелся в памяти ребенка яркой картинкой. Взрослые тогда всех ссыльных называли «троцкистами», а Мандельштама и того сочней – «ушастый троцкист». Одной 12-летней девочке очень хотелось пройтись с ним рядом, может быть даже заговорить, но она всё не решалась. Но однажды разговор все-таки состоялся. Прощаясь, О.М. прочитал девочке стихи – не свои, а Блока, и это всё стало для нее событием-воспоминанием на всю жизнь[13].

3

Кроме Эрдмана и Мельницкого, в Калинине была еще одна знакомая душа, причем весьма давняя (с 1923 года) – Елена Михайловна Аренс с двумя мальчиками. Выйдя замуж за дипломата, она пожила и в Америке, и в Италии, но пришел черед отправиться и в Калинин – и не светской львицей дипкорпуса, а на правах ссыльной. Позднее она вспоминала необычайно живые, умные и веселые глаза О.Э., ласково называвшего жену: «моя нищенка». Елена Михайловна изредка навещала Мандельштамов, но чаще они заходили к ней: у нее почти всегда было чем угостить поэта и его «нищенку».

Несколько раз к Мандельштамам приезжали близкие люди: Евгений Яковлевич и, конечно же, «ясная Наташа», гостившая у них несколько дней на зимних каникулах. В ее память врезались «*занесенные снегом улицы, большие сугробы, опять почти пустая холодноватая комната без намека на уют. У обитателей этой комнаты, очевидно, не было ощущения оседлости. Жилье и местожительство воспринимались как временные, случайные. Не было и денег – ни на что, кроме еды*»[14].

Еще Наташу поразило мандельштамовское абсолютное равнодушие к вещам, в частности, к одежде. Безропотно носилось ровно то, что было в наличии, – и как бы оно ни топорщилось. Тогда, в Калинине, на О.М. был серый костюм совершенно ему не по росту (подарок, кажется, Катаева). Беспокойство, собственно, доставляли брюки, существенно более длинные, чем надо: О.Э. все время – автоматически и без раздражения – нагибался и подворачивал их. Мысль же о том, что брюки можно подрезать и подшить, не приходила ни в чью голову.

В какой-то из дней Н.Я. отправила мужа с Наташей на рынок за мясом. Идея, прямо скажем, дурацкая, учитывая, что никто из этих двоих дома не готовил и никогда не покупал сырое мясо (у Наташи один его вид вызывал отвращение). Побродив в растерянности вдоль прилавков, парочка уже почти отчаялась, но тут О.Э. увидел у какой-то женщины восковых утят и предложил купить их всех. Так решилась проблема с мясом, а заодно и с наличием денег. Когда, счастливые, веселые и даже гордые своей покупкой, они пришли домой, Н.Я. их не стала ругать. А вечером все втроем сходили в ближайшую лавку и что-то купили на скорую руку и, запивая кофе, поужинали.

Наташин приезд (а она приехала в январе, на школьные каникулы) очень обрадовал Мандельштамов: живо вспомнилась прошлогодняя – воронежская – зима, такая же тихая и уединенная, вся переполненная стихами.

В один из ясных морозных дней собрались и на денек поехали в Москву, где целый день, не выходя из дома, провели у Яхонтова с Лилей Поповой. Увидев гостя, *«…Яхонтов кинулся к Осипу Эмильевичу, не дав ему раздеться, обхватил его и начал с ним кружиться. Так смешно было на них смотреть. Один изящный, элегантный, а другой в нелепой, с чужого плеча меховой куртке мехом наружу, высокой шапке и галошах»*[15].

Вернувшись, много гуляли, не обращая внимания на мороз. Наташа поделилась новостью о своем разводе с Борисом; О.Э. вдруг очень расстроился и все вызывался переговорить с ним, но потом так же внезапно успокоился и сказал, что понял в чем дело: «Борис не способен на праздник, который вы несете»! Он сказал «ясной Наташе»: «Знайте, если вам будет плохо, достаточно телеграммы, и где бы мы ни были, мы сейчас же приедем».

Когда Наташа уехала, то она чуть ли не каждый день стала получать телеграммы из Калинина[16]. Точнее, каждое утро – очень раннее утро, около пяти часов: наверное, поэт отправлял их по старой привычке вечером – так что этот режим пришлось откорректировать.

4

Но на всю жизнь Наташе запомнилась эта зима – «*...зима 1938 года, занесенный снегом Калинин, совершенно необыкновенный поэт и человек и верная его подруга Надежда Яковлевна. В мой калининский приезд она была особенно грустна – такой она не была и в Воронеже, как будто чувствовала близость трагической развязки*»[17].

И Савёлово, и Калинин – это Верхняя Волга, но по географическому положению эти места разительно отличались друг от друга. Савёлово, хоть и ближе к Москве, было транспортным тупиком, а от Калинина Москва была хоть и дальше, но сообщение было куда более интенсивным и сквозным. Возникал соблазн съездить не только на юг, в Москву, но и на север, в Ленинград, каковому соблазну Мандельштамы раз или два поддались.

Если бы Мандельштам знал, какие сети плетутся и какие силки ставятся на его дружеский круг и на него самого и в северной столице, и в южной! Словно два этих города – главных и осевых в его жизни – сшиблись в городошном поединке за сомнительную честь отправить своего поэта на верную смерть!..

Верх взяла, конечно же, Москва, но сосуды были хорошо сообщающимися: московский следователь задавал О.М. чисто ленинградские вопросы. Но именно здесь – в транзитном Калинине, по-над схваченною льдом Волгой – разгорелся фитилек гибели.

Его слегка шипящий маршрут привел О.Э. с Н.Я. в их мещерскую западню – в Саматиху, откуда повился уже самый последний – крестный – путь Мандельштама: к Тихому океану, навстречу судьбе.

5

...Новый, 1938-й год начинался трудно, скверно, грозно.

В самом его начале – разгром ГОСТИМа (Государственного театра имени В.Э. Мейерхольда): 8 января в «Правде» появился приказ Комитета по делам искусств при Совнаркоме СССР о его ликвидации[18]. О.М. узнал эту новость, что называется, из первых рук – именно 8 января он ночевал у Мейерхольда. Приехал же он в столицу скорее всего – провожая из Калинина Наташу Штемпель и за денежным пособием, выделенным ему Союзом писателей. Но пособие ничего не поменяло бы: всем было понятно, чем всё это пахнет.

21 января 1938 года Надежда Яковлевна писала Б.С. Кузину:

> *«Я всё жду, чтобы Ося написал вам, но он как-то так съёжился, что даже письма написать не может»*[19].

Действительно, переписка О.М. за этот год крайне скудна: письмо В.П. Ставскому, несколько писем Б.С. Кузину – из Калинина и Саматихи, письмо из Саматихи отцу и последнее – лагерное – письмо брату.

Первое из сохранившихся писем Кузину датировано 26 февраля:

> *Дорогой Борис Сергеевич!*
> *Хочу написать вам настоящее письмо – и не могу. Всё на ходу. Устал. Всё жду чего-то. Не гневайтесь. Пишите сами и простите мою немоту. Очень устал. Это пройдет. Скучаю по вас.*
>
> *О.М.[20]*

С приходом весны атмосфера в стране не только не очистилась, но стала еще тревожней, еще наэлектризованней. Гроза же грянула 2 марта, с началом процесса над группой Бухарина–Рыкова (закончился 13 марта), давшего толчок новой волне репрессий – теперь уже бериевских. Гигантская грозовая туча нависла и на внешнеполитическом горизонте: 11 марта Гитлер вошел в Австрию, преподав Европе короткий и ясный урок «кройки и шитья» ее географической карты.

С началом бухаринского процесса, связь которого со всеми последующими событиями очевидна, совпал и последний нелегальный приезд Мандельштамов в Ленинград в самом начале марта.

Прозаическая цель визита – собрать по знакомым хоть сколько-нибудь денег на дальнейшую жизнь. Но на этот раз хлопоты оказались пустыми: из тех, кого еще не арестовали, никто и ничего не сумел или не захотел дать.

Именно тогда – между 3 и 5 марта – Ахматова и О.М. увиделись в последний раз. Н.Я. вспоминала:

> *«Утром мы зашли к Анне Андреевне, и она прочла О.М. обращенные к нему стихи про поэтов, воспевающих европейскую столицу... Больше они не виделись: мы условились встретиться у Лозинского, но нам пришлось сразу от него уйти. Она уже нас не застала, а потом мы уехали, не ночуя, успев в последнюю минуту проститься с ней по телефону»*[21].

По телефону...

К этому приезду уже начали вовсю сбываться самые мрачные пророчества О.М. о «мертвецов голосах» и о «гостях дорогих». Лившицу, Стеничу, Выгодскому – одним из самых близких людей – было уже не позвонить. Всех их арестовали – кого осенью, кого зимой...

---

[1] Впрочем, Н.М. еще раз попытает счастья в Малоярославце – в феврале–марте 1939 года, но уже будучи одной.

² Эрдман поселился в Калинине в конце 1936 г., после окончания срока ссылки в Енисейск и Томск. Его калининский адрес (по состоянию на 17 июня 1937 г.) – Солодовая (совр. Л. Базановой) ул., 15, кв.1 – это в четырех трамвайных остановках от вокзала и в 12 – от Мандельштамов (*РГАЛИ. Ф. 631. Оп. 15. Д. 244. Л. 158*; дом не сохранился).

³ Гостиница «Селигер» (ул. Советская, 52/27; совр.: ул. Советская, 38) была построена в 1936 г. на месте разрушенной Владимирской церкви. Ее здание чудом уцелело в войну.

⁴ Накануне, в Москве, эти письма перекрестились с долгожданным письмом от Кузина из Шортанды, куда он был сослан.

⁵ А Надежда Яковлевна в тот же день послала в Шортанды вдогонку и еще одно письмо!

⁶ «*Сохрани мою речь…*» Вып. 4. М.: РГГУ, 2008. С. 79–80 (публ. П. Нерлера; оригинал – в собрании Н.И. Харджиева и Л.В. Чаги в Отделе рукописей Амстердамского городского музея).

⁷ *Мандельштам Н.* Воспоминания // Собр. соч. В 2 тт. Т.1. Екатеринбург, 2014. С. 413–414.

⁸ Гипотеза, что им мог быть Виктор Андроникович Мануйлов (1903–1987), подтверждения не нашла. По предположению Ф.М. Лурье, им мог быть Владимир Константинович Мельницкий (1881–1942), царский и белый офицер, библиофил и холодный букинист. Будучи частым книжным «поставщиком» Щеголева, он хорошо его знал и бывал у него дома. В 1935 г. он как «бывший человек» был выслан из Ленинграда.

⁹ Первых пассажиров трамвай взял только в 1934 году, но только до Вагонного завода, а в 1938 году запустили маршрут и вдоль Волги.

¹⁰ Эта улица была проведена в 1928 г. и названа не в честь тверяка и купца Афанасия Никитина, а в честь воронежца и поэта Ивана Никитина. Уже в 1930 г. она была переиме-

нована в улицу Александра Ульянова, но так что формально хождение имели оба названия, а неформально люди пользовались первоначальным. В 1938 г. двойное наименование было ликвидировано, причем власти предпочли Никитину Ульянова.

[11] *Там же.* С. 80–81.

[12] После ареста О.М. в Саматихе Н.М. приезжала к Травниковым в начале мая 1938 г. и забрала корзину с архивом О.М. Она опередила сотрудников областного управления НКВД Недобожина-Жарова и Пука, также побывавших у Травниковых с безрезультатным обыском только 28 мая 1938 г.

[13] См.: *Колкер М.* «Ушастый троцкист» // «Сохрани мою речь…» Вып. 4. М.: РГГУ, 2008. С. 167–169.

[14] *Штемпель Н.* Мандельштам в Воронеже // Осип Мандельштам в Воронеже. Воспоминания. Фотоальбом. Стихи: К 70-летию со дня смерти О.Э. Мандельштама. М., 2008. С. 16.

[15] *Там же.* С.17.

[16] Содержание она не запомнила, но речь шла и о готовности О.Э. с Н.Я. приехать в Воронеж, а одна телеграмма, видимо из Ленинграда, была подписана, кроме Мандельштамов, еще и Ахматовой с Рудаковым.

[17] *Штемпель Н.* Мандельштам в Воронеже // Осип Мандельштам в Воронеже. Воспоминания. Фотоальбом. Стихи: К 70-летию со дня смерти О.Э. Мандельштама. М., 2008. С. 18.

[18] Соответствующее постановление датируется 7 января 1938 г. (*РГАЛИ. Ф. 631. Оп. 15. Д. 269. Л. 4* – разыскано М.В. Соколовой). Отметим свидетельство Мирель Яковлевны Шагинян – дочери М.С. Шагинян. Зимой 1937/38 гг. в московской квартире Мейерхольдов она застала Мандельштама, видимо, ночевавшего здесь и передавшего ее матери привет. Более точной даты она не помнит, но помнит, что Мейерхольд был уже в опале (записано нами 16 мая 1987 г.).

[19] Вопросы истории естествознания и техники. 1987. № 3. С. 132 (публ. М. Давыдова и А. Огурцова).

[20] *Мандельштам О.* Собр. соч. В 4 тт. М., 1997. Т. 4. С. 198.

[21] *Мандельштам Н.* Воспоминания // Собр. соч. В 2 тт. Т.1. Екатеринбург, 2014. С. 410.

ЗАГОВОРЫ ПИСАТЕЛЕЙ

«ЗАГОВОР ПИСАТЕЛЕЙ ПРОТИВ СТАЛИНА» В ЛЕНИНГРАДЕ

В Петербурге жить
Словно спать в гробу.

О. Мандельштам

Призывом к террору были
и стихи Мандельштама...

Б. Лившиц (на допросе).

Вернувшись из воронежской ссылки в Москву (точнее, в ее застоверстную зону), О.М. оставил за спиной в Воронеже своего рода угрозу с юга. Между тем не менее грозная опасность надвигалась на О.М. еще и с северной стороны – из Ленинграда.

Отзываясь на ситуацию в стране, питерские чекисты работали не покладая рук, и в результате «Большой террор» в исполнении «Большого дома» оказался в Северной столице особенно большим (что, впрочем, традиционно). Как и во всей стране, в ходу был оксюморон «правотроцкизм».

Осенью 1937 года чекисты «раскрыли» (читай: сфабриковали) огромный и разветвленный право-троцкистский заговор писателей под руководством Н. Тихонова и И. Эренбурга с целью убийства И.В. Сталина. Велика же была травма, нанесенная чекистскому сознанию питерским поэтом Леонидом Канегиссером, действительно убившим питерского чекиста Моисея Урицкого в 1918 году!

Примечательно, что сами Тихонов и Эренбург никак не пострадали, а вот по тем, кем они якобы «руководили», каток репрессий проехался вовсю[1].

Но сначала – печальная хроника. Аресты по этому делу растянулись на девять месяцев. Первым – на рассвете 20 июля 1937 года – был арестован Николай Олейников, но, возможно, его дело достаточно изолировано от всех остальных[2].

Вторым – спустя почти три месяца! – Бенедикт Лившиц: 26 октября 1937 года[3]. Еще через два дня – 28 октября – И.А. Лихачев. Затем – 14 ноября 1937 года – Валентин Стенич.

Всех остальных брали в 1938 году: 4 января – В.А. Зоргенфрея[4], 10 января – поэта С.М. Дагаева[5], в ночь с 3 на 4 февраля – Ю.И. Юркуна[6], 5 февраля – Г.О. Куклина[7], 11 февраля – Ю.С. Берзина[8], 14 февраля – Д.И. Выгодского[9], 15 февраля – А.М. Шадрина[10], 19 марта – Н.А. Заболоцкого[11], 20 марта – Е.М. Тагер[12] и 23 апреля – А.А. Энгельке[13].

У этого сугубо ленинградского дела была солидная московская подкладка. Начать с того, что москвичом был один из «руководителей» заговора – Эренбург (даром что пропадал в Париже). На допросе, состоявшемся 25 ноября 1937 года, В. Стенич прямо «сказал», что их группа носила смешанный московско-питерский характер и «*объединяла наиболее реакционную часть литературных работников, враждебно настроенных к советской власти. В нее входили Олеша, Никулин, Дикий, Бенедикт Лившиц, Николай Чуковский и я*». Он признал, что разговаривал в ресторане о политике с Олешей, вызывавшемся лично убить Сталина[14].

Постепенно в протоколах начало мелькать и имя О.М.[15] Впервые – 11 января 1938 года, во время второго допроса Лившица, когда он, называя немало имен, раскрывал «механизм» писательской контрреволюционной организации, направляемой из Парижа Кибальчичем (Виктором Сержем)[16]. Свою «активную троцкистскую деятельность» Кибальчич развернул еще в период 1929–30 гг., *«устанавливая связи с наиболее реакционной частью ленинградских писателей»*[17].

Весьма существенно, что и сам Кибальчич на собственном допросе от 7 марта 1933 года, будучи спрошен следователем о своих литературных связях, сказал:

«Знаю многих писателей в Москве и Ленинграде. Почти ни с кем не встречаюсь регулярно. Среди писателей, более близких моих знакомых: Н.Н. Никитин (встречались часто в 1929–30 гг., теперь реже, даже редко); Б.К. Лившиц, с которым меня сближает его хорошее знание французского языка; К. Федин, Б. Пильняк, О.Э. Мандельштам, Б.М. Эйхенбаум, К.А. Большаков – со всеми встречи теплые, дружеские, но редкие»[18].

Аттестуя Л.М. Эренбург «троцкистским эмиссаром», напрямую связанной с Кибальчичем, Лившиц помянул и О.М.:

«Уже первая встреча с ней в 1935 г., с глазу на глаз, убедила меня в том, что я имею дело с человеком антисоветски настроенным. Ее возмущало отношение советской власти к писателям, в частности, «расправа» с Мандельштамом (он был тогда арестован и выслан за контрреволюционную деятельность). Она очень горячо говорила о том, что "у вас в СССР никто не может выражать откровенно своих мыслей"»[19].

Отвечая на вопрос следователя о террористическом характере их (то есть заговорщицкой) организации, Лившиц сказал:

«Призывом к террору были и стихи Мандельштама, направленные против Сталина, а также те аналогии, которые я проводил, сравнивая наши годы с 1793 годом и Сталина с Робеспьером.

В 1937 году у меня дома собрались Тихонов, Табидзе, Стенич, Юркун, Л. Эренбург и я[20]. За столом заговорили об арестах, о высылках из Ленинграда. Тициан Табидзе сообщил об аресте Петра Агниашвили, зам. председателя ЦИК Грузии, близко связанного с Табидзе. Далее разговор перешел к аресту Мандельштама, которого Табидзе также хорошо знал. Тихонов сообщил, что Мандельштам скоро должен вернуться из ссылки, так как заканчивается срок, на который он был осужден»[21].

Следующее упоминание О.М. – 31 января 1938 года, на допросе поэта С.М. Дагаева. Дагаев показал, что посещал совещания у Тихонова, где бывали почти всегда одни и те же участники организации: Бенедикт Лившиц, Вольф Эрлих, приезжавший из Москвы Павел Антокольский, жена Тихонова – М.К. Неслуховская и другие. Помянул Дагаев и О.М.: в марте 1937 года Тихонов собирался послать ему в ссылку 1000 рублей, будто бы *«для развертывания антисоветской работы»*[22].

Вспомнил О.М. и Ю. Юркун – на допросе 9 мая 1938 года, то есть тогда, когда О.М. уже и так сидел на Лубянке, о чем Юркун, конечно, не знал. Он охарактеризовал тринадцать членов «группы Лившица», в том числе и О.М., *«активного участника контрреволюционных сборищ на квартире Лившица с 1928 г. В присутствии Н. Клюева, М. Кузьмина, К. Вагинова и меня,* он вел антисоветскую агитацию, заявляя на притеснения цензуры и возмущался политикой советского правительства в отношении интеллигенции, которую, якобы, советская власть притесняет. Мандельштам в присутствии группы... читал свои контрреволюционные стихи»[23].

Фактически О.М. включили уже в фигуранты дела, о чем недвусмысленно свидетельствует и приложенный к обвинительному заключению по делу Лившица список: «Лица, проходящие по следственному делу № 35610–37 г.», составленный младшим лейтенантом Павловым[24]. В него вошли все упомянутые в протоколах лица, как живые, так и мертвые, разделенные на пять категорий: 1) «осужден», 2) «арестован», 3) «устанавливается», 4) «за границей» и 5) «умер». Имя О.М. открывает столбик фамилий осужденных, кроме него там еще Заболоцкий, Берзин, Корнилов, Беспамятнов, Майзель, Л. Гумилев и Горелов.

Еще более интересен составленный тем же Павловым аналогичный «Список лиц, проходящих по настоящему след[ственному] делу» из дела Юркуна, датированный 19 сентября 1938 года[25]. Он принципиально иной, поскольку в нем впервые объединены москвичи (Мандельштам[26], Клюев, Поступальский и даже Федин)[27] и ленинградцы. Тут и семейные пары (Михаил Фроман и Ида Наппельбаум, Сергей Спасский и Софья Каплун), и индивидуальные фигуранты (Баршев, Франковский, Лавренев, Милашевский, Введенский, Федин, Кибальчич, Кузмин, Вагинов).

Большинство этих имен уже «отработано» НКВД, но несколько – явно впрок, про запас, на будущее. В таком случае есть своя логика в том, что в 1951 году, за полтора года до физической смерти так и не убитого заговорщиками тирана, ленинградское дело дало своего рода «метастазу» – дело Иды Наппельбаум[28].

А 21 сентября – это дата расстрела сразу нескольких фигурантов «писательского» дела, главным образом тех, кого и арестовали раньше: Лившица, Стенича, Зоргенфрея, Дагаева и Юркуна.

---

[1] В настоящее время в научный оборот введены материалы дел далеко не всех «фигурантов» заговора. Но и то, что уже опубликовано, дает довольно внятную картину погрома, учиненного чекистами среди писателей. Первым этим занялся Эдуард Шнейдерман, в 1990-е гг. сумевший добиться доступа к делу Б.К. Лившица, одного из «руководителей» «заговора писателей» (*АУФСБ СПбиЛО. Дело № 35610. Архивный №: П-26537*). Он опубликовал и самым обстоятельным образом проанализировал материалы этого дела (*Шнейдерман, 1996*). В печать попадали также отдельные документы из дел Н.А. Заболоцкого и И.А. Лихачева (*Заболоцкий Н. История моего заключения // Даугава. 1988. № 3. С. 107–115; Заболоцкий Н. «Я нашел в себе силы остаться в живых»* / Публ. и комм. Б. Лунина // Аврора. 1990. № 8. С. 125–133), а также Ю.И. Юркуна (*АУФСБ СПбиЛО. Дело № П-31221*). Ценные детали и комментарии содержатся также в публикациях А.Я. Разумова.

[2] *Олейников А.* Последние дни Николая Олейникова // «…Сборище друзей, оставленных судьбою». А. Введенский, Л. Липавский, Я. Друскин, Д. Хармс, Н. Олейников: «чинари» в текстах, документах и исследованиях / Сост. В.Н. Сажин. В 2-х тт. Т. 2. М., 2000. С. 595. Распространенная версия об аресте Н. Олейникова в ночь со 2 на 3 июля неверна. Расстреляли его 24 ноября 1937 г. – одновременно с его давним другом филологом-японистом, востоковедом Д.П. Жуковым, арестованным 29 мая 1937 г. (*Там же. С. 605; Жукова Н. О.* М., 2005. С. 73, 76). И хотя Олейникову и Жукову инкриминировали участие в троцкистской контрреволюционной орга-

низации, из опубликованных материалов дела Н. Олейникова напрямую связь с делом Б. Лившица и других участников «Заговора писателей» не просматривается (*Там же. С. 597–608*). Накануне или вскоре после ареста Б. Лившица были расстреляны С. Колбасьев (30 октября) и Н. Клюев (между 23 и 25 октября 1937 г.).

[3] Следственное дело № П-26537.

[4] Следственное дело № П-31222.

[5] Следственное дело № П-25762.

[6] Следственное дело № П-31221.

[7] 23 сентября 1938 г. приговорен к восьми годам ИТЛ; умер в крайбольнице мест заключения Красноярского края 9 ноября 1939 г.

[8] 2 июля 1939 г. приговорен к восьми годам ИТЛ, по данным личного дела – умер в лагере 1 июня 1942 г.

[9] 23 июля 1940 г. приговорен к пяти годам ИТЛ; умер в Карагандинском лагере 27 июля 1943 г.

[10] Через два года следствия, в апреле 1940 г., дело было прекращено, но в 1946 г. Шадрин был снова арестован и осужден; реабилитирован в 1956 г.

[11] 2 сентября 1938 г. приговорен к пяти годам ИТЛ; освобожден в 1946 г.

[12] Ср. запись с описанием ее ареста в дневнике создательницы Петроградского театра марионеток Л.В. Шапориной от 21 марта 1938 г. (*Сажин В.* Еще не умер ты… // Литературное обозрение. 1991. № 1. С. 96). Э. Шнейдерман ошибочно указывает в качестве даты ареста Е.М. Тагер 16 марта. 23 сентября 1938 г., по его же данным, она была приговорена к десяти годам ИТЛ, вторично осуждена 19 декабря 1951 г., реабилитирована в 1956 г.

[13] 23 июля 1940 г. осужден на пять лет ИТЛ; пробыл в заключении до 20 июля 1946 г., амнистирован в 1953 г., реабилитирован в 1957 г.

[14] *Шнейдерман*, 1996. С. 91.

[15] Со многими из названных арестованных писателей – и прежде всего с Лившицем, Стеничем и Выгодским – О.М. связывали многолетние дружеские связи

[16] Этому допросу, по-видимому, придавалось особое значение. Это видно уже из того, что все подписи, стоящие под протоколом, принадлежат работникам «руководящего звена»: начальнику IV отдела Карпову, его заместителю Федорову и начальнику 10-го отделения Гантману. Лившиц подписал каждый лист и поставил итоговую подпись: «*Ответы на вопросы с моих слов записаны верно. Б. Лившиц*».

[17] *Там же*. С. 94. Сам Лившиц в этой структуре якобы «опекал» часть ленинградских писателей, в частности, членов группы «Перевал», а остальных «курировал» Н. Тихонов.

[18] *Там же*. С. 93 (со ссылкой на сообщение В.А. Русаковой).

[19] *Там же*. С. 95.

[20] Эта встреча состоялась в марте 1937 г.

[21] *Там же*. С. 98.

[22] *Там же*. С. 102.

[23] *Там же*. С. 104.

[24] *Там же*. С. 115. Список не датирован, составлен, предположительно, не ранее середины мая 1938 г.

[25] *АУФСБ СПбиЛО. Дело № П-31221. Л.69*. Приложено к обвинительному заключению по следственному делу № 41563 от 19 сентября 1938 г.

[26] С пометкой «осужден».

[27] Интересно, что в этот список не входят Эренбурги, зато включены Канегиссер и Кибальчич.

[28] Ида Моисеевна Наппельбаум (1900 – 1992) была арестована 9 января 1951 г. и осуждена 11 августа 1951 г. к 10 годам ИТЛ все по тем же статьям 58.10 и 58.11. Как справедливо замечает А. Дмитренко, дело это было не про-

сто «*рецидивом карательных компаний против писателей, осуществлявшихся в предвоенное время*», но и их систематическим продолжением, своего рода исправлением недоработок коллег из эпохи Большого террора. В качестве источника карательного вдохновения и отправной точки преследования гумилевской ученицы и дочери знаменитого фотографа послужил протокол допроса Ю.И. Юркуна от 9 мая 1938 г. (в котором, кстати, был назван и О.М.). Новым элементом технологии ведения следствия стал своеобразный «Акт экспертизы», заказанный следователем И.А. Диевым от имени Следственного отдела Управления МГБ по Ленинградской области специальной экспертной комиссии в составе директора Лендетгиза Дмитрия Ивановича Чевычелова (председатель) и кандидата исторических наук, преподавателя Ленгосуниверситета Андрея Васильевича Хилькевича и цензора Леноблгорлита Людмилы Даниловны Микитич (члены). «Экспертизе» были подвергнуты добытые в результате двух обысков материалы, причем не только стихи и записи самой И.М. Наппельбаум и ее покойного первого мужа М.А. Фромана (Фракмана), но и подборка из 16 книг разных авторов, одной из которых была и мандельштамовская – книга критической прозы 1928 года «О поэзии». О ней говорится буквально следующее: «3. О. МАНДЕЛЬШТАМ. Один из главных деятелей акмеизма. В своих произведениях выражал звериную злобу против Октябрьской революции и Советского государства. Рецензируемая книга его статей «О поэзии» (стр. 97) – проповедует пессимизм и содержит враждебные выпады против советского народа, который клеветнически изображается чудовищно невежественным и тупым: «Легче провести в СССР электрификацию, чем научить всех грамотных читать Пушкина, как он написан, а не так, как того требуют их душевные потребности и позволяют их умственные способности» (стр. 15). В книге пропагандируются империалистические взгляды на отношения между людьми по принципу «человек человеку – волк». Мир между людьми невозможен. Война – нечто врожденное и свыше данное человеку. «Век – барсучья нора, и человек своего века живет и движется в скупо отмеренном пространстве, лихорадочно стремится расширить свои владения и больше всего дорожит выходами из подземной норы» (стр. 59). Книгу «О поэзии» (как и вообще все книги МАНДЕЛЬШТАМА) необходимо из библиотек изъять» (*Архив Управления ФСБ по Санкт-Петербургу и Ленинградской области. Дело П-48512*). Интересный, однако, «месседж»: 13 лет тому назад мы «изъяли из обращения» поэта Мандельштама, а теперь мы изымем его книги!..

«ЗАГОВОРЫ ПИСАТЕЛЕЙ
ПРОТИВ СТАЛИНА» В МОСКВЕ

Но формулировка «числится за Москвой», служившая своего рода охранной грамотой для О.М. в Воронеже, теперь означала другое: числится за Москвой – Москвой и арестован. Его индивидуальное следственное дело 1938 года содержит немало следов если не скоординированности, то взаимоувязанности с трагическим групповым спектаклем, срежиссированным на берегах Невы.

Да и сама Москва едва ли была заповедником хотя бы и социалистической законности.

Репрессии против писателей между тем шли и здесь – и под весьма знакомыми девизами.

Довольно экзотический – украинский национализм. Его жертвой пал Владимир Нарбут, арестованный еще в октябре 1936 года и расстрелянный на Колыме.

А не хотите ли еще один правотроцкистский заговор и теракт против товарища Сталина? – Пожалуйста! Извольте! Аж целых два! Два бывших вожака пролетарской «Кузницы», разочаровавшихся в Совдепии из-за нэпа, – Владимир Кириллов и Михаил Герасимов – были арестованы под этой маркой (первый – в Пензе, 30 января, а второй совсем незадолго до возвращения О.М. – 16 мая 1937 года), оба были расстреляны 16 июля того же года[1].

Одним из первых в Москве – 4 ноября 1936 года – арестовали прозаика Михаила Карпова[2], давшего показания на Ивана Макарова, Василия Наседкина и Павла Васильева. Макаров якобы одобрил предложенную Бухариным директиву о физическом устранении Сталина, а исполнителем наметил П. Васильева, который через своего тестя, И.М. Гронского, мог бы добиться у Сталина аудиенции.

6 февраля 1937 года, даже без оформления ордера, на улице арестовали Васильева, а 7 февраля – Макарова[3]. Их дела вел оперуполномоченный 9 отделения 4 отдела ГУГБ сержант гб С.Г. Павловский (из «молотобойцев»)[4].

Михаила Карпова, Ивана Макарова, Павла Васильева и Ивана Васильева расстреляли 16 июля 1937 года[5]. А 13 августа расстреляли еще двоих – Ивана Приблудного как еще одного «идеолога» теракта и Юрия (Георгия) Есенина как еще одного потенциального его «исполнителя»[6].

Приблудного взяли 31 марта 1937 года[7]. Его дело вел также Павловский. И хотя к 15 апреля следователь всё уже закончил, подписывать свое постановление-обвинение Приблудный отказался[8]. После этого два с половиной месяца ничего не происходило – до тех пор, пока 27 июня показания на Приблудного не дал Юрий Есенин, сын Сергея Есенина: Приблудный-де побуждал его к теракту и к легальному бегству за границу[9].

Сергей Клычков был арестован 31 июля на даче в поселке Катуар, а расстрелян 8 октября 1937 года[10]. Ему шили и пришили участие в Трудовой крестьянской партии и как бы второе издание заговора писателей с целью убийства Сталина, причем идейным вдохновителем являлся Клычков, а исполнителем – Владимир Кириллов.

Уже после гибели Клычкова – соответственно, 26 и 28 октября – были арестованы Василий Наседкин, женатый на сестре С. Есенина, и Петр Орешин: обоих пристегнули к уже раскрытым заговорам и расстреляли 15 марта

1938 года[11]. Тут приходится сказать, что одним из лейтмотивов протестной деятельности «крестьянских писателей», как в свое время и писателей-«сибиряков», были «еврейское засилье» и откровенный антисемитизм.

В 1932 году Наседкин написал «упадочное и явно контрреволюционное» стихотворение «Буран», смысл которого, по его же словам, примерно таков:

> *«Власть над народом захватили инородцы, которые попирают его национальные особенности. Русская культура уничтожена. Мы, русские, потеряли свою родину и отечество. Русская страна гибнет в результате политики инородцев»*[12].

Если обобщать, то мы наблюдаем две очень похожие репрессивные кампании властей – разветвленные «заговоры писателей» с целью убийства Сталина: один – в Ленинграде, другой – в Москве. Костяк ленинградской компании составили, условно говоря, переводчики-попутчики, а костяк московской – крестьянские писатели. Каждая из кампаний унесла десятки жертв, но ленинградская была покровавее[13].

Если в случае Ленинграда О.М. фактически уже был фигурантом дела, то в Москве его имя, хоть он и был близок с Сергеем Клычковым и Павлом Васильевым, ни единого раза при допросах названо не было.

---

[1] *Шенталинский В.* Преступление без наказания. М., 2007. С. 458, 459, 551.

[2] *Там же.* С. 430.

[3] *Там же.* С. 436, 439.

[4] Павловский Семен Г.Б. (1906 – после 1951), мл. лейтенант (позднее, по некоторым сведениям, капитан) ГБ, оперупол-

номоченный 9-го отделения 4-го отдела (аналог СПО в 1934 г.) ГУГБ; в 1952 г. осужден к принудительному лечению, умер в казанской психбольнице. На первоначальном этапе следователем у Васильева был И.И. Илюшенко, которого вскоре отстранили от дел за попытки отвести от поэта обвинения в террористической деятельности (*Там же*. С. 440, 447).

[5] *Там же*. С. 551. Следствие по делу П. Васильева закрыли 11 июня.

[6] *Там же*.

[7] *Растерзанные тени*, 1995. С. 243.

[8] *Там же*. С. 246.

[9] *Там же*. С. 247–248.

[10] Следователями Клычкова были Г.С. Павловский и сотрудник резерва назначения 9-го отделения 4-го отдела ГУГБ Т.В. Шепелев (*Там же*. С. 338, 345, 347, 348, 368). По некоторым сведениям, готовил и начинал это дело – чуть ли не последнее в своей карьере в НКВД – еще С.Н. Вепринцев.

[11] *Там же*. С. 377, 396, 404, 418.

[12] *Там же*. С. 391.

[13] Летом 1937 г. в НКВД, как утверждают Станислав и Сергей Куняевы и в чем мы скорее склонны усомниться, была создана специальная группа под руководством начальника 9-го отделения 4-го отдела ГУГБ капитана гб Журбенко по ликвидации «террористов» из писательской среды: единственным объектом ее деятельности, по их же неточному утверждению, явились крестьянские писатели (*Там же*. С. 377). Источник сведений, как водится, не приводится.

ЗАГОВОР ПИСАТЕЛЕЙ
ПРОТИВ МАНДЕЛЬШТАМА

Около 6 марта О.М. и Н.М. вернулись в Калинин, быстро-быстро собрались и, после очень трогательного расставания с Травниковыми, выписавшись и оставив у них корзинку с архивом, уехали через Москву в Саматиху.

В Москве они задержались на один или два дня, ночевали у Харджиева[1]. Там, вероятно, с ними и повидался Борис Лапин, подаривший О.М. том Шевченко[2].

Чем же были заполнены эти дни?

Посещением музеев и хождением по начальству. Несомненно, О.М. не удержался и забежал к своим «импрессионистам» на Волхонку. Посетил он и друзей-художников. В частности, Осмеркина, который, возможно, именно тогда и сделал свои знаменитые карандашные наброски – последние портреты поэта «с натуры», уже по этому одному могущие идти на правах его посмертной маски[3].

Посетил и Тышлера, которого, как пишет Н.М., «*оценил очень рано, увидав на первой выставке ОСТа серию рисунков "Директор погоды"... "Ты не знаешь, какой твой Тышлер", – сказал он мне, приехав в Ялту. В последний раз он был у Тышлера и смотрел его вещи перед самым концом – в марте 38 года*»[4].

Но больше всего времени ушло на начальство. В прошлый приезд О.М. в Москву его принял Ставский и «*предложил поехать в "здравницу", чтобы мы там отсиделись, пока не решится вопрос с работой»*[5]. Встретился он со Ставским и на этот раз, и снова встреча воодушевила О.М. Через пару дней, 10 марта, он писал уже из Саматихи Кузину:

«"Общественный ремонт здоровья"» – значит, от меня чего-то доброго ждут, верят в меня. Этим я смущен и обрадован. Ставскому я говорил, что буду бороться в поэзии за музыку зиждущую. Во мне небывалое доверие ко всем подлинным участникам нашей жизни, и волна встречного доверия идет ко мне. Впереди еще очень много корявости и нелепости, – но ничего, ничего не страшно!»[6]

В этой эйфории О.М. упустил смысл встречи с другим писательским боссом – тем самым, что однажды привел к Катанянам Шиварова. Фадеев, однако, выполнил свое обещание и переговорил об О.М. высоко наверху, с Андреевым. Разговору в кабинете Фадеев предпочел салон своей машины:

«Он предложил отвезти нас куда нам надо, чтобы по дороге поговорить. Он сел рядом с шофером, а мы позади. Повернувшись к нам, он рассказал, что разговаривал с Андреевым, но ничего у него не вышло: тот решительно заявил, что ни о какой работе для О.М. не может быть и речи. «Наотрез», – сказал Фадеев. Он был смущен и огорчен»[7].

Уже это одно должно было насторожить О.М. – настолько это противоречило тому, чем им казались путевки в мещерское ателье по «ремонту здоровья». Вместо этого О.М. даже пробовал утешать Фадеева, мол, ничего, как-нибудь все образуется...

Услышав о Саматихе, Фадеев насторожился и, кажется, сразу же догадался обо всем, что это может значить:

«...Он принял эту новость довольно раздраженно: «Путевки?.. Куда?.. Кто дал?.. Где это?.. Почему не в писа-

тельский дом?» О.М. объяснил: у Союза нет домов отды-
ха в разрешенной зоне, то есть за сто километров от ре-
жимных городов. «А Малеевка?» – спросил Фадеев. Мы
понятия не имели ни о какой Малеевке, и Фадеев вдруг по-
шел на попятный: «Так домишко отдали Союзу... там,
верно, ремонт...» О.М. выразил предположение, что сочли
неудобным посылать в писательский дом до общего разре-
шения вопроса. Фадеев охотно это объяснение принял. Он
был явно озабочен и огорчен. Сейчас, задним числом, я по-
нимаю, что он думал: события, которых он ждал, при-
близились, и он понял технику их осуществления. Самый
закаленный человек не может глядеть этим вещам в гла-
за. А Фадеев был чувствителен.

Машина остановилась в районе Китай-города. Что
нам там понадобилось? Уж не там ли было управление са-
наториями, куда мы должны были сообщить о дне выезда,
чтобы за нами выслали лошадей на станцию Черусти
Муромской железной дороги. Оттуда до Саматихи было
еще верст двадцать пять.

Фадеев вышел из машины и на прощание расцеловал
О.М. По возвращении О.М. обещал обязательно разы-
скать Фадеева. «Да, да, обязательно», – сказал Фадеев,
и мы расстались. Нас смутил торжественный обряд про-
щания и таинственная мрачность и многозначитель-
ность Фадеева. Что с ним? Мало ли что могло быть с че-
ловеком в те годы: на каждого хватало бед... Ослепленные
первой удачей за всю московскую жизнь – путевкой: Союз
начал о нас заботиться! – мы даже не подумали, что
мрачность Фадеева как-то связана с судьбой О.М. и с от-
ветом Андреева, означавшим страшный приговор...»[8]

Приведение его в исполнение началось еще до Саматихи.
Так, полным фиаско закончился поход О.М. в Госиз-
дат за переводом. Редактор отдела западной литературы
хотел дать ему перевести «Дневник» Эдмона и Жюля
Гонкуров, на эту работу Мандельштамы всерьез рассчи-

тывали, как на единственный источник собственных средств. Но Луппол[9] отказал О.М. в этом счастье категорически и бесповоротно.

Трудно сказать, вспомнил ли О.М. в этот момент о разговоре с Фадеевым, но он тотчас же, по горячим следам, написал Ставскому:

«Уважаемый тов. Ставский!

Сейчас т. Луппол объявил мне, что никакой работы в Госиздате для меня в течение года нет и не предвидится.

Предложение, сделанное мне редактором, таким образом снято, хотя Луппол подтвердил: «мы давно хотим издать эту книгу[10]*.*

Провал работы для меня очень тяжелый удар, т. к. снимает всякий смысл лечения. Впереди опять разруха. Жду Вашего содействия – ответа.

О. Мандельштам»[11]*.*

Машинописная копия этого письма сохранилась в переписке Правления ССП за 1938 год[12], причем в левом верхнем углу начертана резолюция Ставского: *«Т. Каш. Сохраните – Мандельштам»*[13].

Т. Каш. – это В.М. Кашинцева, заведующая секретариатом ССП, а вот что значит сама резолюция *«Сохраните Мандельштама»*? То есть помогите ему, не дайте ему погибнуть? Или *«Сохраните – Мандельштам»*, т. е. подколите к делу О.М.? Судя по результату, второе правдоподобнее.

Впрочем, О.М. и не подозревал об этой резолюции, как и не догадывался и обо всем ее лицемерии.

---

[1] *Герштейн*, 1998. С. 71.

[2] *Мандельштам Н.* Воспоминания // Собр. соч. В 2 тт. Т.1. Екатеринбург, 2014. С. 451.

³ О самих портретах, приведших ее в полный восторг, Э. Герштейн высказалась так: «*Оба чрезвычайно похожи, но по-разному: отвергнутый – похожее внешне, а принятый – внутренне*» (запись в дневнике П. Нерлера за 30 ноября 1983 г.). Сама по себе «дата», стоящая на рисунках («1/2–37»), была, по сообщению Герштейн, проставлена Галиной Георгиевной Осмеркиной, его третьей женой, гораздо позднее и явно взята «с потолка». В начале февраля 1937 г. О.М. был в Воронеже, а Осмеркин в Ленинграде, где оформлял какой-то спектакль. Какова же точная дата? Е.К. Осмеркина утверждала, что это не лето и не зима, поскольку О.М. и Н.М. снимали пальто. Но у них и не было шуб, так что исключать из этого интервала зиму было бы неправильно. Тогда остается всего две-три возможности для датировки. Первая – конец октября – начало ноября, перед отъездом в Калинин (5 ноября 1938 г.), вторая – во время пребывания в Калинине и третья – начало марта, между Калинином и Саматихой. От второго варианта приходится отказаться: Калинин не Савелово, Москва по времени чуть ли не вдвое дальше, и о поездках О.М. (да еще вместе с Н.М.) ничего не известно (единственное свидетельство такого рода – рассказ Мирели Шагинян о встрече с О.М. зимой 1937–1938 гг. в доме Мейерхольда, где О.М. ночевал, – весьма расплывчато по времени и не содержит указаний на Н.М.). Так что остается только две возможности, однако наверняка определиться и с ними скорее всего не удастся. Самое правильное – ставить двойную дату: «1937(1938?)». Сильную аргументацию в пользу осенней датировки дает С. Василенко, уверенно читающий дату как «1/Х–37» и как написанную рукой О.М. (устное сообщение). В таком случае это должно или совпадать с одним из приездом О.М. в Москву из Савелово, или означать, что практически весь октябрь поэт провел в Москве, а это, с режимной точки зрения, маловероятно.

⁴ *Там же*. С. 262.

⁵ *Там же*. С. 418.

[6] *Мандельштам О.* Собр. соч. в 4-х тт. М., 1997. Т. 4. С. 199.

[7] *Мандельштам Н.* Воспоминания // Собр. соч. В 2 тт. Т.1. Екатеринбург, 2014. С. 446–447.

[8] *Там же.* С. 447–448.

[9] Луппол Иван Капитонович (1896–1943) – выпускник Института красной профессуры, воинствующий марксист-литературовед и обществовед, академик АН СССР (1939). Возглавлял Главнауку (1929–1933) и Институт мировой литературы АН СССР (1935–1941). На Первом съезде писателей в августе 1934 г. был избран членом правления СП СССР. На увиденную в газете фотографию Луппола и Жан-Ришара Блока, почтившего съезд своим присутствием, О.М. отозвался следующей эпиграммой: *«Не надо римского мне купола / Или прекрасного далека, / Предпочитаю вид на Луппола / Под сенью Жан-Ришара Блока».* В 1938 г. – главный редактор ГИХЛ. В конце февраля 1941 г. был арестован (в писательском доме творчества «Сагурахи» под Тбилиси), а 8 июля 1941 г. приговорен к расстрелу и с 29 октября 1941 г. содержался в камере смертников Саратовской тюрьмы. После отмены в июле 1942 г. смертной казни был переведен в ИТЛ в Мордовию, где и умер 26 мая 1943 г.

[10] «Дневник» братьев Гонкур был издан на русском языке только в 1964 г.

[11] *Мандельштам О.* Собр. соч. в 4-х тт. М., 1997. С. 199.

[12] *РГАЛИ. Ф. 631. Оп. 15. Д. 294. Л. 113.*

[13] Фамилия Мандельштам подчеркнута двумя чертами.

СТАВСКИЙ И КОСТАРЕВ

Сколько раз – по телефону, письменно и лично – обращался Осип Эмильевич за защитой и помощью к Ставскому!

Владимир Петрович Ставский (Кирпичников), автор не самых громких повестей о коллективизации, редактор «Нового мира» и формальный преемник самого Горького на посту первого секретаря СП СССР, был одновременно поручителем за некоего Костарева (Костырева), незваного «квартиранта» О.М., «спланировавшего» таким образом из Приморья прямехонько в двухкомнатную квартиру 26 в Нащокинском переулке – в ту самую, что «тиха, как бумага» и «пустая, без всяких затей»... Это немаловажная, а может статься, и роковая для О.М. деталь, ибо за последующими действиями главного, по должности, писателя страны стоял не один только корпоративный интерес (навсегда избавить писателей от зловредного влияния О.М.), но еще и личный (потрафить другу молодости и навсегда избавить квартиру О.М. от зловредного присутствия хозяина).

О тесном контакте и несомненном «доверии», которым Костарев пользовался у органов, достаточно внятно говорит эпизод с «монтером» из ОГПУ, которого он привел в квартиру О.М. дабы продемонстрировать: хозяин не за 101-м километром, а тут, дома, в Москве, попивает чаек, – и грубейшим образом попирает предписанный ему административный режим.

Но еще более тесный контакт с органами имел сам Владимир Петрович.

И тем не менее в начале 1938 года кресло под Ставским закачалось. 20 января 1938 года А.К. Гладков записал в дневнике:

«Говорят, что пошатнулось положение Ставского. Этот бездарный наглец, ставший каким-то образом во главе нашей литературы, наверно, уже не нужен сейчас, когда главная чистка проведена. Его опалу можно поставить в связь с увольнением Керженцева и Шумяцкого»[1].

И еще через восемь дней: «Пресса обрушилась на Ставского»[2].

Частичное объяснение этому содержит письмо самого Ставского М.Ф. Шкирятову, заместителю председателя Комиссии партконтроля при ЦК ВКП(б) от 4 ноября 1937 года:

«В добавление к устному сообщению о том, как обсуждается заявление П. Рожкова против меня в Союзе Советских Писателей – сообщаю следующее:

– Партгруппа вместе с парткомом выделила комиссию для разбора заявления П. Рожкова и фактов, изложенных в нем.

В комиссию вошел и Феоктист Березовский, делом которого я занимался вместе с партколлегией по Московской области, по Вашему поручению. Это дело Вам известно (Березовский бегал от большевиков к меньшевикам, укрывал службу сыновей у Колчака, поддерживал зятя – белого контрразведчика и т. д.). Березовский и раньше не скрывал своего резкого отношения ко мне.

Свою же работу в комиссии по разбору заявления П. Рожкова он начал с того, что огласил на комиссии заявление против меня из 16 пунктов. Это заявление до сих пор неизвестно ни партгруппе, ни мне.

Сегодня мне стало известно, что Феоктист Березовский[3] собирает против меня материал и письменные по-

казания даже за пределами Союза Советских Писателей. – Он вызывает и ездит сам на квартиры к людям, ранее работавшим в аппарате Правления ССП и уволенным мною по совету из НКВД (капитана госбезопасности т. Журбенко) и за упущения и проступки по работе.

Когда я спросил председательствующего в комиссии – зам. секретаря парткома т. Оськина – знает ли он об этом факте, т. Оськин подтвердил, что это – правда, и что Березовский уже передал показания одного из уволенных мной. …

С комприветом, Вл. Ставский»[4].

Тут особенно выразительна ссылка на капитана госбезопасности Журбенко, дающего Ставскому указания, кого увольнять, а кого нет!

За неделю до этого, 28 октября, Ставский записал в дневнике:

«С т. Л. Мехлисом. 1. Не управляюсь. Осложняется дело заявленьями: 1) Рожкова, 2) Марченко, 3) Ляшкевича, 4) Кулагина, 5) Лахути. РК пересылает Шкирятову, а мне ни одного доклада в районе. 2. Комиссия – по предложению Березовского – меньшевик»[5].

…Но, защищаясь, Ставский не забывал и о своих текущих делах. Тем же днем датирована следующая запись: *«Костарев: вызвать»*[6].

Зачем занадобился Ставскому его старый кореш, можно понять из записи в дневнике назавтра: *«О Мандельштаме: взять стихи и прочитать. / Павленко: Статья о "Перевале"»*[7].

Видимо, у Ставского накопилась критическая масса писательских заступничеств за О.М. (а может, и доносов), и он решил уделить этому вопросу какое-то время. Расспросив Костарева обо всем, что тот знал об О.М. на текущий момент, он устроил что-то вроде совещания с Сурковым и, возможно, Павленко по поводу О.М., для чего даже решил прочитать, наконец, стихи последнего, на чем их автор так громко настаивал еще с воронежских времен. Тогда-то, возможно, Ставский и передал Павленко сами стихи и попросил его написать «рецензию» на них. Несомненно, он проконсультировался, по обыкновению, и с капитаном Журбенко, выполнявшим при Ежове ту же роль, что Агранов при Ягоде.

И вот у такого человека бедный Осип Эмильевич ищет защиты и покровительства?!. У своего, без тени преувеличения, палача?!.

В конце биографической справки, составленной Н.М., перед отъездом в Саматиху стоит многозначительная запись: *«Разговор со Ставским о казни»*[8]. Возможно, это тот же самый разговор, о котором О.М. писал Кузину, возможно, другой. Важно лишь то, что к этому времени начальственное терпение Ставского лопнуло (сработали, видимо, и костаревские приятельские доносы и приставания, да и писательский шумок раздражал), и он окончательно решил продолжить этот «разговор о казни», – но в иных сферах.

Разговор зашел, в сущности, о казни Мандельштама![9]

Подозреваю, что все необходимые слова были произнесены (вероятней всего Журбенко) еще до того, как 16 марта 1938 года – спустя неделю после водворения О.М. в Саматихе и назавтра после расстрела Бухарина – главный писатель страны обратился к ее главному чекисту:

Уважаемый Николай Иванович[10]*!*

В части писательской среды весьма нервно обсуждается вопрос об Осипе МАНДЕЛЬШТАМЕ.

Как известно – за похабные клеветнические стихи и антисоветскую агитацию Осип МАНДЕЛЬШТАМ был года три–четыре тому назад выслан в Воронеж. Срок его высылки окончился. Сейчас он вместе с женой живет под Москвой (за пределами «зоны»).

Но на деле – он часто бывает в Москве у своих друзей, главным образом – литераторов. Его поддерживают, собирают для него деньги, делают из него «страдальца» – гениального поэта, никем не признанного. В защиту его открыто выступали Валентин КАТАЕВ[11], И. ПРУТ[12] и другие литераторы, выступали остро.

С целью разрядить обстановку – О. Мандельштаму была оказана материальная поддержка через Литфонд. Но это не решает всего вопроса о Мандельштаме.

Вопрос не только и не столько в нем, авторе похабных клеветнических стихов о руководстве партии и всего советского народа. Вопрос – об отношении к Мандельштаму группы видных советских писателей. И я обращаюсь к Вам, Николай Иванович, с просьбой помочь.

За последнее время О. Мандельштам написал ряд стихотворений. Но особой ценности они не представляют, – по общему мнению товарищей, которых я просил ознакомиться с ними (в частности, тов. Павленко, отзыв которого прилагаю при сем).

Еще раз прошу Вас помочь решить этот вопрос об Осипе Мандельштаме.

С коммунистическим приветом. В. Ставский».

Знал ли Ставский уже к этому моменту о том, кто будет решаться вопрос о Мандельштаме?

Ведь Фадеев, как пишет Н.М., сразу же догадался о технологии грядущего ареста.

Но разве была эта технология так уж разработана и обкатана? Известны ли случаи, имеющие хоть отдаленное сходство с мандельштамовской Саматихой?..

Да, известны. 11 июля 1937 года в доме отдыха «Пуховичи» был арестован Изи (Исаак Давидович) Харик (1898– 1937) из Минска, идишский белорусский поэт, председатель Еврейской Секции Союза писателей Белоруссии.

В июне 1937 года неожиданно щедрую, бесплатную путевку от Литфонда получил Бенедикт Лившиц – в Кисловодск, в санаторий «Красные камни». Правда, ему дали вернуться в Ленинград и арестовали спустя несколько месяцев – в ночь на 26 октября.

В конце февраля 1941 года в писательском доме творчества «Сагурахи» под Тбилиси был арестован уже упоминавшийся Иван Капитонович Луппол…

---

¹ *РГАЛИ. Ф. 2590. Оп. 1. Д. 79. Л. 11.* Платон Михайлович Керженцев (Лебедев; 1881–1940) и Борис Захарович Шумяцкий (1886–1938) – руководители (председатель и зам. председателя) Комитета по делам искусств при Совнаркоме СССР. Шумяцкий, по совместительству, начальник Главного управления кинопромышленности: 17 января 1938 г. он был арестован и 28 июля 1938 г. расстрелян; Керженцев 19 января 1938 г. был снят со своего поста. (О репрессии Шумяцкого см.: «Верните мне свободу!». Деятели литературы и искусства России и Германии – жертвы сталинского террора. Мемориальный сборник документов из архивов бывшего КГБ / Сост. В.Ф. Колязин при участии В.А. Гончарова. М., 1997. С.162–168).

² *Там же. Л. 14.* Имеется в виду письмо Ал. Толстого, А. Фадеева, А. Корнейчука, В. Катаева и А. Караваевой в редакцию «Правды» о недостатках в работе Союза писателей, в котором, в частности, говорилось: «*Длинная очередь в приемной ответственного секретаря Союза писателей тов. Ставского, – очередь молодых, пожилых, седых советских литераторов, месяцами не могущих попасть на прием. И – бесконечные бюрократические заседания (с резолюциями, стенограммами, протоколами, выписками из протоколов), заседания, преисполненные зеленой скуки и отрывающие писателей от непосредственной писательской работы*» (Правда. 1938. 26 янв. С. 4).

³ Березовский Феоктист Алексеевич (1877–1952) – советский прозаик, член ВКП(б) с 1904 г.

[4] *РГАЛИ. Ф. 1712. Оп. 1. Д. 110. Л. 88.*

[5] *Там же. Л. 62.* Всего за четыре дня до этого, 24 октября, Ставского выдвинули в Совет национальностей: «*Шифром. Грозный Обкомпарт Быковцу. Срочно телеграфьте шифром согласие с предложением выдвинуть кандидатом в депутаты в Совет национальностей от одного из ваших округов товарища Ставского писателя. Передаю по поручению ЦК ВКП(б) пр. 12/с –1818 рп. Маленков. № 234. 24/X–37. 11.25*» (РГАСПИ. Ф. 17. Оп. 167. Д. 55. Л. 15).

[6] *РГАЛИ. Ф. 1712. Оп. 1. Д. 110. Л.*

[7] *Там же. Л. 66.*

[8] Жить подальше от литературы. К 115-летию Н.Я. Мандельштам [Беседы профессора Кларенса Брауна с Н.Я. Мандельштам; Приложение: хроника жизни О.Э. Мандельштама] / Публ. и примеч. С.В. Василенко и П.М. Нерлера. Предисл. П. Нерлера. // Октябрь. 2014. № 7. С. 166. В Сети: http://magazines.russ.ru/october/2014/7/7p.html

[9] Сам Ставский – этот молодой, в сущности, человек, ровесник века, распоряжавшийся и распорядившийся десятками, если не сотнями, писательских жизней, – и не подозревал и уж тем более не допускал мысли, что жить ему самому оставалось каких-нибудь пять с небольшим лет (он погиб на фронте)!

[10] Ежов Николай Иванович (1895–1940). Образование: 1 класс начального училища, Петербург; курсы марксизма-ленинизма при ЦК ВКП(б) 1926–1927. В коммунистической партии с марта 1917 г. С 26 сентября 1936 г. по 25 декабря 1938 г. – нарком внутренних дел СССР в звании генерального комиссара государственной безопасности, с 23 января 1937 по 19 января 1939 г. – член Комиссии Политбюро ЦК ВКП(б) по судебным делам, с 8 апреля 1938 г. по 9 апреля 1939 г. – нарком водного транспорта СССР. Арестован 10 апреля 1939 г., 4 февраля 1940 г. ВКВС приговорен к расстрелу, расстрелян 6 февраля того же года. Не реабилитирован. Весной 1930 г.

Мандельштам и Ежов одновременно отдыхали в правительственном санатории в Сухуме.

[11] Катаев Валентин Петрович (1897–1986) – писатель; один из немногих, кто после ареста и ссылки О.М. в 1934 г. поддерживал отношения с опальным поэтом.

[12] Прут Иосиф Леонидович (1900–1996) – писатель, драматург и кинодраматург; в 1938 г. жил в Ленинграде; дружил с Е.Э. Мандельштамом, по просьбе которого поддерживал его старшего брата деньгами. Предположений о выступлениях или обращениях в поддержку Мандельштама И.Л. Прут не подтвердил и не опроверг.

ПЕТР ПАВЛЕНКО

К письменной просьбе писательского наркома к наркому карательному этой приложено «экспертное заключение» Петра Павленко, еще в 1934 году «интересовавшегося» О.М. – в лубянском кабинете следователя Шиварова.

Петр Андреевич Павленко (1899–1951) – писатель-функционер, единственный сын железнодорожника и учительницы, умершей в Тифлисе, когда сыну было всего два года. До школы жил у бабушки в белорусском Велиже, учился в реальном училище в Тифлисе, которое закончил в 1916 или 1917 г. Образование продолжил на сельскохозяйственном отделении Бакинского политехникума (в 1917–1920 гг., где он и сблизился с большевиками; учился Павленко здесь еще и в 1922 году, но так и не закончил вуз), а также в партшколе Наркомата военных дел в 1920 году. Этим же годом датируется вступление Павленко – юного политработника Красной Армии – в ВКП(б), что позднее оспаривалось на партчистках.

Свою трудовую деятельность Павленко начал в апреле–июне 1920 года и сразу же на идеологическом фронте – в качестве агитатора и комиссара политотдела 11-й армии, захватившей и дислоцировавшейся в Баку. Во 2-м полугодии 1920 года он комиссар (военком) Куринской речной флотилии (базировалась в Салсянах на Куре), а в 1921-м – комиссар 1-го пограничного отряда особого назначения при Особом отделе Красной Армии (именно тогда Павленко дебютировал в печати со статьей «Достойно примера», опубликованной в газете

«Красный воин»). В 1921–1922 гг. Павленко секретарь комиссий по партчистке в Красной Армии и других парторганизациях Грузии (напомним, что в 1921 году в Тифлисе долгое время жил и О.М.).

С декабря 1922 и по декабрь 1924 г. Павленко, – «проваренный в чистках, как соль», – уже на сугубо партийной работе постоянного секретаря и зав. отделом печати Закавказского краевого комитета ВКП(б); в мае 1924 года он даже избирается делегатом XIII съезда ВКП(б). Хорошо, видимо, зарекомендовав себя на номенклатурных должностях, Павленко отправляется на несколько лет за границу: в 1924–1927 гг. он сотрудник (официально – секретарь Закавказского представительства) советского торгпредства в Стамбуле, совершавший длительные командировки в Грецию, Италию и Францию[1]. Чем именно и под какой фамилией занимался за границей в середине 20-х годов – никто толком не знает[2], как и то, что он, не будучи узником, делал тогда же или чуть ранее на Соловках (о них он очень любил рассказывать).

Из-за границы Павленко возвращается уже в Москву, где сближается с группой «Перевал» и планирует в журналистику и литературу: с ноября 1927 по сентябрь 1929 г. он спецкор «Известий», а затем еще по два года – заведующий отделом прозы в журнале «Красная новь» и редактор журнала «30 дней» (где, возможно, с ним пересекался и О.М.). В устном жанре он абсолютный чемпион по застольным байкам, а в письменном –подающий надежды соавтор подчас таких приличных писателей, как Платонов, Пильняк[3] или Всеволод Иванов. В 1930 году, вместе с Н.С. Тихоновым, Вс. Ивановым, Л.М. Леоновым, В.А. Луговским и Г.А. Санниковым, совершает путешествие в Туркмению.

В 1933 году Павленко ушел «на вольные хлеба» и стал жить литературным заработком, чему очень споспешествовало его участие в Оргкомитете СП СССР и избрание в августе 1934 года членом Президиума СП СССР. Иными словами: всенепременный кореш любого начальства, теперь и сам стал литературным начальником. И если идет он на торжество к соседу-писателю по Переделкино (кстати, по будущей улице Павленко!), то дарит ему... *«крохотную книжечку – только что произнесенный по радио и уже опубликованный текст сталинской Конституции»*! Перво-наперво протягивает эту мерзятину сыну соседа, еще дошкольнику, и, дергая веком, *«внимательно смотрит»* – *«проверяет реакцию»*[4].

В 1930-е гг. редактировал альманахи «Колхозник», «Год XVI», «Год XVII» и «Дружба народов», публиковал многочисленные очерки и рассказы, а также напечатал роман «На Востоке» (1936–1937), за который получил в 1939 г. орден Ленина («за выдающиеся заслуги в области литературы»). В 1940 году за участие в войне против белофиннов и ее освещение в печати ему вручили и орден Красной Звезды. Впоследствии он был увенчан четырьмя (!) Сталинскими премиями (в 1941 году – за совместный с С.М. Эйзенштейном сценарий кинофильма «Александр Невский», в 1947 – за сценарий кинофильма «Клятва», в 1948 – за роман «Счастье» и в 1950 – за сценарий кинофильма «Падение Берлина»). Что ж, за красивые глаза и за отменную прозу столько Сталинских премий не дают!

В 1945 году больной туберкулезом Павленко переезжает в Ялту, в собственный дом, подаренный ему Союзом писателей. В Крыму он возглавлял Крымское отделение СП СССР, издавал альманах «Крым» и избирался депутатом Верховного совета СССР.

Что же пишет этот любознательный прозаик, талантливый провокатор и, по совместительству, убийца поэта в своей части коллективного доноса, озаглавленной «О стихах О. Мандельштама»?

«Я всегда считал, читая старые стихи Мандельштама, что он не поэт, а версификатор, холодный головной составитель рифмованных произведений. От этого чув-

ства не могу отделаться и теперь, читая его последние стихи. Они в большинстве своем холодны, мертвы, в них нет того самого главного, что, на мой взгляд, делает поэзию, – нет темперамента, нет веры в свою строку.

…Советские ли это стихи? Да, конечно. Но только в «Стихах о Сталине» мы это чувствуем без обиняков, в остальных же стихах – о советском догадываемся[5]. Если бы передо мною был поставлен вопрос – следует ли печатать эти стихи, – я ответил бы – нет, не следует.

П. Павленко».

Но Павленко – этот частный выразитель «общего» мнения – прекрасно понимал, что поставлен перед ним был не этот, а другой, гораздо более серьезный вопрос, как знал заранее и ответ на него: «Да, следует!»

После такой чистой и «совершенно секретной» (и оттого «чистой» вдвойне) работы карающему мечу революции оставалось только откликнуться на столь тревожный и убедительный сигнал, на это искреннее, товарищеское и аргументированное обращение, на этот прямо-таки крик о помощи![6]

---

[1] Его очерки из турецкой жизни публиковались в тифлисской «Заре Востока» и одесских «Известиях» под псевдонимами «Суфи» или «Сафи».

[2] Сам он писал 8 мая 1929 г. Н. Тихонову, что «за границей ходил в высоких чинах – был коммерческим директором Аркоса (акционерное торговое общество All Russia Cooperative Society. – *П.Н.*) в Турции» и что его «*полный … титул едва умещался на визитной карточке биржевого – в папиросную коробку! – образца*» (*Павленко П.А.* Из писем другу (Н.С. Тихонову) / Публ. Н.К. Треневой, подгот. текста, вступ. и примеч. Ц.Е. Дмитриевой // Знамя. 1968. № 4. С. 127). Эти данные

подтверждаются личными листками по учету кадров, заполненными Павленко в 1942 г. (*РГАЛИ. Ф. 2199. Оп. 3. Д. 222*).

[3] В 1928 г. он и Б. Пильняк выпустили совместный сборник рассказов «Лорд Байрон».

[4] *Саед-Шах А.* Заповедная зона особого режима. Прогулка с академиком и писателем Вячеславом Вс. Ивановым по Переделкину // Новая газета. 2005. № 61. 22 августа.

[5] Сам Павленко владел этой темой в совершенстве. Вот фрагмент из его опуса «Сталин», датированного 1949 г.: «*Когда каждый из нас, людей сталинской эпохи, думает о своем вожде – великом Сталине, перед мысленным взором его проходит величественная жизнь этого человека – гиганта мысли и гиганта действия. ... "Берегите кандалы, они пригодятся нам для палачей!" – пророчески говорил он друзьям, отправляемым на каторгу, точно знает сроки революции и размах победы, хотя до нее еще годы и годы тяжелой борьбы. ...Имя его – мощь! Имя его – мир! Имя его – победа! ...Да здравствует Сталин – наша политика, наша судьба, Сталин – мощь, мир и победа! Да здравствует Сталин – творец коммунизма!*» (*РГАЛИ. Ф. 2999. Оп. 1. Д. 135*).

[6] Хорошо известны имена некоторых писателей, специализировавшихся на доносах (Я.Е. Эльсберг, В.Я. Тарсис) или же на доносах-«рецензиях» (Н.В. Лесючевский; см., например: *Лесневский Ст.* Донос. К истории двух документов минувшей эпохи // Лит. Россия. 1989. 10 марта. С. 10–11, в которой печатаются два «отзыва» этого будущего директора издательства «Советский писатель» «О стихах Б. Корнилова» и «О стихах Н. Заболоцкого», датированные 13 мая 1937 г. и 3 июля 1938 г.). Но труднее сказать, сколь распространенной была практика непосредственного обращения самих писательских органов в чекистские с просьбой «помочь разрешить проблему». Впрочем, известны случаи арестов даже, так сказать, по частной инициативе. Вот, например, рассказ И.М. Гронского: «*Однажды получаю от Н.А. Клюева поэму. ...Это любовный гимн, но предмет любви не девушка, а мальчик. Ничего не по-*

нимаю и отбрасываю поэму в сторону. ...Приезжает Н.А. Клюев, является ко мне.

– Получили поэму?

– Да.

– Печатать будете?

– Нет, эту мерзость мы не пустим в литературу. Пишите нормальные стихи, тогда будем печатать. ...

– Не напечатаете поэму, писать не буду. ...

Я долго уговаривал Н.А. Клюева, но ничего не вышло. Мы расстались. Я позвонил Ягоде и попросил убрать Н.А. Клюева из Москвы в 24 часа. Он меня спросил:

– Арестовать?

– Нет, просто выслать из Москвы.

После этого я информировал И.В. Сталина о своем распоряжении, и он его санкционировал» (*Гронский И.* О крестьянских писателях (выступление в ЦГАЛИ 30 сентября 1959 г.) / Публ. М. Никё // Минувшее. М., 1992. № 8. С. 150–151). Клюева арестовали 2 февраля 1934 г., причем сделал это лично Шиваров (*Шенталинский В.* Рабы свободы. В литературных архивах КГБ. М., 1995. С. 267).

ЧЕТЫРЕ ТЮРЕМНЫХ МЕСЯЦА
И МЕСЯЦ В ЭШЕЛОНЕ

...Прошу вас помочь решить этот вопрос об О. Мандельштаме.

Из следственного дела
О. Мандельштама 1938 года

ЛУБЯНКА И БУТЫРКИ

В САМАТИХЕ:
МЕЩЕРСКАЯ ЗАПАДНЯ И АРЕСТ

…8 или 9 марта он и Н.М. приехали в профсоюзную здравницу «Саматиха» треста по управлению курортами и санаториями Мособлздравотдела при Мособлисполкоме. Аж в двадцати пяти верстах от железнодорожной станции Черусти, что за Шатурой, – настоящий медвежий угол[1].

…Когда-то здесь был лесозавод и усадьба Дашковых. Вековые корабельные сосны и сейчас поскрипывают над десятком бревенчатых зданий: война и пожары пощадили их. Зимой здесь отдыхало человек пятьдесят, летом же – до трехсот. В начале войны здесь был детский госпиталь, а с 1942 года и по сей день – Шатурская психиатрическая больница № 11. Добавился один рубленый корпус, кое-что перестроено, а так – всё осталось по-старому, как при Дашкове или при О.М. Нет, правда, танцевальной веранды в «господском» доме, столовая с небольшой сценой перестроена под палаты, а там, где была баня и прачечная, теперь клуб, но никто уже и не помнит, где была избушка-читальня. Липовые аллеи сильно заросли, и не звучит уже в них хмельной аккордеон затейника Леонида; пересох и один из прудов, а на другом и в помине нет лодочной станции, – но всё как-то по-прежнему зыбуче, ненадежно и зловеще, словно нынешний профиль лечебницы обнажил что-то постыдно-сокровенное, молчаливо-угодливое, растворенное в таежном воздухе этой мещерской окраины. Не удивился бы, если б узнал, что судьба вновь заносила сюда бывших оперативников, бывших отдыхающих, бывших главврачей!..

Десятого марта – в день, когда в Ленинграде был арестован Лев Гумилев[2], – О.М. написал Кузину уже из Саматихи бодрое и оптимистичное письмо:

> *«Дорогой Борис Сергеевич! Вчера я схватил бубен из реквизита Дома отдыха и, потрясая им и бия в него, плясал у себя в комнате: так на меня повлияла новая обстановка. «Имею право бить в бубен с бубенцами». В старой русской бане сосновая ванна. Глушь такая, что хочется определить широту и долготу»[3].*

Знакомая прозаическая отточенность и цепкость фразы говорят о бодром и чуть ли не о рабочем настроении. Уж не набросок ли это новой прозы?

Один из главных персонажей письма – музыка:

> *«Любопытно: как только вы написали о Дворжаке, купил в Калинине пластинку. Славянские танцы №1 и №8 действительно прелесть. Бетховенская обработка народных тем, богатство ключей, умное веселье и щедрость.*
>
> *Шостакович – Леонид Андреев. Здесь гремит его 5-я симфония. Нудное запугивание. Полька Жизни Человека. Не приемлю.*
>
> *Не мысль. Не математика. Не добро. Пусть искусство: не приемлю!»*

Надо полагать, что 5-ю симфонию Шостаковича О.М. слушал по радио чуть ли не в первый же день своего приезда в Саматиху. Физическая ее премьера в Консерватории состоялась совсем недавно – 29 января, а 1 марта – там же – было ее второе представление[4].

Как бы то ни было, но ранней весной 1938 года, встав на лыжи и надышавшись сосновым воздухом Саматихи, Осип Эмильевич вновь почувствовал себя молодым и даже ощутил «превращение энергии в другое качество».

Оттого-то и доверяешься той особенной мажорности, с какою пишутся редкие письма престарелым и не с тобою живущим родителям, – именно ею пропитано единственное письмо, посланное из Саматихи отцу 16 апреля:

«Дорогой папочка!

Мы с Надей уже второй месяц в доме отдыха. На два месяца. Уедем отсюда в начале мая. Отправил сюда Союз Писателей (Литфонд). Перед отъездом я пытался получить работу, и ничего пока не вышло. Куда мы отсюда поедем – неизвестно. Но надо думать, что после такого внимания, после такой заботы о нас, придет и работа. Здесь очень простое, скромное и глухое место. $4^1/_2$ часа по Казанской дороге. Потом 24 километра на лошадях. Мы приехали, еще снег лежал. Нас поместили в отдельный домик, где никто, кроме нас, не живет. А в главном доме такой шум, такой рев, пенье, топот и пляска, что мы бы не могли там выдержать: чуть-чуть не бросили и не вернулись в Москву. Так или иначе, мы получили глубокий отдых, покой на 2 месяца. Этого отдыха осталось еще 3 недели. Мое здоровье лучше. Только одышка да глаза ослабели. И очень тяжело без подходящего общества. Читаю мало: утомляюсь быстро от книг, и очки неудачные.

Надино здоровье неважно. У нее болезнь печени или желудка и что-то вроде сердечной астмы. Последняя новость – часто задыхается, и всё боли в животе. Много лежит. Придется ее исследовать в Москве.

У нас сейчас нет нигде никакого дома, и всё дальнейшее зависит от Союза Писателей. Уже целый год Союз не может решить принципиально: что делать с моими новыми стихами и на какие средства нам жить. Если я получу работу, мы поселимся на даче и будем жить семьей. Сейчас же приедешь ты, а еще возьмем Надину сестру Аню. Она очень больна. Квартиру в Москве мы теряем. Но главное: работа и быть вместе.

Крепко целую тебя. Горячо хочу видеть.

Твой Ося.

Жду немедленного ответа о твоем здоровье, самочувствии.

Остро тревожусь за тебя. Если не ответишь сразу – буду телеграфировать.

Сейчас же пиши о себе.

Лучше всего дай телеграмму: как здоровье.

Адрес мой: Ст. Кривандино Ленинской Ж. Д., пансионат Саматиха. Отвечай, сообщи о себе в тот же день».

И далее – приписка невестки: *«Целую вас... Пишите... Надя»*[5].

Да, действительно, Литфонд не только оплатил обе путевки в Саматиху, но и всячески озаботился тем, чтобы О.М. были «созданы условия» для отдыха (кто-то из Союза несколько раз звонил главному врачу, справлялся, как и что). Всё шло, пишет Надежда Яковлевна, как по маслу, без неувязок: и розвальни с овчинами на станции, и отдельная палата в общем доме, а затем, в апреле, – и вовсе изолированная изба-читальня, и лыжные прогулки, и предупредительный главврач[6]. Правда, в город съездить почему-то никак не удавалось, и О.М. даже однажды спросил: «А мы, часом, не попались в ловушку?» Спросил и тут же забыл, вернее, прогнал эту малоприятную догадку, благо под рукой были и Данте, и Хлебников, и Пушкин (однотомник под редакцией Томашевского), и даже подаренный Борисом Лапиным Шевченко.

Поговорить и правда было не с кем: отдыхающие были поглощены флиртом, один только затейник поначалу приставал к О.М. с карикатурными идеями насчет вечера стихов О.М.[7], – поэтому молодая барышня с «пятилетней судимостью», да еще «знакомая Каверина и Тынянова», легко втерлась к нему в доверие. Со временем стало ясно, что барышня, неожиданно уехавшая накануне Первомая, была «шпичкой» и находилась тут в служебной командировке; впрочем, и главврачу просто было велено О.М. не выпускать.

Итак, западня? Кошки-мышки?

Малоприятная догадка, кажется, подтверждалась...

Только вот что же можно предпринять, сидя в западне?!.

И всё же О.М. не унывал: «Не всё ли равно? Ведь я им теперь не нужен. Это уже всё прошлое...»

Увы, он ошибался: Саматиха была западней...

Подготовка ареста и арест

Ну кто же, как не чекисты, действительно, помогут писателям «решить этот вопрос о Мандельштаме», решить крепко и окончательно?

Правда, на согласования и разработку «операции» потребовалось некоторое время. На письме писательского вождя стоит штамп Секретно-политического отдела НКВД: *«4 отдел ГУГБ. Получено 13 апреля 1938».*

Иными словами, Ежов держал письмо у себя чуть ли не месяц!

Почему?

Да потому, думается, что в первом – 1934 года – деле этого дерзкого антисоветчика оставались видимые для него следы «чуда» и самого высочайшего великодушия, так что и на этот раз, продолжим догадку, потребовалось то или иное проявление воли вождя. На что и ушел календарный месяц. Кроме того, в Ленинграде вовсю шло дело о «заговоре писателей», фактическим фигурантом которого являлся и О.М., – и, возможно, еще не начавшееся московское следствие запросило результаты ленинградских коллег.

О воле вождя будем судить по результату: сроки действия чуда явно истекли! О чем, в сущности, и сказали или дали понять – Андреев Фадееву, а Журбенко Ставскому. И как только политическое решение было принято, закипела практическая чекистская работа!

Первым долгом – служебное обоснование. Вот справка, написанная начальником 9-го отделения 4-го отдела ГУГБ Юревичем[8] (разумеется, со слов Ставского):

«По отбытии срока ссылки МАНДЕЛЬШТАМ явился в Москву и пытался воздействовать на общественное мнение в свою пользу путем нарочитого демонстрирования своего «бедственного положения» и своей болезни.

Антисоветские элементы из литераторов используют МАНДЕЛЬШТАМА в целях враждебной агитации, делают из него «страдальца», организуют для него сборы среди писателей. Сам МАНДЕЛЬШТАМ лично обходит квартиры литераторов и взывает о помощи.

По имеющимся сведениям, МАНДЕЛЬШТАМ до настоящего времени сохранил свои антисоветские взгляды.

В силу своей психической неуравновешенности МАНДЕЛЬШТАМ способен на агрессивные действия.

Считаю необходимым подвергнуть МАНДЕЛЬШТАМА аресту и изоляции.

На справке – три резолюции: 1) «*т. Фриновский[9]. Прошу санкцию на арест. 27.4. Журбенко»[10]*, 2) «*Арест согласован с тов. Рогинским[11]. Подпись. 29/IV 38»* и 3) «*Арестовать. М. Фриновский. 29/IV 38 г.».*

Подпись Фриновского – замнаркома внутренних дел – стоит и на ордере № 2817 на арест. Выписали ордер – 30 апреля[12].

...Прибытию в Саматиху опергруппы предшествовал приезд туда 30 апреля еще и районного начальства на двух легковых машинах. 1 мая, когда весь дом отдыха буйно отмечал праздник, гуляли, по-видимому, и чекисты.

Первомайские газеты захлебывались подобающими жизнерадостностью и энтузиазмом. Сообщалось, например, что накануне праздника открылось движение по новому Крымскому мосту в Москве, что в праздничный вечер давали следующие спектакли: в Большом – «Поднятую целину» (закрытый просмотр; был там, наверно, и Сталин), во МХАТе – «Любовь Яровую», в Вахтанговском – «Человека с ружьем», в оперетте – «Свадьбу в Малиновке» и т. д.

Скромный стук в дверь избушки-читальни раздался, как вспоминает Н.М., под утро 2 мая (по чекистским документам – третьего): двое военных (сотрудники НКВД Шишканов и Шелуханов) в сопровождении главврача Фомичева[13] предъявили ордер (О.М., кстати, поразило, что он был выписан еще в апреле).

Обыска как такового не было: просто в заранее приготовленный мешок вытряхнули всё содержимое чемодана. Согласно описи, это: *«1) паспорт серии Ц.М. № 027827 и 2) рукопись и переписка – одна пачка, книга – автор О. Мандельштам».*

Никаких претензий и жалоб арестованный не заявил, и вся операция заняла около 20 минут...

Проводить Осипа Эмильевича до Черустей его жене позволено не было[14].

В ночь перед арестом ей снились иконы: сон не к добру.

Больше она мужа уже никогда не видела. Канули в Лету и стихи, написанные здесь: запомнить их Надежда Яковлевна не успела.

> *...И блаженных жен родные руки*
> *Легкий пепел соберут...*

---

[1] Путевки в эту профсоюзную здравницу и пособие на их приобретение были выданы Литфондом СССР 2 марта 1938 г. (см. протокол № 94: *РГАЛИ. Ф. 631. Оп. 15. Д. 253. Л. 3*).

[2] *Разумов А.Я.* Дела и допросы // «Я всем прощение дарую…». Ахматовский сборник. М. – СПб., 2006. С. 260–278.

[3] *Мандельштам О.* Собр. соч. в 4-х тт. М., 1997. С. 199.

[4] А.К. Гладков, бывший на обоих концертах, записал о премьере: *«В Большом зале Консерватории вся Москва <...>.*

Шостакович выходил раскланиваться в узеньком сером ко-стюмчике, бледный и утомленный. Говорят, он страшный неврастеник и почти помешался на том, что его должны арестовать» (Александр Гладков. «Всего я и теперь не понимаю» Из дневников. 1938 / Публ. С. Шумихина // Наше наследие. 2014. № 109. С. 97 (в сети: http://www.nasledie-rus.ru/podshivka/10910.php)

[5] *Там же.* С. 200–201. Из архива Е.Э. Мандельштама (собрание Е.П. Зенкевич). На конверте почтовые штемпели: «Пески Коробовского. 16.4.38» и «Ленинград. 18.4.38».

[6] Еще до знакомства с материалами дела 1938 г. удалось установить его имя: Самуил Васильевич Фомичев (сообщено А.Н. Бобель и М.Д. Юровой, бывшими работницами пансионата).

[7] Ровно то, чего О.М. безуспешно добивался от Союза писателей летом и осенью!

[8] Юревич Виктор Иванович (1906–1940). Образование: школа 2-й ступени, Торжок, 1924. В органах ОГПУ–НКВД с 1928 г. В 1935 г. присвоено звание лейтенанта, в 1937-м – старшего лейтенанта, в 1938-м – капитана гб. С января по апрель 1938 г. – зам. начальника 6-го отделения 4-го отдела ГУГБ, с апреля 1938 г. по 28 мая 1938 г. – начальник 6-го отделения 4-го отдела 1-го управления НКВД, в 1938 г. – начальник 9-го отделения 4-го отдела ГУГБ (после Журбенко – см. ниже), с 28 мая 1938 по 28 января 1939 г. – начальник УНКВД Кировской обл. Арестован в 1939 г., 25 января 1940 г. ВКВС приговорен к расстрелу и расстрелян 26 января того же года. Не реабилитирован.

[9] Фриновский Михаил Петрович (1898–1940). Образование: духовное училище, Краснослободск, 1914; 1-й класс Пензенской духовной семинарии, 1916; курсы высшего комсостава при Военной академии РККА им. М.В. Фрунзе, 1926–1927. В коммунистической партии с 1918 г. В органах ВЧК–ОГПУ–НКВД с 1919 г. В 1935 г. присвоено звание комкор, в 1938-м – командарм 1-го ранга. С 16 октября 1936 г. –

заместитель, а с 15 апреля 1937 г. по 8 сентября 1938 г. – первый заместитель наркома внутренних дел СССР, с 15 апреля 1937 г. по 28 марта 1938 г. – начальник ГУГБ, с 28 марта 1938 г. по 8 сентября 1939 г. – начальник 1-го управления НКВД, с 8 сентября 1938 г. – нарком Военно-Морского Флота СССР. Арестован 6 апреля 1939 г., 4 февраля 1940 г. приговорен ВКВС к расстрелу и расстрелян 8 февраля того же года. Не реабилитирован.

[10] Журбенко Александр Спиридонович (1903–1940). Образование: церковно-приходская школа; 4 года в высшем начальном училище, 1919. В коммунистической партии с 1928 г. В органах ВЧК–ОГПУ–НКВД с 1920 г. В 1935 г. присвоено звание капитан, в 1937 г. – майор гб. С 15 апреля 1937 г. по апрель 1938 г. – начальник 9-го отделения 4-го отдела ГУГБ, с апреля по 15 сентября 1938 г. – зам. начальника и начальник 4-го отдела 1-го управления НКВД, с 15 сентября 1938 г. – начальник УНКВД Московской области. Арестован 29 ноября 1938 г., 15 февраля 1940 г. ВКВС приговорен к расстрелу и расстрелян 26 февраля того же года. Не реабилитирован.

[11] Рогинский Григорий Константинович (1895–?), в 1929–1930 гг. – прокурор Ростовской области; с 27 апреля 1935 по 7 сентября 1939 г. – зам. Прокурора СССР, ближайший сподвижник А.Я. Вышинского. Автор книги: *Голунский С.А., Рогинский Г.К.* Техника и методика расследования преступлений. М., 1934. Снят с работы якобы за преступное отношение к жалобам и заявлениям, а на самом деле за мнимое участие в «заговоре прокуроров». Арестован 5 сентября 1939 г. В 1941 г. приговорен ВКВС к 15 годам заключения, умер в лагере. Реабилитирован в ноябре 1992 г. (*Звягинцев А., Орлов Ю.* Прокуроры двух эпох: Андрей Вышинский и Роман Руденко. М.: Олма-Пресс, 2001).

[12] Видно, Надежда Яковлевна переписала себе эти цифры. В архиве О.М. в Принстоне есть одна бумажка нестандартного вида, на которой записано ее рукой: «*№ 2817 Ося 30/IV*» (*АМ. Box4. Folder 1*).

Согласно документам, С.В. Фомичев исполнял еще и обязанности директора дома отдыха.

[14] Ей удалось вырваться из Саматихи только 6 мая, когда на узенькой бумажке со штемпелем и круглой печатью здравницы «Саматиха» ей выдали справку (см. «Документы»).

НА ЛУБЯНКЕ

Итак, 2 мая 1938 года Осипа Эмильевича Мандельштама вырвали из жизни и сбросили в колодец ежовского
НКВД.

В его деле, впрочем, указана дата 3 мая, но это, надо
полагать, дата поступления арестованного в приемник[1]
внутренней (Лубянской) тюрьмы. Это небольшое трех-
этажное здание во дворе лубянского колосса, окруженное со всех сторон грозными этажами с зарешеченными
окнами. Если бы вдруг удалось увидеть его сверху, оно
могло бы показаться мышонком в тисках кошачьих ког-
тей. А снизу – из тесноты камер – людям, трепыхавшим-
ся в неволе, таким оно не казалось, не воспринималось
как метафора, – таким оно просто **было**. Но никакая
птица не разглядела бы сверху ни малоприметную дверь
в зал судебных заседаний, ни подземный ход, которым
уводили отсюда тысячи и тысячи – в расстрельные под-
валы дома Военной коллегии, что на другой стороне Лубянской площади...

О.М., впрочем, им не провели. В приемнике у него
отобрали паспорт, чемоданчик, помочи, галстук, ворот-
ничок, наволочку и деревянную трость с набалдашни-
ком; выдали квитанцию: одну взамен всего изъятого
(№ 13346); другую (№ 397) – на имевшуюся у О.М. при
себе наличность: 36 рублей 28 копеек.

Но перед этим поэта – последний в жизни раз – сфо-
тографировали. Эта тюремная фотография – профиль
и фас – потрясает. Мандельштам – в кожаном, не по

размеру большом, пальто (подарок Эренбурга, оно упомянуто потом почти всеми, видевшими поэта в лагере!), в пиджаке, свитере и летней белой рубашке. Небритое, одутловатое, отечное лицо сердечника, всклокоченные седины. Как выдержать этот обреченно-спокойный и вместе с тем гордый взгляд усталого и испуганного человека, у которого уже отобрали всё – книги, стихи, жену, весну, свободу, у которого скоро отнимут и последнее – жизнь?!

В этом взгляде, в этих глазах – весь его мир и дар, без которых сегодня нам самим, кажется, уже невозможно жить.

Фотография, как это ни странно, датирована тем же 30 апреля (запись на талоне ордера № 2817). От того же числа отсчитывался и пятилетний срок за контрреволюционную деятельность в приговоре Особого совещания.

Следующая достоверная дата – 9 мая. В этот день, согласно служебной записке № 16023, было отдано распоряжение доставить О.М. из внутренней (Лубянской) тюрьмы в Бутырскую и поместить в общую камеру.

Возможно, его выполнили не сразу, поскольку следующее документированное событие произошло всё еще на Лубянке – и 14 мая. Дактилоскопистом (подпись неразборчива) Внутренней тюрьмы ГУГБ НКВД г. Москвы сняты отпечатки пальцев О.М.: правая рука, левая, контрольный оттиск…

Тюремно-лагерное и следственное дела – это совершенно разные вещи[2]. Раньше мы могли лишь гадать о том, велось ли следствие или нет, и, если велось, то кто был следователем и какими методами велись допросы. В условиях заведенной машины ОСО, где даже подпись секретаря была заменена казенным штемпелем, большой необходимости не было даже в протоколах и допросах. Может быть, весь следовательский труд свелся к двукратному заполнению анкеты, точнее, учетно-статистической карточки на арестованного?..

Как раз в апреле – шапки долу перед «царицей доказательств»! – были сняты последние ограничения на физические методы воздействия при допросах (впрочем, их начали применять еще после февральско-мартовского пленума ЦК ВКП(б) – но это как правило, а в отдельных случаях пытки были в ходу еще с конца 20-х годов)[3].

Относительно технологии допросов и вообще расследования процитируем свидетельство Александра Алексеевича Гончукова, в 1937–1938 годах бывшего оперуполномоченным 2-го и 5-го отделений 4-го отдела УГБ УНКВД по Ленинградской области:

«По установившейся в то время практике расследование уголовных дел о контрреволюционных преступлениях проводилось следующим порядком: арестом лиц, на которых имелись материалы о совершении ими контрреволюционных преступлений, занималась специальная группа работников отдела, они же готовили материалы для ареста. После ареста материалы, состоящие из документов, по которым оформлялся арест, и копий протоколов допроса лиц, давших показания на арестованного, передавались работнику, которому поручалось проведение следствия, причем копии этих протоколов заверялись, как правило, работниками отдела, а копии протоколов, отпечатанные на ротаторе, также работниками отдела, причем до печатания на ротаторе.

Получив эти материалы, мы приступали к допросу арестованного. Первый протокол допроса всегда составлялся допрашивавшим от руки. Когда арестованный отрицал свою антисоветскую деятельность, мы уличали его имевшимися в нашем распоряжении материалами, т. е. показаниями лиц, копии протоколов допроса которых у нас были. Перерывы в допросах арестованных были в ряде случаев потому, что допросы арестованных, во время которых они не признавали себя виновными, протоколами не оформлялись. Когда арестованный после определенного времени начинал давать показания о своей контрреволюционной деятельности, ему предоставлялась возможность собственноручно написать о проведенной им антисоветской деятельности. Впоследствии на основании собственноручных записей арестованного и других черновых записей составлялся обобщенный протокол допроса. Этот протокол после составления лицом, ведущим следствие, передавался для корректирования начальнику отделения, а в некоторых случаях и более старшим начальникам. Они производили так называемую литературную обработку протоколов допроса, но в основном содержание протокола оставалось таким, как составлял его работник, проводящий следствие. После отработки протокол допроса печатался на машинке и давался на подпись подследственному. Когда подследственный по тем или иным мотивам отказывался подписывать обобщенный протокол, он уличался его же собственноручно написанными показаниями, тогда он протокол подписывал. После этого черновые материалы уничтожались. ...В тот период существовал такой порядок, что если протокол подписывался двумя лицами, равными по занимаемой должности, то первая подпись была того работника, который проводил допрос и составлял протокол допроса, а второй работник, подписавший протокол, только присутствовал. При подписании протокола допроса арестованных в тех случаях, когда в допросах принимали участие старшие начальники, их подписи ставились первыми, а подпись работника, проводившего допрос, последней. ...В то время в Управлении НКВД ЛО знали, что работники нашего отдела КУЗНЕЦОВ Петр и ПАВЛОВ Иван били арестованных, их и звали молотобойцами. ...Я физических методов воздействия к арестованным не применял. Что касается длительных ночных допросов арестованных, то такие случаи имели место, имели место и допросы со стойками»[4].

В Москве репутацией «молотобойца» пользовался следователь Г.С. Павловский. А может быть, и мандельштамовский следователь, Шилкин, тоже был из таких же? Может, Осипа Эмильевича били, мучили, опускали, требовали, чтобы он назвал сообщников? Ведь появилась же откуда-то в обвинении запись «эсер», как появились у него самого боязнь быть отравленным и другие признаки явного обострения психического расстройства на этапе и в лагере? И что означают сведения Домбровского о роли бухаринских записочек в судьбе О.М.? В свете мартовского процесса над Бухариным в этом, кажется, есть своя логика[5].

Теперь, когда следственное дело стало доступно и введено в научный оборот[6], многое, даже очень многое прояснилось; многое – но не всё.

Через три дня после снятия отпечатков пальцев – 17 мая – состоялся единственный запротоколированный в деле допрос. Следователь – младший лейтенант гб П. Шилкин – особенно интересовался не столько нарушениями административного режима, сколько тем, кто из писателей в Москве и Ленинграде поддерживал О.М., но в особенности знакомством О.М. с Виктором-Сержем, что являлось явным отголоском ленинградских дознаний. Там же, видимо, и источники других полуфантастических сведений и анахронизмов: несколько лет в Париже, якшание с анархистами, отъезд в Киев в 1919 году из Ленинграда (sic!), горячие симпатии к троцкизму в 1927 году. Интересно, что к числу поэтических вещдоков впервые попали стихи 1917 года – «Керенский» и «Кассандра».

Допросом чекистская пытливость не ограничилась. Искали рукописи, посылали запрос в Калинин, поручая обыскать квартиру, где жил О.М. (в сочетании с путаницей с адресами ушло у них на это двадцать дней – от 20 мая до 9 июня[7]). Но там ничего уже не было: Надежда Яковлевна опередила оперативников и прибрала заветную корзинку со стихами.

Оперативная активность возымела еще одно русло – медицинское.

20 июня зам. начальника секретно-политического отдела Глебов-Юфа[8] направил в 10-й отдел ГУГБ запрос, по-видимому, о состоянии душевного здоровья О.М. Возможно, это было личной просьбой подследственного: мы знаем, что в критические моменты О.Э. и сам не раз пытался прибегнуть к медицине как к средству защиты.

Комиссия (под председательством лекпома санитарной части НКВД, военврача 2-го ранга А.Л. Смольцова[9] и двух консультантов-психиатров – профессоров Бергера и Краснушкина[10]) освидетельствовала поэта 24 июня. Заключение комиссии (акт медицинского освидетельствования) – образчик казуистической двусмысленности: с одной стороны, «*подследственный является личностью психопатического склада со склонностью к навязчивым мыслям и фантазированию*», а с другой – он же – никакой «*душевной болезнью не страдает*»!

Вердикт же комиссии сформулирован так: «*Как недушевнобольной – ВМЕНЯЕМ*»! Именно так, заглавными буквами, написано в документе, словно этой формулировки одной и недоставало для какого-то особого, нам недоступного, чекистского представления о красоте следствия!

Ответ за № 543323 с подписями начальника тюремного отдела НКВД майора гб Антонова[11] и начальника 3-го отделения того же отдела старшего лейтенанта гб Любмана был послан 25-го и получен 28 июня.

Имея на руках такой протокол, да еще шпаргалку-письмо Ставского, следователю нетрудно было составить обвинительное заключение. И хотя первоначально намечавшийся «террор» был отставлен, О.М. обвинили, как и в 1934 году, по статье 58, пункт 10: «Антисоветская агитация и пропаганда».

Впрочем, обвинительное заключение у Шилкина было готово, по всей видимости, еще в июне, если не в мае, но задержка с ответом из Калинина и необходимость освидетельствовать душевное здоровье поэта – а может, и другие причины – привели к тому, что утверждено оно было только 20 июля:

«*Следствием по делу установлено, что Мандельштам О.Э. несмотря на то, что ему после отбытия наказания запрещено было проживать в Москве, часто приезжал в Москву, останавливался у своих знакомых, пытался воздействовать на общественное мнение в свою пользу путем нарочитого демонстрирования своего «бедственного» положения и болезненного состояния. Антисоветские элементы из среды литераторов использовали Мандельштама в целях враждебной агитации, делая из него «страдальца», организовывали для него денежные сборы среди писателей. Мандельштам на момент ареста поддерживал тесную связь с врагом народа Стеничем, Кибальчичем до момента высылки последнего за пределы СССР и др. Медицинским освидетельствованием Мандельштам О.Э. признан личностью психопатического склада со склонностью к навязчивым мыслям и фантазированию. Обвиняется в том, что вел антисоветскую агитацию, т. е. в преступлениях, предусмотренных по ст. 58-10 УК РСФСР. Дело по обвинению Мандельштама О.Э. подлежит рассмотрению Особого Совещания НКВД СССР*».

Клешня Особого совещания дотянулась до мандельштамовского дела только 2 августа. Круглая печать и штемпель-подпись ответственного секретаря Особого совещания «тов. И. Шапиро» на типовом бланке «Выписки из протокола ОСО при НКВД СССР» удостоверяют, что в этот день члены ОСО слушали дело № 19390/ц о Мандельштаме Осипе Эмильевиче, 1891 года рождения, сыне купца, бывшем эсере. Постановили: «*МАНДЕЛЬШТАМА Осипа Эмильевича за к.-р. деятельность заключить в ИТЛ сроком на ПЯТЬ лет, считая срок с 30/*

IV–38 г. Дело сдать в архив». На обороте – помета: «Объявлено 8/8–38 г.», и далее – рукой поэта: «Постановление ОСО читал. *О.Э. Мандельштам».*

---

[1] Полное название: «Отделение по приему арестованных».

[2] Совершенно особую разновидность «дел» составляли дела «агентурные», или «досье» (еще синонимы: «дела оперативного учета на граждан», «дела оперативной проверки», «дела оперативной разработки», «дела оперативного наблюдения»). Относительно этих дел применительно к О.М. неоднократно приходилось слышать: не сохранились, уничтожено. В то же время генерал КГБ Калугин охотно и широко цитирует агентурное дело на А. Ахматову (см.: *Калугин О.* Дело КГБ на Анну Ахматову // Госбезопасность и литература на опыте России и Германии (СССР и ГДР) [Материалы конференции «Службы госбезопасности и литература», состоявшейся в апреле 1993 г. в Москве] М.: Рудомино, 1994. С.72–79). Кроме того, существовали и так называемые «дела агентуры», как «личные», так и «рабочие», причем в «рабочем» деле – все подлинники донесений агента. Именно эти дела уничтожались с особенным рвением и в несколько присестов: в 1939-м (Берия), в годы войны, при Хрущеве и, в 1990–1991 гг., при Крючкове, – дела оперативного учета про>тив антисоветчиков). В результате эти дела были уничтожены на 80–90%, дольше всего хранились дела с окраской «шпионаж». Но есть еще и 4-й тип дел – внутренняя переписка КГБ, или дела секретного делопроизводства: в них часто бывают важные сводки, запросы и т.д. (см.: *Рогинский А., Охотин Н.* Об архивных источниках по теме «КГБ и литература» // *Там же.* С. 85–92).

[3] Соответственно перестраивался и прокурорско-судебный корпус: в конце мая в Москве прошло всесоюзное совещание прокуроров, на котором с докладом «О перестройке

работы органов прокуратуры» выступил академик Вышинский (26 мая «Правда» напечатала его статью «Задачи советской прокуратуры»).

[4] *Разумов А.Я.* Дела и допросы. 1. «Я закрывала дело Лившица»: допрос свидетеля Ахматовой» // «Я всем прощение дарую...». Ахматовский сборник. Сост. Н.И. Крайнева. М.–СПб., 2006. С. 262–263. Именно Павлов вел дела Б. Лившица и Ю. Юркуна!

[5] Впрочем, еще одним свидетельством мы всё же располагаем: В.Л. Меркулов рассказывал М.С. Лесману в сентябре 1971 г.: Мандельштам говорил ему, что на Лубянке он сидел в камере с князем Мещерским. Через несколько недель Мандельштама вызвали на допрос, били; поняв, что ему не устоять, Мандельштам подписал всё, после чего был перевезен в Таганскую тюрьму. (Тут, заметим, много неясного или путаного: что признал Мандельштам? почему вдруг Таганская тюрьма? Личность князя Мещерского пока что также не установлена.)

[6] Впервые: *Шенталинский В.* Улица Мандельштама // Огонек. 1991. № 1. С. 20 (в начале декабря 1991 г. мне удалось ознакомиться с обоими следственными делами поэта и самому).

[7] Запрос был послан 20 мая.

[8] Глебов-Юфа Зиновий Наумович (1903–1940), в 1938 г. зам. начальника 4-го отдела 1-го управления НКВД СССР, майор гб. Арестован 14 ноября 1938 г., 28 января 1940 г. ВКВС приговорен к расстрелу по ст. 58-7, 58-8 и 58-11 и назавтра расстрелян 29 января того же года. Не реабилитирован (сообщено Н.В. Петровым).

[9] А.Л. Смольцов являлся лекпомом санитарной части ГПУ с момента его основания в 1922 г. (сообщено Н.В. Петровым). Подписи военврача 2-го ранга Смольцова и консультанта-психиатра санотделения административно-хозяйственного управления НКВД Бергера стоят и под актом о состоянии здоровья С.Я. Эфрона от 20 ноября 1939 г. (*Кудрова И.В.* Гибель Марины Цветаевой. М.: Независимая газета, 1997. С. 114).

¹⁰ Краснушкин Евгений Константинович (1885–1951). Советский психиатр, заслуженный деятель науки РСФСР. В 1912–1914 гг. работал в Центральном приемном покое Москвы. С 1920 по 1930 г. заведовал кафедрой судебной психиатрии в 1-м Московском университете. Одновременно заведовал кабинетом по изучению личности преступника. Был одним из организаторов Института судебной психиатрии им. Сербского, с 1931 г. – Московского научно-исследовательского клинического института, в котором организовал психическую клинику. С 1943 г. – директор Московской областной нервно-психиатрической клиники. Принимал участие в судебно-психиатрической экспертной комиссии на Нюрнбергском процессе. Автор исследований в области психогений, неврозов и психопатий, судебной психиатрии. Много внимания уделял внедрению новых методов активной терапии психических заболеваний. Считают, что Краснушкин был одним из тех «специалистов», которые активно помогали следователям НКВД получать от арестованных необходимые показания и готовить обреченных к показательным процессам. «"Признания" добывались от обвиняемых при помощи небывалых по утонченности психических и физических пыток». (См.: *Ноймайр А.* Диктаторы в зеркале медицины. Ростов-на-Дону, 1997. С. 386; *Торчинов В.А., Леонтюк А.М.* Вокруг Сталина. Историко-биографический справочник. СПб., 2000). Отметим, что с Краснушкиным О.М. до известной степени был знаком и на воле, о чем упоминает его вдова: *«Однажды Якулов потащил нас к Краснушкину, где пили до одурения, но больше соблазнить Мандельштама бесплатной водкой не удалось»* (*Мандельштам Н.* Вторая книга // Собр. соч. В 2 тт. Т. 2. Екатеринбург, 2014. С. 142).

¹¹ Антонов-Грицюк Николай (Лука) Иосифович (1893–1939). Образование: 2 класса сельского училища. В коммунистической партии с 1918 г. В органах ВЧК–ОГПУ–НКВД с 1920 г. В 1935 г. присвоено звание капитан, в 1937 г. – майор гб. С 28 марта 1938 г. – начальник Тюремного отдела НКВД СССР. Арестован 23 октября 1938 г., 22 февраля 1939 г. ВКВС приговорен к расстрелу и расстрелян. Реабилитирован.

В БУТЫРКАХ

А накануне, 4 августа, на О.М. было заведено новое, тюремно-лагерное дело. После объявления приговора О.М. около месяца провел в Бутырской тюрьме.

Бывшие казармы Бутырского гусарского полка даже после переоборудования под тюремный замок были рассчитаны приблизительно на двадцать тысяч арестантов. Но, по свидетельствам узников, перенаселенность в камерах Бутырок была пяти- или шестикратной, причем самое жестокое время наступило именно в середине 1938 года.

...16 августа мандельштамовские документы были переданы в Бутырскую тюрьму для отправки на Колыму. 23 августа он успел получить последнюю в своей жизни весточку из дома – денежную передачу от жены (сохранилась квитанция на 48 рублей, датированная этим числом; на эти деньги он покупал в дороге «неотравленный» хлеб), а 8 сентября столыпинский вагон увез О.М. в продолженье последнего его пути – в далекое нелазоревое Приморье, навстречу гибели!

ЭШЕЛОН

АРЕСТАНТСКИЕ ЭШЕЛОНЫ

Чье сердце не обливалось кровью и не переполнялось состраданием к несчастным чернокожим, проданным в рабство жестоким плантаторам и бросающим последний взгляд на родимые пальмы какой-нибудь Гвинеи или Берега Слоновой Кости, прежде чем провалиться, под свист бичей, в ужасное жерло трюма? Вот картинка из школьного учебника, которая так и стоит перед глазами, не давая погаснуть здоровому пламени классовой ненависти. Наворачиваются слезы, сжимаются кулаки. Нет, никогда и ни за что не простит простой советский человек эксплуататорским классам их жестокости, их подлости, их вероломства, ничто не вытравит из разгневанных сердец картины нечеловеческих условий, в которых содержались и перевозились эксплуатируемые народные массы – что при рабовладении, что при феодализме, что при капитализме!

СССР, хоть и морская, на три океана распластанная, держава, но в еще большей степени страна сухопутная. Рабства и прочей эксплуатации в СССР, по определению, нет и быть не может, а если кого и перевозят на работу группами, – бывает, конечно, что и в трюмах, но все больше вагонами, – то именно самих этих проклятых эксплуататоров: разных буржуев, кулаков, прихвостней-эсеров, троцкистов, гнилых интеллигентов и прочую сволочь. Условия там, конечно, не очень, тесновато бывает, но все-таки ничего. И то – хватит им нашу пролетарскую кровь пить – пусть сами помучаются, поработают!..

А все-таки: как в СССР перевозили заключенных?

Основным местом погрузки в Москве, например, был так называемый пересыльно-питательный пункт НКВД по Московской области на станции Красная Пресня Окружной железной дороги. Черные «вороны», перегороженные внутри так, чтобы двое конвоиров оказывалось сзади, доставляли заключенных из разных тюрем Москвы и Подмосковья – Серпуховской, Коломенской, Таганской и, конечно же, Бутырской. Но есть свидетельства и о погрузке на станции Ярославская-Товарная[1].

Построение перед вагонами, перекличка – сверка с эшелонными списками, затем погрузка в длинные вагоны с зарешеченными окнами. С лязгом и скрежетом их сцепляют.

И вот, встряхиваясь на стыках, эшелон пополз…[2] Медленно, то ускоряясь, то тормозя, он прошел от Пресни до Ростокино по Окружной, вывернул на северный ход, по которому шел главный маршрут, и двинулся на восток – на Ярославль и Киров.

Обычно состав с 2–3 тысячами арестантов днем перестаивался в тупиках, двигались же на восток главным образом ночью. Так что неудивительно, если путь до Тихого океана занимал месяц-полтора, а иногда и все два.

В поезде длиной в 440 м насчитывалось 34 вагона – 9 двухосных, служебных, и 25 четырехосных – для зэка. Фактический вес поезда, учитывая неполное использование грузоподъемности вагонов при людских перевозках, мог превышать тысячу тонн.

На равнинных участках эту 1000-тонную махину тянул грузовой паровоз серии «Э», на трудных профилях Урала и Сибири использовалась двойная тяга.

В деревянных товарных вагонах[3], с учетом «живого груза» несколько переоборудованных, стояли нары в два этажа – неструганый настил в два яруса. Но зимние морозы часто загоняли всех на один ряд: так, сбившись в кучу и согревая друг друга собственными телами, люди меньше страдали от холодов.

Рассчитывались вагоны на 40 душ, или койко-мест. Но нередко утрамбовывали и до 60 зэков, а случалось, что и до сотни. В таком случае разместиться можно было фактически только лежа: ни тебе встать и пройтись, ни размяться. Неудивительно, если иные «пассажиры» не выдерживали и быстро приближались к другой конечной станции – к состоянию классического доходяги...

Для людских перевозок крытые вагоны снаружи утеплялись второй обшивкой стен. Между двумя слоями досок укладывался войлок. Пол для предотвращения промерзания утепляли опилками и вторым слоем досок[4]. Так получалась знаменитая «теплушка». Но для перевозки заключенных могли подать и неутепленные вагоны.

В двухоснике ставилась одна печь с вертикальной трубой, выводимой через крышу. В четырехосных вагонах было даже по две печи. И около каждой сидел дневальный и неустанно смотрел за нею. Правда, грош цена всей этой «теплоизоляции» – если туалетом служила не параша, а открытая в полу дыра, ничем не огороженная, всеми обозреваемая[5].

Умывальников – да и воды – не было. Но некоторым эшелонам везло – тем, кому выпадала баня в Омске[6] или в Чите[7].

Советские вагонзаки (арестантские вагоны, не общие!) совершенно напрасно назывались «столыпинскими»: в тех еще были окна, пусть и зарешеченные, а в советских «столыпиных» наружных окон не было, решетчатые окна были только в коридорах, куда зэков и по нужде без нужды не пускали.

Вот чего нельзя было лишить в дороге – звуков. В России паровозные свистки, или гудки, традиционно мощнее и красивее, чем в сиплой Европе: на сигнал подавался пар рабочего давления в 12 или 14 атмосфер, благодаря чему звук состоял из трех-пяти тонов. Конечно, для

ЧЕТЫРЕ ТЮРЕМНЫХ МЕСЯЦА И МЕСЯЦ В ЭШЕЛОНЕ

узников ГУЛАГа эта «песня», сопровождавшая их на всем пути, звучала надрывно и щемяще[8].

На площадках – бдительные наряды энкавэдэшников-конвоиров, молчаливых, жестоких и злых на весь свет – за то, что их способ путешествовать, когда они на посту, казался им еще хуже того, каким ехал охраняемый ими контингент[9].

Впрочем, согревало и знание, что на самом-то деле их способ отличался – и еще как! Продукты, командировочные и белье (по две смены) конвою выписывались на 30 суток. И еще им предлагалось и полагалось прослушать интереснейшую лекцию: «Питание в пути и желудочно-кишечные заболевания»[10].

Перед отправкой одаряли и конвоируемых: по пустому котелку на двоих. Суточный паек в дороге – 400 грамм хлеба, миска баланды с рыбьими головами. Кипятка – одна кружка и к ней два кусочка сахара.

Но и этот рацион выдавался не весь: конвой разворовывал.

Одним словом – гарантированные голод и жажда, особенно после селедки.

---

[1] *Пейрос*, 2008. С. 58.

[2] См.: *Шульц В.* Таганка. В Средней Азии / Доднесь тяготеет. Выпуск 1. Записки вашей современницы. М., 1989. С. 208–209.

[3] В ходу было два типа вагонов: так называемые НТВ (нормальные товарные вагоны) – двухосные и грузоподъемностью в 16,5 т и теплушки-«пульманы» – четырехосные и грузоподъемностью в 50 т. Для людских перевозок последние утеплялись: стены – снаружи войлоком и второй обшивкой стен, пол – опилками и тоже второй обшивкой, а крыша – жестью, но иногда всего лишь брезентом (*Никольский, Поболь*, 1999).

⁴ Главное, что проверялось, – это прочность досок, чтобы уменьшить возможность побега.

⁵ Ср. в воспоминаниях Л. Ельницкого: «*В двери, противоположной той, через которую нас сажали в вагон, в нижнем углу выпилено отверстие и к нему приставлен узкий и короткий деревянный лоток – это наша уборная, пользуйся сколько хочешь... Для меня особенно мучительной представлялась необходимость испражняться не только что при народе, но и буквально в его тесноте*» (*Ельницкий Л.* Три круга воспоминаний. Лагерный дневник. М.: Аграф, 2013. С. 226–228).

⁶ *Пейрос*, 2008. С .63.

⁷ *Хургес*, 2012. С. 496.

⁸ *Никольский, Поболь*, 1999. С. 43.

⁹ Свободный от дежурства конвой находился в первом и последнем вагонах.

¹⁰ *Никольский, Поболь*, 1999. С. 46.

МАНДЕЛЬШТАМОВСКИЙ ЭШЕЛОН

1

Согласно наряду ГУЛАГа и плану перевозки НКВД № 1152, мандельштамовский эшелон подлежал отправке в «Севвостлаг» НКВД – сначала во Владивосток, а оттуда на Колыму. Командировка конвою была выписана по спецнаряду I спецотдела НКВД на срок с 7 сентября по 28 октября 1938 года. Начальником эшелона был командир 1-й роты 236-го полка Конвойных войск старший лейтенант И.И. Романов[1].

Общее число вагонов –34, из них 25 для «л/свободы», то есть «лишенных свободы» (их теплушки были четырехосными). В головном вагоне ехала обслуга, во втором – склад конвойных войск, в третьем – кухня для з/к, в четвертом – кухня и столовая для конвойных войск; в пятом – склад з/к. В 15-м и 24-м вагонах – караульные помещения. Зэков же везли тремя блоками – в вагонах с 6-го по 14-й, с 16-го по 23-й и с 25-го по 32-й. В самом хвосте – изолятор (33-й вагон) и тут же рядышком, в 34-м вагоне, – оперативная группа с личными делами.

Численность конвоя определялась в 110 человек, то есть примерно по 16 з/к на одного «сопровождающего». Примечателен и состав конвоя: по одному начальнику конвоя, политруку и коменданту, по двое начальников караула и их помощников, разводящих – 6, оперативная группа – 9 и, наконец, часовых – 78 (кроме того, хозяйственная обслуга и резерв – по 3, связисты и собаководы – по 2 человека). Лекпома и повара не было ни для з/к, ни для конвойных войск – в соответствующих графах прочерки!

Всего в эшелон было принято 1770 человек, в том числе 209 из Бутырок. Фактически эшелон отправился из Москвы 8 сентября. Большая часть контингента направлялась и была доставлена на станцию Известковая (1038 человек – политические вперемежку с уголовными) и во Владивосток (700 человек – сплошь 58-я статья, в их числе и О. М.). Еще 17 человек предназначались для лагерей в Мариинске, а 8 – в Красноярске. «Сдачи» состоялись, кроме того, в Свердловске (3 человека), а также в Москве, Зиме, Могоче и Урульче (по 1 человеку).

Несколько странный пункт о «сдаче» одного человека в Москве объясняется, видимо, тем, что з/к Паниткова Пелагея Денисовна была по невыясненным причинам просто-напросто освобождена. Еще трое одиночек – это те, кто не вынес тягот пути и в дороге умер или тяжело заболел. Их «сдавали по актам» в Зиме, Могоче и Урульче[2].

14 сентября эшелон был в Свердловске. Здесь был снят с поезда з/к Барзунов Николай Иванович, а еще двое— Михаил Владимирович Гущин и Артур Евгеньевич Полей – также были сданы здесь.

19 сентября – остановка в Мариинске, где располагались крупнейшие женские и «инвалидные» мужские лагеря. По расписке было сдано 17 человек (все – по 58-й статье). Точная дата прибытия в Красноярск не поддается прочтению, но здесь «сошло» еще восьмеро.

Где-то за Красноярском в эшелон впервые наведалась смерть. Первым – от *острой слабости сердца* – умер совсем еще не старый (35 лет!) Давид Филиппович Бейфус (1903 г. р.; приговор – 5 лет по ст. 58.10). Его выгрузили и сдали на станцию Зима 23 сентября, а 1 октября на станции Могоча был «сактирован» труп 52-летнего

Спиридона Григорьевича Деньчукова (1886 г. р.; приговор – 8 лет по ст. 58.10).

29 сентября на станции Урульча был выгружен и сдан в качестве тяжело больного Авив Яковлевич Аросев – издательский работник, автор ряда книг о планировании в издательском деле, выпущенных Госсоцэкономиздатом в 1931–1935 гг.[3] Сел он скорее всего из-за родного брата – Александра Яковлевича Аросева (1890–1938), чистопородного большевика, чекиста и дипломата, арестованного 3 июля 1937-го и расстрелянного 10 февраля 1938 года. До ареста он был начальником Всесоюзного общества культурных связей с заграницей и лично переводил Сталину во время беседы с Роменом Ролланом в 1935 году. Молотов был другом его революционной молодости, что не помешало тонкошеему не просто подписать расстрельный список с его фамилией, но и омерзительно молвить спустя полвека: *Попал под обстрел в 30-е годы…*»[4]

7 октября эшелон прибыл на станцию Известковая на севере Еврейской автономной области. Здесь состав полегчал более чем наполовину – отцепили сразу 16 вагонов, «сошло» 1038 человек, в том числе 105 женщин. Все как на подбор отчаянные энтузиасты, как и положено будущим строителям героического БАМа!..

2

Но вернемся к Осипу Эмильевичу, поищем и его следы в том (или в памяти о том), что сегодня называют «мандельштамовским эшелоном».

…О том, что в эшелоне едет *один поэт*, то есть Мандельштам, Хитров узнал еще в дороге от одного из попутчиков[5]. Тот серьезно заболел и попал в вагон-изолятор: вернувшись, он рассказал, что встретился там с Мандельштамом.

Поэт, по его словам, все время лежал, укрывшись с головой одеялом. Казенной пищи не ел и явно страдал психическим расстройством. Преследуемый страхом, что его хотят отравить, он буквально морил себя голодом, не притрагивался к баланде.

На остатки от полученного в тюрьме 48-рублевого перевода от жены он просил конвойных купить ему на станциях булку. Когда он ее получал, то разламывал пополам и делился с кем-нибудь из арестантов. До своей половины не дотрагивался, пока не увидит, что тот съел свою долю, и с ним ничего не произошло. Тогда садился на койке и с удовольствием ел сам[6].

Все же трудно поверить в то, что медицинское обслуживание в пути – да еще в отсутствие штатного врача – было на таком уровне, что диагностировались и душевные недуги.

Тогда почему же Мандельштам оказался в изоляторе? Не потому ли, что правдив рассказ о том, что в вагоне его избил журналист Кривицкий?[7]

3

История – или легенда? – зафиксировала еще одну стоянку этого поезда – на станции Партизан[8], что на главном ходе Транссиба. 11 октября «мандельштамовский» эшелон перестаивал здесь накануне последнего броска ко «Второй Речке», до которой оставался перегон всего в 70 км. Некто Николай Иванушко, ныне живущий в г. Большой Камень Приморского края, а тогда 7-летний пацан, получил – якобы из рук самого Мандельштама – записку:

«Меня везут на Дальний Восток. Я человек видный, пройдут годы, и обо мне вспомнят.

Иосиф Мандельштам»[9].

Как именно это произошло – непонятно, но все же возможно, что поэт сумел выбросить записку сквозь решетку коридорного окна, когда шел на оправу.

Прошли годы, – и о Мандельштаме вспомнили – и больше не собираются о нем забывать[10].

---

[1] Во время войны ст. лейтенант И.И. Романов воевал на Украине – командовал мотострелковым батальоном 22-го мотострелкового полка Внутренних войск НКВД, в июле 1942 г. переданного в состав Красной Армии в качестве 346-го стрелкового полка (2-го формирования) 63-й стрелковой дивизии.

[2] Кстати, акт о сдаче больного и акты о смерти – единственные документы, выполненные на бланках, пусть и весьма некачественных, на плохой бумаге и с отвратительной печатью. Все остальные документы заполнялись как бог на душу положит, на самой плохой, чаще всего папиросной, бумаге, и их сохранность внушает самые серьезные опасения.

[3] Упоминается в: *Аросева О.* Прожившая дважды. М.: Астрель, 2012. С. 31.

[4] Сто сорок бесед с Молотовым. Из дневников Ф. Чуева. М.: Терра, 1991. С. 68.

[5] Возможно, от М.П. Смородкина (см. ниже).

[6] *Мандельштам Н.* Воспоминания // Собр. соч. В 2 тт. Т.1. Екатеринбург, 2014. С. 484.

[7] Об этом мне говорил И.С. Поступальский (см. ниже).

[8] Ныне ст. Баневурово.

[9] В памяти Н. Иванушко отложилась дата июнь-июль 1938 г. (см. об этом: *Калашникова Ю.* Незнакомец по имени… Мандельштам // Дальневосточные ведомости (Владивосток). 2010. 31 марта. Цит. по: *Марков, 2013.* С. 231).

[10] А история с запиской должна стать предметом отдельного дорасследования.

ЭШЕЛОННЫЕ СПИСКИ: ПОПУТЧИКИ

В Российском государственном военном архиве хранится документация конвойных войск НКВД – ценнейший источник по российской истории. Сколько тысяч эшелонов прошло через них, сколько миллионов душ – зэков и спецпоселенцев, своих или чужих, военнопленных, – они отэтапировали!

Дела в фонде конвойных войск систематизированы по полка́м, так что найти здесь конкретного человека – все равно что иголку в стогу. Но Николаю Поболю и его легкой руке в марте 1998 года чудом удалось обнаружить здесь документы, относящиеся к этапированию именно мандельштамовского эшелона[1].

> … Наливаются кровью аорты,
> И звучит по рядам шепотком:
> – Я рожден в девяносто четвертом…
> – Я рожден в девяносто втором…
> И, в кулак зажимая истертый
> Год рожденья – с гурьбой и гуртом –
> Я шепчу обескровленным ртом:
> Я рожден в ночь с второго на третье
> Января – в девяносто одном
> Ненадежном году – и столетья
> Окружают меня огнем.

Этот список (см. *Приложение 1*) дважды публиковался полностью: в 2008 году, в дальневосточном альманахе

«Рубеж» и в 2010 году, в моей книге «Слово и „Дело“ Осипа Мандельштама»[2]. Признаться, был расчет на то, что его прочтут и на него отзовутся родственники тех, кто увидел и узнал бы «своих» в этих нескончаемых строчках. Но не отозвался, увы, почти никто, если не считать Д. Зубарева и Г. Кузовкина, сумевших восстановить в нем дополнительное имя, а буквально фамилию: Рубинштейн.

Конечно, не стоит переоценивать силу и проникаемость печатного слова – этого «стареющего сына» глиняных табличек и папирусов. Как только небольшой фрагмент списка – всего несколько десятков еврейских фамилий, выбранных из перечня тех лишь, кого, как и Мандельштама, делегировали в эшелон Бутырки, – оказался в Интернете, на сайте сетевого журнала «Заметки по еврейской истории»[3], немедленно пришли первые отклики, ощутимо расширяющие или уточняющие наши знания[4].

Первым отозвался Элеазер Рабинович из Нью-Джерси, сын Меера Рабиновича, 1893 г. р., механика, 2 августа 1938 года – в тот же день, что и Мандельштам, – осужденного за контрреволюционную деятельность:

> *«Я совершенно потрясен увидеть имя отца в одном списке и одном поезде с Мандельштамом. Отец, конечно, понятия не имел, с кем он ехал, и никогда не рассказывал о Мандельштаме».*

Меер Лейзерович Рабинович, родился в Минске в 1893 году. В 1923 году женился на Брохе Медалье, дочери главного московского хасидского раввина Шмарьяху-Иегуда-Лейба Медалье (1872–1938). Был рабочим высокой квалификации, специализировался на ремонте зубоврачебного оборудования. Глубоко религиозный человек, состоял одно время в Совете Московской хоральной синагоги, главным раввином которой был его тесть. Тестя арестовали 4 января 1938 года и уже 26 апреля, на второй день после Пейсаха, расстреляли.

Меера же арестовали 9 июня 1938 года и приговорили к 8 годам ИТЛ. Провел он их на Колыме. Освободился летом 1946 года и поселился в Петушках, в 100-километровой зоне от Москвы. 14 февраля 1949 года его арестовывают вновь, приговаривают к вечной ссылке и отправляют на поселение в глухую деревню в Красноярском крае, откуда он сумел перевестись в райцентр Большая Мурта. Осенью 1954 года, после смерти Сталина, ему разрешили вернуться из «вечной ссылки», но в Москве вплоть до 1955 года не прописывали, хотя и за нарушениями режима не следили. В феврале 1959 года Меер Рабинович умер от простого гриппа.

Вторым «нашедшимся» человеком из еврейского списка мандельштамовского эшелона оказался Эммануил Соломонович Гольдварг, родившийся 1 апреля 1917 года в селе Яковка Березовского района Одесской области. Перед арестом проживал на станции Пушкино Московской области. Работал в Москве техником радиоузла в Центральном доме культуры железнодорожников[5]. Вспомнивший его Л. Флят виделся с ним в Москве и запомнил, что его лагерный стаж составлял примерно 16–17 лет, что заставляет предположить, что он, как и М. Рабинович, был одним из повторников. В начале 1990-х гг. он репатриировался в Израиль, жил в Тель-Авиве, где и умер 31 декабря 2006 года, не дотянув всего 3 месяца до 90-летия.

Третьим – Норберт Аронович Горовиц, родившийся в 1909 г. Впервые его арестовали в 1931 году, когда он имел глупость бежать из румынской Северной Буковины в СССР. За это его арестовали и сослали. Освободившись в 1935 году, он поступил в Московское государственное еврейское училище при ГОСЕТе. В 1937 году – второй арест, с приговором на 5 лет лагерей. Освободился в 1942 году[6].

Четвертым «нашедшимся» был Авив Аросев, так и не доехавший до «Второй Речки»: но о нем уже говорилось.

Сюда же следует добавить Генриэтту Михайловну Рубинштейн (1911–1987) – вторую жену Сергея Седова (младшего сына Льва Троцкого), инженера-текстильщика по профессии[7]. 2 августа 1938 года ее приговорили к 8 годам ИТЛ. Прибыв на пересылку, вместе с О.М., 12 октября, она была отправлена морем в Магадан 20 ноября 1938 года. Работала в магаданских лагпунктах (штукатуром, затем чертёжницей). После освобождения (8 марта 1947 года) отбывала ссылку и жила в посёлке Ягодное (в 1947–1962 гг.), где встретила и реабилитацию (28 ноября 1956 года). В 1962 году со своим вторым мужем Г.М. Рубинштейн переехала в Таллин, где и умерла 5 июня 1987 года.

Найти ее в опубликованном списке мандельштамовского эшелона было непросто, ибо она наличествовала в нем только именем-отчеством[8], тогда как ее фамилия пришлась как раз на то место оригинала, где глубокая подшивка листов дела не позволяла ее прочитать[9].

---

[1] *РГВА. Ф. 18444. Список 2. Д. 203. Л. 75–122*. Тут следует с благодарностью отметить и консультации А. Гурьянова. См. о находке подробнее в: *Собеседник на пиру*, 2013. С. 14, 417–430.

[2] Список подготовлен совместно с Н. Поболем. См.: *Нерлер П., Поболь Н.* Мандельштамовский эшелон. К 70-летию гибели поэта // Рубеж. 2008. № 8. С. 249–267; *Нерлер*, 2010. С. 113–134. Актуализирован Л. А. Штанько в 2015 г. В примечаниях к нему даются краткие биографические справки о тех, о ком хоть что-то удалось установить (см. его актуализированную версию в *Приложении 1*).

[3] *Нерлер П.* Цинберг, Александров и Герчиков… Еврейский след в истории последних дней Мандельштама. К 75-летию со дня гибели поэта // Заметки по еврейской истории. 2013.

№ 11. В Сети: http://www.berkovich-zametki.com/2013/Zametki/Nomer11_12/Nerler1.php

[4] Тот же журнал сыграл решающую роль в идентификации Сергея Цинберга как солагерника О.М. и косвенного свидетеля его смерти (см. о нем ниже).

[5] Книга памяти Московской обл. Личное дело: Р-15890.

[6] См.: *Эди Бааль* [Эдуард Белтов]. Вторая катастрофа. Кн.1. Иерусалим, 1998. С. 283 (сообщено Л. Флятом).

[7] См.: «Милая моя Ресничка!...» Сергей Седов. Письма из ссылки / Сост. С. Ларьков, Е. Русакова, И. Флиге. СПб.: НИЦ «Мемориал», 2006. Была она и одноклассницей Л. Хургеса (*Хургес*, 2012. С. 605–606).

[8] *Нерлер*, 2010. С. 132.

[9] Заслуга уточняющей идентификации принадлежит Д. Зубареву и Г. Кузовкину, посвятившим это свое открытие памяти С. Ларькова и Н. Поболя.

ЭШЕЛОННЫЕ СПИСКИ:
СОЦИАЛЬНЫЙ ПОРТРЕТ СТРАНЫ

Поистине вся огромная советская страна сошлась и отразилась в этих будничных для НКВД документах! Вглядимся в них попристальнее.

На истлевающей, какая попадется, бумаге, иногда папиросной, – эшелонные списки. Нестройные колонки слов и цифр – иногда только имена, но нередко еще и профессии, возраст, статьи, сроки…

Практически все из списка Бутырской тюрьмы были осуждены или за контрреволюционную или антисоветскую деятельность, или за агитацию, или по подозрению в шпионаже, или как СОЭ – «социально опасный элемент»[1]. Исключения составляли лишь двое, осужденные за педерастию, и два оперативных работника, совершившие должностные преступления.

Социальная широта этого списка буквально поражает: кого тут только нет! В основном это рабочие и колхозники – каменщик, электромонтер, плотник, землемер, инженер, торговый работник, техник-конструктор, экономист, бухгалтер, иногда мелкие хозяйственники, и подозрительно много учителей.

Да тут же весь советский народ, от лица и от имени которого якобы существует и говорит советская власть!

Бросается в глаза и то, как непропорционально много людей с прибалтийскими, финскими, немецкими и, само собой, еврейскими фамилиями. Много и русских, но родившихся за пределами СССР, в той же Прибалтике. Наша постоянная шпиономания!

Главный, наверное, вывод после прочтения эшелонного списка: осужденная партийная, советская, военная и чекистская номенклатура – лишь капля в океане репрессированного народа. Самый большой начальник из ехавших с Мандельштамом – это Тришкин, беспартийный секретарь захудалого Высокиничского райисполкома[2].

Идея уничтожения непосильным трудом – не сталинская и не гитлеровская. Она ничья, как и все, что носится в воздухе[3].

В сущности, лагерь – та же «вышка», только растянутая во времени. На общих работах на Колыме долго было не протянуть никому, и если бы не 5 марта 1953 года («...*И, клубясь, издох питон*»), то мало кто вообще бы вернулся.

Этот день – 5 марта – вполне заслуживает того, чтобы стать всенародным праздником и нерабочим днем.

---

[1] Надо сказать, что наш опыт сплошного сличения этого списка и ряда других имен с уникальной мемориальной базой данных «Жертвы политического террора в СССР» (http://lists.memo.ru) показал сравнительно небольшую квоту совпадений (см. подробнее в наст. изд.).

[2] Впрочем, есть одно занятное исключение – В.М. Потоцкий (№ 132 в списке Бутырской тюрьмы), портной, обвиненный в преступлении по должности. Интересно, какое должностное преступление может совершить портной? Оказывается, на самом деле этот «портной» – начальник отдела НКВД Башкирской АССР (в то время не было специальных лагерей для чекистов и его закамуфлировали под портного). Впрочем, судя по мандельштамовскому следователю – Шиварову (*Нерлер*, 2010. С. 27–29), им и в лагере жилось, не в пример прочим заключенным, куда как неплохо. Ворон – ворону...

[3] *Хургес*, 2012. С. 543–545.

НА ПЕРЕСЫЛКЕ:
ПОСЛЕДНИЕ
ОДИННАДЦАТЬ НЕДЕЛЬ

ЛАГЕРЬ

ВТОРАЯ РЕЧКА. И СИНЕЕ МОРЕ!

…Итак, 12 октября 1938 года, в среду, мандельштамовский эшелон прибыл на безлюдную станцию Вторая Речка, в 6 км к северу от тогдашнего Владивостока.

Замедляясь и переставая стучать колесами по стыкам, переходя на скрип и лязг, состав остановился. И только в зэковских ушах долго еще раздавался, все не уходил этот перестук – пыгы́-пыгы́, пыгы́-пыгы́, пыгы́-пыгы́…

За месяц отвыкшие от движения и отекшие от лежания тела словно целиком сковало и свело: так затекала иногда нога или рука, – но чтобы все тело? Легкие привычно втягивали в себя спертую и парашную атмосферу запертого вагона, как вдруг слева, сквозь решетчатые окна и щели влетели струйки свежего соленого воздуха…

Море? Океан?..

И тут же – сквозь гудящую смесь стоящего в ушах перестука и тишины прорвался совершенно новый, неожиданный и гортанный, звук: те, кто рос или жил на берегах морей или хотя бы больших рек, сразу же узнали его, – чайка! крик чайки!

Так, значит, океан? Значит, приехали? Значит, конец пути?..

Обычно эшелоны с «врагами народа» ставили на запасной путь под разгрузку рано утром: выгрузка из вагонов и передача невольников из одних рук в другие занимала часа четыре-пять, не меньше.

Один за другим, но только поодиночке настежь открывались и опорожнялись вагоны. Лестниц или сходней не было, и измученные дорогой и ослепленные дневным светом люди спрыгивали с полутораметровой высоты прямо на щебенку или на землю. Иные падали, подворачивали затекшие ноги, а те, кто спрыгнуть не мог, садились на край и свешивали ноги вниз: медленно переваливаясь, они соскальзывали в распростертые руки тех, кто уже был внизу…

Съехал на землю и Мандельштам в своем истрепанном эренбурговском пальто – желтом кожаном реглане. Его вагон был в хвосте поезда, и если посмотреть назад, то открывалась живописная перспектива: с одной стороны и до горизонта – зеленые сопки, с другой – и всего в сотне метров – серо-голубой океан… Тихий, спокойный, ручной.

«На вершок бы мне синего моря, на игольное только ушкó!..» – молил когда-то поэт.

Вот и получил – на игольное только ушкó: точь-в-точь, тютелька в тютельку!..

«СДАЛ – ПРИНЯЛ»

Между тем длинная змея красно-коричневых вагонов, с их решетками, пулеметами и прожекторами, ушла на запасной путь – дожидаться конвоя.

Семьсот человек построили в колонну по пятеро в ряд, окружили свирепым кольцом с собаками и повели в сторону сопок. Конвоировали не спеша, понимая, что после месячной полуголодной неподвижности в запертом товарном вагоне тела еще не привыкли к движению, что каждый шаг давался с трудом.

А идти, все забирая в гору и не останавливаясь, предстояло четыре километра.

…Часа через два, когда появились вышки и забор с колючей проволокой, стало понятно, что уже пришли.

Сто сорок пятерок медленно вплывали в широкие ворота КПП, украшенные каким-то дежурным лозунгом. С обеих сторон колонны стояли офицеры и пересчитывали ряды. Эшелонный конвой передавал свой «груз» лагерной охране: «эшелон сдал» – «эшелон принял».

«Акт приемки» датирован 12 октября 1938 года. Его подписали начальник эшелона Романов и целая приемная комиссия Владивостокского отдельного лагпункта Северо-Восточных исправительно-трудовых лагерей НКВД – начальник учетно-распределительной части по фамилии Научитель; врид начальника санчасти, главврач Николаев, начальник финчасти Морейнис и врио начальника Отдела учета и распределения Владивостокского райотделения Управления НКВД Козлов.

Принято было ровно 700 человек – 643 мужчины и 57 женщин, и все, согласно акту, здоровые. Хотя в этом как раз стоило бы и усомниться: если верить акту, то и горячая пища в пути выдавалась каждодневно, а эшелон сопровождал некий военврач, фамилия которого не указана. И понятно, почему не указана: даже согласно командировочному предписанию – никакого врача в эшелоне не было!

ПЕРЕСЫЛКА: ВРАТА КОЛЫМЫ

Старожилы – те, кого выбросили в этот лагерь из таких же эшелонов раньше, – высыпали к проволоке поглядеть на пополнение. Тысячи пар глаз искали среди прибывших знакомых и друзей, может быть, родню.

Осматривались и новички. Сразу после сдачи-приемки началось их распределение по зонам.

Первыми отделили женщин от мужчин, потом «политических» («контриков») от «у́рок». Это было большим облегчением для «контриков»: оставалась более или менее своя среда – с общим прошлым, общими разговорами и общими интересами.

Потом начали тасовать самих «контриков». Часть погнали еще в какую-то зону. «*Привет огонькам большого города*» – насмешливо встречала их обслуга зоны.

Лагерь в четырех км от станции Вторая Речка существовал с 1932 года и имел официальное название: Владперпункт (Владивостокский пересыльный пункт).

Именовали его и транзитной командировкой Владивостокского ОЛП[1], а также пересыльным лагерем Управления Северо-Восточных исправительно-трудовых лагерей (УСВИТЛ) или Главного управления строительства Дальнего Севера[2]. В обиходе же – «Пересылкой», или «Транзиткой».

За аббревиатурами скрывалась административная структура «Дальстроя» – государственного треста по дорожному и промышленному строительству в районе Верхней Колымы. Основанный в 1932–1933 гг. для комплексного освоения и эксплуатации природных ресурсов Северо-Востока Сибири, он нашел и проявил себя главным образом на колымском золоте, а после 1938 года – еще и на олове. С самого начала «Дальстрой» был могущественной организацией, государством в государстве – своего рода «Ост-Индской компанией», независимой от всяких там местных властей.

Начиная с 4 марта 1938 года «Дальстрой» передается уже в прямое ведение НКВД с преобразованием его в Главное Управление строительства Дальнего Севера НКВД СССР «Дальстрой». К этому времени «Дальстрой» приобрел черты горнопромышленного треста-монстра, требующего и пожирающего рабсилу, сколько бы ее ни завезли.

В течение почти двадцати лет[3] Дальстрой ежегодно получал почти по несколько десятков тысяч зэков (в 1938 и 1939 гг. – примерно по 70 тыс. чел.)[4], но из-за высокой смертности общая численность работников на Колыме редко превышала 200 тысяч душ одновременно, из них 75–85 % составляли заключенные[5]. Всего же за 1932–1953 гг. в системе «Дальстроя» перебывало около миллиона человек[6]. К 1939 году Магадан окончательно утвердился в сознании как административный центр «Дальстроя» – а стало быть, и Колымы как его синонима,

Первым начальником «Дальстроя» был знакомый Шаламову еще по Красновишерску Эдуард Петрович Берзин (1893–1938)[7]: его арестовали 29 ноября 1937 года, в поезде Москва – Владивосток, на станции Александров, и расстреляли 1 августа 1938 года. Вторым – с 21 декабря 1937 по октябрь 1939 г. – старший майор гб Карп Александрович Павлов (1895–1957, покончил жизнь самоубийством). При Павлове начальником УСВИТЛа (с 21 декабря 1937 по 27 сентября 1938 г.) был полковник Степан Николаевич Гаранин (1898–1950), прославившийся своими расстрелами, личным садизмом и жестокостью[8]. Мандельштам попал во Владивосток уже после ареста Гаранина в сентябре 1938 года и накануне замены его на капитана гб Ивана Васильевича Овчинникова (работал с 14 октября 1938 года до 10 февраля 1939 года).

В 1935 году начальником пересыльного лагеря был Федор Соколов[9]. Осенью 1938 года, по свидетельству Д.М. Маторина, начальником был некто Смык, а комендантом, по свидетельству Е.М. Крепса, – Абрам Ионович Вайсбург, сам из бывших ссыльных. Оба оставили по себе добрую память относительной незлобивостью.

Назначение лагеря – быть перевалкой для бесконечной рабсилы, завозимой с материка на Колыму. А также для обратного ручейка – тех, кого вызвали на переследствие, или тех, кто, если выжили, отбыли свой срок на Колыме и не подохли.

Пересыльный лагерь был своеобразным ситом и сортировочным пунктом сразу в нескольких смыслах слова. Во-первых, политических («контриков») тут отделяли и содержали отдельно от уголовных («урок»), что было для первых огромным, хотя и кратковременным, облегчением. Во-вторых, людей сортировали по их физическому состоянию. Более крепких и сравнительно здоровых отправляли морем на Колыму, остальные же попадали в «отсев» (часть зимовала на пересылке, а большинство – в основном инвалиды – направлялось на запад, в Мариинские лагеря недалеко от Кемерово).

Сроки индивидуального пребывания в транзитном лагере были непредсказуемы. Четверка дальстроевских пароходов – «Джурма», «Дальстрой» (бывший «Ягода»), «Кулу» и «Николай Ежов» (будущий «Феликс Дзержинский») – лишку не простаивала. Одна только «Джурма» – крупнейший из пароходов – могла забрать в свои трюмы население трех-пяти эшелонов, если только допустить, что все эти люди работоспособны на Колыме.

Одних гнали в трюмы и на Колыму буквально назавтра после приезда, другие кантовались месяцами, а третьи умели так приспособиться к требованиям начальства, что жили здесь годами. Попавших в отсев и не зацепившихся за этот лагерь ждали Мариинские инвалидные лагеря.

[1] Отдельный лагерный пункт.

[2] Система исправительно-трудовых лагерей в СССР. 1923–1960. Справочник / Сост. М.Б. Смирнов. М., 1998. С. 187.

[3] В 1953 г. имущество «Дальстроя» было передано Министерству горнорудной промышленности.

[4] Эту аббревиатуру некогда знали буквально все: она происходит от «з/к», что означало «заключенный-колонист», или, фактически, просто «заключенный».

[5] См.: *Широков А.И.* Дальстрой: предыстория и первое десятилетие. Магадан, 2000; *Бацаев И.Д.* Особенности промышленного освоения Северо-Востока России в период массовых политических репрессий. 1932–1953. Магадан, 2002; *Навасардов А.С.* Транспортное освоение Северо-Востока России в 1932–1937 гг. Магадан, 2002; *Bollinger M.J.* Stalin`s Slave Ships. Naval Institute Press, Annapolis, Maryland, 2003.

[6] Согласно А.Г. Козлову – 876 тыс. чел. (*Козлов А.Г.* В период «массового безумия» //http://www.kolyma.ru/magadan/index.php?newsid=389

[7] Он «начинал» еще в 1931 г. на строительстве Красновишерского целлюлозно-бумажного комбината.

[8] После следствия в Магадане Гаранин был переведен в Москву, а с мая 1939 г. находился в Сухановской тюрьме, но вину нигде не признал. Осужден ОСО при НКВД в январе 1940 г. «за участие в контрреволюционной организации» на 8 лет ИТЛ; впоследствии срок заключения был во внесудебном порядке продлен. Умер в 1950 г. в Печерлаге МВД. В 1990 г. реабилитирован как осужденный внесудебным органом.

[9] См. его доклад от 1935 г. (*Бацаев, Козлов*, 2002. Ч. 2. С. 214. Со ссылкой на: *ГАМО. Ф. Р-23-сч. Оп. 1. Д. 3805. Л. 66*).

ПЕРЕСЫЛКА: ЛАГЕРЬ

Место для пересылки было выбрано безлюдное и в то же время доступное. Лагерь был вытянут по долине Саперки и занимал около 7 гектар, по периметру – с небольшим интервалом – вышки. Численность охраны зависела от емкости и наполняемости лагеря: считалось, что 1 охранник причитался на 33 заключенных[1].

Территория лагеря была испещрена частой сетью канав – дренажных водосточных каналов, необходимых при ливневых дождях.

Бараки оседлали пологий южный склон Саперной сопки[2], так что из лагеря хорошо были видны, пусть и вдалеке, и Амурский залив, и сопки – и покрытые тайгой, и лысые[3]. На одной из них было заметно укрепление – один из люнетов Владивостокской крепости.

Особо приветливым это место не назовешь. Тем не менее пересылка была сравнительно благополучным и обжитым лагерем: обтянутые брезентом добротные бараки из доски-шестерки[4], трехэтажные нары в них (в летние месяцы бывал и четвертый «слой» – стихийный: лежали и на полу), «буржуйки».

Да и начальство особо не зверствовало – сказывался, возможно, гаранинский шок. В пределах своей огороженной зоны по лагерю днем можно было свободно передвигаться, двери бараков закрывались только на ночь – ходи из одного в другой и общайся[5]. В сочетании с бархатной осенью эта свобода внутри несвободы воспринималась как подарок судьбы.

Пересылка состояла из двух частей: в первой находились уголовники, или «урки» (около двух тысяч человек), во второй – политические, или «контрики».

В центре, в учетно-распределительной («ничейной») зоне, – административное здание и несколько в глубине – двухэтажная, буквой «П», деревянная больница-стационар на 100 коек в зимнем режиме и на 350 в летнем (за счет доразмещения в палатках). Рядом – амбулатория пропускной способностью до 250 человек в сутки, аптека[6].

Здесь, как бы в центре лагеря, всегда толкался народ из разных бараков, шел перманентный торг и обмен.

Напротив КПП – пищеблок с кухней, а в противоположном конце лагеря – в глубине урочьей зоны – находилась баня с прожаркой. Рядом с ней – небольшой карьер, откуда и Мандельштам с Хитровым перетаскивали на тачке каменья.

Та часть лагеря, где содержались «контрики», называлась «Гнилой угол», или «Тигровая балка», причем в ней были три обособленные зоны: мужская (на 5–7 тыс. чел.), женская (на 2 тыс.) и «китайская» (на 3 тыс. – для эмигрантов из Харбина и китайцев Приамурья). В зоне «контриков» стояли комендантский барак и больничка на двенадцать коек (изолятор). В отгороженном от глаз дощатым забором домике в китайской зоне располагалась своего рода «шарашка» местного значения – так называемый лагпункт № 1, или конструкторское бюро, обслуживавшее нужды города и «Дальстроя». Женская зона представляла собой огромный огороженный колючей проволокой и основательно загаженный двор, пропитанный запахом аммиака и хлорной извести.

Между зонами – десятиметровые полосы, в которые на ночь выпускали собак. Женская зона была огорожена двумя дополнительными рядами колючей проволоки, а «китайская» – забором.

В лагере – около 20 добротных бараков, каждый емкостью примерно в 600 человек. Итого пропускная способность лагеря –10–12 тысяч зэков[7]. Но в теплое время – в предвкушении транспорта и Колымы – здесь скапливалось гораздо больше людей. Многие ночевали четвертым барачным слоем – под нарами или же прямо на улице. Зимнее население лагеря было, конечно, много меньше[8].

Бараки были царством крупных черных клопов и жирных бесцветных вшей. Редкий мемуарист забывал помянуть этих незабываемых насекомых. Они господствовали по всему лагерю, переползая из зоны в зону. И даже прожарка не помогала.

С ними расползлись тиф и дизентерия, «высвобождая» нары и лучшие места в бараках для все новых и новых последующих. Но ожидаемой эпидемии сыпняка осенью еще не было – она ударила в декабре-январе.

Чем кормились клопы и вши, мы уже знаем, а чем кормились люди? Один вспоминал: баланда (похлебка из крупы или чечевицы), перловая каша, иногда кусок селедки, летом даже зеленые помидоры. По словам другого (лагерного раздатчика и будущего академика), рацион был такой: утром – хлеб, сахар-рафинад (два кусочка) и кипяток, на обед и ужин – баланда, разваренное мясо или рыба, каша (перловка или соевая).

Перед завтраком всех заставляли пить заменитель витаминов – смолисто-мыльную, на сырой воде, хвойную настойку: считалось, что она помогает от цинги. Десны с зубами она, может, и стягивала, но пить это пойло было явным испытанием рвотных рефлексов.

Режим был нестрогий: бараки закрывались только на ночь – с 10 вечера (кувалдой по рельсине) до 6 утра. В остальное время броди по своей зоне как хочешь.

---

[1] Ср. в приказе Берзина по «Дальстрою» № 30 от 11 февраля 1937 г.: «...*Для охраны Транзитной командировки Владивостокского ОЛП численность Охраны утвердить... в разме-*

ре 3% от числа содержащихся на ней заключённых» (Бацаев, Козлов. 2002. Ч. 1. С. 254. Со ссылкой на: ГАМО. Ф. Р-23сч. Оп. 1. Д. 24. Л. 227).

[2] Однако северный склон сопки был достаточно крут; внизу протекала речка Саперка, ныне забранная в трубу.

[3] Сама территория лагеря и даже его конфигурация в течение длительного времени не подвергались изменениям благодаря тому, что все это перенял так называемый «экипаж № 15110» – одна из учебных военно-морских частей Тихоокеанского флота. Из построек 1930-х годов на территории «экипажа» частично, но всё же до самого конца сохранялись здания пищеблока и больницы. В 2007 г. экипаж окончательно ликвидировали, а его бывшую территорию поглотил город – теперь уже вся территория бывшего лагеря застроена. С юга «лагерь» был бы ограничен нынешней Днепровской улицей, с севера – Печерской, а с востока – Областной, долгое время служившей северным выездом из города. Ныне вся территория и железнодорожной станции, и лагеря, и причала находится в пределах городской черты Владивостока. А «Вторая Речка» – это название большого городского микрорайона. Местность же, где располагалась пересылка, называется «Моргородком».

[4] Из-за брезента некоторые поначалу и вовсе воспринимали их как палатки.

[5] В случае крайней необходимости пробирались из барака в барак и ночью, как, например, в случае Хинта, хотевшего повидать Мандельштама, но уезжавшего утром на запад, на переследствие.

[6] Из доклада начальника перпункта Ф. Соколова за 1935 г. (*Бацаев, Козлов*, 2002. Ч. 2. С. 254). И.К. Милютин, единственный, сообщает о двух печах для сжигания трупов умерших (*Милютина*, 1997): этому не только нет подтверждений – этому прямо противоречит вся, многократно зафиксированная, «технология похорон» на пересылке.

[7] Е.М. Крепс назвал меньшую цифру – 2 тыс. чел. – из расчета 100 человек на барак, но, вероятно, он имел в виду лишь одну из зон. В мужской зоне было два ряда по 10 бараков, нары в бараках в основном трехэтажные. В.Л. Меркулов говорил о 40 тыс. зэков в пиковые периоды (по прикидке Ю.И. Моисеенко – около 20 тыс.).

[8] Согласно инженеру Н.Н. Аматову, прибывшему в лагерь 31 декабря 1937 г., новый 1938 год там встречало около 3 тыс. чел.

БАРАК, БОЛЬНИЧКА, БАНЯ

«ЭМИЛЬЕВИЧ»
Первая неделя (13–19 октября)

…12 октября пришлось на среду.

Было солнечно, но в четверг с юго-востока задул ветер, небо заволокло тучами, пошел дождь и прогремела гроза. В пятницу задуло уже с севера, 10–15 метров в секунду – не ураган, но ощутимо для измученного тела. Температура не выше 8–10 градусов. Но уже в субботу, 15 октября, как это бывает в Приморье, хорошая погода установилась вновь и продержалась почти две недели. Воздух прогрелся до 15 градусов, что значительно выше средней.

Пересыльный лагерь в эти дни был чудовищно перенаселен. Новичкам было некуда воткнуться и негде притулиться. Многие разместились на первую ночь прямо под открытым небом между двумя бараками. Стояла сухая погода, и мало кто рвался под крышу – на съедение вшам.

Уже назавтра всех новичков, прибывших 12 октября, осматривала комиссия, присваивавшая им группу трудоспособности. Колыма нуждалась все же в довольно крепких рабочих руках, а здоровяков тут было немного. Многие попадали в отсев, среди них и Хитров, еще мальчишкой сломавший себе ногу, и, разумеется, Мандельштам.

Осип Эмильевич поначалу даже огорчился, что его не взяли на Колыму. Вопреки тому, что говорили опытные люди, ему все казалось, что в стационарном лагере будет легче, чем в пересыльном. Проецируя Воронеж на

Магадан, он надеялся на то, что на Колыме больше порядка и больше возможностей для него найти себе интеллигентную «службу». Там его легче найдет Эренбург или Пастернак, которым наверняка позвонит Сталин, особенно после того как Майя Кудашева подобьет своего Ромена Роллана написать о нем Сталину. И тогда — его отпустят!..

Но вскоре, наслушавшись историй, он осознал, что такое Колыма, и перестал туда рваться.

…Вопрос – в бараке или на улице? – для него даже не стоял. Он с ходу попал в непарный 11-й барак у восточного края лагеря и зоны «политических», на северном склоне Саперной сопки, во втором ряду и самый верхний по склону (примерно в 500 м слева от КПП).

В бараке, где содержалось около 600 человек, большинство составляла «пятьдесят восьмая», в основном ленинградцы и москвичи, и эта общность судьбы и среды как-то скрашивала всем им жизнь, а точнее, примиряла с собой.

Мандельштама и других новичков встречал староста. Им, согласно Меркулову, был артист одесской эстрады, чемпион-чечеточник Левка Гарбуз (его сценический псевдоним, возможно, Томчинский[1]). Мандельштама он вскоре возненавидел – возможно, за отказ обменять свое кожаное пальто – за что-то и преследовал его как мог: переводил на верхние нары, потом снова вниз и т. д. На попытки Меркулова и других урезонить его Гарбуз всплескивал руками: *«Ну что вы за этого придурка вступаетесь?»*

В середине ноября Гарбуз исчез – возможно на Колыму. Старшим стал Наранович, – бывший заведующий СибРОСТА-ТАСС, спецкор «Известий» и председатель радиокомитета в Новосибирске[2] при секретаре Западно-Сибирского крайкома Роберте Эйхе (1890–1940).

Барак как социум был дважды структурирован. Номинально он был разбит на «роты», к которым приписывалось определенное количество заключенных, а фактически состоял из компактных жилых гнезд нескольких десятков «бригад» по нескольку десятков душ в каждой, состав которых складывался нередко еще в эшелонах и вполне демократически – волеизъявлением снизу.

Так, одна из «бригад» 11-го барака состояла человек из 20 стариков и инвалидов: ютилась она поначалу под нарами, выше первого ряда им и по поручням вскарабкаться бы не удалось. Их старшим был самый младший по возрасту – 32-летний и единственный здоровый – Иван Корнильевич Милютин, инженер-гидравлик, до своего ареста (26 января 1938 года) служивший в Наро-Фоминском военном гарнизоне инженером.

Староста подвел к нему Мандельштама и попросил взять его в свою группу. При этом он произнес: «Это Мандельштам – писатель с мировым именем». Больше он ничего не сказал, ну а технарь Милютин и не стал уточнять: подумаешь, знаменитостей и среди его старичья хватало. Никаких разговоров с Мандельштамом Милютин по своей инициативе не вел.

В первую свою ночь в 11-м бараке Мандельштам уснул так крепко, как давно уже не засыпал. Уснул, не снимая ни обувь (какие-то полуботинки), ни свое желтое эренбурговское пальто, успевшее превратиться в лохмотья настолько, что Маторин принял его за зеленый френч.

Жизнь – какая ни есть, а жизнь! – потекла своим порядком: голодали, ждали раздачи баланды, бросали в сторону вшей или выбивали их из одежды, ходили оправляться в чудовищные гигантские гальюны (уборные), спали на нехолодном еще октябрьском полу.

Худой, среднего роста, Мандельштам, несмотря на фактическую голодовку, вовсе не впадал в отчаяние или астению. Ему – нервическому, моторному, привыкшему сновать из угла в угол – было в своем бараке тесно. «Бы-

стрый, прыгающий человек... Петушок такой», – говорил о нем тот же Маторин. Выбираясь на улицу, он подбегал к запрещенным зонам, чем вечно раздражал стражу и начальство.

Днем Мандельштам все время куда-то уходил, где-то скитался. Как потом оказалось, он сошелся с какими-то блатарями и ходил к ним на чердак одного из бараков – читать стихи! Их главарь, по фамилии Архангельский, видимо, знал и ценил их еще до ареста. Гонораром служили невесть откуда берущийся белый хлеб и консервы, не вызывавшие у поэта никакой опаски.

Мандельштам чувствовал себя в среде блатарей как-то защищенно, читал им стихи, тискал романы и сочинял для них «веселые», то есть скабрезные, вирши, а может быть – если просили – и матерные частушки[3].

Чего не было – так это стихов у костра, как и самих костров. «Разжигал» их, по словам Меркулова, сам Эренбург – для создания антуража и стиля.

...В какой-то момент Милютин понял, что в бараке Мандельштам просто симулирует сумасшествие, косит под психа. Это его раздражало, но он не показал и вида: если так легче – пусть. Но однажды Мандельштам прямо спросил Милютина, производит ли он впечатление душевнобольного? Полученный ответ: *«нет, не производите»* Мандельштама, кажется, всерьез огорчил. Он как-то сдулся и сник.

Больной или только прикидывающийся больным, но Мандельштам почти ничего не ел. Он всерьез боялся любой приготовленной казенной еды, путал котелки, терял свою хлебную пайку. Боялся он и уколов – любых, отказывался от них: опасался шприцов как орудия физического уничтожения.

Но временами был вполне здравомыслящим и даже осторожным; его речи были всегда остры, точны и умны.

Через два дня, 14 октября (на Покров), прибыл еще один транспорт из Москвы[4]. К вечеру, когда закончилось его оформление, в 11-й барак пришло очередное пополнение, занявшее остававшиеся свободными или, может быть, освободившиеся места в третьем верхнем ряду нар. Среди новеньких были и два Юрия – 33-летний поэт-песенник Казарновский и 24-летний студент-юрист Моисеенко.

Казарновскому суждено будет стать самым первым серьезным свидетелем последних дней Мандельштама: в Ташкенте в 1944 году его терпеливо выспрашивала о Мандельштаме его вдова.

Там, на Второй Речке, Казарновскому не нужно было объяснять, кто такой Мандельштам[5]. Он был счастлив такому везению, да и место его в бараке оказалось совсем рядом с местом Мандельштама.

В старшем поэте младшего поразило лицо – узкое, худое и изможденное, вместе с тем доброжелательное и, по выражению того же Маторина, *необозленное*. Борода утыкалась в щеки, лоб сливался с широкой залысиной, посередине хохолок. Голос тихий, речь – осторожная и настороженная ко всему и вся.

Но над молодежью подшучивал: *Ну, и где же, того-этого, ваши невесты, а?*

Казарновский, в передаче Н. Мандельштам, никого кроме Осипа не упоминает. Немного странно, что самого Казарновского не упоминает Моисеенко, его товарищ и по эшелону, и по бараку.

Зато он рисует коллективный портрет дружной шестерки, разместившейся (и Мандельштам в их числе) справа от входа, в первой трети барака и теперь уже на привилегированном третьем ряду нар. Ближе всего к дверям из шестерки был 24-летний Моисеенко.

Рядом с Моисеенко – Владимир Лях, ленинградец, человек образованный, геолог, арестовали в геологической партии, пытали в «Крестах». Третий – Степан Моисеев из Иркутской области, физически крепкий, но хромой...

Дальше – Иван Белкин, шахтер из-под Курска, ровесник Моисеенко: он и позвал Моисеенко к ним на третий ярус.

Пятый (следующий за Белкиным) – и был Мандельштам. Его звали «ленинградцем», «поэтом» или «Стариком». Многие, в том числе и Моисеенко, звали Мандельштама по отчеству: «Эмильевич». Узнав фамилию «поэта», Моисеенко, в отличие от Казарновского, недоумевал – что за поэт, почему не знаю?[6]

Шестой, наконец, – Иван Никитич Ковалев, пчеловод из Благовещенска и смиренный человек. Если слушает – то вопросов не задает... Он-то, Ковалев, и стал последней и верной опорой поэту, помогал ему во всем, даже спускаться и подниматься на третий ярус нар... Редкость: обычно заискивают перед сильными и тянутся к ним, а вот Ковалев тянулся к тому, кто слабее всех, – к «Эмильевичу». Мандельштам же, словно не замечая этого, все больше общался с Ляхом. К Ляху обращался: *«Володя, Вы...»*, а к Ковалеву – *«Иван Никитич, ты...»*.

Наутро подъем был на час-полтора позже положенных шести часов. Позже всех поднимался Мандельштам, садился на нарах, застегивал свою рубашку в крапинку на пуговицы, здоровался с соседями: «Доброе утро». Во время первого завтрака Моисеенко разглядел его: очень худой (про худобу говорил – «курсак пропал»), мешки под глазами, высокий лоб, выделяющийся нос, и глаза – красивые и ясные[7]. Узнав, что Моисеенко не из Москвы и не из Ленинграда, а из Смоленска, Мандельштам потерял к нему интерес.

---

[1] Установлено М.С. Лесманом.

[2] Петр Федорович Наранович (1903–??) – с 1921 г. в компартии, на партийной или газетной работе в Таре, Омске и Новосибирске. В 1933 г. вышел из доверия и направлен

начальником политотдела маслосовхоза «Кабинетный» в Чулымском районе края. В конце 1936 г. обвинен в связи с контрреволюционером-троцкистом Альтенгаузеном, после чего, как правило, следовали арест и осуждение (сообщено Е. Мамонтовой и С. Красильниковым – по материалам кадрового дела П.Ф. Нарановича в: *Государственный архив Новосибирской области. Ф. П-3. Оп. 15. Д. 11845*).

[3] Ср. письмо бывшего заключенного транзитного лагеря П. Яхновецкого В. Маркову от 1 февраля 1989 г.: «*А, наверное, Мандельштам О. в 38-м году был на пересылке. Какой-то мужик, лет сорока, сочинял стихи, частушки. Стихи про Сталина – их не помню...*».

[4] А 15 октября пришел транспорт из Ленинграда, с которым приехал Цинберг.

[5] По свидетельству Д.С. Лихачева, он знал все его ранние стихи, как и гумилевские, наизусть.

[6] Поэтический пантеон Моисеенко состоял тогда из Демьяна Бедного, Пушкина, Лермонтова, Маяковского, Есенина, Коласа, Купалы и комсомольских поэтов.

[7] *Поляновский*, 1993. С. 165, 179.

«ЧЕРНАЯ НОЧЬ, ДУШНЫЙ БАРАК, ЖИРНЫЕ ВШИ...»
Вторая неделя (20–26 октября)

Постепенно круг мандельштамовских знакомств и дружб расширялся.

Были среди них и представители лагерной элиты (или «придурков», если на блатном лексиконе) – такие, как раздатчики (Евгений Крепс и Василий Меркулов) или даже санитар, а по совместительству и чертежник шарашки (Дмитрий Маторин).

Знакомство и даже дружбу с Крепсом выделим особо: его с Мандельштамом объединяла довольно крепкая ниточка – оба учились в Тенишевском училище. Евгений Михайлович был в одном классе с В. Набоковым и Евгением Мандельштамом, младшим братом поэта.

Крепс обратил внимание на седого невысокого человека, на которого ему указали как на поэта по фамилии Мандельштам: большие глаза, интересное лицо. Крепс знал не только его стихи, но и немного биографию. Он подошел и обратился по имени-отчеству: *«Здравствуйте, Осип Эмильевич!»* Но Мандельштам сидел на земле и, глядя в пространство, никак не реагировал на приветствие. Тогда Крепс обратился несколько иначе: *«Осип Эмильевич, я тоже тенишевец – брат Термена Крепса...»* Мандельштам тут же вскочил, обрадованно заулыбался и возбужденно начал вспоминать общих тенишевских знакомых.

Но тут Крепс спросил Мандельштама о том, что же ему инкриминируется. Он допустил бестактность, об этом не принято спрашивать, и поэт сразу замкнулся.

Знакомство и даже дружба с силачом (чемпионом Ленинграда по борьбе) Дмитрием Маториным также заслуживает отдельного разговора: Маторин провожал поэта в последний путь. Мандельштам его не боялся, называл Митей, не отказывался с ним есть. У Маторина всегда что-то для него было, и Мандельштам всегда бурно благодарил: хватал за руку и целовал ее.

Не раз Маторин буквально спасал поэта от людского гнева и выручал из других переделок, в которые его вгонял страх быть отравленным через пищу.

Вспоминает Маторин:

> *«При мне его не били. Был случай, когда Мандельштам бросился к ведру с питьевой водой и стал жадно пить[1]. Был другой случай, когда он схватил пайку до раздела. Что это значит – "до раздела"? Когда привозили хлеб (в тюрьме пайка – 350 граммов, здесь 400 с довеском, который прилеплялся к "основе" деревянным штырьком), его раздавали так: один из зэков отворачивался, другой брал в руки пайку и говорил: «Кому?» Тот: «Иван Иванычу!» и т. д. Так вот: Мандельштам схватил пайку, не дождавшись раздела. Его хотели за это бить, но я не дал, сказав, что, хотя и не по правилам, но Мандельштам взял не чужую, а свою пайку...»*

Он был крайне небрежен, и Маторин иногда буквально заставлял его мыться и учил тем гигиеническим правилам, которых следовало держаться в лагере: *«Ося, делай зарядку – раз! Дели пайку на три части – два!».*

А Мандельштам кивал, и делал все по-своему: чечевичку – черпачок – выпивал залпом, пайку хлебную сгрызал всю сразу, а это, хоть и мало, а все же 400 граммов! Маторин: *«Ося, сохрани!»* – Мандельштам: *«Митя, украдут же!»*

Схожие впечатления – у Меркулова:

«Распределяя хлеб по баракам, я заметил, что бьют какого-то щуплого маленького человека в коричневом кожаном пальто. Спрашиваю: «За что бьют?» В ответ: «Он тяпнул пайку». Я заговорил с ним и спросил, зачем он украл хлеб. Он ответил, что точно знает, что его хотят отравить, и потому схватил первую попавшуюся пайку в надежде, что в ней нет яду. Кто-то сказал: «Да это сумасшедший Мандельштам!»

С Мандельштама сыпались вши. Пальто он выменял на несколько горстей сахару. Мы собрали для Мандельштама кто что мог: резиновые тапочки, еще что-то. Он тут же продал все это и купил сахару[2].

Период относительного спокойствия сменился у него депрессией. Он прибегал ко мне и умолял, чтобы я помог ему перебраться в другой барак, так как его якобы хотят уничтожить, сделав ему ночью укол с ядом. <Со временем> эта уверенность еще усилилась. Он быстро съедал все, был страшно худ, возбужден, много ходил по зоне, постоянно был голоден и таял на глазах…».

Иногда Мандельштам приходил в рабочий барак (так называлось жилище лагерной элиты) и клянчил еду у Крепса: *«Вы чемпион каши, – говорил он, – дайте мне немного каши!»* Крепс – будущий академик-физиолог – и сам часто зазывал О.М. и подкармливал. Ел тот, правда, очень мало.

Немало свидетельств того, что Мандельштам на пересылке – по крайней мере, в первые недели – охотно читал стихи и даже сочинял! *«Все больше сочинял, – поправляет Маторин. – Стихи не записывал, они у него в голове оседали».* Собирался с Маториным поэму о транзитке написать.

Иметь свою бумагу и карандаш в пересылке не разрешалось, но у Мандельштама они были – маленький огрызок карандаша и плотный лист бумаги, сложенный во много раз, наподобие блокнота. Иногда он его вынимал из пиджака, медленно разворачивал, что-то записывал, потом снова сворачивал и обратно в карман. Через какое-то время повторялось то же самое. Как сказал Моисеенко, «Он жил внутри себя»[3].

Свидетелей, запомнивших конкретные стихи или их обрывки, – совсем немного.

Так, Маторин, охотно слушавший, как Мандельштам читает, запомнил только строчки: *«Река Яузная, берега кляузные...»*.

Буравлев: *«Там за решеткой небо голубое, голубое, как твои глаза, здесь сумрак и гнетущая тяжесть...»*

Меркулов: *«Черная ночь, душный барак, жирные вши»* – вот все, что он мог сочинить в лагере».

Иногда – темными вечерами, но в свои светлые минуты, – Мандельштам читал у себя в бараке или «в гостях» стихи. Пока был душевно здоров, никогда не напрашивался и стихов не навязывал. Читал не всем, а в довольно узком кругу тех, кого уважал... В основном это были москвичи и ленинградцы.

По Моисеенко, читок таких в бараке было пять или около того – вечером, после отбоя, на нарах. Руки под голову и, глядя в потолок, читал, в такт кивал головой, закрывал глаза. Ни на кого не смотрел, а между стихотворениями всегда делал паузы.

Но одна читка запомнилась особенно – та, когда «поэт» прочел стихи о Сталине: читал тихо, чтобы слышали только те, кто был около него[4].

Читал и в других бараках – в частности, в том, где жил Злобинский, и в рабочем, где жил и Меркулов, подробнее других запомнивший мандельштамовские «читки»:

«Когда Мандельштам бывал в хорошем настроении, он читал нам сонеты Петрарки, сначала по-итальянски, потом – переводы Державина, Бальмонта, Брюсова и свои. Он не переводил «любовных» сонетов Петрарки. Его ин-

тересовали философские. Иногда он читал Бодлера, Вер-
лена по-французски.

Среди нас был еще один человек, превосходно знавший
французскую литературу, – журналист Борис Николае-
вич Перелешин[5], который читал нам Ронсара и других.
Он умер от кровавого поноса, попав на Колыму.

Читал Мандельштам также свой "Реквием на смерть
А. Белого"... Он вообще часто возвращался в разговорах
к А. Белому, которого считал гениальным. Он говорил, что
А. Белый был ему чрезвычайно дорог и близок, и он собирался
писать воспоминания о встречах и беседах с А. Белым»[6].

Об остальных отзывался критичнее: о Блоке говорил,
что не слишком его любил. В Брюсове ценил только переводчика. А о Пастернаке сказал, что интересный поэт,
но «недоразвит». Эренбург – талантливый очеркист
и журналист, но слабый поэт[7]. Но существенно уже то,
что и в лагере, едва ли не до самого конца, Мандельштам
не переставал думать и говорить о поэтах-современниках.
Кстати, на барачных поэтических вечерах он читал и чужие стихи, в частности, Белого и Мережковского.

Полное безразличие к своей судьбе сочеталось в Мандельштаме с самоиронией. Однажды он пришел к Меркулову в рабочий барак и не терпящим возражения голосом сказал:

«"Вы должны мне помочь!" – "Чем?" – "Пойдемте!"

Мы подошли к "китайской" зоне... Мандельштам снял
с себя всё, остался голым и сказал: "Выколотите мое бе-
лье от вшей!" Я выколотил. Он сказал: "Когда-нибудь на-
пишут: "Кандидат биологических наук выколачивал вшей
у второго после А. Белого поэта". Я ответил ему: "У вас
просто паранойя"».

А вот мандельштамовская автохарактеристика, зафиксированная московским интеллигентом Злобинским,

познакомившимся с Мандельштамом на «променаде» вдоль водосточной канавы. Поэт охотно пошел за Злобинским к его друзьям и читал им свои поздние, неизданные стихи. Об одном из них, особенно понравившемся слушателям, он сказал: «...*Стихи периода воронежской ссылки. Это – прорыв... Куда-то прорыв...*». Так приходил он сюда, к благодарным слушателям, еще несколько дней: читая – преображался. Увы, никто за ним не записывал: не было бумаги, зато был страх, опасались обысков.

Да и кому в ГУЛАГе, кроме тех, кого Мандельштам называл товарищами – нескольких интеллигентов типа Злобинского, – было по-настоящему до стихов?

Все были заняты другим – как бы выжить и уцелеть!

---

[1] Воду в барак носили ведрами «бытовики» (т. е. неполитические зэки) и сливали в стоявшую у порога бочку (свидетельство Ю.И. Моисеенко).

[2] Мандельштам, кажется, был убежден, что сахар – это голова всему и что в обмене веществ он играет определяющую роль.

[3] *Поляновский*, 1993. С. 178.

[4] Там же, с. 178, 176.

[5] Перелешин Борис Николаевич (? – ок. 1938) –поэт-фуист, журналист-фельетонист и писатель-фантаст. Начинал в Томске, участник томского поэтического сборника «Четвертый год». Переехал в Москву в самом начале 1920-х гг., участвовал в сборниках «А», «Мозговой ражжиж» и «Диалектика сегодня», автор книги «Бельма Салара» (1923). Член группы «фуистов» и автор их манифеста (Предъянварие. Завязь второго года. (Диалектика Сегодня). М., 1923; перепеч. в: Литературные манифесты: от Октября до наших дней. М., 1924. С. 319–320). Одновременно фельетонист газеты «Гудок», со-

трудник ее знаменитой «Четвертой полосы» и друг И. Ильфа. Автор фантастических романов «Заговор Мурман-Памир» (Война миров. 1924. №№ 1–4) и рассказов «Сплошное солнце» и «Нападение» (Смена, 1924. № 16 и 1931. № 6). Фантастика Б. Перелешина переиздана в 2013 г.: *Перелешин Б.* Заговор Мурман-Памир / Советская авантюрно-фантастическая проза 1920-х гг. Т. II. Б.м.: Salamandra P.V.V. 178 с. (Polaris: Путешествия, приключения, фантастика. Вып. XXIV).

[6] Интересно, что в архиве Е.Э. Мандельштама в свое время хранились два стихотворных списка, сделанных одной и той же рукой и даже одним и тем же (притом весьма характерным сине-красным) карандашом. Сочетание текстов – а это именно «Реквием на смерть Андрея Белого» и стихотворный набросок, приписываемый Меркуловым Мандельштаму («Черная ночь. Душный барак. Жирные вши...»), наводит на предположение, что записаны они именно Меркуловым. В указанном списке пропущено одно слово (в стихе 16: *«Представилось в полвека – полчаса»*), все остальное соответствует авторскому тексту.

[7] В другой раз Мандельштам говорил Меркулову об Эренбурге: *Вы человек сильный. Вы выживете. Разыщите Илюшу Эренбурга! Я умираю с мыслью об Илюше. У него золотое сердце. Думаю, что он будет и вашим другом».*

«ПОСЛЕДНИЕ ДНИ Я ХОДИЛ НА РАБОТУ, И ЭТО ПОДНЯЛО НАСТРОЕНИЕ»
Третья неделя (27 октября – 2 ноября)

В середине октября, как это нередко в Приморье, установилась хорошая погода, продержавшаяся почти две недели. Температура воздуха поднялась до 12–15 градусов, а это значительно выше средней. Потом, правда, пошли дожди.

В эти-то дни, по-видимому, понимая, что тепло преходяще, а планы начальства неисповедимы, Хитров со своей «бригадой», составившейся из нескольких десятков довольно крепких любителей ночевать на воздухе, начал подыскивать себе и им крышу над головой.

Тогда-то и произошла его встреча на чердаке с блатарем Архангельским и его братией, а через него – наконец-то! – и знакомство с Мандельштамом. Однажды Архангельский, не называя имен, пригласил Хитрова к себе в «салон» – послушать стихи. Дело происходило все на том же чердаке, освещенном толстой свечой. Посередине стояла бочка, а на ней – открытые консервы и белый хлеб: неслыханное угощение для голодающего лагеря.

В окружении шпаны сидел человек, поросший седой щетиной, в желтом кожаном пальто. Он-то и читал стихи. Хитров их узнал – Мандельштам[1]. Слушали его в полном молчании, иногда просили повторить. Он повторял. Его угощали, и он спокойно ел – видно, боялся только казенных рук и казенной пищи.

Больше Хитров в этом «салоне» не бывал, да и сам Архангельский пропал из виду: мецената и его бригаду скорее всего перебросили в Нагаево.

Зато с Мандельштамом встречался часто, и всякий раз к нему подходил. Разговорившись, он понял, что поэт страдает чем-то вроде мании преследования и idee-fix. Главное – это боязнь казенной еды, из-за чего он буквально морил себя голодом или воровал чужую еду.

Еще он боялся прививок, якобы практиковавшихся на Лубянке для того, чтобы лишить человека воли и получить от него нужные показания. Другая интерпретация этих уколов: прививки бешенства, – и такое ему, мол, кололи. Назначение этой версии – отпугивающее: с таким уколотым лучше не связываться, один его укус смертелен! Но воздействие такой уловки на окружающих, их готовность в это поверить, были исчезающе малыми.

Тогда Хитров и сам пошел на уловку. Он сказал Мандельштаму, что считает, что тот сам и сознательно распространяет слух о своем мнимом «бешенстве» для того, чтобы его сторонились... И добавил: *«Но меня-то Вы не хотите отпугнуть?»*, – после чего Мандельштам хитро улыбнулся, и все разговоры о бешенстве и прививках в обществе Хитрова прекратились.

Зато однажды им довелось поработать несколько дней вместе – физически и совершенно добровольно!..

Никаких особых работ на пересылке не было. Уборка бараков не в счет, но и на нее Мандельштама не посылали: даже в истощенной зэковской толпе он выделялся своим плохим состоянием.

Время от времени в у́рочьей зоне, где находились прожарка и карьер, возникала нужда в рабочей силе. Например, разгрузить и перенести стройматериалы или поработать в карьере. Никаких норм выработки, разумеется, не было, да никто и не собирался надрываться. Но и оплаты никакой, даже в рационе: расчет, и правильный, был на то, что желающие все равно найдутся – те, кому надоело толкаться на пятачке «политической» зоны и кто ищет себе – о, святая простота! – физической разрядки перед Колымой.

Записался на работу и Хитров. А подумав, что нетрудная работа будет в радость и Мандельштаму, спросил его: «*Хотите?*»

Мандельштам кивнул, и Хитров взял его в напарники.

Сложной работа и впрямь не была: грузили на носилки один или два камня, тащили их за полкилометра, в «китайскую», возможно, зону, где вечно что-то строилось, вываливали их и приседали отдохнуть. Пустые носилки нес один Хитров. И так два или три дня – пока не пошли дожди.

В один из заходов, присев на кучу камней отдохнуть, Мандельштам сказал: «*Первая моя книга называлась "Камень", а последняя тоже будет камнем...*»[2]

Этот выход на работу в новом, незнакомом месте очень хорошо повлиял на обоих напарников: оба устали физически, особенно Мандельштам, но оба воспряли духом. Прямой отголосок «субботника» – в мандельштамовском письме, где он сообщал о выходе на работу и о поднявшемся настроении.

---

[1] Возможно, ему попалась на глаза и запомнилась публикация 1932 г. в «Литературной газете» или какая-то иная. Судя по тому, что он не знал названия первой книги поэта («Камень»), знатоком всего творчества Мандельштама Хитров не был.

[2] Хитров запомнил эту фразу, хотя и не знал названия первой книги поэта. Рассказывая об этом его вдове, он переспросил: «А его книга действительно называлась "Камень"?» И был очень рад тому, что память не подвела его.

«ОЧЕНЬ МЕРЗНУ БЕЗ ВЕЩЕЙ...»
Четвертая неделя (3–9 ноября)

Мягкая погода и бархатная температура с кратковременными перепадами продержалась до ноября. Последний скачок температуры вверх (6 ноября) сменился резким похолоданием: уже 8 ноября термометр упал ниже нуля, выпал, но еще не лег первый снег (с дождем).

Такая погодная динамика заставляет еще раз передатировать единственное – и последнее – письмо Мандельштама, отнеся его не ко времени после или накануне 7 ноября, а к самому этому дню, объявленному еще и «Днем письма»[1]. Главное тому основание – соотнесение с фразой: *Очень мерзну без вещей* (в тюрьму из Саматихи Осипа Эмильевича увезли даже без пиджака![2]).

Про 7 ноября Мандельштам говорил Моисеенко, с кем бы он отмечал этот праздник, будь он в Москве: из называвшихся фамилий в памяти остались только две – Ахматова и Сельвинский.

А «День письма» – это вот что. После завтрака, часов около одиннадцати, явился представитель культурно-воспитательной части и раздал каждому по конверту и по половинке школьного тетрадного листа в линейку или другому клочку бумаги. И еще карандаши – по шесть штук на барак. Установка по содержанию: вопросов не задавать, о том, кто с вами здесь, не писать, писать только о себе – здоровье, погода и т. п. Конверты не запечатывать.

День письма был и днем терзаний. Мучили именно незаданные вопросы: как-то оно дома? не арестовали ли кого-то вслед за тобой? что с детьми?

После того как письма отдали, все до самого отбоя молчали. И только назавтра, как после безумия, каждый приходил в себя. *«Как будто дома побывали...»* – обобщил Моисеенко.

Мандельштам писал сидя, согнувшись на нарах... И потом, как и все, тоже был очень подавлен и удручен.

Что с Надей? Арестована или нет? Не зная этого и подозревая только худшее, он адресовался к своему среднему брату:

«Дорогой Шура!

Я нахожусь – Владивосток, СВИТЛ, 11-й барак. Получил 5 лет за к.р.д. по решению ОСО. Из Москвы, из Бутырок этап выехал 9 сентября, приехали 12 октября. Здоровье очень слабое. Истощен до крайности. Исхудал, неузнаваем почти. Но посылать вещи, продукты и деньги не знаю, есть ли смысл. Попробуйте все-таки. Очень мерзну без вещей.

Родная Надинька, не знаю, жива ли ты, голубка моя. Ты, Шура, напиши о Наде мне сейчас же. Здесь транзитный пункт. В Колыму меня не взяли. Возможна зимовка.

Родные мои, целую вас.

Ося.

Шурочка, пишу еще. Последние дни я ходил на работу, и это подняло настроение. Из лагеря нашего как транзитного отправляют в постоянные. Я, очевидно, попал в "отсев", и надо готовиться к зимовке.

И я прошу: пошлите мне радиограмму и деньги телеграфом»[3].

Это письмо – без натяжек – было весточкой с того света. В то же время оно – самая твердая фактическая опора и точка отсчета в хронике лагерной жизни зэка Осипа Мандельштама.

Вот как выглядел оригинал этого письма в описании И.М. Семенко, разбиравшей архив поэта в 1960-е годы: *«Два неровно обрезанных листа желтой оберточной бумаги, приблизительно в 1/4 листа. Написано простым карандашом. Конверт самодельный, из той же бумаги. Чернильный карандаш почти стерт. Адрес: Москва Александру Эмильевичу Мандельштаму. Два штампа "Доплатить" (конверт без марки). Штамп «"Владивосток 30–11–38" и "Москва 13–12–38"»*.

Вообще-то допускалась отправка и получение до двух писем в месяц[4]. Но других писем Мандельштам не писал.

Разве что товарищу Сталину, о чем говорил Маторину. И, наверное, с напоминанием, что пора ему, Сталину, его, Мандельштама, выпускать.

История, правда, умалчивает, где именно такие письма бросали в печку – во Владивостоке, Магадане или все же в Москве?

---

[1] Ю. Моисеенко датировал «День письма» 2–3 ноября.

[2] В. Меркулов сообщал, что к моменту наступления холодов на Мандельштаме были только парусиновые тапочки, брюки, майка и какая-то шапка.

[3] *Мандельштам О.* Собрание сочинений в 4-х тт. Т. 4. М., 1997. Т. 4. С. 201. Оригинал письма ныне в Принстонском университете, вместе с основной частью *АМ*. Копия, сделанная, по-видимому, тогда же адресатом – Александром Эмильевичем, была отправлена Жене – младшему брату О.М., в архиве которого и сохранилась.

[4] С этим утверждением согласуется эпистолярная практика гебраиста С.Л. Цинберга: эшелон с ним отправился из «Крестов» 9 сентября 1938 г., то есть практически одновременно с мандельштамовским (при этом первую весточку до-

мой он отправил еще из поезда – 28 сентября, на подъезде к Иркутску), а прибыл на станцию Вторая Речка 15 октября 1938 г., то есть тремя днями позднее, чем Мандельштам. Умерли они почти одновременно (см. ниже), но Цинберг умудрился и за более короткое время пребывания на пересылке отправить не одно письмо, как Мандельштам, а целых три! Первое – 30 октября, второе – 15 ноября и третье – 15 декабря 1938 г. (содержало уточнение в адресе: «12-я спецколонна, 3-я рота») (*Элиасберг*, 2005. С. 143–145).

НОЧНОЙ ВИЗИТ
Пятая неделя (10–16 ноября)

Мандельштам встрепенулся, когда услышал, что в лагере находится человек по фамилии Хазин: не Надин ли родственник? Попросив Казарновского себя сопровождать, он довольно быстро нашел этого Хазина, оказавшегося просто однофамильцем.

Вскоре они увиделись еще раз, когда Хазин пришел к поэту среди ночи вместе с инженером Хинтом, соседом по своему бараку, уезжавшим на запад на переследствие. Хинт был латышом (а скорее всего – эстонцем) и ленинградцем, и еще, кажется, школьным товарищем Мандельштама. Их встреча, по словам Хазина, была очень трогательной[1].

Несмотря ни на что, в самые первые недели пребывания Мандельштама в транзитке как физическое, так и душевное его состояние было относительно благополучно. Периоды возбуждения перемежались периодами спокойствия, не застывая, но и не зашкаливая. Гордый человек, он никогда не плакал и не говорил, что погибнет.

Успокаивающе действовали бы на него книги, вообще чтение. Но книг в лагере не было. Были самодельные, из хлебного мякиша, шахматы. В них Мандельштам не играл, но охотно смотрел за тем, как играют другие.

---

[1] Гипотеза, что этим Хинтом мог быть известный эстонский изобретатель и лауреат Ленинской премии СССР за 1962 г. Иоханнес Александрович Хинт (1914–1985), не подтвердилась (спасибо В. Литвинову).

МАХОРКА В ОБМЕН НА САХАР
Шестая неделя (17–23 ноября)

Начиная со второй половины ноября у Мандельштама началось дергаться левое веко – но только тогда, когда он что-то говорил. И вообще он стал быстро сдавать и слабеть.

Он по-прежнему опасался и избегал казенной еды, но даже на то, чтобы, рискуя быть побитым, схватить чужую (неотравленную!) пайку, уже не было сил. Блатных «меценатов» и иных источников альтернативного питания тоже не было никаких.

Объективно говоря – он недоедал, причем именно тогда, когда наружный температурный фон становился все более и более суровым.

Соответственно, и поведение Мандельштама становилось все более и более вызывающим и асоциальным.

Вот случай, описанный Матвеем Буравлевым. Как-то раз он и Дмитрий Федорович Тетюхин лежали в своем бараке на нарах – голодные и умирающие от желания покурить:

> «…Вдруг к нам подходит человек лет 40 и предлагает пачку махорки в обмен на сахар (утром мы с Дмитрием получили арестантский паек на неделю). Сахар был кусковой, человек взял сахар, с недоверием его осмотрел, полизал и вернул обратно, заявив, что сахар не сладкий и он менять не будет. Мы были возмущены, но махорки не получили.
>
> Каково же наше было удивление, когда узнали, что этим человеком оказался поэт О. Мандельштам»[1].

Последнее, что поэту Мандельштаму оставалось, – это ходить по лагерю, подходить к новым, незнакомым людям и предлагать прочесть им свои или чужие стихи – в обмен на неказенную еду (или даже казенную, но не его, а их). Невероятно, но позднее «на прилавок» была брошена даже эпиграмма на Сталина! Этот, как ее описывал тот же Буравлев, *шедевр: усищи, сапожищи*, за который, собственно, он и попал в лагеря, он предлагал прочесть всего за полпайки![2] Но никто не соглашался на такой «курс».

Или за курево: махорка из рассказа Буравлева – скорее всего «гонорар»! (Сам Мандельштам к этому времени уже не курил: бросил еще в тюрьме).

Безусловно, он был по меньшей мере назойливым и настырным. Когда приставал со стихами – его отгоняли («Вали отсюда!»), не били, – но грозились побить.

Многие считали Мандельштама немного «того». Он и на Крепса произвел впечатление психически расстроенного человека.

---

[1] Это письмо было передано нам племянником Д.Ф. Тетюхина Валентином Михайловичем Горловым – журналистом и писателем из поселка Грибаново Воронежской области (*Жизнь и творчество*. С. 46).

[2] Некие, по Меркулову, *оба варианта*. До этого он начисто отрицал свое авторство и уверял, что все это *выдумки врагов*.

НЕДЕЛЯ НА ПРОСТЫНЯХ
Седьмая неделя (24–30 ноября)

В начале декабря на Колыму – одним из последних транспортов в эту небывало позднюю навигацию – был отправлен его «ротный» – Милютин (прибыл в Магадан 17 декабря). Все старики и инвалиды, которых он изо всех сил опекал, остались на материке, в лагере, и вскоре попали под карантин по сыпняку, объявленный 2 декабря.

Таким же стариком, объективно говоря, был и Мандельштам. С той лишь разницей, что у него была самоубийственная навязчивая идея об отравленной еде. Отвергая казенную пищу, он как бы боролся за свою жизнь, а на самом деле – приближал смерть.

Состояние Мандельштама все ухудшалось. Он начал распадаться психически, потерял всякую надежду на возможность продолжения жизни.

Однажды ночью Мандельштам прибежал к Меркулову, в рабочий барак и разбудил его криком: *Мне сейчас сделали укол, отравили!* Он бился в истерике, плакал. Вокруг начали просыпаться, кричать. Меркулов вышел с ним на улицу. Мандельштам успокоился и пошел в свой барак.

А назавтра Меркулов обратился к врачу.

К этому времени было сооружено из брезента еще два барака, куда отправляли «поносников» (больных дизентерией) слабеть и умирать. Там был уход, лучше кормили, жарче топили – прямо в бочках из-под мазута. В медицинском отношении командовал ими Николай Николаевич Кузнецов, бывший земский врач где-то в Курской губернии.

Осмотрев Мандельштама, он сказал: «*Жить ему недолго. Истощен, нервен, сердце сильно изношено (порок), – в общем, не жилец*»[1].

Но когда Меркулов попросил Кузнецова взять Мандельштама в один из его бараков, тот сначала отказал: мол, у него и так полно доходяг, и люди мрут, как мухи. Но вскоре, – видимо, как только освободилась койка, – Кузнецов все же взял его к себе.

Произошло это, вероятней всего, в третьей декаде ноября. Тифа у поэта не оказалось, и Кузнецов продержал Мандельштама в своем коечно-простынном «санатории» около недели, больше уже просто не мог[2].

Надо сказать, что врачи всегда были верной опорой и защитниками поэта Мандельштама. Память И.С. Поступальского сохранила имена трех медиков – вероятно, сотрудников Кузнецова, имевших дело с Мандельштамом, пока он там лежал: это Иван Васильевич Чистяков, заведующий 4-й палатой, где, вероятно, поэт лежал, и двое врачей – Вазген Атанасян и Евгений Иннокентьевич Цеберябов.

Мандельштам в больнице немного оправился и пришел в себя. И врачи даже устроили его «на работу» – сторожем на склад одежды покойников: за это он получил тулуп и добавочное питание.

Но потом, – видимо, в преддверие объявления в лагере карантина по сыпняку, – его перевели обратно в 11-й барак.

---

[1] По другим сведениям, у Мандельштама была и дизентерия, и даже восточная лихорадка.

[2] Если встреча поэта Р. с Мандельштамом действительно состоялась и примерно так, как ее описывает Ручьев, то произойти это могло только в начале этой седьмой недели.

КАРАНТИН
Восьмая неделя (1–7 декабря)

Карантины по сыпняку объявляются не с первым же случаем, а на гребне определенной волны. Какие-то особо жирные и, наверное, самые породистые белые вши обнаглели и полностью захватили бараки еще в ноябре. Тиф был неизбежен, и он начался.

Карантин был объявлен 2 декабря, и был он, по словам Хитрова, «энергичным». Пик эпидемии, вероятно, был все же упущен, и стали опасаться за Владивосток: с чем, вероятно, и связана «энергичность».

Бараки заперли на замок, на улицу никого больше не выпускали. Утром приходили санитары – приносили еду, мерили температуру, забирали парашу. Пока они все это делали, мороз, вероятно, проветривал помещения. И те, кого миновал тиф, схватывали воспаление легких.

Запоздалая профилактика помогала мало, и болезнь косила направо и налево. Выявленных заболевших переводили в изолятор, о котором ходили чудовищные слухи: считалось, что дорога оттуда только одна – на тот свет. И что тем, кому оставалось недолго, – даже «помогали»...

Постепенно бараки пустели. «Люксом» теперь стали нары второго ряда: внизу была постоянная толчея, а наверху невыносимая духота.

Свободное передвижение по лагерю и любые межбарачные контакты начисто пресеклись, и Хитров потерял Мандельштама из виду.

Да ему и самому было ни до кого. В какой-то момент и он перебрался в «люкс». Но через несколько дней Хитрова охватил озноб, и он снова запросился наверх – в спертый жар и духоту человеческих испарений. Но озноб не прекратился и наверху.

Поняв, что это сыпняк, Хитров решил во что бы то ни стало переболеть в бараке: главное – не дать утащить себя в изолятор. Для этого он недомеривал температуру и несколько раз обманывал санитаров. Но жар не отпускал, и однажды у него уже не было сил правильно рассчитать и аккуратно стряхнуть градусник. Он перестарался, попался на обмане, и его тут же унесли.

Изолятор же, вопреки слухам, оказался не таким страшным. Хитров провел в нем несколько дней, пока не подтвердился диагноз: сыпняк. Тогда его перевели в стационар, частично отданный под тифозных. Больница на «Второй Речке» оказалась и вовсе пристойной, даже чистой: впервые за много месяцев человек лежал на простыне, и болезнь обернулась не пыткой, не агонией, а отдыхом и чуть ли не санаторным комфортом[1].

Это уже после тифа Хитрову не повезло: он попал не в Мариинские, а на Колыму. Севвостлаг проголодался, и фактор его молодости уже перевешивал фактор сломанной в детстве ноги.

---

[1] В декабре в сыпнотифозный барак попал и Злобинский.

ДИКТАТУРА САНИТАРОВ
Девятая неделя (8–14 декабря)

В 11-м бараке все было так же, как и в других. Сыпной тиф проник, конечно, и сюда, вши ели нещадно. Кто-то казалось, рассыпáл их по нарам щедрыми пригоршнями.

Каждое утро уводили заболевших, и никого из них больше не видели...

Шестерка Моисеенко стала пятеркой: недосчитались Степана Моисеева из Иркутской области, физически крепкого, но хромого...

Между тем к власти в лагере, в том числе в карантинных бараках, пришли предоставленные самим себе санитары, – в основном это блатные и бытовики. В деле поддержания порядка в лагере начальство доверяло только им, социально близким.

В бараки они разносили хлеб, баланду, чай, сахар, а из бараков несли одежду потеплей да получше, которую выменивали на еду или даже отнимали (взамен оставляя тряпье). Жаловаться на мародеров было некому.

У Эмильевича после больницы был неплохой тулуп, пусть уже и потертый по тюрьмам и этапам. Санитары пытались его «выменять» – поэт не отдал, попытались отнять – но «пятерка» встала горой.

ДОХОДЯГА
Десятая неделя (15–21 декабря)

Чем дальше в зиму, тем тяжелее и болезненнее Мандельштам переносил холод, голод и авитаминоз. Один из видевших его врачей (Иоганн Миллер) говорил о нем как о классическом пеллагрознике, но крайне истощенном и с нарушенной психикой.

Слабея, он стал впадать сначала как бы в сеансы напряженного молчания, а 20 декабря окончательно слег и практически больше не вставал.Сам почти не говорил, а на вопросы о самочувствии отвечал полушепотом: «Слабею».

Наранович все спрашивал: «Врача не вызвать?» – «Не надо!» – отвечал Мандельштам, не столько словами, сколько шепотом губ и покачиванием головы.

В этом состоянии его застигла лаконичная радиограмма, 15 декабря посланная из Москвы Евгением Яковлевичем Хазиным. В ней сообщалось, что деньги телеграфом высланы и что Надя – под Москвой[1].

Мандельштам сам просил в письме и о весточке, и о переводе, но сейчас, когда радиограмма пришла, он только пробежал ее глазами и кивнул. Он ослабел настолько, что даже привет из дома, не говоря уже о деньгах, стали ему безразличны.

Физически слабый, слабеющий и угасающий – он не падал духом и мужественно ждал конца. Лежал с открытыми глазами, левый глаз дергался уже и при молчании.

А может быть, он дергался потому, что внутренняя речь – его мысли и, быть может, стихи все еще звучали и не умолкали в нем?..

---

[1] На самом деле она в это время была в Шортанды у Б.С. Кузина.

КОНЕЦ КАРАНТИНА И ПРОЖАРКА
Одиннадцатая неделя (22–27 декабря)

У паразитов – возбудителей сыпняка инкубационный период – 12–14 дней. Соответственно, 25 дней – это стандартный срок, на который вводится в таких случаях карантин. И ровно 26 декабря карантин сняли по всей пересылке.

И не приходится удивляться: утром этого дня, часов примерно в десять-одиннадцать, все наличное население 11-го барака повели в баню, но не на помывку, а на санобработку. Никаких исключений быть не могло: будь ты хоть при смерти, задуй хоть тайфун, – но свои 500 метров от барака до прожарки будь любезен пройти! А пока ты, стуча зубами, идешь или стоишь, проводилась, надо полагать, обработка и самого барака.

Накануне, 22–24 декабря, прошел сильный снегопад с метелью, дул шквалистый, северный ветер, 18 градусов мороза – дорожки были расчищены узкие. Снаружи 26 декабря было достаточно сурово.

«Пойдемте купаться, Осип Эмильевич», – сказал Ковалев. Мандельштам долго, очень долго собирался, завязывал шнурки, надевал пиджак и вязаную шапочку, складывал в узелок свою вторую рубашку, копался. Медленно сполз с нар, постояв на нижних; медленно прошел к двери барака. Все его терпеливо и молча ждали.

Путь был хотя и под горку, но 11-й барак шел медленно, очень медленно. Мандельштам еле переставлял ноги, глаза полузакрыты, под руку его поддерживали верные оруженосцы – Моисеенко и Ковалев.

Коль скоро это была прожарка, а не помывка, то в бане никакой воды не было – ни горячей, ни холодной. Деревянный пол обдавал таким холодом, на какой, кажется, не способны были ни цемент, ни лед. Когда пришли в раздевалку, все по команде разделись и повесили свою одежду и личные вещи на железные крючки, которые передали работающим зэкам-санитарам (мандельштамовские вещички развесил Ковалев).

Крючки вешали на железную стойку, а стойку загоняли в жаропечь, в которой и осуществлялась их санобработка – прожарка горячим паром и смертельными для насекомых газами. Обрабатывали и людей: волосяные покровы смачивали какой-то дурно пахнущей жидкостью (вероятно, раствором сулемы).

Одна скамейка на всех: люди сидели на корточках или ходили взад и вперед. Толпа голых, едва стоящих на ногах мужиков, три четверти часа дрожала и мерзла в ожидании своих прожаренных вещей, а Мандельштама от холода аж трясло.

Но вот раздался выкрик хамским голосом: *Разбирай одежду!* Дверцы жарокамеры открылись, и прошпаренное, дымящееся, обожженное белье выехало из печи, из которой повалил пар и дым, запахло серой. Прижимая горячие комья к груди, обжигаясь о металлические пуговицы, люди чуть ли не бегом пролетали через пустую баню в другой отсек – в одевалку, чтобы побыстрей облачиться и освободить место для следующих, уже подмерзавших на улице.

Некоторые не выдерживали этой гигиенической пытки.

Не выдержал ее и Мандельштам, чей больничный тулуп, заменивший желтое («эренбурговское») пальто, в прожарку не взяли: кожа в таком случае коробилась и приходила в негодность (тулуп забрали на обработку сулемой). Оставшись совсем без ничего, Мандельштам весь мелко задрожал.

Быть может, инфернальные серные испарения из жарокамеры и стали той последней каплей?..

Когда крикнули разбирать одежду, Мандельштаму стало плохо, и, положив левую руку на сердце, он рухнул на пол. Совсем голый, с побледневшим лицом, без малейших признаков жизни!

Подбежали товарищи, тоже голые, сгрудились вокруг него. Затем повернули тело: никаких мышц, одна шкурка, – бесформенное, истощенное тело человека, боявшегося съесть свою порцию! Но положить тело было некуда, так как лавки были завалены бельем.

«Человеку плохо!» Вызвали по телефону врача.

Пришла медсестра в белом халате и со стетоскопом. Спросила: *«Кто тут болеет?»* Поискала пульс – не нашла, долго слушала сердце… Вынула зеркальце и поднесла к носу, подождала. Кто-то сказал: «Готов», а она сказала: «Накройте хоть чем-нибудь», – и Мандельштама накрыли его одеждой, но только наполовину, до пупка.

Пришел начальник смены и прикатил низкую тележку с большими колесами. Побрызгав на нее и на неподвижное тело мутным и густым раствором сулемы с жутким запахом (тифа все еще боялись), Мандельштама положили на тележку и увезли.

В это время в другом углу на пол упал другой зэк. То был Маранц, кажется, Моисей Ильич – высокого роста еврей, лет 50 или больше. Медсестра подбежала к нему и поднесла зеркальце и к его носу. И вновь никакой реакции.

Вернувшиеся санитары, покропив сулемой, увезли и Маранца[1].

Вот откуда та уверенность, с которой Моисеенко полагал, что видел не обморок, не преддверие смерти, а самую смерть. Смерть поэта в прожарке.

---

[1] То же, возможно, произошло и с Израилем Цинбергом, заболевшим после такой же прожарки, но умершим 28 декабря. Сообщалось, что его группу морозили и снаружи: а не потому ли, что внутри разбирались с Мандельштамом и Маранцем?..

СМЕРТЬ
(27 декабря)

Но Мандельштам не умер тогда[1].

Судьба (и врачи) вновь подарили ему еще один добавочный день, – но это уже в самый последний раз и буквально: один-единственный день.

Его отвезли не в изолятор, а именно в стационар, в олповскую двухэтажную больницу, располагавшуюся вдвое ближе больнички для «контриков» в их зоне. Так что напрасно Надежда Яковлевна переживала, слушая своего «физика Л.»: ее муж умер на кровати и на простыне![2]

Там – на кровати и на простыне – поэт, возможно, пришел в себя и молча пролежал этот подарок-день. Он то открывал, то закрывал глаза, отказывался от еды и время от времени беззвучно шевелил губами.

Так или почти так, усилием сострадающего воображения и всего колымского провидческого опыта представлял это себе спустя 15 лет Варлам Шаламов («Шерри-бренди»):

«Поэт умирал. Большие, вздутые голодом кисти рук с белыми бескровными пальцами и грязными, отросшими трубочкой ногтями лежали на груди, не прячась от холода. Раньше он совал их за пазуху, на голое тело, но теперь там было слишком мало тепла… Тусклое электрическое солнце, загаженное мухами и закованное круглой решеткой, было прикреплено высоко под потолком…. Время от времени пальцы рук двигались, щелкали, как кастаньеты, и ощупывали пуговицу, петлю, дыру на бушлате, смахивали какой-

то сор и снова останавливались. Поэт так долго умирал, что перестал понимать, что он умирает. Иногда приходила, болезненно и почти ощутимо проталкиваясь через мозг, какая-нибудь простая и сильная мысль – что у него украли хлеб, который он положил под голову...

Жизнь входила в него и выходила, и он умирал... Но жизнь появлялась снова, открывались глаза, появлялись мысли. Только желаний не появлялось...

В те минуты, когда жизнь возвращалась в его тело и его полуоткрытые мутные глаза вдруг начинали видеть, веки вздрагивать и пальцы шевелиться – возвращались и мысли, о которых он не думал, что они – последние...

Жизнь входила сама как самовластная хозяйка; он не звал ее, и все же она входила в его тело, в его мозг, входила, как стихи, как вдохновение. И значение этого слова впервые открылось ему во всей полноте.

Стихи были той животворящей силой, которой он жил. Именно так. Он не жил ради стихов, он жил стихами...

Тут он поймал себя на том, что он уже давно ни о чем не думает. Жизнь опять уходила из него...»

27 декабря, во вторник, в 12.30 дня, то есть спустя почти сутки после того, как он рухнул на цементный пол, поэта дождалась – или настигла – смерть...

Визит ее удостоверен актом № 1911, составленным врачом (очевидно, дежурным) Кресановым и дежурным медфельдшером, чья фамилия неразборчива[3].

Жизненный путь поэта, начавшись на противоположном конце империи – на Западе, в Варшаве, закончился на самом восточном ее краю...

Причина же смерти, согласно акту, – паралич сердца и артериосклероз. По-стариковски изношенное сердце окончательно отказало.

Сердце другого старика-Мандельштама – 82-летнего Эмиля Вениаминовича, отца поэта, – остановилось всего полугодом раньше: он умер – в полном одиночестве –

в ленинградской больнице имени Карла Маркса 12 июля 1938 года. На фотографии 1934 года оба, отец и сын, сняты вместе и выглядят как братья-погодки.

Наверное, отец сердился и обижался на Осипа, не понимая, почему он не приезжает хотя бы проститься?..

Мать Мандельштама, Флора Осиповна, умерла в 1916 году, будучи 47 лет от роду, – в том же возрасте, что и ее первенец.

> Будут люди холодные, хилые
> Убивать, холодать, голодать, –
> И в своей знаменитой могиле
> Неизвестный положен солдат…

---

[1] Возможно, что не умер и Маранц. По крайне мере, он – или его однофамилец – Соломон Рувимович Маранц, бывший коммерческий директор одного из московских трестов и сионист, арестованный по подозрению в шпионаже 18 января 1938 г., – умер на пересылке от сыпного тифа 11 февраля 1939 г. (*ГАРФ. Ф. Р-10035. Дело № П–24029*).

[2] Ср.: «*Рассказ Л. как будто подтверждает версию Казарновского о быстрой смерти О.М. А я делаю из него еще один вывод: так как больница была отдана под сыпной тиф, то умереть О.М. мог только в изоляторе, и даже перед смертью он не отдохнул на собственной койке, покрытой мерзкой, но неслыханно чудесной каторжной простыней*» (*Мандельштам Н. Воспоминания // Собр. соч. В 2 тт. Т.1. Екатеринбург, 2014. С. 490*).

[3] Осматривавший труп врач (Кресанов?) счел нужным отметить, что на левой руке в нижней трети плеча имеется родинка.

ПАЛЬЧИКИ
(27 декабря)

С мертвых, согласно инструкции, снимали дактилоскопические отпечатки правой руки.

Сами пальчики прокатали, пока они еще не остыли, сразу же, 27 декабря: эта работа большой квалификации не требовала. А вот необходимое сличение имеющихся и полученных отпечатков состоялось только 31 декабря, когда старший дактилоскопист отделения угрозыска райотдела УГБ НКВД по «Дальстрою» тов. Повереннов произвел «*сличение и отождествление пальцев-отпечатков, снятых на дактокарте з/к, умершего 27 декабря 1938 г. и числящегося в санчасти ОЛП согласно ротной карточки под фамилией Мондельштам[1], с отпечатками пальцев на дактокарте, зарегистрированными на его имя в личном деле. Оказалось, что строение папиллярных линий* (специфических рельефных линий на ладонных и подошвенных поверхностях. – П. Н.), *узоров и характерных особенностей пальце-отпечатков по обоим сличаемым дактокартам между собой обозначаются как совершенно тождественные и принадлежат одному и тому же лицу*» (и первая и вторая дактограммы имеются в деле).

В свидетельстве о смерти как-то настораживает то, что труп не вскрывали. Что это значит? Обычная ли это практика или исключительный случай? И разве можно установить причину смерти без патологоанатома? А если да, то входят ли в число таких безусловных причин паралич сердца и артериосклероз? И не является ли вдруг эта запись указанием на насильственный характер смерти?

Нина Владимировна Савоева рассказывала, что как бы трудно ни было, но в колымских больничках вскрывался каждый труп. На пересылке же все могло быть совсем иначе, к тому же в декабре 1938 года налево и направо косил сыпняк: не справляясь с «потоком» мертвецов, врачи вполне могли оставить одного или нескольких, или даже многих и без вскрытия.

---

[1] Sic! Так в документе.

ПОХОРОНЫ ЖМУРИКА
(Начало января 1938 года)

Декабрь 38-го года – это массовая смертность заключенных от сыпного тифа. Тела выносили прямо из барака в палату морга, где снимали отпечатки пальцев и к большому пальцу правой ноги привязывали бирку. Это кусок фанеры со шпагатом, на фанерке – химическим карандашом – фамилия, имя, отчество, год рождения, статья и срок.

Трупы, уже прошедшие дактилоскопическую сверку, складывали штабелями возле барака, или накапливали в ординаторской палатке. Иногда они лежали по 3–4 дня, пока не придет конная повозка, чтобы увезти на «кладбище».

…Однажды начальник лагеря вызвал Маторина, в то время санитара, и велел: *«Отнеси жмурика»*, то есть покойника.

Жмуриком, согласно бирке, оказался Мандельштам[1]. *«Но прежде я ему руки поправил. Они были вдоль тела вытянуты, а я хотел их сложить по-христиански. И они легко сложились. Мягкие были. И теплые. Знаете, ведь покойник окостеневает, руки-ноги не гнутся, а здесь... Я напарнику говорю: "Живой будто..." (Прошу за догму не принимать. Мало ли что, могло и показаться.) Но факт был: руки сложились легко…».*

А дальше за дело брались урки с клещами. Прежде чем покойника похоронить, они обыскивали одежду и вырывали золотые коронки и зубы (а у Мандельштама были золотые коронки, – в молодости над ним еще потешались: «Златозуб!»). Снимали с помощью мыла кольца, а если не поддавалось, то отрубали палец.

Хоронили же на владивостокской транзитке, разумеется, без гроба – в нательной рубахе, в кальсонах, иногда оборачивали простыней. Мертвые тела опускали в каменный ров, в братскую могилу-траншею, глубиной всего 50–70 см[2]. Затем присыпали землей и притаптывали.

---

[1] Смущает, что нести жмурика было велено из изолятора в больницу.

[2] Копать такие рвы, особенно зимой, было очень тяжело. Впрочем, Милютин единственный из свидетелей, кто упоминает некий лагерный крематорий на две печи (*Милютина*, 1997).

ДОМА

НАДЕЖДА МАНДЕЛЬШТАМ
В СТРУНИНО И ШОРТАНДАХ

1

С первой же киевской встречи в девятнадцатом году 1 мая стало для Осипа Мандельштама и Надежды Хазиной сакральной датой. Они вспоминали ее и в тридцать восьмом, в 19-ю годовщину киевской «помолвки», в снежной западне Саматихи. *«Ночью в часы любви я ловила себя на мысли – а вдруг сейчас войдут и прервут? Так и случилось первого мая 1938 года, оставив после себя своеобразный след – смесь двух воспоминаний»*[1].

Под самое утро 2 мая постучали энкавэдэшники и разлучили их уже навсегда. *«Мы не успели ничего сказать друг другу – нас оборвали на полуслове и нам не дали проститься»*[2]. Так торопили и так спешили, что увезли Осипа Эмильевича даже без пиджака![3]

Сопровождать мужа хотя бы до Москвы жене на этот раз не разрешили: срок действия сталинского «чуда» 1934 года уже истек.

Только 6 или 7 мая Надежда Яковлевна сумела выбраться из Саматихи. И, по-видимому, сразу же после этого выехала в Калинин, где забрала корзинку с рукописями – примерно половину архива Мандельштама (вторая половина была в Ленинграде у Рудакова). Она понимала, что такой же «налет» неизбежно предпримут и органы, но сумела опередить и без того перегруженный аппарат НКВД. Два сотрудника областного управления НКВД – Недобожин-Жаров и Пук – также побывали у Травниковых, но только 28 мая 1938 года и без особого результата.

Из Калинина – через Москву и Саматиху – навстречу гибели у Тихого океана – начинался крестный путь Осипа Мандельштама. А ее собственный «крутой маршрут» после ареста и смерти мужа прошел через несколько промежуточных станций: Струнино – Шортанды – снова Калинин – Муйнак – Ташкент – Ульяновск – Чита – Чебоксары – Таруса – Псков.

Первые две из них, переложенные Москвой и Ленинградом, вобрали в себя те самые восемь месяцев 1938 года, что отделяли арест Мандельштама от его смерти.

Всмотримся подробнее в эти восемь месяцев[4].

2

Все это время Н.Я. прожила на положении «стопятницы»[5].

Самой первой и долгой станцией оказалось Струнино.

Кто-то посоветовал ей попытать счастье устроиться по Ярославской дороге – той самой, по которой ежедневно шли на восток эшелоны с осужденными: тайная надежда встретиться с мужем хотя бы взглядами через зарешеченное окно тоже присутствовала в этом выборе.

Она начала с Ростова Великого:

«...в первый же день я встретила там Эфроса[6]. Он побледнел, узнав про арест О.М., – ему только что пришлось отсидеть много месяцев во внутренней тюрьме. Он был едва ли не единственным человеком, который отделался при Ежове простой высылкой. О.М., услыхав за несколько недель до своего ареста, что Эфрос вышел и поселился в Ростове, ахнул и сказал: "Это Эфрос великий, а не Ростов..." И я поверила мудрости великого Эфроса, когда он

посоветовал мне не селиться в Ростове: "Уезжайте, нас здесь слишком много..."»[7]

Но неудача обернулась удачей:

«В поезде, на обратном пути, я разговорилась с пожилой женщиной: ищу, мол, комнату, в Ростове не нашла... Она посоветовала выйти в Струнине и дала адрес хороших людей: сам не пьет и матом не ругается... И тут же прибавила: "А у нее мать сидела – она тебя пожалеет..." Поезда были добрее людей Москвы, и в них всегда догадывались, что я за птица, хотя была весна и кожух я успела продать. <...> ...Я сошла в Струнине и отправилась к хорошим людям. С ними у меня быстро наладились дружеские отношения, и я рассказала им, почему мне понадобилась «дача» в стоверстной зоне. Впрочем, это они и так поняли. А снимала я у них крылечко, через которое никто не ходил. Когда начались холода, они силком перетащили меня в свою комнату, загородив мне угол шкафами и простынями: "Чтобы вроде своей комнатки было, а то в общей ты не привыкла..."»[8]

Когда-то Иван Грозный охотился в этих диких местах и «приструнивал» из мушкета дикого зверя. Но и в 1938 году Струнино Ивановской промышленной[9] области – маленький рабочий поселок, ставший в том же году даже городом, на самом деле решительно ничем не отличался от деревни. Особенно летом – когда у хозяев и корова на выпасе, и огород, а в речке Пичкуре – рыба, которую можно ловить хоть корзиной, а в лесу – малина, которую можно набирать «профессионально» – двух-трехлитровыми банками.

Впрочем, шальная рыба и сезонная ягода – не лучшая основа рациона.

«Хозяева заметили, что мне нечего есть, и делились со мной своей тюрей и мурцовкой. Редьку там называли

*«сталинским салом». Хозяйка наливала мне парного моло-
ка и говорила: «Ешь, не то совсем ослабеешь». <…> А я носила им из лесу малину и другие ягоды»*[10].

Собственно, «хорошие люди» жили даже не в самом
Струнино, а в прилегающем к нему поселке Доброе (Садовая, 25). Этот нюанс сохранила память 7-летнего Шу-
рика, сына Александра Эмильевича: оба Шуры жили
здесь у Н.Я. в августе-сентябре, как на даче. Мальчишке
запомнились еще непривычная обстановка деревенской
комнаты с русской печью и молчаливо-мрачное настроение и отца, и тети Нади[11].

3

Хоть и нельзя было Н.Я. находиться в Ленинграде (не
только в Москве!), но пришлось. Почти весь июнь она
провела у постели умирающей от рака старшей сестры
Ани, проводила ее в последний путь. Простилась и с «де-
дом» – Эмилем Вениаминовичем: тот радовался снохе
и плакал, возмущаясь старшим и непочтительным сыном, не могущим приехать к нему, даже умирающему.
Умер дед очень скоро, 11 июля, – в больничной грязи,
в отчаянном одиночестве и тоже от рака.

Отчаянье было знакомо и самой Н.Я.: *«Мне кажется,
что я не успела сказать Осе, как я его люблю…»*[12]. Иногда
оно сменялось всплесками надежды (*«Может быть, еще
когда-нибудь увижу и расскажу Осе, как я его ждала… Может, мы еще посидим втроем за столом»*[13]), но отчаяние
било сильней и явно брало верх: *«Что Осю я не увижу
никогда – я знаю, но понять этого не могу»*[14].

*«Оси нет в Москве. Не знаю, услышу ли я еще что-
нибудь о нем. Вряд ли… Для Оси прошу только быстрой
и хоть легкой смерти»*[15]. Эта цитата – из письма от
10 сентября, а седьмого (или, может быть, восьмого) сентября простучал по струнинским стыкам и мандельшта-

мовский эшелон. Но никто – ни он в вагоне, ни она снаружи – ничего не заметил.

В конце сентября «дачники» Шура и Шурик вернулись в Москву, а в середине месяца пришло письмо от Бориса Кузина. Самый близкий друг и собеседник четы Мандельштамов, он пригласил Н.Я. к себе (подчеркну, именно пригласил, а не позвал!). К себе – это в прижелезнодорожный поселок Шортанды близ казахской Акмолы[16], куда он и сам попал лишь в середине 1937 года на правах ссыльного и в качестве сотрудника сельскохозяйственной опытной станции.

Шортанды, однако, не был альтернативой Струнино – уже по одному тому, что слишком далеко от дома 24 на Кузнецком Мосту, от окошка № 9 справочной НКВД (буквы от Л до Н). А Н.Я., наезжая в Москву пару раз в месяц и всякий раз не более чем на пару дней (дольше было бы уже рискованно), первым делом шла в эту справочную.

Из полученных там ответов она знала и о переводе Мандельштама из Лубянки в Бутырку («*Ося переменил квартиру*»[17]), и об отправке его эшелона («*Оси нет в Москве*»). Возможно, что однажды ей удалось отправить О.М. в пересыльный лагерь письмо[18].

В Москве Н.Я. приходилось многое сносить, но едва ли не самым тяжелым для нее было насильственное «общение» с близкими, особенно с братом и невесткой. «*Мне гораздо легче одной, – писала она Кузину. – Одна я как будто с Осей. Не так остра разлука. <…> Любой разговор в Москве «вообще» или «об искусстве» (чего не переношу до слез) ощущается, как измена*»[19].

Но Москва была и оставалась необходимостью. В каждый приезд Н.Я. понемногу редела мандельштамовская библиотека, чем, собственно, и оплачивалось струнинское жилье. Но когда раритеты кончились и жить окончательно стало не на что, – пришло понимание того, что нужно искать и находить иные, более экзистенциальные способы пропитания и существования.

Иными словами – подумать о работе и зарплате.

> *«Хозяин мой был текстильщиком, хозяйка – дочь ткачихи и красильщика тканей. Они очень огорчались, что я тоже впрягусь в эту лямку, но выхода не было, и когда на воротах появилось объявление о наборе, я нанялась в прядильное отделение. Работала я на банкоброшальных машинах, которые выделывают «ленту» из «сукна». По ночам я, бессонная, бегала по огромному цеху и, заправляя машины, бормотала стихи. <...> Восемь ночных часов отдавались не только ленте и сукну, но и стихам»*[20].

С 30 сентября по 11 ноября 1938 года она проработала тазовщицей[21] прядильного комбината «5-й Октябрь» в городе Струнино Владимирской области. Знай себе подставляй жестяные «тазы» под размолотую белоснежную вату-сукно, лентой вылезающую из банкоброшальных машин. Оплата повременная – 4 р. 25 коп. в день[22], месячный заработок – между 115 и 200 рублями.

Струнино стало для Н.Я. опытом погружения в рабочую среду и самой настоящей солидарности трудящихся:

> *«Относились ко мне хорошо, особенно пожилые мужчины. Иногда кто-нибудь заходил ко мне в цех и протягивал яблоко или кусок пирога: "Ешь, жена вчера спекла". В столовой во время перерыва они придерживали для меня место и учили: "Бери хлёбово. Без хлёбова не наешься". На каждом шагу я замечала дружеское участие – не ко мне, а к "стопятнице"...»*[23].

Работа многое изменила в образе жизни Н.Я. 10 октября она признавалась Кузину: *«...Я живу неподвижно. До сих пор жила своей бедой – мыслями об Осе. Сейчас меня разлучила работа с моим горем – единственным моим достоянием».*

По контрасту с конкретными московскими родственниками далекий и все же немного абстрактный Кузин становился все ближе и все насущнее.

«Милый Борис! <…> Я знаю, что вы единственный человек, который разделяет мое горе. Спасибо вам, друг мой, за это»[24]. Или: «После Оси вы мне самый близкий человек на свете»[25].

Упомянутая уже тема личной встречи – в Струнино ли, в Шортанды ли – поселилась в переписке с сентября. 20 сентября: «Что касается до моего приезда – я конечно приеду. Но когда? Сейчас я буду ждать письма[26]. Думаю, что не дождусь. Через сколько времени я поверю в то, что его не будет? Просто не представляю...»[27] А вот из письма от 14 октября: «Я к Вам обязательно приеду. <…> По всей вероятности, это будет в апреле. <…> Я боюсь, что мы никогда не увидимся. И я боюсь встречи. Ведь мы оба, наверное, стали другими за эти годы. Мы не узнаем друг друга»[28].

22 октября она написала свое последнее письмо мужу[29]. Но – отчаявшись – не отправила его.

Настроением и стилистикой письмо это – словно продолжение и часть ее переписки с Кузиным – переписки, некогда столь привычной и столь дорогой всем *трем* корреспондентам.

«Ося, родной, далекий друг! Милый мой, нет слов для этого письма, которое ты, может, никогда не прочтешь. Я пишу его в пространство. Может, ты вернешься, а меня уже не будет. Тогда это будет последняя память.

<…> Каждая мысль о тебе. Каждая слеза и каждая улыбка – тебе. Я благословляю каждый день и каждый час нашей горькой жизни, мой друг, мой спутник, мой милый слепой поводырь...

Мы как слепые щенята тыкались друг в друга, и нам было хорошо. И твоя бедная горячешная голова, и всё безумие, с которым мы прожигали наши дни, – какое это было счастье – и как мы всегда знали, что именно это счастье!

<…> Ты всегда со мной, и я – дикая и злая, которая никогда не умела просто заплакать, – я плачу, я плачу, я плачу.

Это я – Надя. Где ты? Прощай. Надя»

4

На ноябрьские праздники Н.Я. ездила в Москву. Вернулась в Струнино, по-видимому, только в четверг, 9 ноября[30], ибо занаряжена была в ночную смену.

В ту же ночь, а может быть и в пятницу (впрочем, не исключена и суббота), в цех вошли –

«…двое чистеньких молодых людей и, выключив машины, приказали мне следовать за ними в отдел кадров. Путь к выходу – отдел кадров помещался во дворе, в отдельном здании – лежал через несколько цехов. По мере того, как меня вели по цехам, рабочие выключали машины и шли следом. Спускаясь по лестнице, я боялась обернуться, потому что чувствовала, что мне устроили проводы: рабочие знали, что из отдела кадров нередко увозят прямо в ГПУ.

В отделе кадров произошёл идиотский разговор. У меня спросили, почему я работаю не по специальности. Я ответила, что у меня никакой специальности нет. <…> Чего от меня хотели, я так и не поняла, но в ту ночь меня отпустили, быть может, потому, что во дворе толпились рабочие. Отпуская меня спросили, работаю ли я завтра в ночную смену, и приказали явиться до начала работы в отдел кадров. Я даже подписала такую бумажку...»

Судя по тому, что в принстонском архиве сохранилась струнинская трудовая книжка Н.Я., именно так Н.Я. и поступила – пришла в понедельник в отдел кадров, уволилась и уехала. Но сама Н.Я. дорисовывает иную картину:

> «К станкам в ту ночь я не вернулась, а пошла прямо домой. Хозяева не спали – к ним прибежал кто-то с фабрики рассказать, что меня потащили "в кадры". Хозяин вынул четвертинку и налил три стакана: "Выпьем, а потом рассудим, что делать".
>
> Когда кончилась ночная смена, один за другим к нашему окну стали приходить рабочие. Они говорили: "Уезжай" и клали на подоконник деньги. Хозяйка уложила мои вещи, а хозяин с двумя соседями погрузили меня на один из первых поездов. Так я ускользнула от катастрофы благодаря людям, которые еще не научились быть равнодушными. Если отдел кадров первоначально не собирался меня арестовывать, то после "проводов", которые мне устроили, мне, конечно бы, не уцелеть...»[31]

Э. Штатланд, посвятивший всевозможным «разоблачениям» Н.Я. специальный блог, не поверил в этот рассказ, усомнившись в реальности такой демонстрации солидарности со стороны текстильщиков в адрес незнакомой им интеллигентной тазовщицы. Сомневаюсь в его достоверности и я.

Но не соглашусь с тем, что такая «новелла» – чуть ли не операция прикрытия якобы для оправдания побега именно в Шортанды, о котором Н.Я. в своих книгах даже не упоминает.

Несомненно одно: в Струнино Н.Я. укрывалась и укрылась от калининских «голубчиков» (так называет она гэбэшников за их голубые околыши и фуражки). После того как фабричный отдел кадров заинтересовался ею (так ли театрально, как с парой чистеньких молодчиков, отключающих ночью машины ради прогулки с Н.Я. по цехам, или как-то менее театрально), оставаться здесь стало небезопасно. Нужно было еще раз перепрятаться, чтобы укрыться от голубчиков уже струнинско-владимирских.

Но где? Москва и Питер отпадают. Оставалось всего два места на земле, где ее, беженку, не попросили бы назавтра же вон, как это сделала семья брата арестованного Бена Лившица с его женой и сыном. Эти два места – Воронеж с «ясной Наташей» и Шортанды – с человеком, некогда разбудившим Мандельштама своей дружбой.

От Наташи уже давно не было писем, но, даже если бы и были, Н.Я. все равно предпочла бы Шортанды, куда уже мысленно собиралась – правда, не раньше апреля[32].

Во «Второй книге» она пишет о Струнино и обо всей ситуации так: «*Оттуда я тоже вовремя ускользнула. Меня не нашли и не стали искать, потому что я была иголкой, бесконечно малой величиной, одной из десятков миллионов жен десятков миллионов сосланных в лагеря или убитых в тюрьмах*»[33].

О том, **куда** она ускользнула, Н.Я. сочла за благо **не** написать.

Знали об этом только брат с невесткой, Осин Шура с женой и Шкловские (путь в Шортанды пролегал через Москву, разумеется). Даже подружке Эмме, щадя ее «стародевичье воображение», Н.Я. предусмотрительно ничего не сказала. Сказала уже потом, но не уточняла, **когда** это было[34]. А та сама не догадалась, иначе бы вся зашлась в «комментариях» и «интерпретациях» очередного Надиного «адюльтера»!

5

В Шортандах Н.Я. пробыла месяц или больше, вернувшись в Москву только накануне самого Нового года.

В ее отсутствие произошло то, из-за чего она так не хотела уезжать. Из-под Владивостока пришло Осино письмо – самая настоящая, без натяжек, весточка с того света. Вообще-то допускалась отправка и получение до двух писем в месяц. Но других писем Мандельштам, кажется, и не писал[35].

Написанное примерно 7 ноября[36], переваренное цензурой и отправленное из лагеря 30 ноября, оно достигло Москвы, судя по штемпелю, 13 декабря. Значит, адресату оно было доставлено 14 декабря.

Прочтя и перечтя письмо, Шура бросился со Старосадского на Страстной, к Евгению Яковлевичу. Он-то и отправил Осе 15 декабря денежный перевод и «глупую» радиограмму: мол, не волнуйся, Надя под Москвой. Тогда же телеграмма ушла и в Шортанды, где подействовала скорее расслабляюще: Ося жив!

Надя не бросилась сломя голову в Москву, а приехала только под Новый год – не позднее 28 или 29 декабря. Встречать 1939-й Надя пошла не к своему брату, где невестка собирала художнический бомонд, а к Осиному: даже не утихающий скандал между Шурой и Лелей казался ей, против «бомонда», музыкой.

…Посылку во Владивосток с теплыми вещами и салом Женя без Нади отправлять не стал. Это сделала уже она сама – 2 января 1939 года: а между тем самого Оси уже шесть дней как не было в живых!..

6

Весь январь и первую половину февраля 1939 года Н.Я. провела в Москве без прописки, что было опасно: нарушения паспортного режима было достаточно и для «своего» срока. 19 января 1939 года, в краткую полосу ослабления Большого террора, Н.Я. написала заявление на имя нового наркома НКВД Л.П. Берии с наглым требованием – или освободить мужа, или привлечь к ответственности и ее, как постоянную свидетельницу и участницу его жизни и работы.

Но до 30 января она еще не знала, что освобождать было уже поздно и некого.

В этот день[37] принесли повестку из почтового отделения у Никитских ворот, откуда Женя отправлял во Владивосток почтовый перевод, а Н.Я. – посылку. Возвращая посылку, почтовая барышня пояснила: «За смертью адресата»[38].

С этого мига и началась ее, Надежды Яковлевны Мандельштам, новая – **вдовья** жизнь.

О том, ка́к именно она началась, рассказано в одном из ее последних писем Харджиеву:

> *«В день, когда я получила обратно посылку "за смертью адресата", я зашла сначала к своему брату Жене и тыкалась как слепая по светлому коридору, не находя двери. Узнав о посылке, они мне сказали, что у Лены сейчас будут люди по делу (режиссеры!), и я ушла (попросту выгнали). Во всей Москве, а может, во всем мире было только одно место, куда меня пустили. Это была ваша деревянная комната, ваше логово, ваш мрачный уют. Я лежала полумертвая на вашем пружинистом ложе, а вы стояли рядом – толстый, черный, добрый – и говорили: – Надя, ешьте, это сосиска... Неужели вы хотите, чтобы я забыла эту сосиску? Эта сосиска, а не что иное, дала мне возможность жить и делать свое дело. Эта сосиска была для меня высшей человеческой ценностью, последней человеческой честью в этом мире...»*[39]

Придя в харджиевской комнате в себя, Н.Я. сделала последнее и, наверное, единственное, что не могла не сделать в этот день, – написала в Шортанды:

> *«Боря, Ося умер. Я больше не могу писать. Только – наверное придется уехать из Москвы. Завтра решится. Куда – не знаю. Завтра Женя напишет.*
>
> *Надя.*
> *Я не пишу – мне трудно»*[40].

Через положенное время пришел ответ[41]:

> *«Милая Надежда Яковлевна!*
>
> *Нынче получил ужасную весть от Вас. Мне тяжело невыносимо. Только нынче, может быть, я понял, как мне был лично дорог бедный Осип. Здесь я даже не могу никому рассказать об этом горе, и оно меня разрывает. И для Вас, и для меня было бы лучше, если бы мы узнали это, когда Вы были у меня. Если бы можно было отслужить по нем панихиду. До чего все это страшно. Но ведь ждать можно было только этого. И как хотелось надеяться на хороший конец. Вы знаете, что я стоек в несчастьях. Но нынче, быть может, в первый раз я с сомнением посмотрел на все свои надежды.*
>
> *И все-таки, я прошу Вас – держитесь. Не делайте никаких глупостей. Помните, что я Вам говорил. Мы не имеем права судить сами, нужна ли наша жизнь зачемнибудь. Наш долг стоять, пока нас не прихлопнет судьба. Берегите себя. Если моя дружба над Вами не имеет силы, то этого требует память об О. Я говорю это Вам с совершенным убеждением. Я не всегда верю своему уму. Но совесть у меня крепкая. Она меня не может обмануть. То, что я Вам говорю, – только от совести.*
>
> *В феврале, вероятно, моя комната будет занята. Перебейтесь чем-нибудь месяц. Потом приезжайте ко мне. Хотите, – останьтесь у меня совсем. Хотите – поживите в гостях. Считайте вместе со мной, что О. был мой второй несчастный брат2. О. знал мою верность. Мне кажется, и он понимал, что мы с ним встретились не совсем случайно. Он был бы рад, если бы мог знать, что Вы поселились у меня. И Вам не будет трудно жить у его и Вашего друга.*
>
> *Целую Вас, бедная Наденька.*
>
> *Ваш Борис К.»*

Это было именно дружеское письмо и братское приглашение от человека, их искренне любившего – и мертвого О. и его бедную Н., человека, готового поделиться с ней последним и все сделать для того, чтобы смягчить уже полученный удар. Но это не было предложением руки и сердца (последнее у Бориса Сергеевича было уже занято). Бедная же Наденька, или не уловившая или проигнорировавшая этот нюанс, явно воспрянула духом и стала благодарно собираться в Шортанды – полагая, что про «погостить» или «насовсем» она решит (или они решат) на месте. В этот «нюанс» и врезалась в конце апреля – лоб в лоб – их дружба-любовь, но разбилась не насмерть, а так, чтобы воскреснуть и уже в мае встать на костыли, а потом, когда затянулись раны, растянуться еще на десятилетие.

О первой, о состоявшейся, поездке Н.Я. в Шортанды и даже о том, что Н.Я. была влюблена в Кузина, я слышал задолго до выхода книги Б.С. Кузина и Н.Я. Мандельштам[42]. *«Тому не быть, трагедий не вернуть!..»* – эта замечательная книга, вышедшая в 1999 году, обнажила искрящий на стыках нерв этого сюжета и словно возвращала нас в поле античной трагедии и шекспировского накала страстей.

«Я не хочу, чтобы после моей смерти гадали, были вы моим любовником или нет»[43], – писала Н.Я. Кузину в мае 1939 года и требовала вернуть ей свои письма для уничтожения (и ее можно понять). И если бы Кузин тогда поддался ее напору или если бы их уничтожила его, Кузина, вдова (которую тоже можно было бы понять), или если издатель и составитель книги 1999 года не отважились бы публиковать их так, как они были написаны, то сведения о поездке, рано или поздно просочившись, оставили бы по себе какое-то обывательское послевкусие, как от какой-то низменной (да еще в такой момент!) измены.

Со временем восторжествовала бы бытовая – плоская и опущенная – версия событий, на которую столь падка так называемая «женская проницательность». И достался бы этот трагический дуэт рукам, либо трясущимся от ненависти и морализаторства[44], либо лоснящимся от ханжества и пошлости – с «вердиктами» наподобие этого: «...*Известно, что Надежда Яковлевна пыталась устроить свою личную жизнь еще в то время, когда муж находился в заключении...*»[45].

Вольно́ же святошам, читая чужие – уж не для их-то глаз точно – письма, морщить лобики и корить Н.Я. за разные нестыковки и за то, что в кратком общении и откровенном, искреннем обмене мыслями и чувствами с близким по духу человеком она черпала силы и находила утешение.

Письма Надежды Мандельштам к Борису Кузину – это остросюжетная проза и проза не меньшая, чем ее воспоминания.

А по мне – так и вовсе лучшая ее проза!

---

[1] *Об Ахматовой.* С. 111.

[2] *Воспоминания.* С. 427.

[3] В. Меркулов сообщал, что к моменту наступления холодов на Мандельштаме были только парусиновые тапочки, брюки, майка и какая-то шапка.

[4] Основными источниками нам послужат воспоминания Н.Я. и ее переписка с Б.С. Кузиным.

[5] «Стопятницы», «стоверстницы» – те, кому было запрещено проживать в Москве и не ближе чем в 100 км от нее.

[6] Абрам Маркович Эфрос (1888–1954) был арестован в конце августа 1937 г. и в начале 1938 г. выслан на 3-летний срок в Ростов Великий. Судя по воспоминаниям Н.Д. Эфрос, его вдовы, режим пребывания был достаточно мягким.

[7] *Воспоминания.* С. 405.

[8] *Воспоминания.* С. 405.

[9] Ныне во Владимирской области.

[10] *Воспоминания*. С. 406.

[11] Об этом А.А. Мандельштам пишет в своих, пока не опубликованных, воспоминаниях об отце.

[12] Из письма Б.С. Кузину от 1 июля (*Кузин*. С. 539).

[13] Из письма Б.С. Кузину от 8 июля (*Кузин*. С. 540).

[14] Из письма Б.С. Кузину от 17 июля (*Кузин*. С. 542).

[15] Из письма Б.С. Кузину от 10 сентября (*Кузин*. С. 543).

[16] Примерно в 60 км от Акмолинска (ныне Астаны). В годы освоения целины на базе этой опытной станции был развернут Казахский НИИ зернового хозяйства (ныне им. А.И. Бараева).

[17] Из письма Б.С. Кузину от 25 августа (*Кузин*. С. 542).

[18] Получение из дома письма или телеграммы засвидетельствовал В.Л. Меркулов (*РГАЛИ. Ф. 1893. Оп.3. Д.???*). Если так, то пришло оно после 7 ноября – «Дня письма», когда и сам О.Э. написал и отправил домой письмо. Получи он письмо от Нади раньше, наверняка бы упомянул в своем. Но, может быть, Меркулов видел в руках поэта телеграмму, отправленную Е.Я. Хазиным 15 декабря? Теоретически это было еще возможно – в случае, если телеграмму доставили быстро. В 11-м бараке, как и во всем лагере, был в это время карантин по сыпному тифу, и, хоть Меркулов, как лагерная обслуга, и имел в них доступ, но сам О.Э. был уже в очень незавидном состоянии (*Нерлер*. 2014. С. 451–504).

[19] Из письма Б.С. Кузину от 25 августа (*Кузин*. С. 543).

[20] *Воспоминания*. С. 406–407.

[21] А согласно трудовой – ученицей тазовщицы.

[22] Расчетная книжка № 585 (*AM*. Box3. Folder 104. S. 1. Item. 594–595, 625).

[23] *Воспоминания*. С. 407.

[24] Из письма Б.С. Кузину от 20 сентября (*Кузин*. С. 544).

[25] Из письма Б.С. Кузину от 14 октября (*Кузин*. С. 547). Эту фразу сам адресат подчеркнул.

[26] Не свидетельство ли это того, что Н.Я. сама написала письмо О.Э.?

[27] Из письма Б.С. Кузину от 20 сентября (*Кузин.* С. 544).

[28] Мандельштамы переписывались с Кузиным, но не видели его с весны 1934 г., то есть более четырех лет (О.Э. был арестован в 1934-м, а Кузин – в 1935 г.).

[29] Оригинал письма сохранился в *АМ.* Но есть читатели, оспаривающие аутентичность письма, полагающие, что это не более чем позднейшая стилизация. И письма Н.Я. к Кузину, в их глазах, – лучшее доказательство их правоты (см.: *Shtatland E.* Последнее письмо или последний миф «Второй книги» // К 40-летию «Второй книги» Надежды Мандельштам: великая проза или антология лжи? [Блог] 2013. 29 декабря / В Сети: http://nmandelshtam.blogspot.ru/). В моих же глазах – наоборот: именно в контексте этой переписки письмо Н.Я. погибающему мужу приобретает свою подлинную и истинно трагическую высоту.

[30] В страшный день Хрустальной ночи!

[31] *Воспоминания.* С. 407–408.

[32] См. в письме Кузину от 14 октября 1938 г. (*Кузин.* С. 547).

[33] *Вторая книга.* С. 616.

[34] Ср. упоминание у Э.Г. Герштейн: *«Надя ездила к нему в Казахстан, где он работал в совхозе, кажется, агрономом»* (*Герштейн.* С. 214).

[35] Разве что товарищу Сталину, о чем О.М. говорил как-то Маторину. Наверное, с напоминанием, что ему, Сталину, пора уже его, Мандельштама, выпускать – как это между ними уже давно заведено и принято. История, правда, умалчивает, где именно такие письма бросали в печку – во Владивостоке, Магадане или все же в Кремле.

[36] *Нерлер.* 2014. С. 489–491.

[37] Сама Н.Я. датировала это 5 февраля – днем публикации в газетах указа о награждении орденами и медалями писате-

лей. Однако Кузину о смерти Мандельштама она написала еще 30 января (*Кузин*, 1999. С. 564), и тем же днем датировано письмо Э. Герштейн Ахматовой с той же новостью (*Нерлер*, 2010. С.158).

[38] По другой версии это был денежный перевод – с такой же припиской.

[39] *Об Ахматовой*. С.299. Письмо от 28 мая 1967 г. Ср. об этом же в: *Об Ахматовой*. С. 169-170.

[40] *Кузин*. С. 564. Возможно, в тот же день она написала и в Воронеж, Наташе Штемпель. А сообщить в Ленинград – Ахматовой и Рудакову – она попросила Эмму Герштейн. Та была в Ленинграде, вернулась через несколько дней и сразу же приехала в Марьину Рощу, к Харджиеву. Еще через несколько дней А.А. прочла: «*У подружки Лены родилась девочка, а подружка Надя овдовела*» (*Герштейн*. С. 56. Подружка Лена – это Елена Константиновна Гальперина-Осмеркина, девочка – ее дочь Лиля, родившаяся 30 января 1939 г.).

[41] *АМ. Box 3. Folder 103. Item 14*. Одно из двух писем Б.С. Кузина к Н.Я., не уничтоженных ею.

[42] См.: *Нерлер*. 2014. С. 734, 736. Об этом рассказывала мне и Э.С. Гурвич, вдова Шуры.

[43] Из письма Кузину от 8 июля 1939 г. (*Кузин*. С. 593)

[44] См. блог Эрнеста Штатланда «К 40-летию «Второй книги» Надежды Мандельштам: великая проза или антология лжи» / В Сети: http://nmandelshtam.blogspot.ru/

[45] *Обоймина Е., Татькова О.* Мой гений – мой ангел – мой друг: музы русских поэтов XIX – начала XX века. М.: ЭКСМО, 2005. С. 584.

«ГУРЬБА И ГУРТ»:
СОЛАГЕРНИКИ МАНДЕЛЬШТАМА

ОЧЕВИДЦЫ И СВИДЕТЕЛИ

ПОСЛАНЦЫ С ТОГО СВЕТА

Итак, разного рода источники донесли до нас имена более чем 40 человек, находившихся с поэтом в одном лагере и так или иначе пересекавшихся с ним, по меньшей мере разговаривавших.

Вот их перечень в алфавитном порядке[1].

Александров Гилель Самуилович (М. Герчиков).

Алексеев – шофер советского посольства в Шанхае (Ю. Моисеенко).

Архангельский – уголовник (Н.М., со ссылкой на К. Хитрова).

Атанасян Вазген – врач в лагерной больнице (И. Поступальский).

Баталин Владимир Алексеевич (М. Лесман).

Бейтов Семен – филателист из Иркутска (Ю. Моисеенко);

Буданцев Сергей Федорович – прозаик и поэт, член группы «Центрифуга» (Д. Злобинский).

Буравлев Матвей Андреевич (П.Н.).

Ваганов – молчун, в арестантском халате из серого сукна (Ю. Моисеенко).

Вельмер Владимир – священник, вместе с Ю.М. были и во Владивостоке, и в Мариинских лагерях (Ю. Моисеенко).

Гарбуз Лев – артист-чечеточник, староста 11 барака (Д. Маторин).

Гриценко Николай Иванович – военнопленный Первой мировой (Ю. Моисеенко).

Дадиомов Михаил Яковлевич: «бывший альпинист» (В. Меркулов, М. Ботвинник).

Жаров из Коми – инженер-мелиоратор (Ю. Моисеенко).

Злобинский Давид Исаакович (А. Морозов).

Казарновский Юрий Алексеевич (Н.М.).

Кацнельсон – военнослужащий (Ю. Моисеенко).

Ковалев Иван Никитич– пожилой, крепкий человек, белорус-переселенец, жил в Благовещенске, куда его мальчиком привезли родители. Пчеловод, охотник на медведей, сибиряк: его почему-то комиссовали и не отправили на Колыму. Ковалев ухаживал за О.М.: приносил ему еду, доедал за ним (Ю. Моисеенко).

Крепс Евгений Михайлович (Н.М.; М. Лесман; П.Н.).

Кривицкий Роман Юльевич (И. Поступальский).

Кузнецов Николай Николаевич – из верхнеудинских политкаторжан (Ю. Моисеенко).

Л., физик – см.: *Хитров Евгений Константинович*.

Маторин Дмитрий Михайлович (П.Н.)

Меркулов Василий Лаврентьевич (И. Эренбург; Н.М.; М. Лесман).

Мизик Ян Матвеевич – политэмигрант, отец двух дочерей (Ю. Моисеенко).

Милютин Иван Корнильевич – инженер.

Моисеенко Юрий Илларионович.

Моранц (Маранц) Моисей Ильич (Ю. Моисеенко).

Пекурник Николай – инженер завода № 22 (Ю. Моисеенко).

Переверзев Валерьян Федорович (Д. Злобинский).

Ручьев (Кривощеков) Борис Александрович – поэт.

Смородкин Михаил Павлович – художник (К. Хитров).

Стадниченко Николай – буденовец-инвалид из 1-й Конной (Ю. Моисеенко).

Сапоненко – начальник отдела стандартизации (Ю. Моисеенко).

Соболев Виктор Леонидович (В. Меркулов, М. Ботвинник).

Стадниченко Николай – буденновец-инвалид из 1-й Конной (Ю. Моисеенко).

Тетюхин Дмитрий Федорович – заключенный (П.Н.).

Томчинский – см. *Гарбуз* (Д. Маторин).

Уваров – инженер (Ю. Моисеенко).

Фарпухия Исмаил – перс (Ю. Моисеенко).

Хазин Самуил Яковлевич (Н.М.).

Харламов – студент МГУ, 22–23 лет (Ю. Моисеенко).

Хинт (Н.М., со слов Ю. Казарновского и С. Хазина).

Хитров Евгений Константинович (Н.М.).

Цебирябов Евгений Иннокентьевич, инженер, староста 4-й палаты (И. Поступальский).

Цинберг Сергей Лазаревич (М. Герчиков).

Чистяков Иван Васильевич, заведующий 4-й палатой в больнице (И. Поступальский).

Некоторые приехали сюда прежде Мандельштама: Дмитрий Маторин, Василий Меркулов, Евгений Крепс, Давид Злобинский, Гилель Александров, Борис Ручьев.

Другие – приехали сюда вместе с ним, в одном эшелоне. Но задокументированы контакты лишь с двумя из них – с Константином Хитровым и Романом Кривицким.

Иные приехали в лагерь позднее Мандельштама: Юрий Моисеенко, Юрий Казарновский, Сергей Цинберг.

Один – Хинт – возвращался с Колымы на переследствие.

Многие жили с ним в одном бараке: Иван Милютин, Казарновский, Моисеенко, Иван Ковалев, Владимир Лях, Степан Моисеев и Иван Белкин.

В других бараках, но в той же зоне «контриков» жили Хитров, Хазин, Злобинский, Меркулов, Крепс, Маторин[2] и Цинберг.

Одних со временем увезли на Колыму – Милютина, Маторина, Крепса и Хитрова.

Других – Меркулова, Злобинского и Моисеенко – в Мариинские лагеря.

В Мариинские лагеря наверняка попал бы и Мандельштам, останься он жив.

Но немало было таких, кто хоть и не был на пересылке одновременно с О.М., но кто жадно ловил и собирал любые слухи и сведения о нем, кто бы их ни привез. Из таких – Юлиан Оксман, Игорь Поступальский, Варлам Шаламов, Нина Савоева, Юрий Домбровский.

---

[1] В скобках – инициалы имени и фамилии источника информации.

[2] Не исключено, что Маторин – по крайней мере какое-то время – жил в так называемой «китайской» зоне.

ПЕРВЫЙ СВИДЕТЕЛЬ:
ЮРИЙ КАЗАРНОВСКИЙ (1944)[1]

Нахичевань-на-Дону:
молодость и первая посадка

Юрий Алексеевич Казарновский родился 2 ноября 1904 года в Санкт-Петербурге, с раннего детства жил с родителями в Ростове-на-Дону, а точнее в Нахичевани-на-Дону, в доме № 28 по 3-й линии. В 1924 году – после 32 лет службы на железных дорогах – умирает отец: революция застала его в Томске, смерть – в Ростове.

Сын же с 16 лет с энтузиазмом занимается в местном литературном кружке, пишет стихи, служит в редакциях и, начиная с 1923 года, публикуется в ростовских газетах.

Несколько важных деталей о ростовской жизни Казарновского узнаем из писем – его матери и его самого, – написанных в июле 1928 года в разные инстанции в связи с его первым арестом (ею – в Президиум ВЦИК, им – Максиму Горькому). Главного инженера человеческих душ Казарновский умолял о спасении:

> «*Многоуважаемый Алексей Максимович.*
>
> *Совершенно фантастические, чудовищно-нелепые обстоятельства, грозящие мне гибелью, заставляют меня обратиться к Вам за помощью.*
>
> *Мне уже неоднократно приходилось обращаться за помощью к Вашим книгам: то было в моменты усталости и неверия.*

На этот раз мне, к сожалению, приходится беспокоить не страницы Ваших книг, а Вас лично.

Мне 23 года. Я – начинающий писатель.

Я вырос в годы Революции. И вне ее не мыслил жизни и творчества.

Я был, по-своему, счастлив.

Революция мне открывала сказочно радостные пути для новых, еще неизведанных форм творчества.

И я работал, ища их.

Иногда, кажется удачно (так, по крайней мере, говорил мне несколько знающий меня Е. И. Замятин)»[2].

Анна Ивановна Казарновская, его мать[3], писала:

«Жизнь моего сына проходила изо дня в день на моих глазах. Мой Юрий – начинающий писатель и работал 3–4 года в местных газетах и журналах. Он вырос в годы революции и отдал все свои молодые силы и свое дарование на служение ей. По своему духовному облику он представляет из себя человека новой пролетарской формации, который в рядах пролетарской молодежи работал над постройкой нового быта своим орудием – пером молодого писателя и журналиста»[4].

Так что же произошло с 23-летним поэтом? Продолжим цитату из письма Горькому:

«19 декабря 27 г. я был арестован Ростовским ГПУ. Мне была предъявлена статья 58 п. 4 и 11 УК – «участие в к<онтр>р<еволюционной> организации».

Я отнесся к этому более или менее спокойно, ожидая, что следствие выявит мою полную непричастность к неведомой мне организации.

Но следствия не было.

На единственном 5-ти минутном допросе я так и не понял, в чем меня обвиняют.

Сначала мне показалось, что за ор<ганиза>цию ошибочно приняты 3 домашних литературных вечера до неприличия юной молодежи. Мое участие в каковых выразилось в прочтении главы из повести, через две недели после этого напечатанной в газете «Большев<истская>Смена».

Меня также спросили об одной нелепой шутке, бывшей на одном из вечеров.

Заключалась она в следующем: ряд лоботрясов, желая смутить и испугать тихого и робкого хозяина квартиры, крикнули:

1-й: «Боже, Царя храни» (только эти три слова).

2-й: «В 12 часов Ростов будет взорван».

3-й (читавший уголовный роман): «Черный Билль сделал свое дело».

После чего все об этой шутке забыли.

Пародийность и шуточность этих фраз, я думаю, очевидны для всякого нормального человека.

Меня также спросили: знаком ли я с рядом лиц.

С некоторыми я был знаком, с некоторыми нет.

В этом заключался весь допрос. Было задано также несколько, не имеющих вовсе отношения к ГПУ, вопросов: «Слышал ли я, что «Русский Современник» возобновится», «Как я отношусь к прол<етарской>литературе» и т.д.

Я ждал дальнейших допросов. Надеясь из них, наконец, понять, в чем же здесь дело.

Но их не было.

Предположение о том, что за к<онтр>-р<еволюционную>ор<ганиза>цию приняты эти лит<ературные> вечера отпало, т<ак>к<ак> половина их участников оказались свободны и даже не допрошены.

Тогда я совершенно перестал понимать что-либо.

В тюрьме я встретил ряд незнакомых мне лиц, которые оказались «со мной по одному делу».

Я мучился длительным тюремным заключением (около 7 мес<яцев>), но зная о полной своей непричастности ни *делом, ни помыслом, ни каким к<онтр>р<еволюционным> деяниям, со дня на день ждал освобождения.*

6-е июля принесло мне неожиданный и ужасный удар: я получил приговор – 5 лет Соловков.

Дорогой Алексей Максимович, я в отчаянии, я не знаю, что делать, к кому взывать о помощи.

Получив 5 лет Соловков, я, не имея ни следствия, ни суда, на котором я мог бы доказать свою невиновность, до сих пор не знаю:

1. За что я осужден.

2. Какое мне инкриминируется преступление.

3. К какому времени оно относится.

4. На основании каких данных я осужден.

Ведь нельзя же назвать следствием один 5-ти минутный допрос, не содержащий ни одного прямого вопроса по обвинению. Допрос, на котором я не знал, как мне надо доказывать свою невиновность, т.к. не знал, какая виновность мне инкриминируется. Да и не знаю этого и сейчас.

За что же и ради чего я должен погибнуть?

Да и не я один. У меня есть мать, у которой я единственный сын, и которая теперь остается совсем одна (отец мой умер).

У меня туберкулез легких, и Соловки будут безусловно моей последней поездкой.

А главный ужас всего этого то, что это никому не нужно.

Государство посылает человека на гибель, искренне ему преданного и ни в чем перед ним невиновного.

Происхождение мое: не дворянское и не буржуазное. Сын жел<езно>дор<ожного> служащего. С 16 лет я работаю в различных совет<ских>редакциях. Никогда ничем скомпрометирован не был.

Кому же нужна моя ничем не оправдываемая гибель?

Гибель, вызванная халатностью Ростовского следственного чиновника, не потрудившегося заняться следствием и введшего в заблуждение Коллегию ОГПУ.

Родной Алексей Максимович, умоляю Вас помочь мне.

Я надеюсь, что Вы обратите на этот «случай» внимание органов, следящих за выполнением революционной законности.

Всякая проверка следствия, всякий обстоятельный допрос сейчас же снимут с меня грязную кличку «контрреволюционера» и спасут меня и мать.

Простите, дорогой Алексей Максимович, что я беспокою Вас этим письмом, но ведь очень больно так бесполезно, жалко и позорно гибнуть 23-х лет.

23-х лет, когда еще ничего не сделано, но столько задумано.

И столько хочется сделать.

Ведь впереди еще столько невиданного, непрочитанного и ненаписанного.

Еще раз повторяю, дорогой Алексей Максимович, что мне очень стыдно беспокоить Вас, но умоляю: помогите мне, если это возможно.

Уваж<ающий> Вас Ю. Казарновский»[5].

Сыну вторила мать:

«И вот теперь он признан виновным в тягчайшем из преступлений против Республики, в преступлении, ставящем его на одну доску с непримиримыми контрреволюционерами и врагами трудящихся, как шахтинские вредители и др<угие>.

Где же правда?

За что обрушилось на голову бедного моего сына такое непоправимое и незаслуженное несчастье.

У него туберкулез легких, и ссылка на Крайний Север неминуемо убьет его.

Я обращаюсь теперь в высший орган Республики за справедливостью и милосердием.

Прошу внять голосу матери, у которой взяли на гибель ни в чем неповинного сына, и пересмотреть это дело, *чтобы исправить, пока не поздно, эту страшную ошибку и тем предотвратить возможность других ошибок, подобных этой. <...>»*[6].

Обращения эти ни к чему не привели.

После 7 месяцев тюрьмы и «следствия» – 25 июня 1928 года – приговор: 5 лет ИТЛ по статье 58.11. Если считать со дня ареста, то истекал этот срок 19 декабря 1932 года.

А 11 июля 1928 года Казарновский был отправлен в СЛОН (Соловецкий лагерь особого назначения) – аббревиатура, которой он не раз еще воспользуется в своих веселых стихах, причем, кажется, нигде он так в стихах не веселился, как на Соловках.

Ходка на Белое море: «Соловки дыбом!»

> «Соловки – рабочим и крестьянам!..»
> *Ю. Казарновский*[7]

На Соловках Юрий Казарновский сидел вместе с Дмитрием Лихачевым, хорошо его запомнившим:

> *«Среди поэтов на Соловках выделялся тогда еще совсем молодой Ю.А. Казарновский, которого мы все звали просто Юркой – не только по его молодости, но и по простоте, с которой можно было с ним обращаться. У него не было своего поэтического лица, как, скажем, у Володи Кемецкого-Свешникова. Он был поверхностен, но стихи писал с необычайной, поражающей легкостью и остроумием. В одном из номеров «Соловецких островов» можно найти его пародии на Маяковского, Блока, Северянина... В другом его шуточные афоризмы. И все это на темы соловецкого быта. У него была неиссякаемая память на стихи. Он знал чуть ли не всего Гумилева, тогдашнего Мандельштама, Белого. Вкус у него был, настоящую поэзию ценил и постоянно стремился поде-*

литься своими поэтическими радостями. Ни тени зависти. Просили его почитать его стихи, а он читал кого-то другого, понравившегося ему. Жил он одно время в Кеми и поссорился там с морским офицером Николаем Николаевичем Горским – на романтической почве. Чуть не попал в расстрел осени 1929 г. за свою близость с Димкой Шипчинским...»[8].

Запомним лихачевскую оценку: «*Он был поверхностен, но стихи писал с необычайной, поражающей легкостью и остроумием*». Именно он – автор знаменитой остроты: «Соловки – рабочим и крестьянам!»

Соловки для Казарновского оказались чем-то вроде Болдино. (Как если бы плачущий Горький – кстати, посетивший Соловки в 1930 году – и впрямь вмешался, после чего ОГПУ взяло под козырек и сняло с Казарновского всякие цензурные ограничения!).

«Юрка» густо печатался на этих северных островах Архипелага. В частности, в журналах «Соловецкие острова» и «Карело-Мурманский край»[9], а также в газетах «Новые Соловки» и «Советское Беломорье». Попали его стихи и в сборник «Моря соединим! Стихи и песни на Беломорстрое»[10].

Все, кто читал соловецкую периодику, не могли пройти мимо блистательной пародийной серии Казарновского «Кто, что из поэтов написал бы по прибытии на Соловки», печатавшейся в 1930 году в «Соловецких островах» на Соловецких островах. Если передразнивать знаменитую харьковскую серию-предшественницу «Парнас дыбом. Про козлов, собак и веверлеев» (1925), то это своего рода «Соловки дыбом!».

Но Соловки все же настолько не Харьков, что сама идея улыбнуться или засмеяться кажется здесь неуместной, а *такая* вольная улыбка и *такой* свободный смех, как у Казарновского, – и просто невозможными.

Среди занесенных на Соловки поэтов прошлого, пусть и самого недавнего, – Пушкин, Лермонтов, Северянин, Есенин, Блок, Маяковский. Все – легко узнаваемые и очень смешные, но какие-то грустновато-смешные, все – острые на язык и все – в конечном счете – свободные!

Вот вам Александр Сергеевич со своей онегинской строфикой:

> Мой дядя самых честных правил,
> Когда внезапно «занемог»,
> Москву он тотчас же оставил
> Чтоб в Соловках отбыть свой срок.
>
> Он был помещик. Правил гладко,
> Любил беспечное житье,
> Читатель рифмы ждет: десятка –
> Так вот она – возьми ее!..

А вот и Михаил Юрьевич с переиначенной демонологией:

> …В то время шел надзор дозорный,
> И, слыша голос непокорный,
> Вдруг в женбарак заходит он.
> И гордый Демон – дух изгнанья –
> За нелегальное свиданье
> Был тотчас в карцер заключен.
> Тамару ж въедчиво и тихо
> Бранила долго старостиха.

А вот вам блоковская «метрика»:

> И каждый вечер в час назначенный,
> Иль это только снится мне,
> Девичий стан, бушлатом схваченный,
> В казенном движется окне.

И медленно пройдя меж ротами,
Без надзирателя – одна,
Томима общими работами,
Она садится у бревна.

А вот и Сергей Александрович, с его сыновней тоской:

Слышал я: тая тоску во взоре,
Ты взгрустнула шибко обо мне.
Ты так часто ходишь к прокурору
В старомодном ветхом шушуне.

А вот и Владимир Владимирович, «начитанный, умный»:

СЛОН высок,
         но и я высокий,
Мы оба –
         пара из пар.
Ненавижу
         всяческие сроки!
Обожаю
         всяческий гонорар!

Ну и на десерт – фейерверк гулаговской лексики, пропущенной через растр северянинской пошлятины. Он начинается уже в заглавии, где барак поименован как «северный котэдж», продолжается в эпиграфе («Я троегодно обуслонен, / Коллегиально осужден») и подхватывается в основном тексте:

Среди красот полярного бомонда,
В десерте экзотической тоски,
Бросая тень, как черная ротонда,
Галантно услонеют Соловки.

Ах, здесь изыск страны коллегиальной,
Здесь все сидят – не ходят, – а сидят.
Но срок идет во фраке триумфальном,
И я ищу, пардон, читатель, blat.

Так и хочется, вслед за Сталиным, возмутиться и спросить: «Кто разрешил вставание?..»

Кто, ну кто разрешил эту улыбку и смех?! Пушкин, что ли?

Как точно заметил наш современник с подобным же типом темперамента: *«Объяснить публикацию этих стихов в 1930 году невозможно – поистине, такая свобода могла быть представима только в лагере особого назначения; но там, вероятно, эти пародии воспринимались как насмешка над собой, как свидетельство перековки. А стихи отличные...<...> Вот где сверхлюди – такое писать на общих работах»*[11].

«Свидание»[12]

Есть в «Соловецких островах» и проза Казарновского. «Свидание» (датировано 1929 годом) – это уместившийся всего на нескольких страничках роман, а точнее – почти античная трагедия в четырех картинах. Первая – московская квартира, сборы на вокзал; вторая – купе поезда, едущего на север; третья (с немного двойной оптикой) – швартующийся «Глеб Бокий» и то самое *свидание* в Доме свиданий; и, наконец, четвертая – прощание с мужем на пристани.

В первой картине мы узнаем, что женщина, ее зовут Лида, собирается куда-то на север (потом уточнится, что на Соловки) – на свидание с сидящим там мужем (его зовут Михаил). Но кто же тогда Владимир? Наверное, товарищ мужа, пришедший проводить ее на вокзал? – Нет-нет, совсем другое: это ее добыча – его удачная замена, ее новый (и неревнивый) любовник, услада ее ночей. Правда, самому Владимиру несколько неловко: «*Он почувствовал себя вором, который крадет у человека не его, а чужие деньги*»

Во второй картине, в купе, наша догадка стремительно подтверждается: да, она едет к мужу, чтобы разыграть перед ним любящую и верную жену: «*В купе она все-таки заплакала./ Эта игра была невыносимо тяжела*».

Но ведь и ждать мужа пять лет она была явно не в силах: «*Жизнь шла, жизнь предъявляла свои требования. / Молодость являлась к женщине по ночам и говорила ей слова желанные и бесстыдные*».

Но и бросить мужа в этом новом раскладе она тоже бы не смогла: будь он на свободе – развелась бы, а так – «*...когда он был в заключении – оставить его казалось ей преступлением*».

Отсюда и этот «*странный обряд*», этот ежегодный – с согласия любовника – театр, когда она берет очередной отпуск и «*...едет к мужу на свидание и там создает ему иллюзию любви и верности*».

Уверенность в том, что «*он две недели счастлив и уверен в том, что ничто не изменилось*», что она «*великолепно вела игру*» и даже «*пьянела от огня ложного свидания, как пьянеет актриса, пьющая вино из пустого бокала*» – очень согревала ее.

Так и не решив для себя, кто она больше – «*святая или беспутница*», она безмятежно заснула под стук колес.

Третья картина. Отстраненно – «*я же не отсюда!*» – всматривается, вслушивается и даже внюхивается она в «*воздух места заключения*» – этот «*воздух большой и суровой трезвости*».

И тут же кульминация – само свидание. Разрешение получено, и вот они – знакомые уже по прошлому году «*это, с такой душевной тоской, произносимое "Лида"*» и мучительно-долгий мужнин поцелуй. Потом она «*обняла его и сама поцеловала. Это был ее первый серьезный выход в этом очередном спектакле. / По его глазам она поняла – что выход удачен.

Следующие его действия заставили ее болезненно вспомнить о другом, оставшемся там – в Москве. / Но спектакль надо было продолжать. / И она опять поняла по его глазам, что и второй ее выход был также очень удачен».

А когда силы оставили их, она «подумала, что она, вероятно, единственная актриса, которая засыпает на сцене, играя, и, в то же время, по-настоящему».

И вот уже картина четвертая и заключительная: прощание.

Он говорил без умолку и все рисовал картины их счастливого будущего, которое настанет сразу же после того, когда он освободится. А она «умиленно и рассеянно кивала» и «слушала его, как слушают ребенка, когда он рассуждает, кем он будет, когда он вырастет: архитектором, инженером или шарманщиком?»

Когда же она вновь «стояла на пароходе и махала ему маленьким платком…, ей казалось, что платок она достала не затем, чтобы замахать им, – а перевязать какую-то рану».

И тут она впервые отошла от роли: «…Слезы хлынули как-то неожиданно сразу и предательски. / Соленые и нетеатральные».

Но тогда не выдержал уже он: «Его глаза тоже наполнились слезами. / Тяжелыми и трудными, мужскими слезами».

При этом он думал: «Мне-то ничего. Мне легко. Я крепкий и сильный мужчина, занятый своими мыслями и работой. Она же одна, слабая женщина, наедине со своими слезами и тоской. Каково ей?»

А пароход «Глеб Бокий» все уменьшался, и чайки сновали между его палубой и причалом, только прибавляя мхатовской театральности этой – почти производственной – прозе.

В «Свидании» поражает мастерски разыгранный психологический излом, самыми скупыми средствами – деталями и лакунами – разыгранный в этих четырех бесхитростных и почти статических картинах.

Складывается впечатление, что автор или знал, или вчувствовался в этот сюжет не только с соловецкой, но и с московской стороны. Был как бы всеми сразу, но в том числе и Владимиром[13].

Это – если угодно, Шаламов наоборот, анти-Шаламов: жестокий мир хорошо воспитанных и эгоцентричных хищников, еще не свободных от угрызений порядочности и оставленных на пока пожить на воле, в чистоте и тепле. Не «умри ты сегодня, а я завтра», а «живи ты вчера, а я сегодня»!

Отсюда же допущение и известный приоритет условностей. Ведь в реальности – ну какие там жены каэров на воле, да еще работающие во Внешторге? По ним разве АЛЖИР не плачет или другие подобные места?.. И какие такие ежегодные двухнедельные свидания, какие боа и муаровые ленты в купе? Что за северянинщина такая – или, может быть, и это тоже пародия?..

Не стихи и не проза

Впрочем, иные, кроме литературных, обстоятельства «ходки на Соловки» нам почти неизвестны. Д. Лихачев вспоминает, что, кроме Соловков, Казарновский посидел еще и в Кеми, причем было это в 1929 году. Упоминания Шипчинского (серьезного географа) и Горского (серьезного моряка) наводят на мысль о какой-нибудь научной береговой шарашке…

Впрочем, существовало на Соловках то благородное правило, согласно которому администрация, если истечение срока заключения выпадало на вненавигационное время, заранее переводила счастливца из островного узилища в материковое – досиживать причитающиеся недели или месяцы в Кеми[14].

Но о Казарновском известно, что ему – за примерное ли поведение (или за веселые стихи?) – скостили срок на полгода[15]. В таком случае освобождался он не 19 декабря, а 19 июня 1932 года, а из материалов второго дела видно, что и того раньше – 2 марта 1932 года.

Так что по этой причине в Кемь ему не полагалось. Так что же и когда он делал в Кеми? Загадка?

Загадка.

И загадок еще множество в этой злосчастной судьбе.

«Не стой на льду!..»: после Соловков

Как бы то ни было, но летом 1932 года Казарновский – уже свободный человек. Неизвестно, заезжал ли он в Ростов повидать мать: но не удивимся, если и не заезжал.

Удивимся другому – тому, что за ним не тянулось никаких «минусов». Иначе он бы не смог переехать в Москву и с головой окунуться в столичную литературно-богемную жизнь, в богемную особенно.

Писатель, с 1934 года – член группкома писателей при Гослитиздате[16]. Месячный литературный заработок – от 300 до 800 р. Беспартийный, со средним образованием. Роста, правда, хлипкого и здоровья не богатырского: туберкулез, легкая неврастения, сердце…

Хоть и лагерник, но Казарновский совершенно не испытывает в Москве тех изгойских проблем, что, скажем, в Воронеже мучили Мандельштама: «Читателя б! Советчика! Врача!...». Он вовсю печатается в центральной периодике («Красная новь», «Знамя», «Прожектор», «30 дней», «Красная звезда») и даже выпускает в ГИХЛе полноценную поэтическую книжку – «Стихи» (М., 1936), отрецензированную в «Знамени»[17].

Правда, книге, а точнее ее редактору Николаю Плиско, досталось на орехи от писательского функционера

Ивана Марченко на совещании редакторов художественной литературы, состоявшемся 19 мая 1936 года. Р. Тименчик так сфомулировал «эстетическую программу» Марченко: она «...*выражается в охране символов советской государственности, в блокировании самой возможности пародийного, фамильярного, инфантилизирующего остранения слов-сигналов, имен-сигналов социалистической романтики*»[18]. А ведь в свободном романтическом иронизировании – вся соль «поэтики» Казарновского!..

Проживал он в Островском (бывшем Мертвом) переулке, д. 20, кв. 6 – в комнате жены. Жена же – Марийка (Мария Павловна) Гонта, 30-летняя кинодива. Там же, в Мертвом переулке, она жила и в 1920-е годы, когда была замужем за другим поэтом – Дмитрием Петровским (1892–1955), собственно, и вывезшим ее в Москву из Глуховского уезда Черниговщины. С Петровским она хаживала в гости и к Пастернаку[19], и к Маяковскому (то есть к Брикам), и к Татлину.

Тогда, в 1922 году, Марийка была и молода, и хороша собой[20]. «*Странная это была пара. Петровский – неистовый поэт и человек. В Гражданскую войну он примыкал к анархистам. Говорили – убил помещика, кажется, своего же дядю. Был долговяз, и создавалось такое впечатление, будто ноги и руки у него некрепко прикреплены к туловищу, как у деревянного паяца, которого дергают за веревочку. Стихи у него были иногда хорошие, но в некотором отношении он был графоман <...> Марийка была актриса (она снималась в эпизодической роли в "Путевке в жизнь"). Я редко видела такое изменчивое, всегда разное, очень привлекательное, хотя не сказать что красивое лицо. Одевались они с Петровским очень забавно в самодельные вещи (тогда еще трудно было что-нибудь достать), сшитые из портьер, скатертей и т.п., всегда неожиданные по фасону и цвету. Жили они очень дружно и были влюблены в друг друга, что не помешало Петровскому бросить Марийку*»[21].

В «Анкете арестованного» Казарновский скромно обозначил жену как киноработника. В знаменитом – первом звуковом! – фильме Николая Экка «Путевка в жизнь» (1931) она сыграла свою главную кинороль – Лёльку Мазиху. Это она так лихо подпевала Михаилу Жарову (Фомке Жигану):

> Не стой на льду –
> лед провалитца.
> Не люби вора,
> вор завалица!

Роль эту можно было бы счесть и единственной, но это не так: в том же фильме она сыграла и вторую роль – нэпманши, из манто которой беспризорник Мустафа вырезает кусок каракуля[22]. Кроме того, она пробовалась и в литературе (стихи, сценарии), и в журналистике[23].

В августе 1937 года, когда в Москве арестовывали Казарновского, Марийка была в Крыму, в Судаке, где близко сошлась с Даниилом Андреевым, посвятившим ей цикл стихов «Янтари»[24]. Мы ничего не знаем о том, была ли она после ареста мужа как-то репрессирована, но известно, что в 1942 году, будучи в Елабуге, она была ограничена в правах передвижения и даже хлопотала через Пастернака и Фадеева о снятии с нее этих ограничений[25].

«В порядке общественности»: вторая посадка

…Казарновского арестовали 11 августа 1937 года – и в тот же день допросили. В вину ему вменялись антисоветские разговоры, которые он вел буквально накануне – 10 августа.

Дело же, – если верить доносчице, – было так. Придя к гражданке Гарри-Поляковой Вере Григорьевне, проживавшей в квартире № 1 в доме № 6 по Хлыновскому тупику, и распив с ней три четверти литра водки, он завелся и разговорился: мол, зря арестовали ее мужа[26] и зря расстреляли троцкистов; мол, фашизм и есть самая правильная политика; мол, советская власть везде и всех преследует, но они плевать хотят на коммунистов и вождей, никто ничего им не может сделать и т.д.

Такие разговоры опасны и вредны не столько для здорового и занятого строительством коммунизма общества, сколько для самих собеседников, особенно если они ведутся в коммунальной квартире с тонкими перегородками вместо стен: следователи же были мастерами приделывать ноги и к более безобидным речам. А ведь у Казарновского даже паспорта не было: о его потере он заявил 8 апреля 1936 года, после чего нового не получил, а жил по временным удостоверениям, годным на срок не более трех месяцев[27]!

Так что сел Казарновский за свой длинный язык. И хотя снова все оборвалось и покатилось в пропасть, но к Горькому он уже не обращался!

Донесли на него соседи Гарри-Поляковой – *в порядке общественности*», как записано в феноменально безграмотном (с точки зрения русского языка, но только не советского права!) следственном деле.

Хронология, повторим еще раз, просто поразительная: «Протокол заявления» Евтеевой датирован 10 августа, а назавтра Казарновского арестовали («на 24 часа») и уже допрашивали! Нет, в 1937 году никакого «мертвого сезона» не было у НКВД: скорее, он был у его жертв, только без кавычек.

Настучала на Казарновского Вера Макашевна Евтеева, 1907 г.р., член ВКП(б) и студентка МГУ – донесла по должности, как председатель местного ЖАКТа (Хлыновский тупик, д. 3, кв.1). Той, в свою очередь, обо всем, что услышали, настучали непосредственные соседи (точнее, соседки) Веры Гарри-Поляковой – Мария Илларионовна Трусова и Александра Петровна Антонова. Впрочем, доносили они не на Казарновского, которого просто не знали, а именно на соседку, – «*которую посещают каждую ноч (sic!) разные мужчины <...> Во время попоек занимаются контрреволюционными разговорами, соболезнуют о троцкистах*».

17 августа свидетельница Трусова уточнила: «*Наша квартира граничущая (sic!) с комнатой гр-ки Гари-Поляковой тонкой перегородкой, через которую передается хорошо разговор с соседней квартиры. 10/VIII/1937 г. к гр-ке Гарри зашол (sic!) неизвестный гр-н, впоследствии каковой оказался Казарновский Юрий Алексеевич*».

И дальше – самая «клубничка»: «*Мне из этого разговора стало известно следующее: они говорили у себя в комнате, вспоминая о Васильеве Павле (по-домашнему они его называли Пашкой). Мне фамилия Васильев Павел известен (sic!), так как он систематически посещал гр-ку Гарри. В данное время согласно сообщения печати он объявлен врагом народа – террористом*».

К делу приложена вырезка из газеты «Правда» за 15 мая 1937 года: в ней, в частности, можно было прочесть и о «Пашке»: «*У пьяной Гарри бушевал враг народа Васильев*»[28].

В этой короткой фразе – смесь не только двух материй (бытового разложения и политики), но и двух разновременных событий: рутинного визита женсовета ССП по месту жительства семьи писателя-известинца Гарри и последнего, уже окончательного, ареста Павла Васильева: его взяли 6 февраля 1937 года – на улице, даже без оформленного ордера[29]. Визит женской делегации состоялся, предположительно, в январе 1937 года – в рамках заказанной Литфондом проверки жилищно-бытовых условий жизни советских писателей. В квартире Гарри – среди бела дня – они застали красочную картину и трех действующих лиц: якобы пьяного писателя Гарри, его якобы больную жену за перегородкой, а третьим был вдребезги пьяный и ругающийся площадным матом Павел Васильев в одном грязном белье. Из-за перегородки доносился шум борьбы и крики: «Пашка, он меня бьет!»

Для ушей и сердец писательских жен это было слишком яркое впечатление (каждая подумала о «своем»), и женсовет обратился тогда с заявлением в партгруппу ССП. Но этот, мужской по преимуществу, орган твердо стоял на позициях невмешательства: частная жизнь писателя – его личное дело, нечего совать туда нос.

И только арест Васильева, придав этой бытовухе не достававшую ей политическую пикантность, вынес на поверхность и саму эту грязь – в виде состоявшегося 15 мая как бы сдвоенного залпа из публикаций в высших органах партийной и литературной печати. Об аресте прочли все, в том числе и малограмотные соседки Гарри-Поляковой, тогда как опровержение, написанное в тот же день А. Гарри и разосланное им в четыре адреса – в ЦК А. Ангарову, в ССП – В. Ставскому и двум главным редакторам (Л. Мехлису и А. Субоцкому), прочли в лучшем случае эти четверо.

Гарри оспаривал не факт, но существо события и утверждал, что сам прописан и проживает в Подмосковье, а со своей бывшей женой не живет уже больше года, потому что она психически ненормальная и алкоголичка. Время от времени он посещал ее лишь для того, чтобы передать деньги, которыми продолжал ее поддерживать. Так было и в описанный день, когда он, придя к Вере Григорьевне несколько раньше, чем женсовет, застал и водку на столе, и саму ее, не вполне одетой и «за завтраком» с Васильевым. За перегородкой он свою бывшую жену вовсе не бил, а лишь удерживал от выхода к делегации в неприличном виде[30].

Позднее, в 1955 году, уже по ходу своей реабилитации, Казарновский подтверждал, что Гарри-Полякова говорила, что любит Васильева и что обвинение его в политических преступлениях отпало – он осужден только за хулиганство и всего к двум годам лишения свободы.

Сам же Казарновский утверждал, что Васильев был хорош как писатель, но отвратителен в быту[31].

Известно, что «дело» самого Казарновского упоминалось на Секретариате ССП в связи с разбором очередного пьяного дебоша, устроенного 1 ноября 1937 года в Клубе писателей очередным писателем – С. Алымовым: «*Недавно мы имели случай, когда Казарновский вел себя совершенно непотребным образом*»[32]. К этому времени Казарновский еще не был осужден, но никто в ССП, кажется, и не попытался его выручать.

Но вернемся из чрева ССП в чрево НКВД. На разбирательство самого доноса на Казарновского ушло не так уж и много времени. Уже 19 октября 1937 года помощник начальника 4-го отдела ГУГБ майор гб Гатов[33], обращаясь к начальнику отдела по борьбе с хищениями социалистической собственности и спекуляцией Управления Рабоче-крестьянской милиции г. Москвы майору милиции Орлову, предлагает обвинение Казарновского направить на рассмотрение Особого совещания, а Гарри-Полякову В.Г. выслать в административном порядке, разрешив ее вопрос непосредственно в 4-м отделе (для адмвысылки не требовалась даже имитация суда!)[34].

А вот на вынесение приговора потребовалось еще пять месяцев. Выписка из протокола Особого совещания датирована 20 февраля 1938 года: «*Слушали: Дело № 2937/МО о Казарновском. Постановили: Казарновского Ю.А. – за антисоветскую агитацию – заключить в ИТЛ сроком на 5 лет, считая срок с 11.8.1937. Дело сдать в архив*». В качестве станции назначения указан город Медвежья Гора, а это значит – выгрузка и пересадка на Кемь, а уже оттуда – хорошо известным водным путем – на Соловки.

Как, кем и когда в это решение были внесены коррективы – неизвестно, но факт, что Казарновский прибыл совсем на другой остров ГУЛАГа – в транзитку под Владивостоком.

Произошло это вскоре после того, как туда прибыл О.М.: Казарновский оказался с ним в одном и том же бараке – в одиннадцатом.

Колыма и Мариинские лагеря

О зэческой судьбе самого Казарновского известно крайне мало, но доподлинно то, что он попал на Колыму, где провел несколько тяжких лет. В 1941 году Лев Хургес встретил его на инвалидной командировке «23-й километр»:

«Раз в месяц около столовой, а зимой в тамбуре столовой, вывешивалась наша стенгазета на нескольких листах ватмана. Ее техническим редактором был талантливый журналист Юрочка Казарновский, бывший работник областной газеты в Архангельске[35]. Газету оформляли такие художники, как Шведов и Голубин. Так что по части оформления она была шедевром: броские красочные надписи, профессионально выполненные рисунки и карикатуры, – было на что посмотреть. Чего не скажешь о содержании, состоявшем в основном из полуграмотных, суконным языком, написанных статей лагерного начальства. Единственным исключением и ярким пятном газеты был так называемый "Листок сатиры и юмора". Конечно, никакой критики лагерного начальства или лагерной жизни не допускалось, но Казарновский всегда что-нибудь да придумывал такое, от чего все читающие держались за животы от смеха. Особенно остроумными у него были «зарисовки с натуры», или так называемые «мысли вслух».

Из "зарисовок" мне запомнилась одна на тему о том, как лагерный блатной жаргон входит в лексикон даже бывших священнослужителей. На рисунке были изображены двое "доходяг". Один, поднеся к лицу другого руку с назидательно поднятым указательным пальцем, что-то ему объясняет. Надпись же под рисунком гласит: «Бывший поп поясняет богобоязненному старичку прит-

чу из священного писания: "И вот тут-то апостол Павел "зело фраернулся"".

А вот из "Мыслей вслух": "Странно? Уже второй месяц лагстаростой, а все еще в старых сапогах ходит!", или "Уже месяц поваром, а все еще не Жора!". Таких "хохм" в каждом номере стенгазеты было немало, и "Листок сатиры и юмора" пользовался неизменным успехом как среди зэков, так и среди начальства»[36].

В 1942 году он был освобожден из заключения и мобилизован для работы в Сиблаге МВД старшим санинспектором (Сиблаг в данном случае – это Мариинские лагеря для доходяг и лиц с ограниченной трудоспособностью). В конце 1944 года он уволился из МВД в связи с тяжелым нервным расстройством и некоторое время работал ответственным секретарем Мариинской районной газеты[37].

Ташкент

При первой же легальной возможности Казарновский расстался с Сибирью и еще в 1944 году вынырнул в Средней Азии, в частности, в Ташкенте: Фадееву он писал, что служил в Минздраве Узбекистана и работал в различных среднеазиатских газетах и радиокомитетах.

Оказавшись в Ташкенте, он сам разыскал Надежду Яковлевну, став для нее первым посланцем с того света – очевидцем пребывания Мандельштама на пересылке и его смерти.

Свидетелем самой встречи Казарновского с Н.Я. стал юный Эдуард Бабаев:

«[Казарновский] пришел прямо с вокзала в Союз писателей на Первомайской улице, продиктовал машинистке свои новые стихи об азиатских ливнях, похожих на полосатою тигра.

Узнал кто где. И пришел прямо к Надежде Яковлевне, как призрак с того света.

Еще раньше, когда Анна Андреевна была в Ташкенте, я случайно отыскал в старом номере «Красной нови» два стихотворения неизвестного мне поэта – «Зоосад» и «Футбол». Стихи понравились, и я сказал об этом Анне Андреевне.

Она как-то вдруг встревожилась и позвала Надежду Яковлевну.

Надя, – сказала она, указывая на меня, – он нашел Казарновского.

Надежда Яковлевна тоже была встревожена и сказала:

Казарновский был в пересыльной тюрьме с Осей... Кто знает, может быть, ты когда-нибудь увидишь его. Я не доживу...

И вот Казарновский пришел сам, как вестник из средневековой баллады. Когда его никто не ждал. И были в нем, как в средневековой балладе, смешаны смех и слезы»[38].

Интересно то впечатление, которое произвел 40-летний Казарновский на 17-летнего Бабаева:

«Казарновский был то, что называется «человек без возраста».

На вид ему можно было дать и тридцать, и сорок лет...

Он был щуплый, легкий, одетый кое-как, в «рыбий мех». Все на нем было или ветхое, или с чужого плеча. Всегда улыбающееся лицо с испуганными глазами...

Он подружился с букинистами, подторговывал книгами. Отыскал сборник своих стихотворений, изданный еще до войны. И читал завсегдатаям фанерного павильона возле ташкентского зоосада стихи про волка:

Ах, должно быть, страшно волку
Одному среди волков...

Здесь его хорошо знали. Давали выпить и в долг, когда не было денег, за стихи. Называли его просто Юрочка.

Но он не был пьяница. Он был поэт и умел соблюсти свое достоинство, когда читал стихи.

Но бывали такие обстоятельства, такие унижения...

Зимой комната Надежды Яковлевны промерзала по углам. И тогда она целыми днями не вставала с кровати, укрывшись одеялом и своей прожженной, с обезьяньим мехом и разорванным рукавом черной кожаной курткой. Иногда вода в чашке на столе покрывалась льдом.

Однажды Юрочка, ближе к вечеру, не выдержал и ушел за дровами. Как выяснилось, он разобрал часть какой-то изгороди на улице. И был задержан милиционером.

Юрочка привел милиционера к Надежде Яковлевне и сказал:

– Это моя тетя...

Милиционер поглядел на комнату, на холодную печку, на замерзшее окно и свалил у порога конфискованные дрова.

Надежда Яковлевна смеялась и плакала. А призрак Юрочка неумелыми руками колол дрова и растапливал печку.

В рассказах Казарновского о пересыльной тюрьме были дантовские подробности. <...> Это и был тот самый ад, о котором сказано: «Оставь надежду всяк сюда входящий...»

Иногда он говорил, как старый каторжанин. Но при этом оставался «жургазовским жуиром», как называла его Надежда Яковлевна, «коктебельским мальчиком». Он и сам говорил, что ему лично гораздо больше нравится начало того четверостишия из «Камня», которое не поместилось на тюремной стене:

> Я бродил в игрушечной чаще
> И ни шел лазоревый грот,

потому что эти строки переносят его в Крым и напоминают ему тех прелестных нереид, от которых его насильственно оторвали и бросили в грязные бараки, о которых он и вспоминать не желает.

Ему негде было жить. Его пристроили в городскую больницу, где была крыша над головой и хоть какая-то горячая еда. Я посещал его в больнице. Он вызывал острое чувство жалости именно тем, что никогда ни на что не жаловался.

Только очень тосковал. Готов был хоть сейчас идти по шпалам в Москву. Я принес ему рубашку и брюки моего старшего брата, который тогда был в армии.

Юрочка отмылся, отлежался, как-то привык к палате, заигрывал с медицинской сестрой, писал стихи про «распоследнюю любовь».

Весной он снова появился в фанерном павильоне:
Здесь ты увидишь легко и недлинно
Снова лицо своей первой любви
На заумном хвосте павлина...

Подвыпившие дружки хохотали и хлопали его по плечу»[39].

Свой вклад в экипировку Казарновского внесла и Н.Я. Жил он в Ташкенте

«...без прописки и без хлебных карточек, прятался от милиции, боялся всех и каждого, запойно пил и за отсутствием обуви носил крошечные калошки моей покойной матери. Они пришлись ему впору, потому что у него не было пальцев на ногах. Он отморозил их в лагере и отрубил топором, чтобы не заболеть заражением крови. Когда лагерников гоняли в баню, во влажном воздухе предбанника белье замерзало и стучало, как жесть»[40].

Н.Я. – «тетя Надя»! – три месяца прятала Казарновского от милиции и

«...медленно вылущивала те сведения, которые он донес до Ташкента. Память его превратилась в огромный прокисший блин, в котором реалии и факты каторжного

быта спеклись с небылицами, фантазиями, легендами и выдумками. Я уже знала, что такая болезнь памяти – не индивидуальная особенность несчастного Казарновского и что здесь дело не в водке. Таково было свойство почти всех лагерников, которых мне пришлось видеть первыми – для них не существовало дат и течения времени, они не проводили строгих границ между фактами, свидетелями которых они были, и лагерными легендами. Места, названия и течение событий спутывались в памяти этих потрясенных людей в клубок, и распутать его я не могла. Большинство лагерных рассказов, какими они мне представились сначала, – это несвязный перечень ярких минут, когда рассказчик находился на краю гибели и все-таки чудом сохранился в живых. Лагерный быт рассыпался у них на такие вспышки, отпечатавшиеся в памяти в доказательство того, что сохранить жизнь было невозможно, но воля человека к жизни такова, что ее умудрялись сохранять. И в ужасе я говорила себе, что мы войдем в будущее без людей, которые смогут засвидетельствовать, что было прошлое. И снаружи, и за колючей оградой все мы потеряли память.

Но оказалось, что существовали люди, с самого начала поставившие себе задачей не просто сохранить жизнь, но стать свидетелями. Это – беспощадные хранители истины, растворившиеся в массе каторжан, но только до поры до времени. Там, на каторге, их, кажется, сохранилось больше, чем на большой земле, где слишком многие поддались искушению примириться с жизнью и спокойно дожить свои годы. Разумеется, таких людей с ясной головой не так уж много, но то, что они уцелели, является лучшим доказательством, что последняя победа всегда принадлежит добру, а не злу»[41].

Конечно, под «беспощадными хранителями истины» Н.Я. имеет в виду прежде всего таких, как Шаламов или Солженицын. Но в поисках свидетельств о Мандельштаме ей или ее помощникам чаще всего встречались свидетели другого типа – те, кого еще можно было как-то разговорить, но кто ни за что сам за перо не взялся бы (лучшие того образчики – Константин Хитров и Юрий Моисеенко).

Казарновский, бесспорно, в число и таких очевидцев не входил, но как бы то ни было, именно он стал первым вестником с того света[42], и его бессвязные рассказы стали, бесспорно, центральными для той картины, которую Н.Я. со временем нарисует (а точнее – выложит, как мозаику) в «Дате смерти».

«В "пересылке" они жили вместе, и как будто Казарновский чем-то даже помог О.М. Нары они занимали в одном бараке, почти рядом...[43]<...> Состав пересыльных лагерей всегда текучий, но вначале барак, куда они попали, был заселен интеллигентами из Москвы и Ленинграда – пятьдесят восьмой статьей. Это очень облегчало жизнь. <...>О.М. всегда отличался нервной подвижностью, и всякое волнение у него выражалось в беготне из угла в угол. Здесь, в пересыльном лагере, эти метания и эта моторная возбудимость служили поводом для вечных нападок на него со стороны всяческого начальства. А во дворе он часто подбегал к запрещенным зонам – к ограде и охраняемым участкам, и стража с криками, проклятиями и матом отгоняла его прочь. Рассказ о том, что его избили уголовники, не подтвердился никем из десяти свидетелей. Похоже, что это легенда.

Одежды в пересыльном лагере не выдавали – да и где ее выдают? – и он замерзал в своем кожаном, уже успевшем превратиться в лохмотья пальто, хотя, как говорил Казарновский, самые страшные морозы грянули уже после его смерти – их он не испытал. <...>

О.М. почти ничего не ел, боялся еды, <...> терял свой хлебный паек, путал котелки... В пересыльном лагере, по словам Казарновского, был ларек, где продавали табак и, кажется, сахар. Но откуда взять деньги? К тому же страх еды у О.М. распространялся на ларьковые продук-

ты и сахар, и он принимал еду только из рук Казарновского... Благословенная грязная лагерная ладонь, на которой лежит кусочек сахару, и О.М. медлит принять этот последний дар... Но правду ли говорил Казарновский? Не выдумал ли он эту деталь?

Кроме страха еды и непрерывного моторного беспокойства, Казарновский отметил бредовую идею О.М., которая для него характерна и выдумана быть не могла: О.М. тешил себя надеждой, что ему облегчат жизнь, потому что Ромен Роллан напишет о нем Сталину. Крошечная эта черточка доказывает мне, что Казарновский действительно общался с Мандельштамом. Во время воронежской ссылки мы читали в газетах о приезде Ромена Роллана с супругой в Москву и об их встрече со Сталиным. О.М. знал Майю Кудашеву, и он вздыхал: "Майя бегает по Москве. Наверное, ей рассказали про меня. Что ему стоит поговорить обо мне со Сталиным, чтобы он меня отпустил"... О.М. никак не мог поверить, что профессиональные гуманисты не интересуются отдельными судьбами, а только человечеством в целом, и надежда в безысходном положении воплотилась у него в имени Ромена Роллана. А для меня это имя послужило доказательством, что Казарновский не вполне утратил память.

И вот еще характерный штрих из рассказов Казарновского: О.М. не сомневался в том, что я в лагере. Он умолял Казарновского, чтобы тот, если вернется, разыскал меня: "Попросите Литфонд, чтобы ей помогли"... Всю жизнь О.М., как каторжник к тачке, был прикован к писательским организациям и без их санкции не получил ни единого кусочка хлеба. Как он ни стремился освободиться от этой зависимости, ему это не удавалось: у нас такие вещи не допускаются, это невыгодно правителям... Вот почему и для меня он надеялся только на помощь Литфонда. Моя же судьба сложилась иначе, и во время войны, когда про нас забыли, мне удалось уйти в другую сферу, и поэтому сохранила я жизнь и память.

Иногда, в светлые минуты, О.М. читал лагерникам стихи, и, вероятно, кое-кто их записывал. Мне пришлось видеть "альбомы" с его стихами, ходившими по лагерям. Однажды ему рассказали, что в камере смертников в Лефортове – в годы террора там сидели вперемешку – видели нацарапанные на стене строки: "Неужели я настоящий И действительно смерть придет". Узнав об этом, О.М. развеселился и несколько дней был спокойнее.

На работы – даже внутрилагерные, вроде приборки – его не посылали. Даже в истощенной до предела толпе он выделялся своим плохим состоянием. По целым дням он слонялся без дела, навлекая на себя угрозы, мат и проклятия всевозможного начальства. В отсев он попал почти сразу и очень огорчился. Ему казалось, что в стационарном лагере все же будет легче, хотя опытные люди убеждали его в противном.

<...> Однажды, несмотря на крики и понукания, О.М. не сошел с нар. В те дни мороз крепчал – это единственная датировка, которой я добилась. Всех погнали чистить снег, а О.М. остался один. Через несколько дней его сняли с нар и увезли в больницу. Вскоре Казарновский услышал, что О.М. умер и его похоронили, вернее, бросили в яму... Хоронили, разумеется, без гробов, раздетыми, если не голыми, чтобы не пропадало добро, по несколько человек в одну яму – покойников всегда хватало – и каждому к ноге привязывали бирку с номерком.

Это еще не худший вариант смерти, и я хочу верить, что рассказ Казарновского соответствует действительности»[44].

Алма-Ата

В начале 1950-х гг. (и уж наверняка – в 1952–1953 гг.) Казарновский находился в Алма-Ате.

Один человек – математик Глеб Казимирович Васильев (1923-2009) – познакомился с Казарновским в 1952 году в Алма-Ате, где отбывал – с «минус 100» – свой ссылочный «довесок» к пятилетнему сроку от 1945 года[45]. В скверике перед Театром оперы и балета сошлись на низкой скамейке и познакомились два бывших зэка: для второго из них, Казарновского, скамейка эта была отчасти «своей», отчего, вынув из портфеля белый батон и бутылку кефира, он «витиевато и вызывающе» заявил: мол, Ваше присутствие не противопоказано моему аппетиту, можете и не покидать мою скамью.

Оказалось, что его в очередной раз выставили из психиатрической больницы за нехваткой мест. Жил он там по-черному, в силу одного лишь благоволения главврача, который снова примет его под свое крылышко и на свое попечение, как только освободится койка.

Так, познакомившись на низкой «скамейке Казарновского», они эпизодически встречались в течение года с небольшим – вплоть до сентября 1953 года, когда Васильеву было разрешено возвращаться в Москву. Нет, ссыльный математик не взял ссыльного поэта под опеку, но иногда, при встречах, подкармливал.

Со временем стало понятно, что не таким уж и нелегалом проживал и еще будет проживать поэт в той психушке. Как и то, что он наркоман.

Не перескажу, а процитирую Васильева:

«Он очень много и очень сложно говорит, и периоды его монолога так громоздки, что с чувством невольного стыда ждешь их бесславного фиаско. Но нет, он доблестно завершает карточный домик своего красноречия и переходит к следующему обрывку мысли, снова облекая его в такой же пышный, трудный для слуха, но все-таки блистательный и изящный оборот.

– Дочь Гамалеи[46], когда лечила меня, то говаривала, что наркотики – это светоч, манящий человечество времен Тутанхамона до бедного слуги блестящего созвездия моих слушателей. Наркотиков известно только семь и, открыв восьмой, вы станете миллионером. – Тут он называет: никотин, алкоголь, кокаин, морфий, опий, гашиш и, еще не имевшую в то время популярности, марихуану. – Но, – многозначительно оглядываясь, продолжает он поток своей элоквенции, – я знаю его. И удайся мне осчастливить грядущие поколения, я ел бы на золотых блюдах, а не нашивал заплат для прикрытия первичных половых признаков...

Вдохновившись, он продолжает что-то об открытии новой формулы тестостерона – это такой сексуальный суперфосфат, – потупившись в сторону слушательниц[47] и одновременно развязно поясняет оратор».

Осенью, когда стало холодно, Казарновский уходил на целый день в одну из двух центрально расположенных библиотек, где грелся и, разумеется, много читал. Еще цитата:

«Вечер. Он очень возбужден. Двумя руками, по-собачьи, роется в портфеле, и бумаги разлетаются по тротуару. Это карточки из плотной бумаги, покрытые ровными рядами куфических древних знаков. Я поспешно собираю их и ссыпаю обратно в его портфель, а он снова ищет какие-то, возможно, не существующие листки, и снова у меня в руках оказываются карточки. Нет, это не арабские буквы, написанные тростниковым каламом, это – стихи. Строчки русских стихов, написанные каким-то невиданным, шизофреническим манером, какой и почерком-то не назовешь – скорее это рисунок. С трудом угадываю, почти стертые временем, строки:

"...Что везешь ты, в звоне содрогаясь? Или просто мчишься наугад. Два свиданья, пару расставаний, Женских глаз лукавый виноград..."

И дальше: "Вспоминаю в зыбких снах Это низкое созданье На... высоких каблуках"[48].

Неужели это голодное существо с полным расстройством тела и духа, с беспорядочными хореическими вски-

дываниями рук, мятущееся, как бельё на ветру и всё ищущее свой самый нужный, самый последний листок, всё ещё пишет – рисует строки стихов? Неужели существо это – Поэт? Да, поэт. И я вижу этот скачущий трамвай: "Что везёшь ты, в звоне содрогаясь?", не алма-атинский, а московский, где-нибудь на Солянке, такой же недосягаемый для него, как и для меня...

Как-то он говорил мне об Антокольском, о том времени, когда они – метры московских поэтов были молоды и женщины носили их на руках, и вечером они не знали, где проведут ночь и с кем встретят рассвет. Этот трамвай был оттуда».

В день отъезда Васильева из Алма-Аты – случайная встреча на бульваре. И уже совершенно новая фаза у Казарновского:

«На этот раз он говорит, обращаясь уже не ко мне:
– ...Тут вот, видите ли, я даю обед на тридцать, нет, на шестьдесят персон. Рассаживайтесь, господа, рассаживайтесь...

С трудом переключаю программу этого, с перебоями работающего «прибора», нащупываю волну, фильтрую помехи. Натыкаюсь на стихи, стихи парнасцев, потом декаденты – Верлен, Малларме, Роденбах.
– Мои переводы, – говорит он, – конечно, сочнее Лифшица.
– Какого? – спрашиваю я. – Полутороглазого Стрельца? Бенедикта?
– Конечно. Вот, слушайте, Рембо.
Читает он почему-то не перевод. Самозабвенно читает он «Сумасшедший корабль». И звонкие французские ассонансы мешаются с пылью базарной площади.
Это было подарком, прощальным подарком Алма-Аты.
Самолюбивый, истеричный, гениальный Рембо, инфантильный и влюбчивый конквистадор, философ и бродяга

расплескивал то нежные, то грозные строки под синим
азиатским небом устами своего сумасшедшего собрата.

— Прочтите Гумилева.

— Что прочесть? Я знаю все.

— Прочтите «У цыган», — называю я, случайно при-
шедшее в голову, одно из редких незаезженных стихотво-
рений. У меня нет и мысли, что он может забыть или
перепутать хоть одну строку из любого сборника этого
поэта. Он сразу начинает:<...> Тут я должен остано-
вить его. «Персоны» обступают, он раскланивается,
он — хозяин, он обращается к видимым лишь ему фигу-
рам, и я как будто слышу их ответные голоса. Стано-
вится страшно от реальности видений, продуцирован-
ных больным сознанием».

Ступино, Москва, Истра, Ступино(?)

А в 1954 году (точная дата не известна) — в Москву перебрался и Казарновский.

Во всяком случае, все тот же Глеб Васильев фиксирует
две — и, как всегда, случайные — встречи с ним. Первая —
у входа в ресторан ВТО, куда не слишком опрятного поэта не хотели пускать, но Васильев провел его («Он с нами!») внутрь и усадил за свой стол.

Казарновский же:

> *«Отряхнувшись, он петушком семенит к нашему сто-*
> *лу.<...> — Вы помните? — начинаю я... — Как же, как же... —*
> *отвечает тот невпопад. И я чувствую, что он не узнает*
> *меня, не узнает моего друга, не помнит Алма-Аты. Он го-*
> *тов играть и поддакивать, только бы просидеть вечер за*
> *чистой скатертью, даже не задумываясь, кто говорит*
> *ему свое: — «А помните...»*

Вторая встреча — в курилке и уборной Библиотеки
имени Горького, что была в Доме союзов:

*«Сгорбленная и мизерная фигурка, зажав единствен-
ную книгу под мышкой, движется в курительную, неловко прижимаясь к стене. Я иду следом. Яростно брызга-
ясь, человечек стирает под краном почерневший носовой
платок. Он не замечает меня, не замечает лужи у себя
под ногами – он поглощен стиркой. Он очень изменился,
и я узнаю в этом человеке не Казарновского, а лишь свое
воспоминание о нем. Остается сомнение, и потому, подойдя к выдаче, я спрашиваю – какую книгу взял только
что стоявший здесь человек?*

*– «Алиса в стране чудес», – ответила усталая пожи-
лая женщина».*

После чего сомнений не осталось:

*«...Эта книга, действительно, была предельно адекват-
на духовному существу нашего алма-атинского знакомца.
Изящество и нелепицы Зазеркалья, мудрое чудачество и не-
истребимая потребность творчества сохранялись в его
разрушающемся интеллекте до последних дней».*

Две встречи – или не-встречи? – с человеком, скорее
отсутствующим, чем присутствующим на них...

Москва – это все же не Алма-Ата и не Ташкент. «Зай-
цем» здесь не то что в больницу имени Кащенко не устро-
ишься – в автобусе или метро не проедешь. Зацепиться
за саму Москву Казарновский, похоже, не сумел, но за
Подмосковье – смог.

Самая ранняя из зафиксированных документами дат –
18 сентября 1954 года. Она стоит под письмом в СП от заведующего отделением психиатрической колонии № 1
в Ступино с просьбой оказать помощь в трудоустройстве
больному Казарновскому Ю.А. в связи с выпиской его из
больницы. По состоянию здоровья, добавляет врач, Казарновский работать по специальности может, но, не

имея ни средств к существованию, ни жилплощади, ни родных, ни даже верхнего платья, он тем не менее остро нуждается в помощи. Весьма специфичен был тот адрес, который сам Казарновский указывал в качестве обратного: Ступино, п/я (т.е. почтовый ящик) № 36. Как говорится: будете в наших краях – заходите!

Спустя семь месяцев (где их провел Казарновский?), 19 апреля 1955 года, в СП обратился и он сам. У заместителя первого секретаря СП Дмитрия Алексеевича Поликарпова Казарновский попросил – «*в связи с отсутствием ночлега и средств к существованию*»[49] – выдать ему путевку в дом отдыха и единовременное пособие. Опытный кагэбэшник и, по многочисленным отзывам, доброжелательный по натуре человек, Поликарпов, похоже, оценил вопиющесть случая и сразу же доложил секретарю Правления СП А. Суркову. И тем же днем, 19 апреля, датировано письмо Суркова директору Литфонда СССР с просьбой, во-первых, приобрести Казарновскому, за счет Литфонда, путевку в подмосковный дом отдыха, во-вторых, выдать ему пособие в сумме 300 рублей, а главное, – в-третьих, – озаботиться устройством его в дом инвалидов Министерства социального обеспечения РСФСР.

Сведений о том, как была реализована самая главная – третья – просьба СП (о размещении Казарновского в инвалидном доме), но самая первая из просьб была удовлетворена практически молниеносно. Уже в начале мая 1955 года Казарновский оказался в доме отдыха «Истра», откуда писал Илье Сельвинскому:

«Глубокоуважаемый и хороший Илья Львович, получил в "Истре" Ваше письмо, которое меня обрадовало, просто, как «незримое присутствие», видимо, того, что Вы не написали. Обрадовало – "почерком"…

<…> Читаю я лучше, чем пишу – это явление обычное и для остальных жителей сельской местности, откуда я писал.<…>

1. Напишите: когда, где, не беспокоя и не отрывая нужного для работы времени, увидеть Вас? Это – очень хочется. Если это Вам удобнее – вне Москвы, – «расстоянием не стесняюсь».

2. Подарите мне (если у Вас есть) Ваш последний синий однотомник. Ваш подарок – будет клочком синего... не неба, а скорее, какого-то желанного "не было" или небыли – как хотите. То же – очень хочется. Если у Вас нет, напишите: я попытаюсь купить в Москве, а Вас опять получить незаслуженно тёплую надпись.

Я надеюсь, что мы, если повезет, сумеем сказать друг другу хоть что-нибудь могущее пригодиться нашей обоюдной любви к своему "синему ремеслу".

<...> Очень хочется еще писать стихи, которые никто не узнавал бы.... (Вам понятно – что хочется, но еще надо искать, как делать).

Но пока надо, как ни скучно, налаживать быт их "будущего автора". А как это делать – даже не веруя в бога, ей-богу не знаю. Ему – не богу, а "автору" – пятьдесят лет и он мне, кажется, множко надоел...

Поэтому если я и "Саша Черный" (простите плагиат у И. С-го), то только по настроениям, вполне "базирующимся" на адресе, который сейчас даю:

Москва. Ул. Горького. Центральный Телеграф. Почт. Отделение.

До востребования. Юрию Алексеевичу Казарновскому»[50].

...Между тем у Казарновского в Москве появилось весьма серьезное и практическое дело: собственная реабилитация! И именно этот адрес фигурировал в одном из документов, связанных с этими хлопотами.

17 сентября 1955 года прокурор Д. Салин подал протест относительно дела Ю.А. Казарновского. 2 ноября Президиумом Московского Горсуда приговор от 20 февраля 1938 года был отменен[51], и уже 4 ноября Прокура-

«ГУРЬБА И ГУРТ»: СОЛАГЕРНИКИ МАНДЕЛЬШТАМА

тура СССР направила Казарновскому соответствующее извещение[52].

Получив извещение, Казарновский тотчас же подал заявление на восстановление в СП (Союзе писателей СССР). 30 декабря 1955 года СП постановил восстановить его в правах кандидата в члены СП СССР с 1934 г. и выдать ему единовременное пособие в сумме 3000 р. за счет средств Литфонда СССР[53].

21 мая 1956 года – спустя год после первого письма Сельвинскому – Казарновский пишет ему второе, приложив к нему с десяток стихотворений:

> *«Илья Львович, Вы всегда были очень добры к моим стихам. И их автору. Посылаю стихи последних недель.*
>
> *Личное: полностью реабилитирован, восстановлен в Союзе с 1934 г. Сейчас – в Доме Отдыха. С 29–30 мая – буду в Москве. Надеюсь, если зайду в гости – не огорчу хозяев.*
>
> *Привет Берте Яковлевне.*
>
> *Ю. Казарновский*
>
> *Адрес до 29 мая: Московская обл.*
>
> *Калининская ж.д. Почт./ отд. «Истра».*
>
> *Д/о «Зеленый курган».*
>
> *Юрию Алексеевичу Казарновскому»*[54].

4 октября 1957 года СП подтвердил непрерывность творческого стажа Казарновского с 1932 по 1957 г., но стажа не членского, а кандидатского[55].

Надо полагать, что на момент второго ареста единожды уже репрессированный Казарновский состоял в СП именно кандидатом в его члены. Как надо полагать и то, что в плане социальной поддержки разница между членом и кандидатом в члены в 1950-е гг. была существенной.

Казалось бы, напиши заявление – и получи эту разницу: кто же посмеет заново обижать бездомного бедолагу – жертву культа личности?

Не тут-то было: братья-поэты горой встали на пути преодоления этой разницы! Именно секция поэзии отказала в необходимой рекомендации, после чего Приемная комиссия дала Правлению СП рекомендацию воздержаться от перевода Казарновского из кандидатов в члены СП. Что правление и сделало 5 марта 1958 года: в обсуждении приняли участие Михалков С.В., Томан Н.В., Николаев А.М.[56] Через месяц, 5 апреля, вернулись к этому вопросу, причем в обсуждении высказались уже не трое, а пятеро (Михалков, В. Иванов, Смирнов, Томан и Любимова). Но результат тот же, если не считать издевательского добавления: «*В случае представления Казарновским новых работ вопрос о его приеме в члены СП рассматривать на общих основаниях*»[57].

Самая последняя из известных весточка от Казарновского – его третье и последнее письмо Сельвинскому, датированное 25 декабря 1959 года:

> «*Глубокоуважаемый и хороший Илья Львович,*
>
> *Я – довольно серьезно болен. Дистрофия. «Сердечные дела», увы, не от любви. И какое-то духовное – помесь Хиросимы с кафе "Mort".*
>
> *Дело, кажется, пахло эпилогом. Чувствовал себя – sie transit.*
>
> *Новый бессрочный паспорт – казался переодетым некрологом.*
>
> *Сейчас – немножко отхожу. Ко мне удивительно заботливы врачи.*
>
> *Но самому, я боюсь, мне не выкарабкаться.*
>
> *Нужна какая-то помощь друзей. Не знаю почему, но пишу только Вам из больницы.*
>
> *И Вас очень стыдно.*
>
> *Помните, я Вам говорил, что у меня украли Ваши книги с Вашими надписями.*
>
> *Вы обещали "залечить эту рану".*

Пришлите мне, хоть по почте, Ваш новый двухтомник и что сможете. Конечно, надписав.

Как-то очень тяжело...

Помните, в "Контрапункте" у Олдоса Хаксли кто-то спрашивает у стойки бара:

– А не думаете ли Вы, сэр, что Земля служит адом для какой-то другой планеты?

В понедельник 7-го декабря я должен был пойти на Ваш юбилейный вечер в Доме Писателя.

С нетерпением ожидал этого дня, чтобы слышать и видеть Вас. Билеты лежали около подушки (я только что, в конце ноября, получил квартиру).

Зайти к Вам стеснялся: слишком несчастный и больной вид.

И, вдруг, днем, в этот день, седьмого же, Скорая Помощь отвезла меня, полуживого, в больницу.

Запоздало поздравляю Вас с Юбилеем. И желаю счастья. И всякой творческой и личной удачи.

(Цифру – упоминать не хочется).

Она – не Ваша.

Видел в "Огоньке" какие-то объедки Ваших стихов.
...Что такое?
И – неплохая фотография...

Мне бы очень не хотелось, чтобы Вы беспокоили себя в эти хлопотно-радостно-предпраздничные дни. Пусть даже Ваша машина не знает дороги в больницу.

Почта или домработница...

Вполне достаточен небольшой почтовый перевод. И книги.

В конце января – февраля буду получать пенсию. И никого не беспокоить.

*Передавайте привет и поцелуйте руку у Берты Яков-
левны.*

*Я, как вернулся, видел ее только один раз в Д. Советск.
Армии.*

*Поклонился, но ничего не сказал: вызвали к нач. медиц.
Части (или к зав.?).*

Пробую: небольшую поэму. Лейтмотивное:
> *И самой Земле не отвертеться*
> *Быть добрей и ласковей с людьми.*
> *Что выйдет – черт, ведающий Поэзией, знает!..*

*Еще раз желаю всего Саможеланного и поздравляю с Но-
вым Годом. Кстати, у меня пропала даже книжка, которую
Вы рецензировали, вместе с Эд. Багрицким. Ведь четыре года бездомности, отнюдь не страдая драгоманией.*

Глубоко-уважающий Вас Ю. Казарновский.

"Адрес":

Москва В-152 Загородное шоссе д.2,

М.П.Н. Больница № 1. 25-е Отделение (4 этаж) 5 палата.

Юрию Алексеевичу Казарновскому.

> *P.S.*
> *Простите очень плохую бумагу –
> другой не было. Ю.К.»*[58]

Итак, еще в самом конце 1959 года он был жив. Но
с высокой степенью вероятью можно предположить,
что его земной путь в 1960 году закончился…

P.S.

В конце 1980-х имя Казарновского снова выплыло на поверхность. Больше всего приложил к этому руку Евгений
Евтушенко со своей замечательной рубрикой «Строфы
века» в «Огоньке». В 1988 году в ней вышла подборка стихов и Казарновского, а Евтушенко написал во врезке:

«*Насколько мне известно, автор всего лишь одной книги: "Стихи", Гослитиздат, 1935 год. Книжка эта попала
мне в руки сразу после войны... Автор в то время был
в местах, не столь отдаленных. Когда он вернулся, то
вскоре умер, и я о нем больше ничего не слышал...*»

Эти сведения уточняет и дополняет в письме в «Огонек» академик Д.С. Лихачев: «*Юрий Казарновский
из Ростова-на-Дону. Родился в начале века. Был
в литературном кружке в своем родном городе. Арестован. Сидел в Соловках. И печатался в журнале "Соловецкие острова"... Потом был все время в лагерях и был последним, кто видел О.Э. Мандельштама... Я попал в лагерь в конце октября 1928 года, а Казарновский немного
раньше, по-моему, весной...*»[59] И – в другом месте – о па-
родиях: «*Некоторые из его пародий были напечатаны
в «Огоньке», и мне пришлось разъяснять – кому они
принадлежат*»[60].

Свой вклад внесла и Н.Я. Мандельштам. Первое на
родине издание ее «Воспоминаний», одним из скорбных
и трагических персонажей которых является и Казарновский, вышло в издательстве «Книга» в 1989 году.

Затем вмешался ростовчанин Владимир Тыртышный,
усомнившийся в тождестве Казарновского из Ростова
и Казарновского из Соловков. Разобрались[61], но по мере
разбирательства ширился круг его почитателей, как
и круг републикаций его немногочисленных, но каких-
то очень «фирменных» произведений.

Пора бы уже собрать книгу Юрия Алексеевича Казарновского – неистребимо веселого поэта с совершенно невеселой судьбой. Того, кто за это возьмет-
ся, ждет немало трудностей: что печаталось в ростовских газетах и в центральной периодике в 20-е годы?
Что еще прячется в периодике соловецкой? И что за
стихи про азиатские ливни надиктовал Казарновский
в Ташкенте?

И в завершение – стихотворение Казарновского 1956 года, еще не печатавшееся. Оно сохранилось среди его писем, кажется, последнему своему корреспонденту – Илье Сельвинскому[62]:

ПРОГУЛКА

> Печаль его светла…
> *Она читает Пушкина.*

Припомнил все… И сразу снова
Чужого горя сумрак лег:
Мы, утром, встретили слепого,
И он – увидеть вас не мог.

Смотрю на вас… И слепо верю,
Что немота страшнее мглы:
Немой, сидевший с нами в сквере,
Не мог сказать – как вы милы.

Полоска дыма… Стон мотора…
Дивлюсь, глазам не веря сам,
Геройству летчика, – который
Летит так быстро… И – не к вам.

Вот ЗИМ промчался, с ветром споря,
Мелькнул седок, бледней чем мел:
Он бледен так – конечно, с горя,
Что увезти вас не сумел.

Шопен… Венки… Сквозь ваши веки
Синеет грусть огромных глаз…
И – очень жаль мне человека,
Который умер не за вас.

Но я несчастней, чем другие –
Немного стар уже поэт…
Где вам найти очки такие,
Чтоб стекла минус десять лет?

Похоже, что эта ироническая струнка и нота, чем-то напоминающая Сашу Черного, всегда сопровождала Казарновского и смешила его читателей и слушателей, в том числе, возможно, и Мандельштама, соседа по бараку.

А может быть, эта струнка и вовсе была его сутью – или, если хотите, осью, пусть и не сосущей ось земную, ось земную…

---

[1] Благодарю Н.А. Богомолова, Е.М. Голубовского, Н.А. Громову, Г.Р. Злотбину, Д.Ч. Нодия, Л.А. Роговую, А.А. Романенко, А.Л. Соболева и Г.Г. Суперфина за помощь и дискуссии.

[2] Письмо от 7 июля 1928 г. См.: www.pkk.memo.ru/page%202/intell/guman/kazar.doc, где дается по: *ГАРФ. Ф. 8409. Оп. 1. Д. 520. Л. 304*. Машинопись, подпись – автограф. Адрес Казарновского имеется в блокнотах Е.И. Замятина (см.: *Замятин Е.И.* Собр. соч. Т. 5. Трудное мастерство. М.: Республика; Дмитрий Сечин, 2011. С. 32). В Сети: http://az.lib.ru/z/zamjatin_e_i/text_1937_bloknoty.shtml).

[3] В 1937 г. – на пенсии; ей было 60, стало быть, она родилась около 1877 г. В Ростове проживала по адресу: ул. Энгельса, 46, кв.1.

[4] См.: www.pkk.memo.ru/page%202/intell/guman/kazar.doc, где дается по: *ГАРФ. Ф. 8409. Оп. 1. Д. 520. Л. 304*. Машинопись, подпись – автограф.

[5] Там же.

[6] См.: www.pkk.memo.ru/page%202/intell/guman/kazar.doc, где дается по: *ГАРФ. Ф. 8409. Оп. 1. Д. 520. Л. 304*. Машинопись, подпись – автограф.

⁷ Из воспоминаний Д.С. Лихачева в фильме М. Голдовской о нем.

⁸ *Лихачев Д.С.* Юрий Алексеевич Казарновский // Воспоминания. СПб.: Логос, 1999. С. 254. Д.В. Шипчинский (Шепчинский; 1905–1930) – молодой географ, в сентябре 1929 г. совершивший неудачный побег из Кеми. Расстрелян.

⁹ Начиная с № 2 за 1927 г. по 1929 г. журнал «Соловецкие острова», издававшийся с 1924 г. (первоначально – под названием «СЛОН»), был слит с ленинградским журналом «Карело-Мурманский край». В 1930 г. он был вновь возрожден как самостоятельное издание, но уже с 1931 г., в связи с ужесточением условий лагерного режима, был окончательно ликвидирован (*Розенфельд Б.* Литературная жизнь на Соловках // Terra Nova. Журнал нашего времени. 2006. № 7. В Сети: http://www.muza-usa.net/2006_07/2006-07-05.html).

¹⁰ Издание культурно-воспитательного отдела Беломорско-Балтийского ОГПУ. Медвежья Гора, 1932.

¹¹ *Быков Д.* Был ли Горький? Биографический очерк. М: АСТ, 2012. С. 300–301.

¹² Соловецкие острова. 1929. № 3–4 (октябрь-ноябрь). С. 6–9.

¹³ Биографически «Владимиром» он точно был, но только позднее (см. ниже).

¹⁴ На Колыме была прямо противоположная политика: под любым предлогом задержать рвущегося на волю до конца навигации и заставить его поработать еще одну зиму (а там, глядишь, и попадется на чем-либо – а тут мы и новый срок ему пришьем!).

¹⁵ Это навлекло на него нехорошие подозрения, впрочем, ни прямо, ни косвенно никем и ничем не подтвержденные, а вот судьбой опровергнутые.

¹⁶ Находился на углу Б. Черкасского переулка и Никольской ул.

[17] *Соболев Л.* «Заумный хвост павлина…» // Знамя. 1936. № 8.

[18] См.: *Тименчик Р.* Об одном эпизоде в биографии Мандельштама // TSQ. 2014. Вып. 47. С. 237. Там же цитаты из стенограммы этого совещания, со ссылкой на: *РГАЛИ. Ф. 631. Оп. 7. Д. 9. Л. 63–64.*

[19] О чем оставила воспоминания: *Гонта М.* Мартирик // Воспоминания о Борисе Пастернаке. М.: Слово, 1993. С. 232–237.

[20] По одним данным, она родилась в 1900 г., по другим – в 1904 г. и по третьим – около 1907 г., а умерла – по одним данным – в 1994 г., по другим – в 1994 г. и по третьим – в 1995 г.

[21] *Черняк Е.Б.* Пастернак. Из воспоминаний // Воспоминания о Борисе Пастернаке. М., 1993. С. 128. Петровский и Гонта разошлись в конце 1920-х гг.

[22] *Янушкевич Р.* Великий немой заговорил // Киноведческие записки. 2011. № 98. С. 65. В Сети: http://www.kinozapiski. ru/data/home/articles/attache/52-65.pdi. См. также: *Громова Н.А.* Узел. Поэты: дружбы и разрывы. Из литературного быта 20-х – 30-х годов. М.: Эллис-Лак, 2006. С. 57.

[23] В 1930-е гг. она печатала очерки об авиации в журнале «Прожектор» и газете «Красная звезда».

[24] См.: *Андреев Д.* Собр. соч. в 4-х тт. Т. 3/1. М.: Урания, 1996 г. В Сети: http://mirosvet.narod.ru/da/yantari.htm. На память об этом романе у М. Гонты осталось янтарное ожерелье, висевшее у нее дома на торшере (сообщено Н.А. Громовой).

[25] *Громова Н.А.* Дальний Чистополь на Каме. М.: Дом-музей М. Цветаевой, 2005. С.126. Интересно, что там же, в письме Пастернаку от 12 октября 1942 г., можно прочесть: «*Вот я сейчас еду проводить мужа на фронт и не нахожу всей силы и полноты горя и радости, всего, что могу принести и принять, всего ради чего несут трудности*» (Там же. С.127). Кого именно имеет М. Гонта в виду, называя «мужем»? Едва ли Казарновского, бывшего, кстати, по состоянию здоровья «вне войсковой повинности» и тянувшего в это время лагерную лямку в ГУЛАГе (их брак с Гонтой, возможно, и вовсе не был зарегистрирован). Тогда кого же?

²⁶ Муж – это писатель Алексей Николаевич Гарри (Бронштейн; 1903, Париж – 1960, Москва), участник Гражданской войны (правая рука Г. Котовского), с 1927 г. журналист-известинец, автор ряда книг. По данным красноярского «Мемориала», Гарри был арестован в 1938 г., по нашим данным – в 1937-м (уже в ГУЛАГе он женился во второй раз – на балерине Марии Александровне Гарри, 1905–1973). Это не стыкуется со словами Казарновского, но сведений о более раннем его аресте не имеется (возможно, что указание на 1938 г. неточное). См. о нем: *Нехамкин С.* Котовец // Известия. 2006. 24 апреля; *Щеглов-Норильский С.* «Первые норильские писатели прошли здесь лагеря, потом были ссыльными…» // О времени, о Норильске, о себе… Кн.11 / Ред.-сост. Г.И. Касабова. М.: Полимедиа, 2010. С. 384–425. В Сети: http://www.sakharov-center.ru/asfcd/auth/?t=page&num=13215

²⁷ У последней такой ксивы срок истекал 28 августа 1937 г.

²⁸ *Т. Иванова, Э. Финк, Ф. Лейтес, А. Нейштадт, А. Стонова, Г. Макаренко, Л. Лежнева, Л. Тренева, Л. Файко, Е. Билль-Белоцерковская.* «Личная жизнь» писателя. Открытое письмо президиума правления ССП // Правда. 1937. 15 мая. С. 4. В тот же день в «Литературке» тема была подхвачена: *Р.* «Личная жизнь»; *Совет жен писателей.* Уничтожить шуховщину! // ЛГ. 1937. 15 мая. С. 3. Обе публикации стали откликами на статью: «"Личная жизнь" писателя Шухова» // Комсомольская правда. 1937. 9 мая. С.

²⁹ Он завершился смертным приговором от 15 июля и расстрелом в Лефортовской тюрьме 16 июля.

³⁰ Возмущенный своим ошельмованием без предварительной проверки, а также тем, что из десяти писательских жен, подписавших письмо, лишь две лично присутствовали при событии, он требовал создания комиссии для проверки обстоятельств дела (см. заявления группы жен писателей и самого А. Гарри: *РГАЛИ. Ф. 631. Оп. 15. Д. 236*).

³¹ Это было не первое дело П. Васильева. 15 июля 1935 г. его судили в Краснопресненском нарсуде и приговорили к 1,5 го-

дам лишения свободы за антисемитский дебош в квартире Д. Алтаузена (см. в дневнике А.К. Гладкова за этот день: *РГАЛИ. Ф. 2590. Оп. 1. Д. 76. Л. 139*).

[32] Протокол № 26 Заседания Секретариата ССП СССР от 11 ноября 1937 г. (*РГАЛИ. Ф. 631. Оп. 15. Д. 162. Л. 4*).

[33] Моисей Львович Гатов (1902–1939)

[34] *ГАРФ. Дело П-20417. Л.64.*

[35] Очевидно, что здесь имеются в виду Соловки. – *Ред.*

[36] *Хургес*, 2012. С. 616–617.

[37] Из письма Ю.А. Казарновского А.А. Фадееву от 1 октября 1955(?) г. (*РГАЛИ. Ф. 631. Оп. 41. Д. 157*).

[38] *Бабаев Э.* Воспоминания. СПб., 2000. С. 180. Это цитата из очерка о Б. Пастернаке «Где воздух синь…». Бабаев рассказывал ему о Казарновском 17 января 1946 г. – в день своего первого визита к Пастернаку.

[39] Там же. С. 180–181.

[40] *Мандельштам Н.* Воспоминания // Собр. соч. В 2 тт. Т.1. Екатеринбург, 2014. С. 471.

[41] *Мандельштам Н.* Воспоминания // Собр. соч. В 2 тт. Т.1. Екатеринбург, 2014. С. 471–472.

[42] Впрочем, возможно, и не совсем первый? У Н.М. есть странная фраза: «*Задолго до его* [Казарновского. – *П.Н.*] *появления я уже слышала от вернувшихся, что Казарновский действительно находился в одной партии с О.М.*». Но кто были эти вернувшиеся? Н.М. не оставила даже намека об этом.

[43] Это подтвердил позднее и Ю.И. Моисеенко.

[44] *Мандельштам Н.* Воспоминания // Собр. соч. В 2 тт. Т. 1. Екатеринбург, 2014. С. 475.

[45] См. о нем самом в альманахе «Соловецкое море» (2007, № 6). В Сети: http://www.solovki.info/?action=archive&id=398. Его мемуары о Казарновском – там же: http://www.solovki.info/?action=archive&id=397

[46] Семья академика Н.Ф. Гамалеи во время войны находилась в эвакуации на казахстанском курорте Боровое (*Абсеметов М.* Патриарх микробиологии: след на казахской земле. Славное имя Николая Гамалеи вошло в историю трех стран // Казахстанская правда. 2013. 13 июля. В Сети: http://kazpravda.softdeco.net/c/1297970037)

[47] Васильев в тот раз был в сопровождении двух ассистенток.

[48] Запомнившаяся Г. Васильеву часть четверостишия не попала в окончательный текст.

[49] *РГАЛИ. Ф. 631. Оп.41. Д. 157.*

[50] Письмо от 21(30) мая 1955 г. (*РГАЛИ. Ф. 1160. Оп.1. Д. 266. Л. 1*).

[51] *ГАРФ. Дело № П-20417. Л. 70.*

[52] *РГАЛИ. Ф. 631. Оп. 41. Д. 157.*

[53] Постановление Секретариата СП СССР № 10 от 30 декабря 1955 г.

[54] *РГАЛИ. Ф. 1160. Оп.1. Д. 266. Л. 2–12.*

[55] Выписка из протокола № 32 Постановления Секретариата СП от 4 октября 1957 г. о подтверждении в соответствии с п. 2 Постановления Совета Министров СССР от 7 августа 1957 г. № 946.

[56] Постановление Президиума Правления Московского отделения СП № 5 от 5 марта 1958 г. и протокол № 1 Комиссии по приему в СП от 31 января 1958 г.

[57] Стенограмма заседания Президиума Московского отделения СП СССР от 05.04.1958 г.

[58] *РГАЛИ. Ф. 1160. Оп.1. Д. 266. Л. 14–15.*

[59] Огонек. 1988. № 28.

[60] *Лихачев Д.С.* Юрий Алексеевич Казарновский // Д. Лихачев. Воспоминания. СПб.: Логос, 1999. С. 254.

[61] В Сети: http://rostov-80-90.livejournal.com/241612.html?thread=1393100

[62] *РГАЛИ. Ф. 1160. Оп.1. Д. 266. Л. 5–5об.*

ВТОРОЙ СВИДЕТЕЛЬ:
«БРЯНСКИЙ АГРОНОМ М.»,
ИЛИ ВАСИЛИЙ МЕРКУЛОВ
(1952, ОКОЛО 1968, 1971)

«Брянского агронома М.» (то есть ленинградского физиолога Меркулова) Н.Я. аттестует как «второго достоверного свидетеля». С ним она, по-видимому, все же встречалась, но только не ранее 1968 года.

Выполняя просьбу О.М., он пришел к Эренбургу еще в 1952 году, то есть еще при жизни Сталина. Комментируя этот визит, Н.Я., находившаяся тогда в Ульяновске, отмечает:

> «...*Никто другой из советских писателей, исключая Шкловского, не принял бы в те годы такого посланца. А к писателям-париям сам посланец не решился бы зайти, чтобы вторично не угодить на тот свет*»[1].

Рассказанное Меркуловым Н.Я. уже знала со слов Казарновского. Существенных противоречий между ними не было:

> «*Он считал, что О.М. умер в первый же год, до открытия навигации, то есть до мая или июня 39 года. М. довольно подробно передал разговор с врачом, на счастье, тоже ссыльным и понаслышке знавшим Мандельштама. Врач говорил, что спасти О.М. не удалось из-за невероятного истощения. Это подтверждается сообщением Ка-*

*зарновского о том, что О.М. боялся есть, хотя, конечно,
лагерная пища была такая, что люди, отнюдь не боявши-
еся есть, превращались в тени. В больнице О.М. пролежал
всего несколько дней, а М. встретил врача сразу после
смерти О.М.»*[2]

Следующий фрагмент, сохранившийся в архиве Н.М.,
представляется нечем иным, как записью, сделанной ею
после разговора с самим Меркуловым[3]:

«Транспорт (июнь?).

Пайка (?) – Легенда.

Виктор (Литература. Учитель танцев, библиотека).

Стрелка вправо одежда (правильно) [пальто на сахар]

Барак № 11.

Гарбус – эстрадник (В сентябре письмо от меня)

*[Кэта стрелка вправо с червями] (Немец-врач) [Вайс-
бург – особист протестует]*

(Читал стихи о Сталине за сахар) [Перевод – Петрарки]

[Натур-филос. сонеты…]

(Пришел в барак: хотели задушить

Вышли из барака – Илья вам поможет)

3 поэта – Андрей Белый, Пастернак и я

Черный барак, Душная ночь, Жирные вши

Тиф I Врач – Кузнецов.

В Новосибирске 27 октября

Подвижен и беспокоен

5 лет ОСО Князь Щербацкий (?)

С побоями и сразу подписал»[4.]

О самом Василии Лаврентьевиче Меркулове (1908–
1980), докторе биологических наук и ученике А.А. Ух-
томского. Он родился 3 февраля 1908 года в Иваново-
Вознесенске. Окончил биологический факультет ЛГУ,
с военного учета снят как инвалид. Служил доцентом
в Педагогическом институте им. Покровского и научным

сотрудником Всесоюзного Института экспериментальной медицины. В день сообщения о расстреле Каменева директор этого института профессор Никитин выбросился из окна, после чего все его сотрудники, в том числе и Меркулов, были арестованы.

Из ВЛКСМ Меркулова исключили как антисоветчика, а 2 июля 1937 года был арестован сержантом гб Максимовым – уже как участник контрреволюционной троцкистско-зиновьевской организации, ведшей активную борьбу против ВКП(б) и советской власти. Назавтра (3 июля) – первый допрос (следователь Смирнов), и уже 16 июля ему предъявили постановление о привлечении его к ответственности по ст. 58.10, 11.

На пересылку он прибыл 3 февраля 1938 года, попал в отсев из-за травмы ноги (у него были раздроблены пальцы на стопе) и устроился раздатчиком талонов на хлеб. 11 апреля 1939 года был отправлен в Мариинск, где плел корзины и вязал варежки для фронта (количество петель в варежках запомнилось ему на всю жизнь). Из заключения освободился только в сентябре 1946 года (сразу же по прибытии в Ленинград был помещен в больницу, где пролежал больше года; позднее ему ампутировали ногу).

Окончательно вернулся в Ленинград лишь в 1956 году, работал одно время вместе с Е.М. Крепсом и даже был его заместителем в Комиссии по творческому наследию И.П. Павлова.

Лесман встречался с Меркуловым 9 сентября 1971 года, то есть через 10 дней после встречи с Крепсом. Меркулов рассказал об устройстве лагеря, о том, что бараки с 7-го по 14-й, в т.ч. и «мандельштамовский» 11-й барак, относились ко второй внутренней мужской зоне.

Наиболее странные сведения из тех, что сообщил Меркулов, – это время приезда О.М. в лагерь (между 15 и 25 июня 1938 года) и время смерти:

«Мандельштам находился во второй зоне. С Мандельштамом я познакомился довольно печальным образом. Распределяя хлеб по баракам, я заметил, что бьют какого-то щуплого маленького человека в коричневом кожаном пальто. Спрашиваю: «За что бьют?» В ответ: «Он тяпнул пайку». Я заговорил с ним и спросил, зачем он украл хлеб. Он ответил, что точно знает, что его хотят отравить, и потому схватил первую попавшуюся пайку в надежде, что в ней нет яду. Кто-то сказал: «Да это сумасшедший Мандельштам!»

До отправки на «Вторую речку» Мандельштам сидел на Лубянке, в камере с князем Мещерским, с которым спорил о судьбах России. Через несколько недель Мандельштама вызвали на допрос, били. Он понял, что ему не устоять, и подписал все. По окончании следствия был перевезен на Таганку, а потом отправлен на восток.

Мой товарищ, москвич, встречался с Мандельштамом у Александра Гавриловича Гурвича (физиолог, двоюродный брат О. Мандельштама), знал его стихи, поэтому Мандельштам вошел в нашу компанию [5].

В этот начальный период пребывания Мандельштама на «Второй речке» его физическое и душевное состояние было относительно благополучно. Периоды возбуждения сменялись периодами спокойствия. На работу его не посылали [6]. Когда Мандельштам бывал в хорошем настроении, он читал нам сонеты Петрарки, сначала по-итальянски, потом – переводы Державина, Бальмонта, Брюсова и свои. Он не переводил «любовных» сонетов Петрарки. Его интересовали философские. Иногда он читал Бодлера, Верлена по-французски. Среди нас был еще один человек, превосходно знавший французскую литературу, – журналист Борис Николаевич Перелешин, который читал нам Ронсара и других. Он умер от кровавого поноса, попав на Колыму.

Читал Мандельштам также свой «Реквием на смерть А. Белого», который он, видимо, написал в ссылке. Он вообще часто возвращался в разговорах к А. Белому, которого считал гениальным. Блока не очень любил. В Брюсове ценил только переводчика. О Пастернаке сказал, что он интересный поэт, но «недоразвит». Эренбурга считал талантливым очеркистом и журналистом, но слабым поэтом.

Иногда Мандельштам приходил к нам в барак и клянчил еду у Крепса. «Вы чемпион каши, – говорил он, – дайте мне немного каши!» [7]

С Мандельштама сыпались вши. Пальто он выменял на несколько горстей сахару[8]. Мы собрали для Мандельштама кто что мог: резиновые тапочки, еще что-то. Он тут же продал все это и купил сахару.

Период относительного спокойствия сменился у него депрессией. Он прибегал ко мне и умолял, чтобы я помог ему перебраться в другой барак, так как его якобы хотят уничтожить, сделав ему ночью укол с ядом. В сентябре – октябре эта уверенность еще усилилась. Он быстро съедал все, был страшно худ, возбужден, много ходил по зоне, постоянно был голоден и таял на глазах.

В связи с массовыми поносами и цингой в лагере были спешно сколочены большие фанерные бараки, даже не достроенные до земли. Они находились в зоне бытовиков. Я был направлен туда для наведения порядка среди бытовиков, но продолжал навещать Мандельштама, которому становилось все хуже и хуже. Я уговорил его написать письмо жене и сообщить, где он находится.

В начале октября Мандельштам очень страдал от холода: на нем были только парусиновые тапочки, брюки, майка и какая-то шапчонка. В обмен на полпайки предлагал прочесть оба варианта своего стихотворения о Сталине (хотя до сих пор отрицал свое авторство и уверял, что все это «выдумки врагов»). Но никто не соглашался. Состояние Мандельштама все ухудшалось. Он начал распадаться психически, потерял всякую надежду на возможность продолжения жизни. При этом высокое мнение о себе сочеталось в нем с полным безразличием к своей судьбе.

Однажды Мандельштам пришел ко мне в барак и сказал: «Вы должны мне помочь!» – «Чем?» – «Пойдемте!»

Мы подошли к «китайской» зоне (китайцев к этому времени уже вывезли – хасанские события увеличили этап). Мандельштам снял с себя все, остался голым и сказал: «Выколотите мое белье от вшей!» Я выколотил. Он сказал: «Когда-нибудь напишут: «Кандидат биологических наук выколачивал вшей у второго после А. Белого поэта». Я ответил ему: «У вас просто паранойя».

Однажды ночью Мандельштам прибежал ко мне в барак и разбудил криком: «Мне сейчас сделали укол, отравили!» Он бился в истерике, плакал. Вокруг начали просыпаться, кричать. Мы вышли на улицу. Мандельштам успокоился и пошел в свой барак. Я обратился к врачу. К этому времени было сооружено из брезента еще два барака, куда отправляли «поносников» умирать. Командовал бараками земский врач Кузнецов (он работал когда-то в Курской губернии). Я обратился к нему. Он осмотрел Мандельштама и сказал мне: «Жить вашему приятелю недолго. Он истощен, нервен, сердце изношено, и вообще он не жилец». Я попросил Кузнецова положить Мандельштама в один из его бараков. В этих бараках был уход, там лучше кормили, топили в бочках из-под мазута. Он ответил, что у него и так полно и что люди мрут как мухи.

В конце октября 1938 г. Кузнецов взял Мандельштама в брезентовый барак. Когда мы прощались, он взял с меня слово, что я напишу И. Эренбургу: «Вы человек сильный. Вы выживете. Разыщите Илюшу Эренбурга! Я умираю с мыслью об Илюше. У него золотое сердце. Думаю, что он будет и вашим другом». О жене и брате Мандельштам не говорил. Я вернулся в барак. Перед праздником (4–5 ноября) Кузнецов разыскал меня и сказал, что мой приятель умер. У него начался понос, который оказался для него роковым.

Никаких справок родственникам умерших администрация не посылала. Вещи умерших распродавались на аукционе. У Мандельштама ничего не было.

"Черная ночь, душный барак, жирные вши" – вот все, что он мог сочинить в лагере»[5].

---

[1] *Мандельштам Н.* Воспоминания // Собр. соч. В 2 тт. Т. 1. Екатеринбург, 2014. С. 476.

[2] Там же. С. 451.

[3] Сводная запись о лагерной жизни О.М., вобравшей в себя сведения, почерпнутые главным образом от В.Л. Меркулова (Гарбуз, Кузнецов, В.Л. Соболев) и Е.М. Крепса (Вайсбург) (ср.: *Нерлер*, 2014. С. 451–502. В пользу того, что это именно так, говорят детали, нигде более не встречающиеся. Например, о Пастернаке как о втором поэте, о полученном О.Э. в лагере письме от Н.Я. или упоминание князя Щербацкого. Первым на ум приходит действительный князь Щербацкий – знаменитый академик-буддолог Федор Ипполитович Щербатский (1866–1942), который сам хотя и не был репрессирован, но вполне мог быть связан с антропологом и этнографом Н.М. Маториным, (1898–1936), братом Д.М. Маторина. Но, возможно, тут иная аберрация, и Н.Я. имеет в виду не князя Щербацкого, а князя Мещерского – человека, сидевшего, по словам Меркулова, с О.М. в одной камере на Лубянке.

[4] *РГАЛИ. Ф. 1893. Оп. 3. Д. 108. Л. 49.* Публикуется впервые.

[5] Новые свидетельства о последних днях О.Э. Мандельштама / Публ. Н.Г. Князевой. Предисловие П.М. Нерлера // *Жизнь и творчество.* С. 47–50.

ТРЕТИЙ СВИДЕТЕЛЬ:
САМУИЛ ХАЗИН (1962)

Встречалась Н.Я. и со своим однофамильцем, Самуилом Яковлевичем Хазиным.

По словам Казарновского, услышав о том, что на пересылке находится человек по фамилии Хазин, О.М. попросил его «...*пойти с ним отыскать его, чтобы узнать, не приходится ли он мне родственником. Мы оказались просто однофамильцами*».

Хазин рассказал ей, что О.М.

«...*умер во время сыпного тифа, а Казарновский эпидемии тифа не упоминал, между тем она была, и я о ней слышала от ряда лиц. <...>*

Сам Хазин человек примитивный. Он хотел познакомиться с Эренбургом, чтобы рассказать ему о своих воспоминаниях начала революции, в которой он участвовал вместе со своими братьями, кажется, чекистами. Именно этот период сохранился у него в памяти, и все разговоры со мной он пытался свести на свой былой героизм...»[1]

Прочтя мемуары Эренбурга, Хазин написал ему, и Эренбург устроил ему встречу с Н.Я. Хазин рассказал ей, что видел О.М. дважды: в первый раз – когда О.М. пришел к нему с Казарновским и во второй, когда он свел его к лагернику, который его разыскивал.

Свидание с Хазиным состоялось летом 1962 года. Н.Я. жила в Тарусе и, видимо, совместила встречу Хазиным с приездом в Москву. Сохранилась ее беглая запись об этой встрече:

«*28 июля 1962.* <…> *В Москве: поездка за Болшево[2] к Хазину – не родственнику. Мне еще К[азарновский] говорил, что О.М. в лагере разыскал моего однофамильца, чтобы спросить, не родственник ли он мне. Тот, по словам К[азарновского], принял О.М. весьма холодно. Он ничего не мог сказать, кроме изложенного в письмах. Свидеться хотел, чтобы завязать знакомство. Его мечта – писать мемуары о тех событиях, свидетелем которых он был. Для этого ищет путей. Лагерь его не интересует совершенно, а только родное местечко и "история революции", т.е. из его местечковых знакомых, которые как-то участвовали в событиях 17–20 годов или выбились в люди в эти годы.*

По профессии он инженер, но от него попахивает чекой; мне вдруг показалось, что из такого в лагере можно было сделать отличного стукача. Видимо, отличный читатель Эренбурга, хотя и ругает его в духе послевоенного нападения на его военную публицистику: «немцы тоже люди… немецкий народ...». Чем-то, я подумала, он должен быть похож на рядового американца, которого я никогда не видела. Трагедия полуобразования»[3].

В письме к А.К. Гладкову от 17 декабря 1962 года Н.Я. вспомнила об этой летней встрече:

«*Смерть на пароходе – явная легенда. Их будет еще много. Пусть. Этим летом я видела незамысловатого типа, встречавшего О.Э. в лагере. По его версии – видимо точной – О.Э. умер на Второй речке между ноябрем 38 и январем 39 года. В самом начале января он вышел из больницы – подтверждает тиф и все прочее, уже знал о смерти О.Э. Лучше смерть – бросить в море, чем в яму. А впрочем, все одно*»[4].

Тем не менее то, что сообщил Хазин, было очень ценно и важно.

Вот только –

«Можно ли положиться на сведения Казарновского и Хазина?

Лагерники в большинстве случаев не знают дат. В этой однообразной и бредовой жизни даты стираются. Казарновский мог уехать – когда и как его отправили, так и осталось неизвестным – до того времени, как О.М. выпустили из больницы. Слухи о смерти О.М. тоже ничего не доказывают: лагеря живут слухами. Разговор М[еркулова] с врачом тоже не датирован. Они могли встретиться через год или два...

Никто ничего не знает. Никто ничего не узнает ни в кругу, оцепленном проволокой, ни за его пределами. В страшном месиве и крошеве, в лагерной скученности, где мертвые с бирками на ноге лежат рядом с живыми, никто никогда не разберется.

Никто не видел его мертвым. Никто не обмыл его тело. Никто не положил его в гроб.

<...> Вот все, что я знаю о последних днях, болезни и смерти Мандельштама. Другие знают о гибели своих близких еще меньше»[5].

---

[1] *Мандельштам Н.* Воспоминания // Собр. соч. В 2 тт. Т. 1. Екатеринбург, 2014. С. 474–475.

[2] Вероятно, в санаторий «Сосновый бор» за Болшево: этот адрес записан на одном из листков, сохранившихся в архиве: *«Ст. Болшево. Санаторий «Сосновый бор», корпус 2»* (РГАЛИ. Ф. 1893. Оп. 3. Д.109. Л. 90).

[3] *HAFSO Bremen. F.104 (Borisov).*

[4] *РГАЛИ. Ф. 2590. Оп.1. Д. 298. Л.1* (сообщено М. Михеевым).

[5] *Мандельштам Н.* Воспоминания // Собр. соч. В 2 тт. Т. 1. Екатеринбург, 2014. С. 484.

НЕ РАЗЫСКАННЫЙ СВИДЕТЕЛЬ:
ХИНТ

Н.Я. пишет:

> «Хазин говорит, что встреча О. М. с этим разыскива-
> ющим его человеком была очень трогательной. Ему за-
> помнилось, будто фамилия этого человека была Хинт
> и что он был латыш, инженер по профессии. Хинта пере-
> сылали из лагеря, где он находился уже несколько лет,
> в Москву, на пересмотр. Такие пересмотры обычно конча-
> лись в те годы трагически. Кто был Хинт, я не знаю.
> [Это был соученик Евг. Эмильевича[1].] Хазину показалось,
> будто он школьный товарищ О. М. и ленинградец. В пере-
> сылке Хинт пробыл лишь несколько дней. И Казарновский
> запомнил, что О.М. с помощью Хазина нашел какого-то
> старого товарища»[2].

«Инженер Хинт» — это, казалось бы, не самый слож-
ный случай для идентификации солагерника О.М. Его
привел в 11-й барак посреди ночи тот самый Хазин, которого О.М. с Казарновским разыскали незадолго до этого.
Накануне его привезли с Колымы, Хинт ехал на запад на
переследствие. Был он, по словам Хазина, латышом (но
скорее всего – эстонцем) и ленинградцем, и еще, кажется,
школьным товарищем Евгения Мандельштама. Сама их
встреча, по словам Хазина, была очень трогательной.

Однако рабочая гипотеза, что этим Хинтом мог быть
Иоханнес Александрович Хинт (1914–1985) – известный

эстонский изобретатель и лауреат Ленинской премии СССР за 1962 год, а впоследствии политический заключенный, младший брат эстонского писателя Ааду Хинта (1910–1989), – не подтвердилась.

Первой эту гипотезу сформулировала сама Н.Я. В одном из своих первых писем из Пскова, куда она переехала в сентябре 1962 года, она спрашивала свою эстонскую корреспондентку – Зару Григорьевну Минц: *«Знаете ли вы эстонского писателя по фамилии Хинт? Не его ли отец (кажется, инженер, может, лауреат?) или родственник встретился с О.М. на Дальнем Востоке? Как бы мне узнать что-нибудь про Хинта?»*[3].

В «Воспоминаниях» Н.Я. резюмировала:

> *«Мне следовало бы принять меры, чтобы разыскать Хинта, но в наших условиях это невозможно – ведь не могу же я дать объявление в газету, что разыскиваю такого-то человека, видевшего в лагере моего мужа...»*[4]

После того, как загадка имени даже «физика Л.» разрешилась, «инженер Хинт» остается, кажется, последним нераскушенным орешком такого рода.

P.S.

А.Я. Разумов, составитель бесконечного «Ленинградского мартиролога», сообщил мне, что в его картотеках значится «Хинтт Юганес Янович, 1905 г. р.», проходивший по групповому делу, суть которого и год производства точно не известны[5].

Что стало с Юганесом Хинттом – неизвестно, но время, когда его вызвали на переследствие (своего рода пересменок между Ежовым и Берией), было весьма перспективным именно для того, чтобы выжить.

В то же время смущает отсутствие упомянутого Хазиным «лагерного опыта». Да и возраст Ю. Хинтта исключает совместную учебу не только с О.М., но и с его младшим братом.

¹ Ошибочно. Перепутано с Крепсом.

² *Мандельштам Н.* Воспоминания // Собр. соч. В 2 тт. Т. 1. Екатеринбург, 2014. С. 474.

³ Оригинал – в архиве Тартуского университета: *F.135. S.868.*

⁴ *Мандельштам Н.* Воспоминания // Собр. соч. В 2 тт. Т.1. Екатеринбург, 2014. С. 475.

⁵ В то же время известно, что один из его однодельцев – Онель Александр Юганович, 1887 г. р., уроженец Везенбергского уезда Эстляндской губернии, эстонец, б. член ВКП(б), рабочий фабрики им. Рубена, проживавший в Ленинграде, на проспекте Газа, д. 21, кв. 125, арестованный 13 февраля 1938 г., – 25 марта 1938 г. был приговорен по ст. 58-6 УК РСФСР к высшей мере наказания и расстрелян в Ленинграде 1 апреля 1938 г. (сообщено А.Я. Разумовым).

ЧЕТВЕРТЫЙ СВИДЕТЕЛЬ:
ДАВИД ЗЛОБИНСКИЙ (1963, 1968, 1974)

О последних днях Мандельштама рассказал еще один очевидец – Давид Исаакович Злобинский, написавший Эренбургу в феврале 1963 года. Прошло два с лишним года после выхода номера «Нового мира» с «брянским агрономом М.», и все это время Злобинский боролся со своими страхами и собирался с духом для того, чтобы написать Эренбургу!

«23/II-1963 г.

Уважаемый Илья Григорьевич!

Давно уже – почти два года – собираюсь вам написать по поводу одного места в 1-м томе ваших воспоминаний «Люди, годы, события». Речь идет о судьбе О. Мандельштама. Вы пишете (со слов брянского агронома В. Меркулова, посетившего вас в 1952 году) о том, что О. Мандельштам в конце 1938 года погиб на Колыме. Уже находясь в заключении, в тяжелейших условиях Бериевской Колымы, О. Мандельштам – по словам В. Меркулова – сохранил бодрость духа и преданность музе поэзии: у костра он читал своим товарищам по заключению сонеты Петрарки. Боюсь, что конец Мандельштама был менее романтичен и более ужасен.

О. Мандельштама я встретил в конце лета или в начале осени (то ли конец августа, то ли середина сентября) 1938 года не на Колыме, а на Владивостокской «пересылке» Дальстроя, т. е. управления Колымских лагерей.

На этой пересылке оседали только отсеянные медицинской комиссией (вроде меня). Остальные, – пробыв некоторое время на пересылке, – погружались в пароходы и отправлялись в Колыму. На наших глазах проходили десятки тысяч людей.

Я и мои друзья, любящие литературу, искали в потоке новых и новых порций прибывающих с запада зеков – писателей, поэтов и, вообще, пишущих людей. Мы видели Переверзева[1], Буданцева[2], беседовали с ними. В сыпнотифозном больничном бараке, куда я попал в декабре 1938 года, мне говорили, что в одном из отделений барака умер от сыпняка Бруно Ясенский.

А О. Мандельштама я нашел, как я уже писал, задолго до этого – в конце лета или в начале осени. Клопы выжили нас из бараков, и мы проводили дни и ночи в зоне в канавах (водосточных). Пробираясь вдоль одной канавы, я увидел человека в кожаном пальто, с «хохолком» на лбу. Произошел обычный «допрос»:

– Откуда?

– Из Москвы...

– Как ваша фамилия?

– Мандельштам...

– Простите, тот самый Мандельштам? Поэт?

Мандельштам улыбнулся:

– Тот самый...

Я потащил его к своим друзьям... И он – в водосточной канаве – читал нам (по памяти, конечно) свои стихи, написанные в последние годы и, видимо, никогда не издававшиеся. Помню – об одном стихотворении, особенно понравившемся нам, он сказал:

– Стихи периода Воронежской ссылки. Это – прорыв... Куда-то прорыв...

Он приходил к нам каждый день и читал, читал. А мы его просили: еще, еще.

И этот щупленький, слабый, голодный, как и все мы, человек преображался: он мог читать стихи часами. (Ко-

нечно, ничего записывать мы не могли – не было бумаги, да и сохранить от обысков невозможно было бы.)

А дальше идет вторая часть – очень тягостная и горькая. Мы стали (очень быстро) замечать странности за ним: он доверительно говорил нам, что опасается смерти – администрация лагеря его хочет отравить. Тщетно мы его разубеждали – на наших глазах он сходил с ума.

Он уже перестал читать стихи и шептал нам «на ухо» под большим секретом о все новых и новых кознях лагерной администрации. Все шло к печальной развязке... Куда-то исчезло кожаное пальто... Мандельштам очутился в рубищах... Быстро завшивел... Он уже не мог спокойно сидеть – все время чесался.

Однажды утром я пошел искать его по зоне – мы решили повести его (хотя бы силой) в медпункт – туда он боялся идти, т. к. и там – по его словам – ему угрожала смерть от яда. Обошел всю зону – и не мог его найти. В результате расспросов удалось установить, что человека, похожего на него, находящегося в бреду, подобрали в канаве санитары и увезли в другую зону в больницу.

Больше о нем мы ничего не слышали и решили, что он погиб.

Вся эта история тянулась несколько дней.

Может быть, он окреп, выздоровел, и его отправили на Колыму? Маловероятно. Во-первых, он был в очень тяжелом состоянии; во-вторых, навигация закончилась в 1938 году очень рано – кажется, в конце сентября или в начале октября – из-за неожиданно вспыхнувшей эпидемии сыпного тифа.

Невольно настораживает фамилия и инициалы «брянского агронома» В. Меркулова...

В числе нашей группы любителей литературы был Василий Лаврентьевич Меркулов – ленинградский физиолог. Но на Колыме он не был – его вместе со мной и другими, оставшимися в живых после эпидемии, направили

в Мариинск, где мы и пробыли до освобождения – сентя-
бря 1946 г.

Наш Меркулов ничего не мог знать о колымском перио-
де жизни Мандельштама, если тот действительно туда
попал. Какой же Меркулов вам это сообщил? Однофами-
лец? Или наш, решивший приукрасить события и при-
дать смерти Мандельштама романтический ореол?

Вот все, дорогой Илья Григорьевич, что я считал себя
обязанным вам сообщить.

С глубоким уважением – Д. Злобинский».

В постскриптуме автор письма просил И. Эренбурга
держать его имя в секрете:

«И культа нет, и повеяло другим ветром, а все-таки
почему-то не хочется «вылезать» в печать с этими фак-
тами. Могу только заверить вас, что все написанное
мною – правда, и только правда».

От Эренбурга письмо попало к Н.Я., но его содержание никак – хотя бы под инициалом – не отражено в ее
«Воспоминаниях» (интересно бы понять – почему?).
Н.Я. передала письмо А.А. Морозову для дальнейших
контактов, но тот не смог разыскать Злобинского по
указанному в письме адресу[3]. В результате письмо хра-
нилось и сохранилось у него и было включено в моро-
зовские примечания к первому изданию «Воспоминаний» Н.Я. Мандельштам на родине[4].

Однако в 1968 году между Д. Злобинским и Н.Я. уста-
новился и прямой контакт, о чем свидетельствуют его
письма к ней[5], а также запись беседы Ю.Л. Фрейдина со
Злобинским, состоявшейся 16 февраля 1974 года и до-
полненной письмом Злобинского от 18 февраля[6].

Из них мы узнаем некоторые интересные подробности о Мандельштаме в лагере, но прежде всего о самом
Злобинском. В 1920-е гг. он начинал свою журналист-

скую карьеру в Харькове, в частности, в 1926 году работал в «Харьковском пролетарии»[7] помощником редактора. Затем, видимо, перебрался в Москву и работал в «Комсомольской правде».

Сам он был арестован летом 1937 года, во Владивосток на пересылку (он называл ее «транзитной колонией») прибыл в июле 1938 года. Осенью встретил на ней О.М.

Приведу дайджест того, что он рассказал собеседнику, не смущаясь повторами, по сравнению с тем, что он сообщал в письме Эренбургу.

«Сидит в канаве человек в кожаном пальто, такой хохолок. Сидит с безучастным видом, будто не от мира сего.

Из поэтов 20-х гг. – Безыменский, Жаров, Уткин – О.М. признавал только Светлова.

Однажды О.М. попросился в наш барак почитать стихи – «Цикл воронежских стихов» – стиховой прорыв, так сам называл.

Стал опускаться. Мучали паразиты – сидит и чешется.

Какие-то отсутствующие глаза, бормочет что-то. Мне нужно уйти, потом исчез.

Потом встретились: почему не заходите?

Недели три с нами был, не выдержал. На работу не ходил, никто его не мучил. Но никакой хватки, никакого умения приспособляться. Ничего не мог делать.

Все опасался, что его отравят. – Да кто же? Вы меня опасаетесь? – Нет, но вообще.

Врач из Ногинска. «Я в ужасном состоянии, ПОЙДЕМТЕ К ВРАЧУ! Решил, пойду поговорю со старостой.

Ищу его, ищу – а его вчера увезли в больницу, в 1-ю зону. Это было в октябре. В декабре у нас был карантин».

У самого Злобинского были никуда не годные позвоночник и легкие, из-за чего медкомиссия УСВИТЛа выбраковала его почти сразу: нахлебники-калеки были Колыме не нужны. Он, как и О.М., попал в отсев, но, заболев в конце года сыпняком, до апреля 1939 года, как и Моисеенко, пробыл в больнице.

Вскоре после выписки (то есть еще весной 1939 года) Злобинского перевели в Мариинск, а еще позднее – в поселок Свободный, центр Бамлага. Тамошний начальник проявил к нему большое внимание и назначил учетчиком.

В Мариинске он встретил своих «старых знакомых» по пересылке – Василия Меркулова[8], преподавателя западных танцев Виктора Соболева[9] и мастера спорта по альпинизму[10], но никто из них больше не видел Мандельштама.

После реабилитации Злобинский работал где-то за Новым Иерусалимом. Фрейдину он говорил, что чья-то байка в «Литературке» о двух якобы разобранных половицах и о побеге О.М. из лагеря – «форменная белиберда»! Ю. Фрейдин при встрече, по-видимому, передал ему томик О.М. в «Библиотеке поэта». В своем письме[11] Злобинский, во-первых, благодарит Н.Я., во-вторых, просит ни в коем случае не использовать его рассказы «*для широкой публичной информации*» и вообще не упоминать его имя «*даже в частных разговорах*»[12].

---

[1] Переверзев Валерьян Федорович (1882–1968) – литературовед и педагог, автор книг о Достоевском (1912), Гоголе (1914) и др., профессор Института философии и литературы МГУ. В 1929–1930 гг. состоялась дискуссия о «переверзевской школе», в ходе которой он был обвинен в ревизии марксизма и отстранен от должности. Арестован 3 марта 1938 г. по обвинению в принадлежности к партии меньшевиков. Осужден 8 июня к 8 годам ИТЛ, срок отбывал на Колыме, где возглавлял бригаду по изготовлению игрушек (*Хургес*, 2012. С. 608–609) и в Мариинске, где работал над Пушкиным...

Освободился только в 1947 г., но в 1948 г. был арестован вновь. Реабилитирован в 1956 г. (*ГАРФ. Дело № П-23055*).

² Буданцев Сергей Федорович (1896–1940) – прозаик и поэт, член группы «Центрифуга». Арестован 26 апреля 1938 г., а 8 октября этого года осужден Особым совещанием на 8 лет лишения свободы. Прибыл на Колыму этапом на пароходе «Дальстрой» 6 июня 1939 г. Был направлен на прииск «Дусканья» Южного ГПУ, где работал на добыче золота забойщиком в шахте. В конце 1939 г. направлен на инвалидную командировку ОЛПа «Инвалидный» (23/6 км основной трассы), где и умер 6 февраля 1940 г. в результате «...крупозного воспаления правого легкого и миодегенерации сердца...». Реабилитирован Судебной Коллегией Верховного Суда СССР 12 февраля 1955 г. (*Бирюков А. М.* Жизнь на краю судьбы. Магадан: ОАО «МА-ОБТИ», 2005. С. 277–289).

³ В июле 1967 г. Злобинский переехал из Перловской, где его не смог разыскать Морозов, в Мытищи, жил по адресу: Мытищи-8, Юбилейная ул., 3, к. 3, кв. 64 (привожу его на тот случай, если потомки Злобинского отзовутся и сообщат что-то новое хотя бы для энциклопедической справки о нем).

⁴ *Мандельштам Н.* Воспоминания. М., 1989. С. 427–430; Перепеч.: *Мандельштам Н.* Воспоминания. М., 1999. С. 522–524.

⁵ *РГАЛИ. Ф.1893. Оп. 3. Д. 200.* В письмах от 11 и 28 января 1968 г. Злобинский, встретивший упоминание книги О.М. в издательском плане, просит Н.Я. об экземпляре, а в письме от 1 марта того же года благодарит за полученную книгу (очевидно, за «Разговор о Данте»).

⁶ *Там же. Д. 281.*

⁷ Об этом времени он написал 10–12-страничные записки, которые передал Эренбургу.

⁸ С подачи Крепса, он был бригадиром кухонной бригады еще во Владивостоке.

⁹ Злобинский запомнил, что его отец, чекист, сам погиб в Большой террор.

¹⁰ Его уникальное имя – Дадиомов – Злобинский вспомнить не смог, зато помнил его фаланги без отмороженных пальцев, как и то, что осужден он был за восхождение на Эльбрус с немцами.

¹¹ Отправлено с адреса: Московская область, Мытищи 141020, Юбилейная ул., 3, к. 3, кв. 64.

¹² Большая часть его письма – подробный рассказ о тех удивительных льготах, которыми пользовались в ГУЛАГе инвалиды: «...*При приеме в больницу была дискриминация в отношении ходячих больных нашей категории. <...> Я это наблюдал сам в 1938 г. в Читинской обл. и во Владивостоке, но с 1939 г. подули другие ветры – нас «без всяких» принимали в больницы любого ранга. Так было до самого конца пребывания моего в тех местах. Я сам провел 4(!) месяца в центральном госпитале в 1940–1941 гг. и 1 месяц в местной больнице в 1946 г. А с осени 1942 г. во много раз усилилось внимание инвалидам. Для них были сделаны повсеместно (по всем «епархиям» СССР) уменьшенные рабочие дни (по 8, 6 и 4 часов) с соответствующим уменьшением норм выработки. Летом 1941 г. нас – инвалидов и всех туберкулезников – собрали в один пункт и с 1942 г. до самого конца моего пребывания в нем (1946 г., осень) все туберкулезники и большая часть других категорий инвалидов получали систематически из месяца в месяц специальное больничное питание (трехразовое). «Вольняшки» нам с завистью говорили, что мы, т.е. инвалиды, питаемся лучше их. Все то, что я пишу (о питании), звучит невероятно, но так оно и было – я живой свидетель*» (заслугу установления такого либерального режима Злобинский относил на счет начальника лагеря Б. (предположительно – Б. Бялика).

ПЯТЫЙ СВИДЕТЕЛЬ
(ПЕРВЫЙ НЕОПРОШЕННЫЙ):
БОРИС РУЧЬЕВ VIA БОРИС СЛУЦКИЙ (1964)

Среди законспирированных информантов Н.Я. – один «физик» («Л.») и два поэта: «Д.» и «Р.». «Д.» – это Домбровский, а кто же «Р.»?

Довольно долго о нем было ничего не известно, кроме того, что его рассказ передал Н.Я. Борис Слуцкий, что произошло это скорее всего в 1964 или 1965 году (упоминание «Р.» успело войти в главу «Последняя дата»[1]) и что прямой контакт между Н.Я. и «Р.» не состоялся.

Н.Я. упомянула его в одном абзаце этой главы– и скорее даже не как свидетеля, а как образец мифотворчества:

> «Есть и рассказы "реалистического" стиля с обязательным участием шпаны.
>
> Один из наиболее разработанных принадлежит поэту Р. Ночью, рассказывает Р., постучали в барак и потребовали "поэта". Р. испугался ночных гостей – чего от него хочет шпана? Выяснилось, что гости вполне доброжелательны и попросту зовут его к умирающему, тоже поэту. Р. застал умирающего, то есть Мандельштама, в бараке на нарах. Был он не то в бреду, не то без сознания, но при виде Р. сразу пришел в себя, и они всю ночь проговорили. К утру О.М. умер, и Р. закрыл ему глаза. Дат, конечно, никаких, но место указано правильно: "Вторая речка", пересыльный лагерь под Владивостоком. Рассказал мне всю эту историю Слуцкий и дал адрес Р., но тот на мое письмо не ответил»[2].

Раскроем это инкогнито.

«Поэт Р.» – это Борис Александрович Кривощеков, по псевдониму Ручьев (1913–1973), которому Виктор Астафьев приписывает авторство классической песни про Ванинский порт[3]. Арестовали Ручьева в Златоусте 26 декабря 1937 года, а 28 июля 1938 года ему присудили «десятку» – срок, который он отбыл полностью, в основном в Оймяконе. Если летом-осенью 1938 года Ручьев задержался на владивостокской пересылке до конца навигации, то их встреча с О.М. более чем возможна.

Существует несколько иная версия ручьевского рассказа о встрече с Мандельштамом – менее мифологизированная, зато куда более правдоподобная. В ее основе – то, что Ручьев рассказал Юрию Георгиевичу Функу, старейшему врачу и краеведу Магнитки, а тот, в свою очередь и много позже, пересказал журналисту «Челябинского рабочего» Юрию Кормильцеву:

«Однажды кто-то из больничной обслуги крикнул мне: «Борька, с этапа прибыл какой-то Мандельштам. Он уже не встает. Все время бормочет стихи». Я мигом туда. Вижу – седой, бледный и худущий старик. Истощенный до невозможности. Обомлел я: ведь передо мною был сам Осип Мандельштам! Я схватил его руки – тонкие и прозрачные, как у ребеночка. Встал перед ним на колени. Наклонился к самому его уху и говорю: «Осип Эмильевич, здравствуйте! Я уральский поэт Ручьев». А он каким-то нездешним уже голосом чуть слышно шепчет: «Бессонница. Гомер. Тугие паруса. Я список кораблей прочел лишь до средины...» И умолк. А я, замерев, жду продолжения и слышу только жуткую тишину. Он что – забыл или отключился? «... сей длинный выводок, сей поезд журавлиный, что над Элладою когда-то поднялся», – продолжаю я прерванное стихотворение. Осип Эмильевич слабо пожал мне руку. А в эту минуту раздается: «Борька, где ты? Тебя Белый ищет!» Вскакиваю. Снова беру безжизненные руки

поэта, бережно пожимаю их. И мчусь к врачу, которому срочно понадобился зачем-то. Мандельштама я больше не видел, его увезли в другое место, где он и скончался, как мне сказали потом...»[4].

Если память Ручьева или память Функа ни в чем их не подвела, то встреча Ручьева с Мандельштамом состоялась скорее всего в самом конце ноября, когда поэт оказался в лагерной больнице.

---

[1] Наша датировка этого контакта 1964 годом – чистая условность, подчеркивающая то лишь, что попытка контакта с «поэтом Р.» предшествовала контакту с «физиком Л.».

[2] *Мандельштам Н.* Воспоминания // Собр. соч. В 2 тт. Т. 1. Екатеринбург, 2014. С. 477–478.

[3] Биографически это маловероятно, ибо на Колыму он попал еще в «до-ванинское» время.

[4] См.: *Кормильцев Ю.* «Я список кораблей прочёл лишь до средины...» (старейший краевед Магнитки Ю. Г. Функ о встрече на Колыме Бориса Ручьева с Осипом Мандельштамом) // Челябинский рабочий. 1998. 10 марта (благодарю А. Смолянского за помощь в ознакомлении с ее текстом).

ШЕСТОЙ И ГЛАВНЫЙ СВИДЕТЕЛЬ: «ФИЗИК Л.», ОН ЖЕ КОНСТАНТИН ХИТРОВ (1965)[1]

«Физик Л.»

В том же транспорте, что и Мандельштам, но в другом вагоне ехал 24-летний «физик Л.» – очевидец, с которым встречалась Надежда Яковлевна и чьи свидетельства она считала самыми достоверными и надежными из всех. Виделись они, вероятней всего, летом или осенью 1965 года, когда Надежда Яковлевна уже закончила «Воспоминания». Их заключительная главка «Еще один рассказ», – сжатый пересказ того, что ей сообщил «Л.», – смотрится в них как своего рода постскриптум, добавленный в последний момент.

Твердое желание «физика Л.» сохранить инкогнито более чем понятно[2]. В 1965 году, когда за спиной не было даже такой призрачной защиты от сталинизма, как Никита Хрущев, больше всего хотелось поберечься и не рисковать ничем.

Инкогнито «физика Л.» продержалось почти полвека – до ноября 2013 года!..

Конечно же, фамилия единственного физика в эшелонных списках привлекла мое внимание еще в 2001 году, когда списки были обнаружены.

> *«170. Константин Евгеньевич Хитров, 1914 г. р., физик, к.р. агит.».*

Мало того, К.Е. Хитров – один из тех немногих, сведения о ком отложились и в мемориальской базе данных; известен даже номер его следственного дела.

Но принятое на веру – и, как оказалось, напрасно – указание Надежды Яковлевны на то, что ее физик Л. был из Таганской, а не из Бутырской тюрьмы, уводило на ложный след и ни к кому не вело. Долгое время я думал, что Надежда Яковлевна вообще замуровала эту тайну: не был ее информатор физиком и фамилия его не начиналась на «Л.»! И что если мы что-то когда-то о нем и узнаем, то от смекнувших детей или внуков.

Оказалось, однако, что буква «Л.» действительно была намеренно неточной, а вот наводящие сведения о профессии своего собеседника Надежда Яковлевна сообщила правильно[3]. Просто и с ними ничего бы не удалось найти вплоть до 2011 года, когда средние учебные заведения Подмосковья компьютеризировались и – не все, но некоторые – даже обзавелись своими сайтами.

И вот его величество «Гугл» привел меня на сайт Фряновской вечерней (сменной) общеобразовательной школы[4], где я прочел:

«История школы – это история страны со всеми ее трудностями и достижениями. Вместе со страной пережили все ее беды и радости и учителя, работавшие в школе. В нашем архиве сохранились Книги приказов с 1951 года, когда директором школы была Клавдия Иосифовна Орлова, замечательный человек и педагог.

Более двадцати лет проработал в школе, ныне покойный, Константин Евгеньевич Хитров, где он был директором с 1966 по 1981 год. Во время его директорства о Фряновской «вечерке» часто писали в районной газете, так как школа рабочей молодежи постоянно занимала первые места в социалистическом соревновании среди вечерних школ села Трубино, поселка Монино, города Щелко-

во. На базе школы часто проводились районные семинары и совещания.

<…> Сам Константин Евгеньевич запомнился всем как мудрый наставник и прекрасный педагог. Он многому научил своих коллег, жил их заботами, помогал сотрудникам в трудные минуты их жизни. Талантливый математик и физик, Константин Евгеньевич был репрессирован 1938 году за выступление на молодежном диспуте в студенческие годы. После смерти Сталина его реабилитировали, и Хитров приехал во Фряново, где работал сначала учителем, а потом директорствовал. Его школу руководителя прошли многие директора школ: Т.А. Мартынова, Л.А. Деньгова, С.А. Шибалова, Е.В. Левина».

Физик, учитель физики! Репрессированный в 1938 году!.. Указанные на сайте контактные данные, однако, вели уже в никуда: означенную школу летом 2013 года ликвидировали, присоединив к Щелковской открытой школе. Скоро, видимо, не будет и самого сайта. Иными словами, Интернет приоткрыл нам лишь узенькую щелочку и на очень короткое время!

Но ниточка уже повила́сь, и я начал с указанного на сайте мобильного номера Любови Константиновны Черновой – последнего, как оказалось, директора этой школы. Сама она не знала Хитрова, но много слышала о нем как о замечательном педагоге и человеке. В разговоре с ней наметились точные импульсы и адреса дальнейшего поиска, наиболее многообещающими из них показались – и оказались – Щелковское районо (руководитель Татьяна Геннадьевна Кувырталова) и Фряновский краеведческий музей (главный хранитель Екатерина Евгеньевна Чернова).

Кстати, в оставшееся временно бесхозным помещение закрытой школы въехал именно этот музей. Уже в силу одного этого в нем обнаружилась небольшая коллекция материалов, связанных с Хитровым, – даже картина «Осень», написанная Хитровым, но не Константином, а Александром, его старшим братом, преподавателем живописи[5].

Константин Хитров до Колымы

Константин Евгеньевич Хитров родился 17 марта 1914 года в селе Спас-Клепики к северу от Рязани. Его отец – Евгений Михайлович – преподаватель словесности местной церковно-учительской школы, первый и любимый учитель поэта Сергея Есенина[6].

Репрессия у Хитрова – какая-то многоэтажная. Сажали его дважды – в 1936 и 1938 гг. и оба раза за антисоветскую агитацию, причем за одну и ту же[7]. Впервые его арестовали еще в 1936 году, 26 апреля. Он тогда проживал на подмосковной станции Окружная, улица Верхние Лихоборы, 32, и учился на первом курсе педагогического института.

Областной следователь Марков «шил» ему и еще троим студентам «профашистские разговоры» – «антисоветскую группу» и «антисоветскую агитацию», то есть статьи 58.10 и 58.11. Но другой следователь, младший лейтенант гб Смирнов, не найдя связи между Хитровым и остальными, 7 июня переквалифицировал его дело в отдельное производство № 578[8]. Зато само следствие он провел наступательно: трое свидетелей дали показания против Хитрова, пересказывая его речи на занятиях политкружка. Он-де сравнивал политику Гитлера, разрывающего государственные договоры, с политикой Ленина в 1918 году (свидетели Малявин и Шнейдерман), сетовал на малость стипендии и иронизировал по поводу слов Сталина о том, что жить стало веселей, зато очень хвалил Гитлера (свидетель Владимирский, повторивший это и на очной ставке с Хитровым). 10 июня дело Хитрова было передано Смирновым в спецколлегию Мосгорсуда. Однако суд, под председательством В.Ф. Подылова, состоялся 6 сентября 1936 года и, сочтя обвинение недоказанным, оправдал строптивого Хитрова!

Но 27 апреля 1938 года, ровно спустя два года и один день после первого ареста Хитрова, уже третьекурсника, арестовали вновь. Вбросив в следствие новых свидетелей (в частности, Трофимова и Кулакова[9]) и обвинения в террористических высказываниях в адрес руководителей партии и правительства, а также сопоставление договора между СССР и Монголией с гитлеровскими аннексиями, Хитрова на этот раз осудили.

Принимай работничка, Колыма!

На Колыме

На Колыме Хитров-младший отбыл не один, а целых три срока: самый первый – пять лет – истек 29 апреля 1943 года, второй – тоже пять лет – достался совсем легко, даже без суда: не спросив его мнения, страна просто оставила его, номинально свободного человека, на Колыме – в силу обстоятельств военного времени, а третий – и снова пять лет – ему впаяли в начале 1948 года.

О первой «пятилетке» он отозвался так – *«тяжелейшие года»*: *«Многих людей, ехавших сюда, как я, до меня, со мной и после, уже нет. Моя молодость и здоровье перебороли все тяжелое»*[10]. В какой-то момент способности недоучившегося учителя физики и математики были оценены, и Хитрова взяли на работу в бухгалтерию[11] механических мастерских Чай-Урьинского горнопромышленного управления в поселке золотодобытчиков Нексикан, что на правом берегу реки Берелех в Сусуманском районе (тогда – Хабаровского края). Ох, и суровые же это места – с чередованием вечного дня и вечной ночи, с морозами за 50 и даже за 60 градусов! Они вдохновили Хитрова на такое, например, описание колымской природы в одном из писем во Фряново:

«Сейчас 4 часа (у вас 8 часов утра) – уже вечер. Кругом однообразные сопки, покрытые снегом. Мороз настолько силен, что когда дышишь ртом, раздается какой-то звенящий шум, похожий на звук, издаваемый пустой стеклянной банкой, в которую дуют. Организация теплого жилья это основной вопрос на Колыме. Топящаяся печка – колымская поэзия. Зимой здесь даже звери не живут, волки и те убегают на юг <…>»[12].

О второй «пятилетке» сам Хитров пишет так:

«…С 1943 по 1948 год я работал по вольному найму в тайге, вдалеке от жизненных центров. <…> В военное время отсюда почти никого не отпускали, потом же я много раз настойчиво обращался к начальству с просьбами и требованиями об отпуске меня с работы и выезде в центральные районы страны. Мне все обещали; вот-вот едет замена. Весной говорят – поедешь осенью, осенью – в начале навигации следующего года. Меня обманывали, и, следовательно, я вас обманывал»[13].

Видимо, Хитров достал НКВД своими обращениями, и на него состряпали дело, надолго снимавшее вопрос об отпуске его *«с работы и выезде в центральные районы страны»*. Хитрова судили вместе с начальником крупного разведрайона за то, что они прикрыли начальника материально-хозяйственной части этого управления, ограничившись списанием с него причиненного ущерба и снятием с работы, но не передав дело в органы. По 109-й статье – злоупотребление служебным положением – партийному начальнику дали год, а беспартийному бывшему зэку – пять.

Всю свою третью «пятилетку» Хитров отработал бесконвойно, старшим или главным бухгалтером – первые два года в Сусуманской райбольнице, а третий – там же, в геолого-разведочном управлении. Заработок (примерно 750 рублей в месяц) рассчитывался в половину от оклада вольнонаемного, но на сравнительно нормальное питание этого хватало. Тем не менее в 1950 году Хитров тяжело болел – крупозным воспалением легких. От неправильной дозировки раствора хлористого кальция при уколе образовался некроз руки, долго не проходивший, но потом зажило.

С учетом всех зачетов за отличный труд пять лет «истекли» 12 сентября 1951 года, но необходимые бумаги из Магадана, понятное дело, задержались, и Хитрову пришлось еще раз зимовать на Колыме. Зиму он провел снова в Нексикане, устроившись по вольному найму в местное управление, где его хорошо знали и где жил его приятель, знакомый еще по институту.

Возможно, им был Борис Алексеевич Лозовой (6 августа 1915 года, Махачкала – 3 февраля 1976 года, Москва). Он учился в том же институте, что и Хитров, но на 2-м курсе литературного факультета. Как видно из его следственного дела[14], Лозовому шили участие в «боевой террористической группе» (или, в другом месте, в «эсеровской повстанческо-террористической группе»), готовившей теракт против руководителей партии и правительства. Какой именно? Выстрел из револьвера по Мавзолею на демонстрации 7 ноября 1937 года, осуществить каковой замысел помешал только свет прожекторов (это на дневной демонстрации!). В группу его завербовал ее руководитель – Б.Л. Розенфельд. Были у Лозового и отягчающие обстоятельства: арестованный (10 сентября 1937 года) отец да еще брат Юрий – строитель по профессии и эмигрант (стало быть, белоэмигрант).

В 1955 году Лозового реабилитировали, он со временем стал кандидатом педагогических наук, редактором издательства «Молодая гвардия» и действующим литератором – автором книг «Комсомольская поэзия» (1969), «Золотая Колыма» (1972), «Верность» (1974), «Азимут» (1981) и др.

С Лозовым и еще одним «колымским» другом – Цховребовым (о нем, кроме фамилии, ничего не известно) – Хитров иногда встречался, и тогда они, все трое, уединялись и предавались воспоминаниям.

После Колымы

Вернувшись из своей 15-летней «отлучки», Хитров некоторое время работал счетоводом и бухгалтером. Одновременно он восстановился на физико-математическом факультете Московского областного педагогического института. Доучившись и закончив институт с отличием, он был принят на работу во Фряновскую вечернюю школу рабочей молодежи. Лидер по характеру, он тем не менее был очень удивлен, когда в 1966 году его вызвали в Щелковское РОНО и предложили стать директором этой школы: в этой должности он проработал – и очень успешно – 15 лет.

Педагогами, впрочем, были и его близкие: сестра, Мария Евгеньевна, работала завучем Фряновской общеобразовательной школы, а жена, Мария Андреевна (1923–2005), учителем русского и литературы там же. Пока Хитров изучал Колыму, и его братья, и его будущая жена воевали: жена – в составе 38-й армии 1-го Украинского, позже 4-го Украинского фронтов она сражалась на Украине, на Курской дуге, освобождала Польшу и Чехословакию. У них родились двое детей: сын Александр и дочь Наталья. Сам К.Е. Хитров умер 12 июня 1983 года.

Человек он был твердый – в самых разных отношениях: волевой, резкий в оценках (настаивал на них), резкий в движениях, но в то же время парадоксально мягкий – доброжелательный и интеллигентный – в живом общении. Дочь усматривала в его характере черты борца и революционера: был очень самостоятельным, его не смущала ситуация, когда все смотрят в одну сторону, а он в другую.

Старожилы-учителя, вспоминая Хитрова, отмечали и его скрытность: интересный собеседник и интеллигентный человек, о себе он говорил редко, не любил фотографироваться и даже на общих школьных фотографиях отворачивался. Однажды с глазу на глаз учительница химии спросила его: «*За что посадили?*» – Он рассказал: «*За вопрос, заданный на лекции по истории в институте: "Чем по отношению к СССР сейчас является Монголия?"*». Увезли его в эту же ночь в 4 часа утра. На допросах не признавал вины и все не мог понять, за что, почему его арестовали, что такого особенного он спросил? А на суде он даже запустил чернильницей в прокурора!

Было ему тогда всего 24 года. А отсидел он (считая и жизнь в статусе номинально вольного человека) более 15 лет. Рассказывал, что в ссылке дружил с Туполевым (поддерживал с ним связь и после освобождения) и… **очень сдружился с одним поэтом**!

А с кем именно – не говорил!

Так что «инкогнито» тут было обоюдным и двусторонним.

Павел Смородкин и Петр Малевич

В письмах Константина Хитрова домой[15] дважды упоминается еще один эшелонный попутчик Мандельштама – художник Михаил Павлович Смородкин (3 июня 1908 – 3 сентября 1974). Константин знал его еще до ареста: Александр Хитров, старший брат, учился с ним во ВХУТЕМАСе. В 1937 году Смородкин работал вместе с Петром Малевичем художниками в издательстве «Сельхозгиз».

О том, в чем они оба «проштрафились», в декабре 1937 года зам. наркома внутренних дел СССР тов. Бельский писал лично товарищу Сталину:

> «*Произведенным расследованием о выпуске трестом школьных и письменных принадлежностей Наркоммест-*

прома РСФСР ученических тетрадей с обложками, в которых имеются контр-революционные искажения, установлено:

1. Художники СМОРОДКИН и МАЛЕВИЧ, выполняя штриховые рисунки с репродукций картин художников ВАСНЕЦОВА, КРАМСКОГО, РЕПИНА и АЙВАЗОВСКОГО, умышленно внесли в эти рисунки изменения, что привело к контр-революционному искажению рисунков, а именно:

а) в рисунке с картины ВАСНЕЦОВА «Песнь о вещем Олеге» СМОРОДКИН нанес изменения рисунка колец на ножке меча и рисунка ремешков обуви Олега. В результате получился контр-революционный лозунг – «Долой ВКП»;

б) при изготовлении штрихового рисунка с картины РЕПИНА и АЙВАЗОВСКОГО «Пушкин у моря» на лице ПУШКИНА СМОРОДКИНЫМ нарисована свастика;

в) штриховой рисунок с картины художника КРАМСКОГО «У лукоморья дуб зеленый» делал художник МАЛЕВИЧ, который у воинов, лежащих на земле, нарисовал красноармейские шлемы и произвольно изобразил вместо четырех воинов – 6;

г) свастика на безымянном пальце ПУШКИНА, в рисунке с картины художника ТРОПИНИНА Портрет ПУШКИНА нанесена уже при печатании в типолитографии «Рабочая Пенза» на готовое клише;

2. Не смотря на явное контр-революционное искажение в рисунках, они все же были одобрены к печати ВОЛИНЫМ и были завизированы уполномоченным Главлита БУДАНОВЫМ.

3. Клише изготовлялись в цинкографии «Правда» и разосланы 12-ти типографиям Наркомместпрома и 4-м бумажным фабрикам Наркомлеса.

4. Печатание обложек с этими клише производили с февраля по сентябрь 1937 года. Общий тираж выпуска составляет около 200 миллионов тетрадей (в этот тираж входит вся серия тетрадей, выпущенных к пушкинскому юбилею).

Наши мероприятия:

1. Из всех типографий, печатавших тетрадные обложки с контр-революционными искажениями, изымается клише.

2. Арестовываем основного виновника контр-революционных искажений СМОРОДКИНА Михаила Павловича, 1908 г. рождения, беспартийного.

3. Пензенский Горотдел проводит расследование по типо-литографии «Рабочая Пенза».

В силу того, что по сообщениям ряда УНКВД имеются в продаже такие тетради (в миллионах экземпляров) просим разрешить вопрос о дальнейшей продаже тетрадей, имеющих обложки с контр-революционными искажениями»[16].

Так или иначе, Смородкин был арестован в 1938 году и попал в один эшелон с Хитровым и Мандельштамом. Хитров искал его на Колыме, но не нашел, а осенью 1941 года из дому ему написали, что Смородкин жив и находится в лагерях на Алтае (по всей вероятности, его комиссовали еще во Владивостоке, где Смородкин схлопотал воспаление легких и лишился части левой, отмороженной, ступни, и направили, как и Моисеенко, в Мариинск)[17]. Всю последующую жизнь он сильно хромал, ходил всегда с палкой.

В феврале 1945 года участвовал в 6-й краевой выставке в Барнауле, посвященной 27-й годовщине Красной Армии. В 1946 году в ссылке в Бийске, художник местного драматического театра. В 1955-м – главный художник Государственного Русского драматического театра им. Ленинского комсомола Белоруссии, а с 1957 года – главный художник Калининградского областного драматического театра.

Умер М.П. Смородкин в 1974 году, похоронен на Калининградском городском кладбище[18]. В театре его еще долго вспоминали, а в 1998 году – к 90-летию со дня рождения – провели вечер его памяти.

По характеру был он человеком тихим и мягким, но все же не смиренным. Он сам предложил своей жене – художнице и красавице Татьяне Григорьевне Коцубей (1915–1996) – не ждать его с Колымы, а развестись и начать новую жизнь. И все же он очень переживал, когда она его «послушалась» и именно так и сделала[19]. Сам он позднее тоже женился, но детей во втором браке не было.

Отношения с бывшей женой и дочерью Светланой (р.1933) сохранялись, но поддерживались на минималистском уровне – ни переписки, ни непременных встреч при редких наездах в Москву. Особенно страдала от этого дочь, признававшаяся, что всю жизнь чувствовала себя очень обделенной.

Что касается Петра Малевича (2 сентября 1904 – 9 января 1969), то его арестовали 17 февраля 1938 года за «контрреволюционную работу и подозрения в шпионской деятельности». Постановлением ОСО при НКВД от 2 июня 1938 года «за контрреволюционную агитацию» был приговорен к пяти годам ИТЛ. Заключение отбывал в Каргопольском ИТЛ в Архангельской области. 11 февраля 1940 года его дело было пересмотрено и прекращено, а сам Малевич освобожден[20].

После освобождения Смородкина и Малевича виделись они и Александр Хитров довольно редко, поскольку Смородкин не вернулся ни в Москву, ни в Подмосковье. Но однажды, сговорившись, они втроем целое лето расписывали церковь в Касимове на Оке. К радости всех троих, но в особенности Малевича – заядлого рыбака…

Письма с Колымы

К.Е. Хитров – Варваре Николаевне (вероятно, соседке) 23 июня 1943 г.[21]

Уважаемая Варвара Николаевна!

29-го Апреля с/г у меня кончился срок договора с организацией, в которой я работал в течение пяти лет и теперь я имел бы возможность держать постоянную связь с интересующими меня лицами, но посланные в начале мая и июня четыре телеграммы на разные адреса моих родственников остались на сегодня без ответа.

Последние письма я получил от сестры Марии и Ольги Александровны, писанные ими в августе 41 года. В них сообщали мне, что все три моих брата находились в действующей армии: Александр на южном фронте, Боря и Юрий на западном, что Мария живет и работает около Москвы, Ольга Александровна и Антонина Васильевна эвакуированы в Куйбышевскую область. О маме ни та, ни другая не обмолвились ни словом. Где она, что с ней – меня это беспокоит и мысли, «не умышленно ли о ней умолчали?», не покидают.

Война, начавшаяся два года назад, еще в то время разбросала в разные стороны всех моих родных и что было с ними тогда, все ли живы и здоровы были? Но с тех пор прошло уже два года. Что за это время могло случиться, страшно подумать. Моя неосведомленность о судьбах близких мне рождает мучительные предположения, не дающие душевного покою.

Перебирая в своей памяти всех своих, к которым я мог бы обратиться с просьбой о помощи мне в установлении адресов моих родных, я решил написать Вам, надеясь, что Вы не оставите мою просьбу без внимания, наведете где нужно справки и сообщите мне.

Я работаю старшим бухгалтером центральных механических мастерских Чай-Урьинского горнопромышленного управления. Считаю это временным, как и дальнейшее пребывание на Колыме, хотя возможности выезда в свои края пока нет. Все зависит от военной ситуации. Буду верить в хорошее окончание войны и скорую встречу со всеми родными и знакомыми.

Варвара Николаевна, еще раз прошу оказать мне содействие с адресами, сообщить мне хорошее и плохое, действительность как она есть, не умалчивая ни о чем, что Вам известно.

Мой адрес; Поселок Нексикан Хабаровского края ЦРММ ЧУГПУ Хитрову К.Е.

23\VI – 43 г. Хитров

К.Е. Хитров – Н.И. Хитровой и М.Е. Хитровой
27 июля 1943 г.[22]

Дорогие мама и Маруся!

Вчера для меня был несказанно счастливый день. Я получил одновременно Ваше письмо и Шурину открытку.

Более пяти лет я имел от вас отрывочные и случайные сообщения о себе и ровно два года абсолютно никаких известий. Последний раз я читал Марусино и Ольги Александровны августовские письма 41 года, сообщавшие мне, что все братья на фронте, Маруся в Щелковском районе, Оля и Тоня эвакуированы и не слова о маме. Это было осенью 1941 года. А наступившая мрачная действительность не предвещала, кажется, ничего хорошего. Оставшиеся без ответа несколько моих к вам телеграмм постепенно настроили меня на грустные мысли и воображение мое рисовало страшную картинку. Что могло случится за эти два года с вами? Останется ли кто жив из близких мне? Подобные мысли не покидали и сверлили меня. Я уже как бы смирился с самыми худшими думами о вашей судьбе. А как же иначе? Что бы вы подумали о судьбе Бориса, не получив от него вести с января месяца по сей июль, зная, что он оборонял Сталинград? А я от вас все-таки тысяч тринадцать километров. Справки наводить трудно, да мое тогдашнее положение!

К моему счастью действительность жизни оказалась умней моей логики. Как сложится все дальше, трудно сказать. Буду надеяться на хороший исход войны; это вселяет в меня известную бодрость. Вы же себя берегите, меньше подвергайтесь опасностям.

Если бы вы знали, как мне хочется увидеть вас всех, расспросить о многом и самому кое-что рассказать.

Ведь я ждал 43 год как год встречи с вами, а будет ли он таким? Полагаю, нет.

Вот уже три месяца как я живу несколько по-иному предшествующего. Работаю в центральных ремонтных механических мастерских Чай-Урьинского горно-промышленного управления ГУСДС на должности заместителя главного бухгалтера, считаю эту работу временной как и свое пребывание на дальнем севере.

С 1-го августа буду проходить военную подготовку. За все это время, конечно, я отстал от многого. Что знал, забыл, нового не изучал.

Здоровье мое, конечно, не то, что было раньше, но и уж не такое, чтобы жаловаться на него. Во всяком случае, я уже чувствую, что у меня есть сердце, легкие, а раньше я их как-то не замечал.

Михаила Смородкина потерял в 1939 году.

Жизнь у меня скучная и неинтересная. Мог бы рассказать многое, но именно рассказать, а не описать. Отложу все до встречи с вами.

Почему вы не пишете подробностей обо всем? Куда ранили Бориса? В каком чине Шура? Пришлите фотокарточки кого можно [скорей].

27\VII – 43 года

Мой адрес: Нексикан Хабаровского края ИРММ Хитрову

К.Е. Хитров – О.А. Хитровой[23]
18–20 ноября 1943 г.[24]

Дорогая Оля!

Три месяца назад получил два письма: одно от мамы и Маруси и второе от Шуры. На днях от них всех опять получил; дошло и твое письмо. Я уже привык годами не получать ни от кого известий, а тут сразу кучу писем; как-то даже непривычно.

Скажу прямо, что за два года потери всякой связи с вами, за эти два года, унесшие с собой жизни огромных людских масс, меня не покидали самые худшие мысли о судьбе вас всех и особенно братьев. Я приготовил себя ко всему. И вот вести из дому, – все живы.

Это самое лучшее известие, которое только может быть в наше время. Делясь своей радостью со знакомыми мне все в один голос говорят, что это счастье и случайность. Да, это так, но покуда события не затухают рано говорить о счастье.

У меня пока положение складывается так, что приходится быть только наблюдателем всех крупных событий, если не считать напряженную работу в течение всего этого времени, сопряженную с известными ограничениями во многом, вызванными этими событиями, и моим особым положением, в котором я находился пять лет.

Как долго мне придется быть обитателем «далекого Севера» – трудно сказать. Может быть, не так скоро буду иметь возможность выехать на «материк». Во всяком, одного моего желания в этом отношении слишком мало.

Твои сообщения о том, что Михаил Смородкин выехал с Колымы и живет на Алтае меня несколько удивили. Я его разыскивал здесь, наводил справки, но все безрезультатно. Как он сумел добиться выезда? Может быть, по состоянию здоровья ему разрешили выезд? Ведь он в 38 году поморозил левую ногу и ему делали несколько операций; опасаясь гангрены, пришлось часть ступни ампутировать. Одновременно с этим он болел сильно воспалением легких. Все это меня минуло.

А природа здесь сурова. Морозы зимой, как правило, 50, 60 и больше градусов. Начинается зима в сентябре, и кончается в мае. Круглосуточный день сменяется почти круглосуточной ночью. Вот хотя бы сегодня; несмотря на безоблачный день, солнце не было видно. Оно где-то бродило за сопками.

Сейчас 4 часа (у вас 8 часов утра). – уже вечер. Выкатилась большая холодная луна. Кругом однообразные сопки, покрытые снегом. Мороз настолько силен, что когда дышишь ртом, раздается какой-то звенящий гул, похожий на звук, издаваемый пустой стеклянной банкой, в которую дуют. Организация теплого жилья – это основной вопрос на Колыме. Топящаяся печка – колымская поэзия. Зимой здесь даже звери не живут; волки и те убегают на юг, боясь холодной и голодной здешней зимы.

Но я несколько свыкся – ведь шестую зиму переживаю. А теперь я уже в другом положении, чем прежде, и суровость климата менее опасна старшему бухгалтеру предприятия, сидящему в помещении у печки, чем забойщику, ковыряющему вечную мерзлоту.

Жадно слежу за военными событиями. Голос диктора радиостанции из Москвы, издаваемый моим приемником особенно приятен, когда он сообщает о взятии Киева нашими войсками. Это большой и красиво преподнесенный подарок к празднику.

Как себя чувствует Борис после ряда ранений? Очень хочется дожить до встречи со всеми вами. Здорова ли мама?

От Бориса и Юрия не получил ничего. Передавай привет братьям, маме, Марусе, Тоне с Эллой и всем знакомым.

18\. 11 – 43 г.

Ты говоришь, что сын у тебя капризен и нос картошкой. Это все в порядке вещей. Капризность, полагаю, ликвидируется соответствующим воспитанием, а нос предоставь самому себе. Я не думаю, что было бы лучше, если он был бы, скажем, сливой или грушей или как у Гоголя «вместо носа, пустое гладкое место».

Шура мне писал, что ты сожалеешь о невозможности разведения огорода на асфальте улиц Москвы, я же в тайне тревожусь, что мне придется быть может еще долгое время пожить там, где улиц не асфальтируют и где только и придется заниматься огородом.

20\11 – 43 г.

<4>

К.Е. Хитров – Н.И. Хитровой и М.Е. Хитровой
31 июля 1951 г.[25]

Милые мама и Маруся, за тринадцать лет моего нахождения на Колыме я вам писем почти не писал и ограничивался ежегодной посылкой коротких телеграмм о том, что я здоров.

Я несколько раз вам сообщал, что скоро встретимся, скоро отсюда выеду. Но вся жизнь сложилась не так как я думал устроить.

Первые пять лет моего пребывания здесь были тяжелыми годами. Многих людей, ехавших сюда как я, до меня, со мной, после меня, уже нет. Моя молодость и здоровье в то время перебороли все тяжелое.

Вторые пять лет с 1943 по 1948 год я работал по вольному найму в тайге, вдалеке от жизненных центров. Работал главным образом в геолого-разведочных районах главным бухгалтером и т.п. В военное время отсюда почти никого не отпускали, потом же я много раз настойчиво обращался к начальству с просьбами и требованием об отпуске меня с работы и выезде в центральные районы страны. Мне все обещали; вот-вот едет замена, весной говорят поедешь, осенью, осенью – в начале навигации следующего года. Меня обманывали, и, естественно, я вас обманывал.

В начале 48 года я снова получил 5 лет лагеря. Пусть это вас не удивляет. Подробно излагать суть дела сейчас не буду, скажу только одно – с пятью годами сейчас в лагерях почти нет – единицы. Вы сами наверно знаете, что достаточно малейшего нарушения, так сказать, как дают 10–15, а чаще и больше, особенно нам, бывшим, и особенно здесь. Меня судили вместе с начальником крупного разведрайона за то, что мы не передали в судебно-следственные органы дело на начальника материально-хозяйственной части нашего разведрайона по недовозу ценностей из Магадана и ограничились взысканием с него причиненного ущерба и снятием с работы. За это привлекли нас. Дали 109 статью – «злоупотребление служебным положением» и принимая во внимание партийность и то, что начальник договорник дали условно год и принимая во внимание мою прошлую «судимость», дали 5 лет.

Отбываю этот срок иначе и не похож на первый. Работаю по специальности. Кроме того, с 1948 г. в лагерях Дальстроя введены зачеты рабочих дней. Их дают только за отличную работу. Я ими пользуюсь и рассчитываю через 1–2 месяца освободиться. Точно сказать не могу, будет зависеть, сколько дадут зачетов за II ой квартал, июль и август (запаздывают с утверждением). Речь идет о конце сентября либо октябре месяцах. Ограничений в выезде, полагаю, иметь не буду. Люди освобождаются и выезжают. Так, думаю, поступлю и я.

Когда я работал по вольному найму, у меня были небольшие сбережения, нужные мне к выезду. Потом все это пропало. Я особенно не сожалею, лишь бы отсюда выехать здоровым. Когда я получил эти пять, меня сразу же по наряду затребовали в районную больницу на работу старшим бухгалтером. Там я работал ровно два года и потом меня передали работать в само управление, где и работаю поныне. Больница и управление находятся в пос. Сусуман. Этот поселок большой, является центром промышленных предприятий управления, расположенных от 3х до 350 клм.

Хожу бесконвойно, имею на руках пропуск. Питаюсь нормально, покупаю на свой заработок продовольствие.

Заработок здесь определяется заработком или должностным окладом вольнонаемного (в данном случае 1500 рублей) помножено на 0,5. Из этих 0,5 производятся вычеты налогов и стоимости довольствия и услуг. Вообще, я в него укладываюсь вполне.

На Колыме договорники и военные пользуются большими льготами. Через каждые 6 месяцев получают надбавки в размере 10 проц. к окладу. Проработал 5 лет – получает два оклада ежемесячно помимо больших отпусков, вознаграждений и прочих доплат. Такими льготами пользуются только договорники, к «лицам, нанятым на месте», это не относится и, скажем, первая 10 проц. надбавка на меня (если я останусь работать), возникнет только через 4 года.

Этот отрезок времени я вам не сообщал о себе, боясь вас расстроить, а теперь, когда уже заканчиваю срок, я пишу, как оно есть. Полагаю и надеюсь, что в этом году со всеми вами встречусь.

В прошлом году в мае м[есяце]це я болел крупозным воспалением легких. Здоровье стало хуже. Усугублялось еще тем, что когда я стал выздоравливать, мне назначили курс внутривенного и потом подкожного вливания хлористого кальция для поддержки организма. И вот, я уже принимал подкожное вливание 0, 5 проц. раствора хлор. Кальция, как по ошибке мне в левую руку выше локтя влили вместо 0,5 проц. – 10 проц. У меня образовался некроз – омертвение ткани руки. Я боялся, что у меня отрежут руку, но принимал все возможное, чтобы избежать этой неприятности и с июня прошлого года по конец апреля нынешнего я ходил с завязанной рукой, не имея возможности ее поднять.

Теперь же это в прошлом и рука здорова вполне. Осталось только темное на ней пятнышко.

Вы мне писали, что у Маруси не важно со здоровьем, гипертония. Эту болезнь я знаю. Работая в больнице, я стал в совершенстве разбираться в диагнозах и характерах болезней.

Пусть Маруся чаще проверяется на давление. Средство хотя и не исчерпывающее, но и понижающие таблетки есть.

На Колыме очень многие подвержены гипертоническим заболеваниям. Здоровый на «материке», становится больным, как только ступит на колымскую землю. Здесь, видимо, сказывается относительно высокая местность и суровость климата.

Прошлая зима была особенно сурова. Такую я помню только в 38–39 году. Достаточно сказать, что с конца ноября по март м-ц морозы в Сусумане были выше 50 градусов. Все время и доходили до –63.

Правда, работая в разведке в районе мирового полюса холода около якутского поселка Аймякона, я переживал 90-градусный мороз, но он был не страшен тем, что продолжался 2–3 дня и потом теплело. Это лучше, чем вся зима без отдышки сурова.

За все время на Колыме я не ходил в шубах и пальто. Здесь принято носить телогрейку, вот я ее носил и ношу, валенки, а ватные брюки не надевал с 1943 года. Конечно, это не значит, что я акклиматизировался – нет. Работаю в тепле, а на ходу не мерзну.

Буду работать на «материке» – буду одеваться.

Посылаю вам свою фотографию. Она не дает полного портрета. В действительности я очень худой, высокий, на голове осталось мало волос, а оставшиеся серебрятся сединой. Что у меня плохо, это с зубами. Ношу искусственные, к тому же плохо сделанные. Сказывается цинга, которая все время за тобой ходит, да и возраст уже наверное. Посылку, которую посылали вы через Шуру я получил. Большое спасибо. Больше мне не высылайте. Кстати, вы думаете, видимо, что я полный мужчина, купив шелковую сорочку с воротничком 42-го размера. Мне подходят 38 размеры.

Я заканчиваю писать. Пожить мне хочется настоящей жизнью, и я надеюсь, что все устроится.

Не знаю ваших порядков теперь. Вряд ли мне удастся жить около Москвы, во всяком случае первое время, но если выеду в этом году, то сразу приеду к вам.

Всего хорошего, желаю здоровья. Пишите обо всем. Как и где живут Борис и Юрий с семьями? Передавайте им привет от меня.

31\VII. 51 г.

К.Е. Хитров – Н.И. Хитровой и М.Е. Хитровой
4 декабря 1951 г.[26]

Милые мама и Маруся!

Я вам сообщал телеграфом, что закончил свой срок 12го сентября. Сразу же подал заявление о желании уехать с Колымы. Мне ответили, что пошлют запрос в Магадан, где хранятся старые архивные документы и оттуда должны через месяц – два дать указание о возможности моего выезда. После освобождения меня просили остаться работать по вольному найму на той же работе, в том же учреждении. Я согласился с условием, что меня не будут задерживать, если придется ехать. До середины ноября ответа не было, но я с 15/XI все же взял расчет с работы. Полагал, что вот-вот придет разрешение, а мне с передачей дел и всякого рода оформлениями надо будет потерять неделю, а время такое, что навигация заканчивалась. И вот сейчас в 4ое декабря, а ответа до сих пор нет, и я с 15/XI уже не работал. Теперь придется ждать весны. Решил дня через три устраиваться снова на работу. Из освободившихся некоторые на «материк» не едут, боясь, что там на них снова наложат репрессию. Некоторые выехавшие, не побыв даже и нескольких дней, снова очутились или на Воркуте, в северных местах Красноярского края и даже обратно на Колыме, только уже как ссыльные или спецпоселенцы. Эта метаморфоза очень нежелательна как, вообще говоря, и не нова.

Многих отъезжавших последнего года я и мои знакомые здесь просили писать нам: как они будут жить там, какое положение с местожительством, как с работой и т.д., но почти никто не пишет. Приходится жить на догадках и некоторых сведениях от приезжающих с «материка» из отпуска. Может быть, вам известно, что о судьбах людей, прибывших из наших мест? Это для меня очень важно. У меня очень большое желание увидеться с вами всеми и показать себя, но я не должен не считаться с обстоятельствами.

Так или иначе, но для меня весьма важно получить разрешение на выезд. Вы могли бы мне помочь с разрешением на выезд. Моим братьям может быть и неудобно ходатайствовать, но ты, мам, могла бы написать, скажем, в МВД, или Дальстрой (Спецотдел ЦТЛ гор. Магадан) и требовать возврата сына.

Колыма верна себе. Морозы уже стоят в 50 градусов и больше. Хочу попробовать на работу устроиться в Нексикане, это от Сусумана 25 клм. Там геолого-разведочное управление. В Нексикане у меня есть хороший приятель. Знакомы с ним еще по Московскому институту. Приехал сюда он в 1938 г. Он женился на зубном враче поликлиники в Нексикане. Растет хороший сын. Я у него бываю.

Там или в другом месте на работу я поступлю без особых затруднений. Меня в этих краях знают как работника и специалиста. Мне только хотелось устроиться там, где приличные бытовые условия. Надоело жить кое-где, и как-нибудь.

Купил себе приличный костюм и валенки. Вследствие ограниченности в выборе пришлось костюм купить большего размера, чем надо. Буду перешивать. Хочу купить и пальто. Но пока их не купить [нрзб].

От вас получил деньги на вылет 500, еще раз 500 и 300. Все эти деньги положил на сберкнижку и они целы. При благоприятных условиях возможно, что они и пойдут по назначению – на вылет.

Если удастся устроиться работать в Нексикане – займусь зубами по-настоящему: старые долой и делать протезы.

Где буду жить и как напишу с устройством на работу.

Посылаю маленькую фотографию. Этот снимок был в день освобождения.

Какие у вас дела, здоровье? Бывают ли во Фряново братья? Как они живут?

Я уехал от вас почти 14 лет назад, и столько же вас не видел. Прислали бы свои фотографии, посмотреть на вас. Но пока до свидания. Пишите по адресу:

Сусуман Хабаровского края до востребования

4\XII – 51 г.

<Документ 1>

Начальник секретариата 1 управления ГУСДС МВД СССР ст. лейтенант Рыжов – начальнику УМГБ на Дальстрое полковнику Желтухину.

14 марта 1952 г.

МВД СССР

1 Управление

Главного Управления

Строительства

Дальнего Севера

Секретариат

«14» марта 1952 г.

№ х-4

Гор. Магадан

Начальнику УМГБ на Дальстрое

полковнику – тов. Желтухину

Копия: Московская область, Щелковский район

пос. ФРЯНОВО ул. Советская д. № 12

тов. Хитровой Н.И.

При этом направляю заявление гр-ки ХИТРОВОЙ Н.И. с просьбой разрешить выехать на «материк» ее сыну ХИТРОВУ К.Е.

Приложение: по тексту на 2-х листах

Отп. 3 экз.	НАЧАЛЬНИК СЕКРЕТАРИАТА 1 УПРАВЛЕНИЯ
1–2 – адресатам	ГУСДС МВД СССР – СТ. ЛЕЙТЕНАНТ – (РЫЖОВ)

3 – в дело
Исп. Рейвитис
14. III. 52 г.
ст.

<Документ 2>

Начальник Отдела найма и увольнения «Дальстроя» МВД СССР – Н.И. Хитровой.
12 мая 1952 г.

Союз Советских Социалистических Республик
МИНИСТЕРСТВО ВНУТРЕННИХ ДЕЛ
ГЛАВНОЕ УПРАВЛЕНИЕ
Ордена Трудового Красного Знамени
Строительства Дальнего Севера
«ДАЛЬСТРОЙ»
Отдел найма и увольнения
12. V. 1952 г.
№ 51/4 – 5141
г. Магадан, Хабаровского края

Куда Московская обл., Щелковский р-н
пос. Фряново ул. Советская д.12
Кому Хитровой Наталье Ивановне
Ваше заявление (письмо, жалоба), поданное на имя Начальника УМВД по ДС направлено на рассмотрение в Отдел найма и увольнения Дальстроя МВД СССР, г. Магадан

Сообщаем, что Ваше Заявление направлено на рассмотрение в отдел кадров ЗГПУ пос. Сусуман, откуда Вам и следует ожидать результата.

Вх. 7405/с   *Начальник отд. Отдела найма*
Дело 31/78   *и увольнения Дальстроя МВД СССР*
Ст. инспектор

<Документ 3>

И.о. зам. начальника Главного управления «Дальстроя»
МВД СССР Гороховацкий – Н.И. Хитровой.
11 июня 1952 г.

СССР
Министерство Внутренних Дел
ГЛАВНОЕ УПРАВЛЕНИЕ
Ордена Трудового Красного Знамени
Строительства Дальнего Востока «ДАЛЬСТРОЙ»
СВИТЛ <нрзб.>
(наименование управления)
исп.вх. № X – 12

гр-ке ХИТРОВОЙ Наталье Ивановне
Советская, 12
пос. Фряново Щелковского р-на Московской области

Отдел кадров
№ 51\34 – 1855
На ваше письмо сообщаю, что Ваш сын ХИТРОВ «11» 06 52 Константин Евгеньевич нами будет уволен с выездом К Вашему месту жительства с открытием морской навигации летом 1952 года.

Исп. Козин   И.О. Зам. Начальника Управления
по кадрам   (ГОРОХОВАЦКИЙ)

¹ Письма и фотографии К.Е. Хитрова и М.П. Смородкина предоставлены их дочерьми, Натальей Константиновной Мельниковой и Светланой Михайловной Смородкиной, а также Дмитрием Игоревичем Малевичем, внуком П.Х. Малевича. Автор сердечно благодарит: Т.Г. Кувырталову, Е.Е. Чернову и Л.К. Чернову – за помощь в идентификации «физика Л.»; Н.К. Мельникову, М.А. Хитрова, С.В. Мироненко, Д.Ч. Нодия и Л.А. Роговую – за помощь в сборе материалов о К.Е. Хитрове; И. Арскую, М.Я. Буткеева, Г.Р. Злобину, Н.Ю. Катонову, Н.Е. Клеймана, Д.И. Малевича, Н.М. Молеву, Т.А. Ренде, А.Д. Сарабьянова, С. Сафонову, С.М. Смородкину, В.В. Сухова, М.А.Хитрова и И. Чувилина – за помощь в сборе материалов о М.П. Смородкине и П.Т. Малевиче. Особая благодарность – Г. Суперфину, чьи остроумные догадки и советы позволили уточнить множество деталей в биографиях этих художников.

² Об этом же просил Эренбурга в феврале 1963 года (то есть еще при Хрущеве!) и Д.И. Злобинский.

³ В одном из датированных 1966 годом набросков Н.Я. видна попытка сретушировать и это: «Л.» там не «физик», а «инженер», к тому же уже «покойный» (*РГАЛИ. Ф. 1893. Оп. 3. Д. 108. Л. 26*).

⁴ См.: http://smenschool.edusite.ru/p8aa1.html

⁵ У К. Хитрова была старшая сестра Мария (1902 г.р.) и трое старших братьев – Александр (1904 г.р.), Борис (1905 г.р.) и Юрий (1910 г.р.).

⁶ В есенинском музее в Константиново выставлен первый сборник «Радуница» с дарственной надписью Хитрову-старшему.

⁷ Сохранились и два следственных дела: *ГАРФ. Ф. Р–10035. Дело П–839 и П–49535* (соответственно, за 1936 и 1938 гг.).

⁸ Во время следствия коллективное дело имело № 361.

⁹ Несловоохотливый К.Е. Хитров рассказывал членам своей семьи, что у одного из стукачей был и личный мотив: оба ухаживали за одной и той же девушкой.

[10] В письме родным от 31 декабря 1951 г.

[11] Сначала старшим бухгалтером, потом заместителем главного бухгалтера.

[12] Из письма родным от 19 ноября 1943 г.

[13] В письме родным от 31 декабря 1951 г.

[14] *ГАРФ. Ф. Р-10035. Дело № П-22721 в пяти тт. Т.1.*

[15] Сохранились у дочери.

[16] Со ссылкой на: *ЦА ФСБ. Ф. 3. Оп. 4. Д. 79. Л. 380–382.* Опубликовано в: http://therese-phil.livejournal.com/4291.html# Узнав об этой истории, внук П. Малевича написал в электронном письме: «…*Я знаком с технологией, которой пользовались художники-графики в издательствах в то время. Пока дед был жив, он мне показывал и рассказывал, как делаются книги. В том числе и рисунки в них. Вкратце опишу старинный, трудоёмкий способ получения графического изображения для последующей печати рисунка в книге. Берётся фотография, которую необходимо превратить в графический рисунок. Художник тончайшим пером под лупой несмываемой тушью обрисовывает контуры изображённых людей и предметов. Далее он формирует тени и полутени на изображении с помощью более или менее частого заштриховывания. Это графическая сеточка. Сейчас такое можно увидеть, например, на деньгах. На долларах, при проведении ногтем по воротнику Президента США, эту графическую сеточку можно даже почувствовать. «Лишние» детали при таком способе исполнения рисунка не возникают практически никогда. Но если и возникают, то не специально с вражескими целями, а только для того, чтобы графический рисунок в каком-то незаштрихованном месте не потерял выразительность, не появилась бы «белая пустота». После завершения рисунка, эту «модифицированную» фотографию помещают в раствор отбеливателя – красной кровяной соли. Металлическое серебро фотографии, которое формировало чёрно-белое фотоизображение, смывается. Затем фотографию промывают и «осветляют» в рас-*

творе сульфита натрия безводного, так как после красной кровяной соли фотобумага перестаёт быть белой. В итоге мы получаем графический рисунок пером на белой бумаге, пригодный для дальнейшего использования в технологическом процессе издательства. Арестовать и осудить художников за графическую сеточку – это за гранью моего понимания».

[17] См.: Выставки советского изобразительного искусства. Т. 3. 1941–1947 гг. М.: Сов. Художник, 1973.

[18] На похороны ездил Шура Хитров.

[19] Счастья ей это не принесло, с новым мужем они вскоре разошлись.

[20] Сообщено С. Ларьковым на основании архивной справки ГАРФ от 4 мая 2010 г. (Ф. *Р-10035*. Дело № П-47226).

[21] Конверт не сохранился. Имеется штамп штампа: «Просмотрено военной цензурой. Магадан».

[22] Конверт: «Фряново Щелковского района Московской области. Хитровой Марии Евгеньевне. // Нексикан Хабаровского края. ЦРММ. Хитров К.». На конверте штемпель: «17.9.1943» и два штампа: «Просмотрено военной цензурой. Магадан» и «[Цензор] № 345. Нексикан. Хабаровск. кр.».

[23] Жена старшего брата.

[24] Конверт не сохранился.

[25] Конверт не сохранился.

[26] Конверт: «Авиапочта. Фряново Щелковского района Московской области. Хитровой Марии Евгеньевне. // пос. Сусуман Хабаровского края. Хитрову К.Е.». На конверте штемпель получателя: «Щелково Моск. Обл. 27.12.1951».

СЕДЬМОЙ И НЕ СЛИШКОМ УБЕЖДАЮЩИЙ СВИДЕТЕЛЬ: ФИЛИПП ГОПП (1966, 1978)

1

Среди записей Н.Я., обнаруженных в последнее время в ее архиве, есть свидетельство о посещении ею летом 1966 года Филиппа Ильича Гоппа (1906–1978):

> *«Сейчас поток людей, встречавшихся с Мандельшта-*
> *мом в пересыльном лагере, резко уменьшился. Они выми-*
> *рают. Умер уже и Казарновский[1], и инженер Л., с кото-*
> *рым О.М. переносил камни[2]. Легенды продолжают созда-*
> *ваться, но их приписывают людям, которые уже успели*
> *умереть. Свидетелей не остается.*
>
> *Сохранились считанные единицы переживших колым-*
> *скую и вообще восточносибирскую ссылку. Но всё же на днях,*
> *в июне 1966 года, я снова разговаривала с человеком, кото-*
> *рый утверждает, что Мандельштам умер у него на руках.*
>
> *Ослепительно чистая однокомнатная квартирка*
> *в «хрущевских домах» на окраине Москвы. С балкона уже*
> *виден жидкий подмосковный лесок: город обрывается пе-*
> *ред пустырями, не снижая своего роста – десяти- и шест-*
> *надцатиэтажными домами. Бывший зека, Филипп Гопп*
> *получает персональную пенсию, которую ему выхлопо-*
> *тал С[оюз] Писателей – в прошлом он журналист из*
> *«Огонька», одессит, приятель Олеши.*
>
> *Сейчас это шестидесятилетний человек, которого*
> *бьет непрерывная трясучка – хорея, или пляска св. Вит-*

та[3]. Мой приход его взволновал, и чудовищные содрогания не прекращались ни на секунду. Впрочем, она оставляет его только во сне»[4].

2

Филипп Ильич Гопп родился 3 марта 1906 года в Одессе, умер 7 апреля 1978 года в Москве. В начале 1920-х гг. он переехал в Москву, и уже в середине 1920-х гг. его рассказы и повести стали появляться в периодике. Он печатался в «Огоньке» («Письмо из Америки», 1924 год – первая публикация 18-летнего Гоппа), «Экране» (повесть «Четыре месяца пощады», 1925 год), «Всемирном следопыте» (рассказы «Рамзес», «Казнь», «Рассказ о пятидесяти лошадях»), «Вокруг света» (антифашистские повести «Лягавый» и «Земля», 1931 год) и др.[5] По его рассказу «Два-Бульди-два» (о цирковом артисте, нашедшем свой путь в революцию) в 1929 году был снят немой кинофильм (режиссеры Л. Кулешов и Н. Агаджанова-Шутко).

В 1948 году, вспоминая эти публикации, Лев Никулин отмечал постоянное стремление Гоппа к революционной героике (показу борьбы угнетенных против угнетателей) и увлекательности фабулы.

3

Какие же «претензии» к Филиппу Ильичу Гоппу (1906 – 1978) накопились у советской власти к 1937 году?

«Дело» его не индивидуальное, а групповое, на четверых: № 257804[6]. Подельники – художник (Лев Максимович Капланский, 1905 г.р.) и два писателя (Арон Мовшевич Боярский, 1907 г.р. и Александр Иванович Сатаров).

Ф. Гоппа арестовали 22 апреля 1937 года. Его, человека «без определенных занятий» (члена профсоюза издательских работников), проживавшего тогда по Сретенскому бульвару, 6, кв. 54 и женатого на Галине Николаевне Чудиновой, 25 лет, обвинили в организации и руководстве террористической группой журналистов, богемных и разложившихся типов, замысливших покушение на товарища Сталина (еще им инкриминировались мечты о попадании за границу, в частности в Париж). Кроме самих подельников, полоскались имена Сергея Евгеньевича Нельдихена и Анатолия Валерьевича Шишко.

На допросах (22 апреля, 2, 6 и 7 июня) Гопп своей «контрреволюционной деятельности» не признал, но не отрицал, что слышал от Боярского *контрреволюционные стихи погромного характера* («Вопль черносотенца»). Один из подельников показал на Гоппа – мол, о последнем процессе троцкистов он говорил так: *Зиновьев, Каменев и Радек выдали друг друга и признались во всем только из еврейской трусости, а вот будь они русскими – половина или большая часть террористов была бы спасена!..*

7 июля 1937 года Гоппа приговорили к пяти годам ИТЛ со стандартным поражением в правах. По идее самый факт встречи его с О.М. был возможен лишь в случае, если его «местом назначения» была Колыма и если его задержали на пересылке еще на год. Но, как удалось установить, пароход «Кулу» доставил Филиппа Гоппа на Колыму уже 13 ноября 1937 года. Так что О.М. он просто не видел!

4

12 октября 1941 года Гопп был по зачетам этапирован в Сиблаг, в Мариинские лагеря. Он осел в Томске, понемногу печатался в местной и даже в центральной прессе. Вскоре после войны отдельной книжкой в Детгизе вышли его рассказы об этой войне (в которой он лично не участвовал – правда, по уважительным причинам).

В Томске его случайно «обнаружил» Лев Никулин, совершавший в 1946 году большое литературное турне по Сибири. В отделе печати обкома партии ему показали альманах «Томск», и ему сразу бросились в глаза стихи и рассказ Филиппа Гоппа: «Я знал, что Гопп был репрессирован, меня приятно удивило, что он после всего пережитого продолжает творческую работу»[7].

24 мая 1948 года Филипп Гопп, перебравшийся к этому времени из Томска в Ростов Великий, написал Никулину:

> «Дорогой Лев Веньяминович!
>
> Будучи в Москве год назад, я очень сожалел, что не удалось Вас повидать. Главной причиной было крайне тяжелое состояние моего здоровья. В Томске я еще был герой, а теперь совсем разбит параличом, не встаю с постели.
>
> Летом прошлого года Вы вместе с Ильинским приезжали в Ростов, но я не хотел Вас тревожить никакими просьбами, как не тревожил Вас ими, когда Вы приезжали в Томск.
>
> Несмотря на мое ужасающее положение, я продолжаю упорно работать. В прошлом году написал роман «Голубой город», в этом году – цикл стихов, но до сих пор не могу добиться ответа по поводу этих вещей.
>
> Мой адрес: Ростов-Ярославль, Красная ул. 41»[8].

Судя по всему, Никулин принимал участие в судьбе парализованного лагерника и хлопотал о его публикациях. Но главными ангелами-хранителями Филиппа Гоппа были, несомненно, Константин Ваншенкин и его жена – Инна Гофф, племянница Филиппа Ильича.

5

Снова поселившись в Москве, Филипп Гопп изредка, но публиковался (в частности, в «Советском цирке»[9] или в «Звезде»[10]). В 1978 году, незадолго до его смерти, Ваншенкин и Гофф познакомили с ним и меня.

«Здравствуй, племя молодое, незнакомое…» – с пафосом и в ритме своих содроганий произносил Филипп Ильич, после чего начинался сеанс не моих, а его вопросов. Вопросы же были двух сортов: абстрактные («Что думаете вы, молодежь, о...?») и бестактные, отвечать на которые хотелось еще меньше.

На мои вопросы он отвечал неохотно и как-то разочаровывающе. Объем сообщаемого не выходил за рамки «Люди. Годы. Жизнь» Эренбурга и «Воспоминаний» Надежды Яковлевны – с той лишь разницей, что Мандельштам умер у него на руках и что, умирая, произнес в его, Гоппа, адрес что-то очень и очень напутственное.

Ни на какие подробности фантазии или решимости у Филиппа Ильича уже не хватало.

---

[1] Точная дата смерти Ю.А. Казарновского не установлена. Предположительно он умер в начале 1960 г. в Ступино.

[2] Неточность, а скорее всего «ложный след»: «физик Л.», он же «инженер Л.», он же Константин Евгеньевич Хитров умер 12 июня 1983 г.

[3] Ему была присвоена самая высокая – первая – группа инвалидности.

[4] РГАЛИ. Ф. 1893. Оп. 3. Д. 108. Л. 26–27.

[5] Стихи, с которых он начинал, кажется, и не печатались.

[6] Или, после архивной перерегистрации, № П-31933.

[7] РГАЛИ. Ф. 350. Оп.1. Д.163. Л.3–4.

[8] Там же. Л.1–2.

[9] В 1958 г. (повесть «Последний аттракцион»).

[10] Между прочим, с мемуаром о С. Есенине (1975. № 8. С.191–192).

ВОСЬМОЙ СВИДЕТЕЛЬ: ЕВГЕНИЙ КРЕПС
(1967–1968, 1971, ОКОЛО 1989)

8 февраля 1967 года – вскоре после так взволновавшего ее визита Евгения Эмильевича Мандельштама, принесшего вести о дневнике Ольги Ваксель и о надежном свидетеле смерти О.М. – Н.Я. написала Гладкову и попросила его поискать этого свидетеля: «*В Ленинграде живет профессор (медицины) Гревс. Он может уточнить дату Осиной смерти*»[1]. 12 февраля Гладков записал в дневнике: «*Страннейшее письмо от Н.Я. <…> И еще просит разыскать некоего доктора Гревса и узнать о смерти О.Э.*»[2]

Гладков тут же отозвался и, видимо, запросил дополнительные сведения, так как 17 февраля Н.Я. снова написала ему:

> «*Дорогой Александр Константинович! Спасибо, что вы так быстро откликнулись. О Гревсе я знаю от Евг. Эм. Он тоже бывший тенишевец и врач. Это всё*»[3].

Отклик Гладкова на это неизвестен, но 5 марта 1967 года Н.Я. снова пишет ему об этом же человеке, но теперь она уже знает его правильное имя: Евгений Михайлович Крепс, живет в Ленинграде:

> «*Особенно важно следующее: офиц. дата смерти 27 декабря 1938 год. 1) Крепс вскоре уехал. Умер ли О.М. при нем или нет. По легендам он жил еще несколько лет. 2) Умер он в больнице или нет?*»[4]

Реакция и возможные шаги Гладкова во исполнение этой просьбы не запечатлелись в его архиве.

Но известно, что Н.Я. обращалась не к одному Гладкову. 9 февраля она писала своим старым ульяновско-питерским друзьям Иосифу Давидовичу Амусину и Лии Менделевне Глускиной:

> *«Дорогие Лия и Иосиф! Оказывается, в Ленинграде есть человек, который может уточнить дату смерти О.М. Это профессор Гревс (доктор медицины. У него был брат О.М., но тот не стал разговаривать. (Понятно: брат О.М. – погань). Просьба к вам: узнать, существует ли этот человек и его адрес (и имя отчество). Такую справку легко навести. Если он есть, я приеду на один-два дня»*[5].

И Амусин, похоже, взялся за это дело. Выяснив (или догадавшись), что Гревс – это не кто иной как академик-физиолог Евгений Крепс, он передал эстафетную палочку в очень правильные руки – в «руки» Марка Наумовича Ботвинника (1917–1994), своего подельника и друга: жена Ботвинника, Ирина Павловна Суздальская, была физиологом и работала в институте у Крепса. Так что свести мужа с Крепсом, как и с работавшим в том же институте Меркуловым, не составляло для нее большого труда.

С Крепсом, кстати, сотрудничал и отец Ботвинника – Наум Рафаилович: до революции частнопрактикующий (из-за еврейских ограничений) врач-офтальмолог, позднее – хирург в Военно-медицинской академии[6]. Мать – Эмилия Марковна – юрист. Жили на ул. Стремянной, 5, кв. 6[7]. После школы Марк поступил сначала в Политехнический, откуда ушел на истфак университета. Увлекшись курсом Соломона Лурье, твердо решил стать античником.

Был у них античный кружок, и почти все они сели в январе 1938 года по доносу Максима Гилельсона. Его подельниками были Амусин, Эдельгауз и другие. Уже

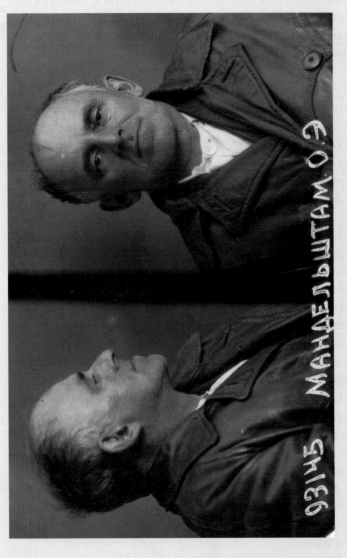

Фотография из следственного дела. Лубянка, 3 мая 1938 г.

СЛЕДСТВЕННОЕ ДЕЛО

Обложка
следственного дела
№ 298468

Ордер на арест
О.Э. Мандельштама.
30 апреля 1938 г.

САМАТИХА

Главный корпус дома отдыха (современный вид)

Мемориальная доска (установлена в 1991 г.)

СЛЕДСТВЕННОЕ ДЕЛО

Анкета арестованного.
Лубянка, 3 мая 1938 г.

Протокол допроса.
Лубянка, 17 мая
1938 г.

СЛЕДСТВЕННОЕ ДЕЛО

"УТВЕРЖДАЮ"
Зам.Нач.4 Отдела 1 Упр.
Майор Гос.Безопасности
(ГЛЕБОВ)
"__" июля 1938 года.

ОБВИНИТЕЛЬНОЕ ЗАКЛЮЧЕНИЕ.

По следделу № 19390 по обвинению
Мандельштам О.Э. в преступле-
ниях предусмотренных ст. 58-10
УК РСФСР.

В 4-й отдел 1 Управления НКВД поступили данные о
том, что Мандельштам Осип Эмильевич в 1927 году разделял троцкистские взгляды, в 1933 году будучи враждебно
настроен против партии и советской власти, написал резкий контрреволюционный пасквиль против ЦК ВКП(б), за
что особым совещанием НКВД в 1934 г. был приговорен к 3-м
годам высылки.

После отбывания наказания МАНДЕЛЬШТАМ не прекратил
своей антисоветской деятельности.

На основании этих данных МАНДЕЛЬШТАМ был арестован
и привлечен к ответственности.

Следствием по делу установлено, что МАНДЕЛЬШТАМ О.Э.
несмотря на то, что ему после отбытия наказания запрещено было проживать в Москве, часто приезжал в Москву останавливался у своих знакомых, пытался воздействовать на
общественное мнение в свою пользу путем нарочитого демонст

- 2 -

рирования своего "бедственного" поло...
го состояния.

Антисоветские элементы из сред...
зовали МАНДЕЛЬШТАМА в целях враждебной агитации дела...
из него "страдальца" организовывали для него денежные
сборы среди писателей.

МАНДЕЛЬШТАМ до момента ареста поддерживал тесную
связь с врагом народа СТЕНИЧЕМ, КАЛЬНИЧИЧЕМ до момента
высылки последнего за пределы СССР и др.

На основании вышеизложенного:

МАНДЕЛЬШТАМ Осип Эмильевич, 1891 г.р., урож. г.
Варшавы, сын купца 1-й гильдии, еврей гр-н СССР, б/п
поэт. В 1907 г. примыкал к партии эсеров, был пропаган-
дистом. В 1934 г. особ. совещанием был осужден к 3-м
годам высылки.

Обвиняется в том, что вел антисоветскую агитацию
т.е. в преступлениях предусмотренных ст. 58-10 УК РСФСР.

Дело по обвинению МАНДЕЛЬШТАМА О.Э. подлежит рассмотрению Особого совещания НКВД СССР.

Оперуполном.5 Отд.4 Отдела 1 Упр.
Мл.Лейтенант Гос.Безопасности: (ШИЛКИН)

"СОГЛАСЕН": Нач.5 Отд.4 Отдела 1 Упр.НКВД
Ст.Лейтенант Гос.Безопасности (РАЙХМАН)

Обвинительное заключение. Бутырки, 20 июля 1938 г.

СЛЕДСТВЕННОЕ ДЕЛО

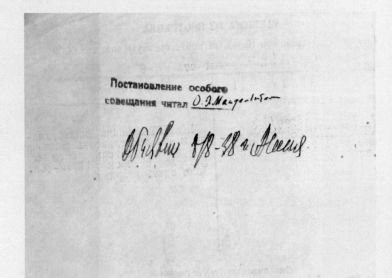

ВЫПИСКА ИЗ ПРОТОКОЛА

Особого совещания при Народном комиссаре внутренних дел СССР

от « 2 » августа 193 8 г.

СЛУШАЛИ	ПОСТАНОВИЛИ
17. Дело № 19390/ц о МАНДЕЛЬШТАМ Осипе Эмилье-виче, 1891 г.р., сын купца, б.эсер.	МАНДЕЛЬШТАМ Осипа Эмильевича-за к.-р. деятельность заключить в исправтрудлагерь сроком на ПЯТЬ лет, сч.срок с 30/IV-38г. Дело сдать в архив.

Отв. секретарь Особого совещания

Т. им. Воровского. Н. 12015

Выписка из протокола Особого совещания при НКВД СССР. *Бутырки, 2 августа 1938 г.*

ЭШЕЛОННЫЙ СПИСОК

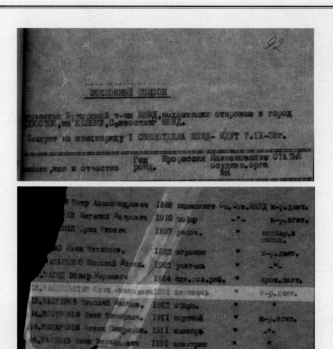

Лист эшелонного списка с именем О.Э. Мандельштама.
Бутырки, 7 сентября 1938 г.

ЭШЕЛОННЫЙ СПИСОК

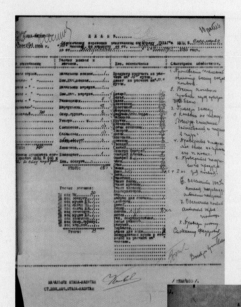

План обеспечения
перевозки
заключенных.
*Калуга, 6 сентября
1938 г.*

Акт передачи партии
заключенных.
*Владивосток,
12 октября 1938 г.*

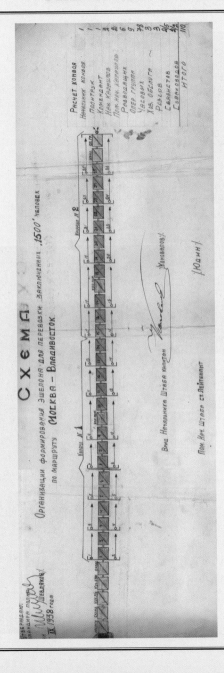

Схема организации эшелона для перевозки заключенных по маршруту Москва – Владивосток

ТЮРЕМНО-ЛАГЕРНОЕ ДЕЛО

Обложка

Общий вид

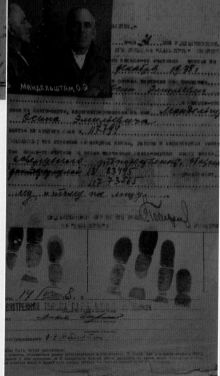

ПЕРЕСЫЛЬНЫЙ ЛАГЕРЬ

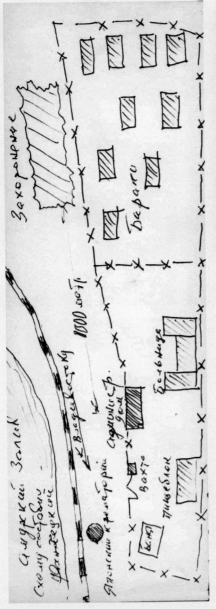

Внутрилагерный
карьер.

Схема Владивосток-
ского пересыльного
лагеря. *Составил
П. Яхновецкий.*

Дорогой Шура!

Я нахожусь — Владивосток С.В.И.Т.Л.

11й барак Могилин

5 лет за к.р.д по решению ОСО

из Москвы из Бутырок этап ехал, 9 сентября приехал 12 октября Здоровье очень слабое истощен до крайности. Исхудал неузнаваем...

...лет Одни продукты и деньги не знаю есть ли смысл попробуйте ветчины Очень мерзну без вещей Родная Надичка не знаю жива ли ты голубка моя ты Шура напиши о Наде мне сейчас не Здесь Транзитный пункт В Колыму меня повезут Возможно Знакомых Ридных меня здесь ОГ

ПОСЛЕДНЕЕ ПИСЬМО

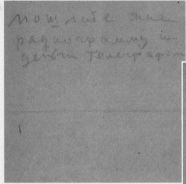

О.Э. Мандельштам.
Последнее письмо.
*Вторая речка, начало
ноября 1938 г.*

Посмертная дактограмма О.Э. Мандельштама.
27 декабря 1938 г.

ТЮРЕМНО-ЛАГЕРНОЕ ДЕЛО

Акт о смерти
и справка о смерти
О.Э. Мандельштама.
*Владивостокский
пересыльный
лагерь, 27 декабря
1938 г.*

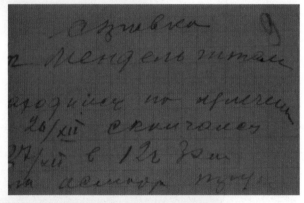

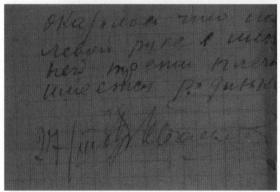

ЛАГЕРНАЯ БОЛЬНИЦА И БРАТСКАЯ МОГИЛА

Здание бывшей лагерной больницы. *Фото 1990 г.*

Начало бульвара-аллеи около ворот лагеря: место предполагаемого нахождения братской могилы заключенных

в 1939 году все они (кроме Гилельсона) вышли по «бериевской амнистии», а Марка даже восстановили на истфаке, он женился на биологе Ирине Павловне Суздальской. Потом началась война, Марк получил белый билет из-за туберкулеза, они с женой эвакуировались из Ленинграда сначала в Томск, но из-за вызовов в МГБ несколько раз переезжали (такая была у него, очевидно, верная тактика уклонений от арестов); в Енисейске у них родились две дочери (в январе 1944 года).

Вернувшись в Ленинград, работал преподавателем латыни в разных учебных заведениях (выбирать в эпоху борьбы с космополитизмом не приходилось) – в женской школе, в медучилище, позже читал курсы по античной истории в пединституте им. Герцена и в лектории Эрмитажа, много переводил (с немецкого, с древних языков), автор популярных книг по античной истории и литературе, как и статей для «Мифологического словаря». Дома у него было много самиздата, приходили люди брать и даже читать на месте, были и негласные обыски.

Как бы то ни было – хлопоты шли (М. Герчиков), но не так быстро и растянулась на долгие месяцы. В самом конце 1967 года Ботвинник сел и описал ее Н.Я. Но письмо, видимо, не дошло, иначе бы Н.Я. не писала Амусину 6 января 1968 года: *Милый мой милый Иосиф! <…> Я очень прошу Марка Ботвинника еще раз написать мне то, что он узнал от Кревса. Это моя большая к нему просьба»*[8].

В принстонском архиве Осипа Мандельштама сохранилось, видимо, это повторное письмо М.Н. Ботвинника к Н.Я., написанное 22 января 1968 года[9]:

«Дорогая Надежда Яковлевна.

Извините за запоздалые поздравления. Я не писал Вам так долго, ибо бесталанно занимался несвойственным античнику занятием, как теперь выражаются исторические следопыты. Наконец, получен главный материал и спешу сообщить главное. Подробную запись разговора пришлю с Симой Марк<овной> или перескажу. Очень надеюсь повидать Вас в начале февраля в М<оск>ве. Кроме того, что я писал Вам со слов акад<емика> Евгения Михайловича Крепса (не Кревса), что О.М. умер в больничном бараке до наступления больших холодов зимой 38 г., что он был сильно истощен и страдал сердцем, я вчера имел трехчасовую беседу с профессором физиологии Василием Лаврентьевичем Меркуловым, к<ото>рый находился в транзитном пункте Северо-Вост<очного> (Колымского) испр<авительно->труд <ового> лагеря (с начала 38 по сер<едину> 39 года. Это офиц<иальное> название пересыльных бараков в предместье Владивостока, подчиненных Колыме. Меркулов этот тот самый биолог М. (агрономом его И.Гр. Э<ренбург> назвал нарочно, он, кстати, сильно извратил его рассказ – стихи у костра это «для стиля», никаких костров там не было), к<ото>рый в 52 (кажется) году посетил Эренбурга по просьбе, как он утверждает, самого О.М. Самое главное в его рассказе – это дата смерти: 5 или м<ожет> б<ыть> 6 ноября 1938 г. В больничную утепленную палатку он был взят докт<ором> Кузнецовым, считавшим его безнадежным по состоянию сердца, только 27/X, после чего Меркулов получал ежедневные сведения о нем от этого врача. До этого дня они виделись ежедневно, причем М. подробно описывает его одежду, оч<ень> сходно с Вашими сведениями. Психич<еское> состояние О.Э. не было постоянно таким страшным, как это описывают «очевидцы», пользующиеся рассказами из вторых и третьих рук, а потом писавшие предисловия.

Сомнительным в его рассказе (я с ним не спорил и не возражал) явл<яется> только дата прибытия О.М. во Владивосток (около 15/VI), дата (сентябрь) отправления к Вам письма (сентябрь) с просьбой о посылке, а также рассказ со слов О.Э. о предшествующих событиях. Все это я записал. О.Э. жил до больницы в 11 бараке. Он очень колоритно описал его сожителей, а также друживших с ним москвичей, двое из которых живы в М<оск>ве. Вы можете повидать одного из них (сославшись на Вас<илия> Лавр<ентьевича>) – Виктора Леонидовича Соболева и, записав его рассказ, проверить какие-то сведения М<еркулова>. Телефон Викт<ора> Леон<идовича> Г 504-19 Бутиковский пер. 5 кв.31, 4 этаж. Второй – это б<ывший> альпинист Михаил Яковлевич. М<ожет> б<ыть>, Соболев знает его адрес. Что касается ак<адемика> Крепса, то он, по словам М<еркулова>, не был близок О.М., мало с ним виделся и едва ли может рассказать что-либо интересное. Кроме того, Ваши опасения о влиянии на него Евг<ения> Эм<ильевича> имеют, по-видимому, веские основания. Сын Евг<ения> Эм<ильевича>[10] работает в Ин<ститу>те Крепса. Он задурил голову и М<еркулову>. По словам М<еркулова>, сам Евг<ений> Эм<ильевич> заново женился и живет в М<оск>ве. Надеюсь, что к моему приезду Вы будете иметь от Соболева (он б<ывший> библиотекарь и препод<ователь> бальных танцев) подробную информацию, и я, если хотите, помогу Вам сравнить подробности этих 2-х рассказов. Если же Вы будете в Л<енингра>де, то устрою Вам свидания с М<еркуловым>, а если хотите и с Крепсом. Думаю, однако, что сейчас самое главное отыскать московских владивостокцев. Желаю Вам успеха в этом нелегком деле, а также (Симе здесь об этом сказали, как о решенном вопросе), чтобы к концу года вышел, наконец, том стихов О.М.

Любящий и уважающий Вас Марк Б. 22/I.68 г.».

Спустя три года – 31 августа 1971 года – с Крепсом побеседовал М.С. Лесман. Он записал кое-что и о самом Крепсе: арестован 2 мая 1937 года, в августе отправлен на Колыму. В сентябре он прибыл на Владивостокскую пересылку, где задержался до начала декабря 1939 года. Тогда он был отправлен на Колыму, куда прибыл 19 декабря и откуда освободился в марте 1940 года по пересмотру дела. Столь длительное пребывание в транзитке было связано с тем, что Крепс как маститый медик был назначен ответственным за борьбу с цингой в лагере[11].

О Мандельштаме Крепс рассказал совсем немного:

«Встреча с Мандельштамом произошла в 1938 г., в теплый период, т. е. весной, летом или осенью. Обратил внимание на интересное лицо. Седой, большие глаза, маленького роста.

В первую же встречу с Мандельштамом Е. М. Крепс пытался завязать с ним беседу. Мандельштам отнесся к Крепсу с подозрением. «Я думал, что получу ключ к нему, когда сказал, что учился в Тенишевском училище. Услышав это, он встрепенулся... – «...У вас есть брат Евгений?» – «Да». – «Я с ним учился в Тенишевском училище, но на разных семестрах»[12]. – «Как ваша фамилия?» – спросил Мандельштам. Я назвал себя, но моя фамилия была ему незнакома. Дальше... я сделал ошибку, спросив Мандельштама, что ему инкриминируется. Мандельштам сразу замкнулся».

В эту первую встречу поэт произвел на Крепса впечатление человека психически больного. Соседи его подтвердили это, но сказали, что периодами он приходит в себя.

Товарищи его поддерживали: то куском сахару, то хлебом. Он явно был безразличен к еде.

Период наших встреч был коротким. Встреч было мало. С каждой физическое состояние Мандельштама ухудшалось. Не встречая его несколько дней, я спросил у товарищей, где Мандельштам.

"Умер", – сказали мне»[13.]

---

[1] РГАЛИ. Ф. 2590. Оп.1. Д. 298. Л. 140.

[2] РГАЛИ. Ф. 2590. Оп.1. Д. 107. Л. 31.

[3] РГАЛИ. Ф. 2590. Оп.1. Д. 298. Л. 145–145об.

[4] РГАЛИ. Ф. 2590. Оп.1. Д. 298. Л. 94.

[5] *МАА. Ф.8. Оп.1. Д. 3. Л. 8.* Письмо без даты, дата по штемпелю на конверте.

[6] Он умер в 1939 г., когда сын был в лагере.

[7] По этому адресу было зарегистрировано Общество здоровья евреев, созданное в Петербурге еще прадедом Наумом.

[8] *МАА. Ф.8. Оп.1. Д.3. Л. 21.*

[9] *AM. Box 3, Folder 102. Doc. 28.* Это 6 страниц текста и еще конверт: «Куда: Москва 447, Большая Черемушкинская. Д. 50, корп. 1, кв.4; Кому: Мандельштам Н.Я.; Имя и адрес отправителя: [Не указаны]; Штемпели: "Ленинград 23.1.68" и "Москва 26.1.68"».

[10] Юрий Евгеньевич Мандельштам (1930–1990).

[11] Эту свою миссию он раскрыл в разговоре с П. Нерлером.

[12] Тут какая-то неточность. Ни Е.Э. Мандельштам, ни Е.М. Крепс не учились в Тенишевском училище.

[13] Новые свидетельства о последних днях О.Э. Мандельштама / Публ. Н.Г. Князевой. Предисловие П.М. Нерлера // *Жизнь и творчество.* С. 50–51.

ДЕВЯТЫЙ СВИДЕТЕЛЬ:
ИВАН МИЛЮТИН (1968)[1]

1

Осенью 1938 года, по свидетельству Д.М. Маторина, начальником Владивостокского пересыльного лагеря был некто Смык, а комендантом, по свидетельству Е.М. Крепса, – Абрам Ионович Вайсбург[2], сам из бывших ссыльных (по другим сведениям – полковник)[3]. Оба оставили по себе добрую память относительной незлобивостью.

Распределенного в 11-й барак Мандельштама, как и других новичков, встречал староста. Невольно преувеличивая, Н.Я. писала:

> «Старостами бараков, как и повсюду в те годы, назначали уголовников, но не рядовых воров, а тех, кто и на воле был связан с органами. Этот "младший командный состав" лагерей отличался крайней жестокостью, и "пятьдесят восьмая" от них очень страдала, не меньше, чем от настоящего начальства, с которым они, впрочем, соприкасались реже»[4].

Старостой 11-го барака, согласно В.Л. Меркулову, был артист одесской эстрады, чемпион-чечеточник Левка Гарбуз (его сценический псевдоним, возможно, Томчинский[5]). Мандельштама он вскоре возненавидел (возможно, за отказ обменять свое кожаное пальто) и преследовал, как мог: переводил на верхние нары, потом снова вниз и т. д. На попытки Меркулова и других урезонить его Гарбуз только всплескивал руками: «*Ну что ты за этого дурака заступаешься?*»

В середине ноября Гарбуз исчез[6], и старостой барака стал Петр Федорович Наранович (1903 – ?) – бывший заведующий СибРОСТА-ТАСС, спецкор «Известий» и председатель радиокомитета в Новосибирске[7] при секретаре Западно-Сибирского крайкома Роберте Эйхе (1890–1940).

Барак как социум был дважды структурирован. Номинально он был разбит на «роты», к которым приписывалось определенное количество заключенных, а фактически состоял из компактных жилых гнезд нескольких десятков «бригад» по нескольку десятков душ в каждой, состав которых складывался нередко еще в эшелонах и вполне демократически – волеизъявлением снизу.

Так, одна из «бригад» 11-го барака состояла человек из 20 стариков и инвалидов: ютилась она поначалу под нарами, выше первого ряда им и по поручням вскарабкаться бы не удалось. Их «старшим» был самый младший по возрасту – 32-летний и единственный здоровый – Иван Корнильевич Милютин. Он родился 23 апреля 1906 года в Ярославле. Инженер-гидравлик, до ареста (26 января 1938 года) он служил в Наро-Фоминском военном гарнизоне инженером. С единственной сохранившейся долагерной фотографии (год съемки неизвестен) он смотрит на нас – «*совсем молодой и благополучный. С Мандельштамом встречался уже совсем другой человек*»[8].

Первый приговор в отношении к Милютину датирован 24 июня 1938 года[9]. Во Владивостокский пересыльный лагерь он прибыл незадолго до Мандельштама, жил с ним в одном бараке, о чем написал воспоминания.

В конце ноября или начале декабря 1938 года пароходом «Дальстрой» И.К. Милютин был отправлен на Колыму: молодым и здоровым – место там, а не на пересылке. Освободился он в 1946 году, но 25 июня 1949 года был вновь арестован и отправлен в ссылку на Ангару, в село

Богучаны Красноярского края. Здесь, в 1950 году он познакомился с сосланной сюда же Тамарой Павловной Лаговской, полюбил ее и женился на ней.

Милютина реабилитировали 24 апреля 1956 года, когда они проживали уже в Минусинске, откуда на следующий год он – вместе с женой и тещей – переехали в Эстонию, в Таллин. Здесь он и умер 3 октября 1973 года.

2

В 1958 году, по настоятельной просьбе жены, он – единственный из всех солагерников поэта! – записал свои воспоминания о встрече в лагере с О.М.

Еще раз процитирую письмо сына:

> *«Надо сказать, что Иван Корнильевич Милютин был сломлен Сибирью. В отличие от своей жены, Тамары Павловны Милютиной, страстной рассказчицы, а впоследствии и мемуаристки, отец, каким я его знал, был замкнутым и молчаливым человеком. Он никогда не рассказывал о сибирских годах, тем более не писал. По ночам отец кричал во сне, и матери приходилось его будить. Только после его смерти я узнал, что из года в год он видел один и тот же сон, как его арестовывают… Я думаю, что возвращение к сибирским воспоминаниям при написании текста о Мандельштаме далось ему нелегко, но жене удалось его уговорить».*

О дальнейшей судьбе воспоминаний мужа сама Тамара Павловна пишет так:

> *«Эти воспоминания Соня Спасская сразу же переправила через Ахматову Надежде Яковлевне Мандельштам. В то время, по-видимому, Надежда Яковлевна отовсюду получала сведения о своем муже – и ничему не верила, соответственно своему характеру.*

В 1989 г. в журнале «Смена» была прекрасная публикация Павла Нерлера – «Дата смерти». В ней даны очень подробные рассуждения Надежды Яковлевны о достоверности сведений Ю. Казарновского, В. Меркулова и Л. (не захотел, чтобы было названо его имя). И обо всех этих драгоценнейших сведениях говорится чуть с недоверием. На три странички Ивана Корнильевича она внимания не обратила. Там ничего не было, что шло бы вразрез с достоверными рассказами других...

К стихам Осипа Мандельштама у Ивана Корнильевича было особое враждебное отношение. Он ведь был страшный ревнивец: считал, что раз я ему нравлюсь, так же точно я нравлюсь и всем окружающим, и был уверен, что каждый, прочитавший мне стихотворение (почему-то именно Мандельштама) – уже покорил мое сердце. Это очень усложняло нашу жизнь. Однажды он сказал: "Я не настолько глуп, чтобы подозревать тебя в реальной измене, но одна мысль о том, что ты духовно можешь предпочесть другого – непереносима".

Мне хотелось, чтобы Иван Корнильевич Милютин сказал о себе сам. Кажется, это получилось»[10].

Н.Я. Мандельштам сохранила воспоминания Милютина в своем архиве[11], но какого бы то ни было отражения в ее собственных «Воспоминаниях» они и впрямь не нашли. Возможно – из-за критических упреков в адрес О.М. (например, по поводу симуляции О.М. сумасшествия или его контактов с блатными)[12]. Но, скорее всего, по иной причине. Если дата на записках («Ноябрь-декабрь 1967 г.») означала не что иное как время их получения Н.Я. (написаны они, напомним, были в 1958 году), то к этому сроку первая книга Н.Я. Мандельштам была не только написана, но и передана для публикации на Запад, а во второй, которую она писала, изначально посвятив ее Ахматовой, для возвращения к теме смерти поэта уже не находилось места.

Второй вариант более правдоподобен, но в таком случае «выпадает» одна деталь: сама Ахматова уже никак не могла быть передаточной инстанцией между вдовой Милютина и вдовой Мандельштама.

В 1997 году в Таллине вышла мемуарная книга Т.П. Милютиной, в которую она включила и странички мужа о Мандельштаме. Список, сохранившийся в мандельштамовском фонде в РГАЛИ, отличается от печатного лишь малосущественными деталями (по-видимому, работа редактора).

Здесь дается по этому списку.

Иван МИЛЮТИН

[О.Э. МАНДЕЛЬШТАМ В ПЕРЕСЫЛЬНОМ ЛАГЕРЕ]

Смолкли удары колес по стыкам, но долго еще в ушах не проходило эхо этого стука. Тело еще не привыкло к движеньям после месячного сидения и лежания в запертом товарном вагоне. Ушла на запасной путь длинная змея красных вагонов, с решетками, пулеметами и прожекторами. Две тысячи людей были выстроены в колонну по пять человек, окружены конвоем и собаками, куда-то пошли. Впереди ожидало пространство, окруженное забором, колючей проволокой, вышками. Широкие ворота. На воротах висел какой-то лозунг. Какой – уже ушло из памяти. Началась передача от дорожного конвоя – охране пересыльной зоны. Счет шел по пятеркам: «первая, вторая, третья»... Были какие-то надежды на отдых, на какую-то ясность своего существования. Изнуренные дорогой, голодом и неподвижным сиденьем люди как-то даже приободрились. Но психологическое облегчение не было долговременным: уже в воротах появился молодой человек, объявивший, что дисциплина здесь палочная.

И, действительно, в руках у него была палка. Состав поезда влился в одну из зон Владивостокской пересылки.

Стояли какие-то брезентовые палатки и палатки из досок. Сначала отделили «политических» от «урок». Это было большое облегчение. Осталась своя среда. Среда людей, в которой трудно было встретить человека без высшего образования, большого политического прошлого. Перед моими глазами промелькнул знакомый заместитель наркома. Встретил и других, знакомых по газетам. Но тогда ничего не интересовало. Чудовищное унижение поглотило внутри все. Отдельных «контриков» погнали еще в какую-то зону. «Привет огонькам большого города» – насмешливо встречала нас обслуга зоны. В зоне стояли четыре довольно капитальных барака (сараи без окон). Внутри сплошные нары в три яруса.

Почему и как – не буду описывать, так как цель моего рассказа другая, – я оказался в группе пожилых и, я бы сказал, старых людей. Как-то они объединились вокруг меня, хотя мне и было тогда 32 года (1938 год). Собралась группа человек в двадцать. Мы не спрашивали друг друга ни о чем. Биография была каждому ясна. Преданность гуманным идеям, жертвенность, гражданская война, горение на работе и избиения в застенках Сталина. Объединила какая-то похожесть друг на друга, не высказываемая словами. А во мне, очевидно, была еще сила жизни и сила организации, которая и объединила вокруг меня группу стариков. Некоторым было далеко за семьдесят.

Зона для «контриков» уже была заполнена. Наша часть зоны была численностью около двух тысяч. А сколько таких зон – трудно сказать. Бараки переполнены, люди располагались на улице. Строили палатки из одежды и одеял, подкапывались под здание барака и располагались под полом. У меня и моих стариков не было лишней одежды. Отчаяние толкнуло на решительный шаг. Прямо переступая через лежащих на полу людей и находя между телами промежутки, мы валились и засыпали счастливыми, что попали под крышу. Как ни тесно, но нашлось место на полу и нам. Над нами стояло еще три ряда нар с плотно лежащими людьми. Первые ночи не было места и на полу. Садились на край нижнего яруса. Сон сваливал сидящих людей, а лежащие счастливцы зло отпихивали падающих. Человеки боролись за жалкое логово, за возможность вытянуться во сне. Но находились и такие, кто скрючивался, принимая самую малогабаритную позу, чтобы дать другому возможность поспать. По людям ползали вши. Дизентерия и тиф освобождали места, занимаемые с радостью измученными людьми. Однажды была устроена и баня. Среди поля стояли души. Раздевались на улице, получали какие-то два укола и шли под душ. Уже было холодновато, и часть людей проходила мимо душей в «чистое отделение». Здесь получали белье. Получил, было, и я, но, увидев ползавших по стиранному белью вшей, взять его отказался. Мне казалось, что собственные вши менее опасны.

В зоне был пригорок. С него была видна деревянная постройка с окнами. Это больница. Невдалеке стояли две печи для сжигания трупов. Трупы несли туда из больницы довольно часто. Это зрелище как-то примелькалось, и мало кто обращал на него внимание. Смерть освободила для нас место на полу и, частично, на нижних нарах. Я так и оставался как бы старшим группы. Моей обязанностью было распределение хлеба, наблюдение за относительным порядком – в нашей маленькой группе.

В бараке содержалось 600 человек во главе со старостой-заключенным. Что это был за человек – не знаю. Но только однажды он мне помог перенести приступ озноба и температуры, положив меня на верхние нары, где было относительно тепло.

Однажды он подвел ко мне человека и просил включить его в мою группу. «Это Мандельштам – писатель с мировым именем». Больше он ничего не сказал, да я и не интересовался. Много было людей с большими именами, и это было совершенно обыденно. Жизнь потекла своим порядком: голодали, бросали в сторону вшей, ждали раздачи баланды. Мандельштам куда-то уходил, где-то скитался. Не отказывался составлять для блатарей и «веселые» песни. Никаких разговоров с Мандельштамом я не вел, да и смешно было о чем-то спрашивать, о чем-то говорить, когда унижение достигло крайнего предела. Мне казалось, что Мандельштам симулирует сумасшествие, и это не было мне приятно. Но и к этому относились равнодушно. А я думал: если это спасает – пусть спасается. Но на его вопрос, производит ли он впечатление душевнобольного, я отвечал отрицательно. Так как он сидел ко мне боком, то по профилю лица мне показалось, что его огорчил мой отрицательный ответ. Он как-то сник.

Да, надо еще сказать, что в бараке было несколько действительно умалишенных, на фоне которых Осип выглядел вполне здравомыслящим, а разговоры его со мной были умны. От всяческих уколов Мандельштам отказывался. Боялся физического уничтожения.

Расстался я с Осипом в конце ноября или в начале декабря. Я был отправлен на Колыму. Пошел на это добровольно, так как инвалидам разрешали оставаться. Мандельштам все же был, очевидно, признан инвалидом. На Колымских пересылках я его не встречал.

Основанием моей добровольности было желание убежать куда угодно от вшей, дизентерии и смертей. Теплилась надежда, что на Колыме будет что-то менее безнадежное. Осип решил остаться и, мне кажется, он погиб от обыкновенной вши, самой обыкновенной. А может быть, и от дизентерии – не знаю.

Я сидел в третьем или четвертом ярусе трюмов парохода «Дальстрой», везущего семь тысяч заключенных на еще неизвестные муки. На пароходе Мандельштама не было. Я бы его встретил, так как в уборную на палубу можно было выходить свободно. А меня-то он бы нашел, так как старался держаться нашей группы.

---

[1] Благодарю А.И. Милютина, Л.Н. Киселеву, Г.М. Пономареву и Г.Г. Суперфина за разнообразную помощь.

[2] Его заместитель – некто Крюков.

[3] В 1970-е гг. он жил в Ташкенте, где в 1971 г. во время Всесоюзного Физиологического съезда его разыскал академик Е.М. Крепс.

[4] *Мандельштам Н.* Воспоминания // Собр. соч. В 2 тт. Т. 1. Екатеринбург, 2014. С. 472.

[5] Ср. примечание у М.С. Лесмана: «*Среди многих опрошенных мною артистов и административных работников Одесской эстрады, деятельность которых на протяжении десятков лет была связана с Одессой, никто не может вспомнить этой фамилии*». Вместе с тем после смерти М.С. Лесмана в его архиве обнаружилась запись: «*Томчинский Лева (он же Гарбуз)*».

[6] Возможно, с одним из последних транспортов его отправили на Колыму.

[7] Петр Федорович Наранович (1903–??) – с 1921 г. в компартии, на партийной или газетной работе в Таре, Омске и Новосибирске. В 1933 г. вышел из доверия и направлен начальником политотдела маслосовхоза «Кабинетный» в Чулымском районе края. В конце 1936 г. обвинен в связи с контрреволюционером-троцкистом Альтенгаузеном, после чего, как правило, следовали арест и осуждение (сообщено Е. Мамонтовой и С. Красильниковым – по материалам кадрового дела П.Ф. Нарановича в: *Государственный архив Новосибирской области. Ф. П-3. Оп. 15. Д. 11845*).

⁸ Из письма А.И. Милютина, сына И.К. Милютина, П.М. Нерлеру от 9.8.2014.

⁹ Был еще и второй – от 25 июня 1949 г. (Справка Военного трибунала Московской области от 26 апреля 1956 г. – сообщено А.И. Милютиным).

¹⁰ За этими словами следовал, собственно, текст самого Милютина: [«Вспоминает Иван Корнильевич Милютин…»] (*Милютина*, 1997. С. 342–344).

¹¹ *РГАЛИ. Ф.1893. Оп. 3. Д. 124.* Список рукой Т.П. Милютиной, с пометами: «*1967. XI – XII*» и «*Тамара Павловна Милютина. Таллин 13, ул. Харку, 2/5*».

¹² Ср.: «*По своей бескомпромиссности он брезгливо относился к тому, что Мандельштам писал блатным стихи, считал, что он притворяется сумасшедшим*» (*Милютина*, 1997. С. 341)

ТАК И НЕ ЗАГОВОРИВШИЕ СВИДЕТЕЛИ:
ВИКТОР СОБОЛЕВ И МИХАИЛ ДАДИОМОВ[1]

Письмо Марка Ботвинника вводило в поисковый оборот Н.Я. сразу два новых имени из мандельштамовского окружения на пересылке – Виктора Леонидовича Соболева и Михаила Яковлевича Дадиомова. (С обоими, как и с Меркуловым, был знаком и Давид Злобинский, но в 1963 году, когда он написал Эренбургу, Н.Я. была в самом разгаре своей псковской двухлетки, и подобающего контакта между ними, увы, не получилось[2]).

Однако попытка связаться с ними (точнее, с одним Соболевым, так как об альпинисте Н.Я. ничего не знала) не удалась.

29 января 1968 года, то есть почти сразу же по получении письма от Ботвинника, Н.Я. написала И.Д. Амусину:

> *«Милый Иосиф! <…> Марк написал очень важные ве-*
> *щи. Я звонила по указанному им телефону, но там ста-*
> *рик, который меня к себе не пустил, а обещал приехать*
> *в конце апреля (!!). Я забыла это написать Марку – ска-*
> *жите ему»[3].*

О Соболеве разузнать хоть какие-то детали так и не удалось, а вот о втором – о безымянном альпинисте, чье имя сумел вычислить Г. Суперфин в результате тончайшего розыска в Интернете, – кое-что яркое известно.

Михаил Яковлевич Дадиомов (16 ноября 1906 г., Севастополь – 17 июля 1978 г., Алма-Ата) – поистине легендарный советский альпинист, путешественник и восходитель с впечатляющим послужным списком, мастер спорта по альпинизму (1934 и 1956).

На Владивостокской пересылке он оказался в 9-м бараке, а Мандельштам – в 11-м. Они общались и, по-видимому, плотно, иначе бы Меркулов не рассказывал об этом его вдове или ее представителям.

Что привело Дадиомова во Владивосток?

Как и Мандельштама – любимое дело!

А точнее – дело о «контрреволюционной фашистско-террористической и шпионской организации среди альпинистов» фабриковалось в начале 1938 года под руководством заслуженного мастера спорта по альпинизму и дипломата В. Семеновского[4]. Первым, кажется, арестовали Виталия Абалакова[5], а в марте – и Михаила Дадиомова[6].

Постановление об аресте Дадиомова датировано 4 марта 1938 года, ему были выдвинуты обвинения по статьям 58.5 и 58.6.

В 1930 году Дадиомов окончил Химико-технологический институт (где его в 1928 году исключали из ВЛКСМ за выступления в защиту Каменева и Зиновьева), он работал ст. инженером в проектной конторе «Союзпродмашина».

Вместе с 65-летней матерью (Рейзой Хаймовной), двумя братьями и сестрой (Рахилью) он проживал по адресу: Рождественка, 2/5, кв.2. С Лубянки сюда можно и на бензин не тратиться. Но все же потратились, и 9 марта, взяв в понятые дворника, совершили обыск и арестовали 32-летнего… инвалида!

Но почему у этого человека ни одного целого пальца – ни на ногах, ни на руках?

Чтобы ответить, оторвемся от следствия и перенесемся на полтора года назад – в сентябрь 1936 года, в лагерь группы Евгения Абалакова – в так называемую «Самодеятельную группу ВЦСПС», ту сыгранную пятерку отважных, тренированных и самонадеянных людей[7], решившихся на отчаянный осенний штурм Хан-Тенгри – высочайшей вершины Тянь-Шаня (6995 м). Собственно, никакого базового лагеря не было – вместо него снежная пещера на высоте 5600 м. Тем не менее кавалерийская атака по западному ребру удалась, и 5 сентября почти обессилевшая пятерка берет эту вершину и оставляет в туре[8] соответствующую записку[9].

Счастье? Счастье!

Но предстояло еще самое тяжелое – спуск.

Процитируем Павла Захарова:

«Уже через час спуска с вершины, М. Дадиомов и Л. Саладин резко сбрасывают темп движения – начинает давать о себе крайняя усталость. Да и температура воздуха, опустившаяся значительно ниже минус 30°, делает свое дело. Евгений Абалаков посоветовавшись с группой, принимает решение об ускоренном спуске части группы. Лоренц Саладин, Леонид Гутман и Виталий Абалаков, спрямляя путь и сильно рискуя, устремляются вниз, к базовому лагерю. Михаил Дадиомов и страхующий его Евгений Абалаков по мере сил и возможности двигаются вниз по перегруженным снегом склонам. Вскоре Дадиомов просит напарника оставить его и спускаться вниз одному(!). После этих слов, Евгений решается на очень рискованный шаг. Негнущимися пальцами он смотал веревку, перекинул через плечо. Сел на склон, опершись плечом на Дадиомова. Решил вдвоем съехать вниз по кулуару[10]. Это был, по сути, последний шанс обоим остаться в живых. По такому крутому склону никогда и никто не глиссировал сидя. Ураган бушевал – жутко свистел ветер, крутила поземка, налетал туман. Скорость глиссирования начинала нарастать. В летящей мгле было трудно контролировать скорость спуска – из последних сил Евгений налегал

на древко ледоруба, тормозил, скреб зубьями кошек по шероховатому льду, согнутые ноги от многочасового напряжения ломило, иногда сводило судорогой. Он ясно представлял, что стоит на мгновенье ослабить усилие торможения, и по кулуару вниз все скорее и скорее полетят кувырком два тела.

Наконец жуткий спуск закончился. Можно встать, распрямиться, какое счастье – неужели спустились!? Ребята должны быть раньше, но их поблизости нет... На негнущихся ногах Евгений Абалаков спускается ниже, оглядывается: где-то здесь была пещера... После снегопада и бури – все под пеленой снега, а никакого ориентира... Где же пещера?

Стоять становится все тяжелее и тяжелее... В раздумьи Евгений опустился на рюкзак... Миша лег рядом, поджав руки и коленки к груди. Нет мыслей. Стучит пульс и в такт: где – где – где она? Без пещеры – конец!.. Увидев воткнутый в снег ледоруб, начинает приходить мысль – «нужно зондировать, искать». И тут же безвольная мыслишка – «снег глубокий, не найти. Надо ждать ребят – вместе откопаем».... Ветром разогнало туман на склоне – далеко вверх видно – нет никого! Неужели что-то страшное произошло с ними...

К месту, где должна быть пещера они подошли в полной темноте. После долгих поисков, Евгений всё же находит засыпанную снегом пещеру. Но ушедшей ранее тройки восходителей в ней нет...

Подобные трудности спуска испытывала и спускавшаяся внизу тройка восходителей. После того, как Гутман, зацепившись кошкой за камень под снегом, полетел вниз по склону, тройка альпинистов попала в тяжелое состояние. Через 200 метров падения, Гутман неожиданно останавливается, попав в глубокую снежную яму, заполненную сыпучим перемороженным снегом. У него была пробита голова и получено несколько травм, он был без сознания. Лоренц Саладин и Виталий Абалаков получили тяжелые обморожения. Ночь для тройки прошла в ужасных условиях – дно пещеры было залито ледяной водой. Половина следующего дня прошла в по-

пытках спуска Михаила Дадиомова, который был совсем плох. Уже через 100 метров пришлось прекратить его спуск – ни у кого не оставалось сил на такую работу. Укутав Дадиомова во все теплое, что еще оставалось сухим и, организовав ему страховку, они оставили его на вытоптанной в снегу площадке. Сами снова поднялись в пещеру. В течение ночи Евгений Абалаков неоднократно спускался к нему, чтобы подкормить и проверить надежность его закрепления. В последний день спуска, частично восстановив силы, Гутман начинает двигаться сам. В конце своих страданий они вышли к палаткам базового лагеря. Лагерь был пуст – никого! Злой рок преследовал их уже внизу – они никак не могли выйти к людям и, никто не мог оказать им помощь.

12 сентября 1936 года обессиленные альпинисты вышли к леднику Иныльчек и сообщили пограничникам о пострадавших. К этому моменту от гангрены умирает Лоренц. Из Алма-Аты в район бедствия был выслан санитарный самолет. Возглавили горно-спасательную группу хирург Виктор Зикеев и альпинист Евгений Колокольников. Пожалуй, в истории советского альпинизма это была первая спасательная операция с применением авиации, с участием специалистов гражданской обороны и экстремальной медицины. Помощь пришла вовремя, но «Кровавая гора» – «Кан-Тоо» ещё раз оправдала своё название, оставив на телах молодых альпинистов свои метки на всю их дальнейшую жизнь»[11].

Лоренц Саладин и вовсе не перенес этого спуска: 12 сентября он умер от гангрены[12].

Но ампутированные пальцы правосудию не помеха, конечно. И давления этой высоты никакие арестованные верхолазы уже не в состоянии выдержать: одно за другим они стали сыпать выбитыми из них «разоблачениями».

В целом же их страшная организация ставила перед собой задачу путем сбора и передачи германской разведке шпионских сведений способствовать ускорению интервенции фашистских стран против Советского Союза с целью свержения советской власти. Все вербовали друг друга, но все были на крючке у альпинистов-иностранцев, с которыми уединялись на маршрутах и вершинах и которые, как оказалось, альпинисты лишь постольку-поскольку. А на самом деле они враги и шпионы, особенно тот покойный швейцарский коммунист: ох, неспроста подарил он В. Абалакову импортный фотоаппарат!

Следствие по делу Дадиомова закончилось 8 мая 1938 года. Приговор: 10 лет ИТЛ. Путевка: на Колыму.

На Владивостокскую транзитку Дадиомов прибыл еще летом 1938 года и оказался в 9-м бараке (3-я рота)[13]. Едва ли, если только не переболел сыпняком, Дадиомов задержался на пересылке: две его сохранившиеся в деле жалобы, датированные мартом-апрелем 1940 года, отправлены уже из Мариинска.

Возможно, что, отбыв там срок, Михаил Яковлевич и перебрался в Казахстан, с которым оказалась связана вся его оставшаяся жизнь. В том числе и альпинистско-спортивная!

Я не оговорился. В 1956 году – через 20 лет после трагедии на Хан-Тенгри, – он снова выполнил нормы мастера спорта СССР по альпинизму (!), а со временем стал заместителем председателя Казахского республиканского клуба альпинистов и руководителем многих казахских альпиниад и других сборов, свой дом в Алма-Ате превратил в ателье альпинистской одежды и снаряжения...

Очень жаль, что вброшенная Меркуловым информационная ниточка, ведшая к з/к Михаилу Дадиомову, оборвалась уже на з/к Викторе Соболеве, библиотекаре и учителе танцев[14].

---

[1] Благодарю К.М. Азадовского, Н.М. Ботвинник, Л.М. Видгофа, П.П. Захарова, С.Б. Кулаеву и Г.Г. Суперфина за разнообразную помощь.

² В 1974 г. о них же он рассказывал Ю. Фрейдину.

³ *МАА. Ф. 8. Оп.1. Д. 3. Л. 15.*

⁴ См. *Корзун Е.* Воспоминания. В Сети: http://www.the-ratner-family.com/Korzun_memoirs.htm

⁵ Номер его следственного дела 8155. О деле В.Абалакова см.: *Пустовалый Ю.И.* Расстрельное время (ретро-обзор) // Riskonline. В сети: http://old.risk.ru/rus/mount/museum/pustovalov/

⁶ *ГАРФ. Ф. Р-10035. Дело № П-20622.* (Оригинальный номер следственного производства: № 5434).

⁷ Кроме скульптора Евгения Абалакова и инженера Дадиомова, в нее входили еще конструктор Виталий Абалаков, студент Леонид Гутман и многоопытнейший альпинист-профессионал – швейцарец Лоренц Саладин.

⁸ Искусственный курган из камней, часто имеющий коническую форму: в них, как правило, альпинисты закладывали свои записки.

⁹ Обнаруженную только в 1954 г., то есть спустя 18 лет!

¹⁰ Сужающаяся ложбина в склоне горы, направленная вниз по линии тока воды.

¹¹*Захаров П.П.* Дадиомов Михаил Яковлевич – легенда советского высотного альпинизма. Сетевой журнал: Mountain. Ru. В Сети: http://www.mountain.ru/article/article_display1.php?article_id=6170

¹²*Steiner R., Zopfi E.* Tod am Khan Tengri. Lorenz Saladin, Expeditionsbergsteiger und Fotograf. Z rich: AS Verlag, 2009.

¹³ Адрес известен из сохранившегося в следственном деле Дадиомова обращения сестры Михаила (датировано 27 декабря 1938 года – днем смерти О.М.!).

¹⁴ К слову: дом № 5 в Бутиковском переулке, где в квартире № 31 жил Соболев, тоже не сохранился: на его месте стоит теперь совсем другое здание (сообщено Л. Видгофом).

ДЕСЯТЫЙ СВИДЕТЕЛЬ
(ВТОРОЙ НЕОПРОШЕННЫЙ):
ДОКТОР МИЛЛЕР VIA
ВЛАДИМИР БАТАЛИН (1969)

Владимир Алексеевич Баталин (отец Всеволод) (1903–1978), врач, филолог и священник. 22 сентября 1933 года он, в этот момент преподаватель русского языка и литературы в топографическом техникуме в Ленинграде, был арестован и 27 декабря того же года приговорен к 5 годам ИТЛ. Срок отбывал на Колыме, работая лагерным фельдшером и учетчиком. Комбинация из повторных арестов и принудительных поселений не выпускала Баталина из ГУЛАГа на протяжении двадцати лет!

Исправительно-трудовые лагеря своеобразно «перевоспитали» Баталина. Под влиянием встреч на Колыме с православными священниками, в особенности с Иоанном Крестьянкиным. Освободившись в 1953 или 1954 году, Баталин отправился… в Печерский монастырь, где принял монашество. А когда в 1955 году на служение в псковский Троицкий собор прибыл И. Крестьянкин, «отец Всеволод» (церковное имя В.А. Баталина) перебрался к нему. Ставрополь, Астрахань, Челябинск – вот станции его последующей церковной карьеры, завершившейся в сане архимандрита. На Урале он вышел за штат: застарелая и недолеченная лагерная пневмония перешла в бронхиальную астму и потребовала совершенно иного климата. С 1972 года и до смерти – отец Всеволод в Ялте, в Крыму[1].

В 1969 году Баталина разыскал М.С. Лесман, записавший его рассказы о Клюеве, Мандельштаме и других. Вот что он рассказал о Мандельштаме – со слов доктора Миллера:

«Осенью 1938 г. я прибыл этапом на пересылку «Вторая речка» в г. Владивостоке. Пересылка кишмя кишела всяческим лагерным народом, ждавшим переправы пароходом на Колыму.

Там я познакомился с врачом-ленинградцем по фамилии Миллер (имени, к сожалению, не помню, кажется, немец). Доктор Миллер, предлагая мне идти помогать им в амбулаторном обслуживании многочисленных пересыльных больных, сказал (конфиденциально), что в больницах пересылки свирепствует тиф (не помню, какой) и что текущим летом среди его – Миллера – больных умерли в пересыльной больнице: поэт Осип Мандельштам, писатель Бруно Ясенский и художник Лансере. О Мандельштаме Миллер сказал, что он был пеллагрозник, крайне истощенный, с нарушенной психикой. Умирая, в бреду, читал обрывки своих стихов».[2]

Какая-то неточность закралась и в этот рассказ, потому что на Колыму Баталин был доставлен пароходом «Дальстрой» 24 июля 1938 года.

---

[1] Биографическая канва по: *Белобородов В.* Тернистый путь отца Всеволода // Югра-Старт (Сургут). 2011. № 4. В Сети: http://www.ugra-start.ru/ugra/aprel-2011/213

[2] Новые свидетельства о последних днях О.Э. Мандельштама / Публ. Н.Г. Князевой // *Жизнь и творчество.* С. 51–52.

ЭПИСТОЛЯРНЫЕ СВИДЕТЕЛИ: МАТВЕЙ БУРАВЛЕВ И ДМИТРИЙ ТЕТЮХИН (1971)

И еще одно свидетельство о последних днях Мандельштама – в письме 1971 года бывшего зэка Матвея Андреевича Буравлева (1899 – ?) сестре его покойного друга и тоже бывшего зэка Дмитрия Федоровича Тетюхина (1902 – ?):

> «С ним (Тетюхиным. – П.Н.) у нас в жизни были интересные встречи, кому теперь о них рассказать? Например, летом 1938 г. во Владивостоке мы с ним лежали на нижних нарах трехъярусного барака, голодные, курить нечего, и вдруг к нам подходит человек лет 40 и предлагает пачку махорки в обмен на сахар (утром мы с Дмитрием получили арестантский паек на неделю). Сахар был кусковой, человек взял сахар, с недоверием его осмотрел, полизал и вернул обратно, заявив, что сахар не сладкий, и он менять не будет.
>
> Мы были возмущены, но махорки не получили.
>
> Каково же наше было удивление, когда узнали, что этим человеком оказался поэт О. Мандельштам. Потом он нам прочитал свои шедевры: усищи, сапожищи... и такое: «Там за решеткой небо голубое, голубое, как твои глаза, здесь сумрак и гнетущая тяжесть...» Всё это было и теперь рассказать некому»[1].

Поведение Мандельштама необъяснимо без понимания того, на какой неделе пребывания в лагере, – а стало быть, стадии физической и психической деградации – находился поэт. Согласно нашей реконструкции, описанный эпизод имел место на шестой неделе (между 17 и 23 ноября 1938 года), когда О.М. очень быстро начал слабеть и сдавать[2].

---

[1] В конце 1980-х гг. это письмо было передано мне племянником Д.Ф. Тетюхина Валентином Михайловичем Горловым – журналистом и писателем из поселка Грибаново (Б. Грибановка?) Воронежской области. Впервые: *Жизнь и творчество*. С. 46.

[2] См.: *Нерлер*, 2014. С. 492–493.

ОДИННАДЦАТЫЙ СВИДЕТЕЛЬ
(ТРЕТИЙ НЕОПРОШЕННЫЙ):
РОМАН КРИВИЦКИЙ VIA
ИГОРЬ ПОСТУПАЛЬСКИЙ (1981)

Уже упоминалось, что Мандельштам мог оказаться в эшелонном изоляторе потому, что в вагоне его избил журналист Кривицкий – попутчик и солагерник.

«Свидетельство» Романа Кривицкого – это рассказ Игоря Стефановича Поступальского, записанный мной 23 февраля 1981 года – в день (точнее, в вечер) нашей первой встречи.

Процитирую запись в своем дневнике:

> *«Визит вечером к Поступальскому – наконец-то, слава богу. Дверь без звонка – открывают на стук или шевеление. Хозяин – бодрый бритоголовый старик (74 года), очень живой. Жизнь «типичная» – 10 лет Колымы. У него 2 мешка писем к нему и 10 мешков вырезок из газет и всяческих библиографий, утверждает, что О.М. – по 20-м годам – весь), стопки книг по дарителям: Мандельштам, Пастернак, Тихонов, Лившиц, Белый, Маяковский и др. Рассказал много интересного о Манд., о Лившице, о Нарбуте, о Брюсове.*
>
> *Вот что о Мандельштаме:*
>
> *– Тюремно-лагерное: общий следователь Шиваров (отдел лит-ры и искусства), упомянул какую-то еще эпиграмму О.М. («Диктатор в рыжих сапогах») – ?!?*

Красавец Кривицкий (брат теперешнего?) хвастался, что бил Мандельштама в вагоне и что видел, как его били и на пересылке».

В списке Бутырской тюрьмы действительно значится Кривицкий Роман Юльевич, 1900 г. р., журналист, осужденный за контрреволюционную деятельность[1]. Еще бы – до ареста он был ответственным секретарем бухаринских «Известий» и, вероятно, знал Мандельштама и до их встречи на вагонных нарах[2].

На пересылке Кривицкий не задержался и сразу попал на Колыму.

Осенью 1943 года на прииске Беличья, в больнице Севвостлага, где начальницей была «мама черная» – Нина Владимировна Савоева[3], он, по-видимому, умер от водянки.

На соседней койке лежал Шаламов, запомнивший Кривицкого как опухшего доходягу[4].

---

[1] См.: *Нерлер*, 2010. С. 115. В списке Таганской тюрьмы есть еще и однофамилец: Кривицкий-Кошевик Илья Абрамович, 1898, 5 лет.

[2] Его родной брат – очеркист и писатель Александр Юльевич Кривицкий (1910–1986) – был заместителем главного редактора «Нового мира» при главном редакторе К.М. Симонове.

[3] См. ниже.

[4] Из письма В.Т. Шаламова Б.Н. Лесняку, 18 января 1962 г. (*Шаламов В.Т.* Собрание сочинений: В 6 тт. + т. 7, доп: Т. 7, дополнительный: Рассказы и очерки 1960–1970; Стихотворения; Статьи, эссе, публицистика; Из архива писателя. М.: Книжный Клуб Книговек, 2013. С. 318).

ДВЕНАДЦАТЫЙ СВИДЕТЕЛЬ: ДМИТРИЙ МАТОРИН (1991)[1]

«Послушай мои стихи, Митя!..»

Родители

«Самый главный очевидец!» – так называл Дмитрия Михайловича Маторина академик Крепс. Оба были знакомы друг с другом еще до своих арестов – вместе ездили в Колтуши к И.П. Павлову играть в городки.

Дмитрий Михайлович родился 27 мая 1911 года в Царском Селе в дворянской семье в Петербурге, в помещении Главного штаба, где служил его отец.

У отца, Михаила Васильевича Маторина (1870–1926), было дворянство личное, полученное за усердие по службе, каковую начал в Петербурге с должности писаря в Генеральном штабе войск гвардии. Со временем стал Главным казначеем и бухгалтером Дворцового управления. Во время революции организовывал охрану дворцовых ансамблей и сохранил царскую казну и сдал в банк законного правительства, за что получил почётную грамоту. После революции работал он в губернском финансовом отделе. Умер он в 1926 году от чахотки.

Его мать – Зинаида Николаевна Хвостова (1874–1939) – представительница древнего потомственного дворянского рода Хвостовых. В селе Первитино Тверской губернии было у них родовое поместье, старшие братья и сестры Дмитрия Михайловича там и родились.

После революции она работала в Детском селе воспитательницей в детских колониях, многие годы была надомницей (брала шитьё на фабрике «Большевичка»).

Зинаида Михайловна вспоминала:

> «Мама не любила светского образа жизни, была предана семье. Неплохо образована, училась в Тверской гимназии. Хорошо знала французский и немецкий языки. От природы была не глупа, сильна духом, благородна. Она не была религиозной. Всегда была занята чем-то полезным, много читала. Занималась с детьми, следила за их ученьем. У нее были хорошие способности к математике. До старших классов помогала Николаю. Не дружила с пустыми женщинами...
>
> Крепко держала в руках детей. В семье не было хулиганов, пьяниц, лодырей, все трудились... Мы ничего у родителей не требовали, а старались как-то еще помочь, чем могли. У меня нет слов описать все горе в ее жизни, знаю только, что по благородству, терпению, мужеству и порядочности по сравнению с ней у меня никого нет...»[2].

Она была поистине героической матерью и великой труженицей: родить, вырастить и поставить на ноги семерых – четырех сыновей и трех дочерей – не шутка! Все семеро ее детей получили образование, каждый искал – и по-своему находил – свое место в новой жизни.

Но все – или почти все – рухнуло после убийства Кирова в декабре 1934 года. Одного за другим шестерых из семи ее детей выбивали из седел репрессии, – выдержать еще и это было матери уже не под силу

Да она и сама – вместе с зятем Николаем Коккиным (мужем Нины) и внучкой Элеонорой – была выслана в 1937 году из Ленинграда в башкирский Стерлитамак, где и умерла в 1939 году[3].

Братья и сестры

Ключевая роль в семейной трагедии Маториных невольно досталась Николаю, старшему сыну, – самому, как одно время казалось, успешному из всех, сделавшему
к тридцати годам просто феноменальную администра-
тивно-научную карьеру.

Николай Михайлович Маторин (1898–1936) родился
в Первитино. В 1916 году он окончил с серебряной меда-
лью Царскосельскую Николаевскую гимназию и поступил на Историко-филологический факультет Петроградского университета, но уже в 1917-м покинул его, будучи
призван на военную службу. В марте 1919 года вступил
в РКП(б) и затем в течение нескольких лет был на советской и партийной работе: сначала в Гдове, а с июля
1922 года в Петрограде – в качестве (sic!) секретаря Председателя Петроградского Совета и Председателя Комин-
терна Г.Е. Зиновьева. Это обстоятельство впоследствии
стало роковым, предопределив дальнейшую судьбу и его
самого, и всех остальных Маториных.

Затем он был секретарём губернской комиссии по
шефству над деревней, ответственным секретарём Ленинградского Союза рабочих обществ «Смычка города
с деревней» и т. д. Хотя Николай не имел даже закончен-
ного высшего образования, но, начиная с 1922 года, его
стали привлекать к преподаванию общественно-
политических дисциплин в различных вузах Петрограда,
в частности в Институте географии. Будучи и впрямь не
партийным карьеристом, а серьезным ученым – этнографом, религиоведом и фольклористом, – он занимал самые
высокие, академические по рангу, должности, не имея ни
высшего образования, ни даже докторской степени. Как
специалист по религиозным исследованиям, в 1930 году
он был назначен заместителем председателя Комитета по
изучению этнического состава СССР (при председателе
Н.А. Марре, воззрения которого он во многом разделял).

Директорствовал в Музее антропологии и этнографии, а затем в Институте антропологии и этнографии (Кунсткамере), был одним из основателей Музея истории религии и атеизма и главным редактором журнала «Советская этнография».

Но вот 1 декабря 1934 года в Смольном был застрелен Киров. «Рикошеты» от этого выстрела разлетелись во все стороны и задели очень и очень многих, но наиболее прицельный огонь велся именно по бывшим «зиновьевцам».

29 декабря 1934 года Николая Маторина – «как активного оппозиционера в прошлом, не порвавшего идейных связей с контрреволюционной зиновьевской оппозицией в последние годы» – исключили из членов ВКП(б). Уже 3 января 1935 года он был арестован и 13 февраля 1935 года приговорен к 5 годам ИТЛ. Этапирован был в САЗлаг (Среднеазиатский лагерь) под Ташкентом, в лагпункт в совхозе «Малек», где ему было разрешено продолжать заниматься научной работой. 18 февраля 1936 года его этапировали обратно – из Ташкента в Ленинград, поближе к Москве, где в августе шел суд на Каменевым и Зиновьевым. А 11 октября 1936 года выездная сессия Военной коллегии Верховного суда СССР под председательством В. Ульриха приговорила и его самого к высшей мере наказания. Расстреляли его в тот же день, реабилитировали – 20 марта 1958 года[4].

Средняя сестра – Зинаида Маторина (1902–1984 до революции училась в Царскосельской Мариинской женской гимназии, где её классной дамой была сводная сестра Н. Гумилёва А.С. Сверчкова. Далее продолжала образование уже по курсу советской школы. В первом браке была замужем за Иваном Александровичем Коккиным. В 1937 году (после ареста мужа, но до его расстрела) была сослана в Казахстан вместе с дочерью Тамарой. Зимой 1942 года арестована и заключена в тюрьму, откуда была выпущена уже в мае 1942-го из-за рождения дочери Ирины. В ссылке, в казахстанском Челкаре, вышла замуж за Николая Федотовича Калаушина, такого же ссыльного, как и она сама. Там она работала чертёжницей, секретарём-статистиком и на разных подсобных работах, а после реабилитации – медсестрой, библиотекарем, переводила с французского[5].

Младшая сестра Нина (1904–1937), член партии, управляющая делами «Ленпищепромсоюза»: арестована 7 сентября 1936 года, приговорена 15 октября 1936 года к 5 годам ИТЛ за «контрреволюционную троцкистскую деятельность», срок отбывала на Соловках. Новый приговор – от 9 октября 1937 года – «вышка», расстрел. Приведен в исполнение 2 ноября 1937 года в Сандармохе в Карелии. Ей было всего 33 года![6]

Брат Роман (1906–1995) – агроном. Закончил Сельскохозяйственный техникум им. А.А. Сотникова. Арестован как социально опасный элемент 27 января 1937 года: приговор – 5 лет ИТЛ, но из-за войны «задержался» на Колыме и провел там все 10 лет. На Колыме добывал золото на золотых приисках, разрабатывал торфяные и оловянные рудники, работал статистиком, учётчиком и даже агрономом на огородах пошивочной фабрики в Усть-Утином Магаданской обл. Во второй раз был арестован в июне 1943 года, освобождён 13 ноября 1945 г. После освобождения работал агрономом. В первом браке женат на А.А. Кузьминой (1909–2002), после ареста мужа сосланной в Бузулук Оренбургской области на 8 лет. Во втором – на ссыльнопоселенке Антонине Васильевне Кузнецовой (1924–1981) из села Бартат Большемуртинского района Красноярского края.

Брат Михаил (1909–1984) – родился в Петербурге в годы Гражданской войны и попал в детский дом. Учился в 1-м Ленинградском педагогическом техникуме, затем в Пединституте, до ареста успел закончить 2 курса Ленинградского университета для учителей-историков. С 1927 года – на педагогической работе, специалист по борьбе с детской беспризорностью. Арестован в 1937 году: приговор – 5 лет ИТЛ, из-за войны «задержался» на Колыме и провел там не 5, а все 10 лет. После освобождения работал начальником планового отдела экспедиции, а затем «по зову сердца» вернувшись в свою профессию – стал директором Ягоднинской школы-интерната, переполненной брошенными детьми зэков и беспризорниками. Жену Александру Сергеевну Малий встретил в ссылке[7].

О Дмитрии еще будет сказано, но все младшие братья Маторины – Роман, Михаил и Дмитрий – прошли один и тот же путь: арест – «Шпалерка» – транзитка – колымские лагеря…

Из братьев и сестер Маториных избежала ареста только одна Наталья (в замужестве Дергауз, 1900–1973). Ее семью погубил не Сталин, а Гитлер: во время блокады Ленинграда она похоронила мужа и троих детей. Старшая сестра Дмитрия, она закончила Екатерининский институт благородных девиц, и тем более удивительно, что в начале 1920-х годов за спасение от банды целого поезда с беспризорниками (отстреливалась с пулемётом!) она была награждена именным револьвером от Ф.Э. Дзержинского. Вскоре она вышла замуж за С.Е. Дергауза (1894–1942), сражавшегося во время Гражданской войны в 1-й Конной армии[8]. Похоронив мужа и детей, кроме самого старшего сына Константина, с которым была эвакуирована в Казахстан, Наталья Михайловна так и не смогла заставить себя вернуться в старый дом.

Репрессии не миновали жен и мужей репрессированных Маториных. Жену Николая – Лидию Петровну Маторину, члена партии с 1919 года, редактора журнала «Работница и крестьянка», исключили из партии и 28 февраля 1935 года выслали вместе с детьми в Ташкент.

Были арестованы и сосланы: жена Романа – А. А. Кузьмина (восемь лет ссылки в Бузулуке), жена Дмитрия – Т. Г. Румянцева (пять лет в ссылке), муж Нины – Николай Коккин (арестован и выслан в Стерлитамак). А вот мужа Зинаиды – Ивана Александровича Коккина (1900–1937), крупного хозяйственного работника (управляющего институтом «Гипродрев» и уполномоченного по заготовкам треста «Ленлес») – расстреляли: впервые он был арестован 7 сентября 1936 года и 15 октября того же года приговорен к 5 годам ИТЛ, наказание отбывал на Соловках, на лагпункте Анзер; 14 октября 1937 года новый приговор – «вышка»; приведен в исполнение 1 ноября 1937 года в Сандармохе в Карелии.

Все подвергшиеся репрессиям Маторины, как и их мужья и жены, были впоследствии – во второй половине 1950-х гг. – реабилитированы.

Дмитрий Маторин: арест и следствие

Дмитрий Маторин (1911–2000) – самый младший из братьев – родился 27 мая 1911 года в Петербурге, на Дворцовой площади в здании Генерального штаба. Так как семья сильно разрослась, то переехали жить в Царское Село. Учился в школе, где ярко проявились его спортивные способности. Ещё во время обучения выступал в цирке в качестве гимнаста.

После школы поступил в Физкультурный техникум и после его окончания преподавал физическую культуру в Ленинградском авиатехникуме. К этому у него были незаурядные предпосылки: одаренный от природы и не жалеющий себя на тренировках, он был одним из сильнейших в Ленинграде борцов как классического, так и вольного стиля (в легкой весовой категории), членом городской сборной, чемпионом или призером первенств Ленинграда предарестных 1930-х годов.

А арестовали его 7 февраля 1937 года, ночью, на квартире в Дмитровском переулке. При обыске искали оружие, будто бы переданное старшим братом. Из оружия нашли... стартовый пистолет. Увезли в Большой дом, в тюрьму на Шпалерной, обрезали все пуговицы и ремешки. Шесть часов продержали в «пенале» (стенной шкаф, где можно было только стоять), ноги затекли. А утром запихнули в общую камеру – общую для двухсот человек (вместо сорока по норме).

На Шпалерной держали больше года. Сначала предъявили обвинение в групповом терроре, потом, за отсутствием материала, смилостивились и опустили до соучастия в терроре. Следователем неожиданно оказался «свой», детскосельский, малый – Георгий Ловушкин: когда-то он даже учил Митю крутить на турнике большие обороты «солнце», сам ухаживал за Ниной, старшей сестрой, – даже записки через своего будущего подследственного ей передавал[9].

Ловушкин зачитал Маторину донос Николая Скрисанова из авиационного техникума: «Старший преподаватель Дмитрий Маторин на занятиях партпроса получал пятерки, но разъяснял нам, что нельзя отбирать у крестьян кур и скотину под одну крышу, и что социализм в этой стране построить трудно».

Из «Шпалерки» Маторина перевезли в «Кресты», где он сидел сначала в одиночке, а потом в малонаселенной камере – всего на 16 человек. Здесь, в «Крестах», в апреле 1938 года и встретились трое братьев – Михаил, Роман и Дмитрий. Как социально опасные элементы каждый из них, решениями Особого совещания, получил по «пятерке» ИТЛ.

«Транзитка»

Из «Крестов» повезли в «столыпинском» вагоне в Свердловск – там, на пересыльном пункте скапливалось по нескольку тысяч заключенных. Затем отправили во Владивосток в пересыльный лагерь, так называемую «Транзитку», что возле станции Вторая Речка.

«ГУРЬБА И ГУРТ»: СОЛАГЕРНИКИ МАНДЕЛЬШТАМА

На «Транзитку» прибыли в июне 1938 года. И уже через несколько дней старших братьев – Михаила и Романа – погнали на Колыму добывать золото, а самому младшему – Дмитрию – больше года пришлось «пахать» на «Транзитке».

Пересыльный лагерь на Второй Речке. Жара неимоверная, воды нет. Низкие бараки – настоящие клоповники. Но хуже всего беспредельщики-«бытовики»: у каждого нового этапа – несчастные, растерянные люди, не знающие, что их ждет в пересыльном лагере и что после него, – отнимали одежду, еду, табак.

В «общении» с уголовниками нередко выручали хорошая физическая подготовка и спортивные навыки. При стычках предпочитал орудовать доской как штыком – это хорошо отрезвляло урок, не привычных к отпору. Но доставалось и чемпиону: однажды проломили голову ведром, другой раз изуродовали руку.

В лагере он пользовался уважением не только хлипких «контриков», но и начальства, которому не раз помогал управляться с урками. Его девиз в лагере: быть человеком и не притворяться. Сила, разум и чистоплотность – на этом он строил всё свое поведение. Он был сначала возчиком при кухне, а потом попал в инженерную бригаду – что-то вроде лагерной «шарашки»; бригада (двенадцать человек) имела свой домик в «китайской» зоне. Возглавлял ее архитектор из Краснодара Алексей Муравьев. Были в ней Н.Н. Аматов – крупнейший инженер, специалист по самолетным приборам, скульптор Блюм, художник Киселев (портретировавший всех вождей), театральный художник Щуко (сын архитектора), учившийся в Англии инженер Фрате, инженер-сантехник Сновидов, двое инженеров-однофамильцев Михайловых. Сам Маторин числился в бригаде чертежником-светокопировальщиком, но фактически был дневальным.

Мандельштам

Каким же, наверное, хлюпиком рядом с Маториным казался – почему казался? Был! – Осип Эмильевич!..

«Познакомился» с ним Маторин так. В лагере были большие трудности с водой: ее привозили, своей не было. Вокруг конторы нередко собирались изможденные жарой люди, там иногда выставляли ведра с водой, но пить без разрешения никому не позволяли. Однажды, когда Маторин был рядом, один из заключенных не выдержал, бросился к ведру и стал жадно глотать воду. Охранники оттащили его и собирались избить, но Маторин втащил его в коридор конторы. Был он чуть выше среднего роста, в каком-то френчике, худой, с воспаленными, указывающими на психическое расстройство, глазами. От благодарности Осип Мандельштам, – а это был именно он, – все пытался поцеловать руку спасителя.

Маторина он называл по-домашнему: Митей. Говорил: «Приедешь ко мне, я тебе свои книги подарю». «Помню, позвал меня как-то: "Послушай мои стихи, Митя! Река Яуза, берега кляузные..."»

В другой раз спас его от беды другой узник «Транзитки» – будущий академик Крепс, имевший на «Транзитке» не менее ответственную должность: раздатчик хлеба! А дело было так. Принесли хлеб – пайки. Обычно дежурный поворачивается спиной к обитателям барака, берет пайку и кричит: «Кому?» Каждому хочется горбушку или кусочек получше. Вдруг видим – Осип бросается к ящику, хватает пайку и бежит к двери. Накануне у него украли хлеб, и он, голодный, решился на такой «подвиг», чуть не стоивший ему жизни. Спасибо Крепсу. Он остановил Мандельштама у самой двери. «ЧП» удалось замять. Крепс хорошо знал Осипа, здесь, в рабочем бараке, они бывали неразлучны, часто беседовали друг с другом. Когда Мандельштам был уже тяжело болен, мы помогали ему как могли. Я приносил ему, то пайку от умершего заключённого, то воды.

На «Транзитке» осенью 1938 года свирепствовал тиф и еще, вспоминает Маторин (тут он, кажется, единственный), какая-то странная лихорадка. Люди болели и умирали десятками. В один из дней мне и ещё одному заключённому приказали отнести «жмурика». Он был накрыт чем-то, торчала голая нога, к ней была привязана деревянная бирка с номером. Это был Мандельштам. У больнички его поджидали «санитары» из блатных, специалисты по золотым коронкам…

Где был погребён Мандельштам, Маторин не знал. Вероятнее всего, на кладбище в бытовой зоне на Второй Речке. Там рыли канавы и рядами складывали покойников, засыпая землёй. Записывался только номер ряда и номер бирки.

Охотское море, Колыма и Красноярский край

Следующим летом, 29 июля, из «Транзитки» на Колыму доставили и самого младшего из братьев Мамориных. На пароходе «Уэлен» судьба столкнула его с профессорами-врачами – знаменитым одесским хирургом Кохом и офтальмологом Троицким. В одной из кают им приказали устроить медпункт для обслуживания этапа. Взятый ими в помощники урка в первый же день выпил весь медицинский спирт и валялся в беспамятстве: на образовавшуюся «вакансию» лекпома и взяли Маторина.

В трюме находились сотни заключенных, страдавших расстройством желудка. Для их «удобства» из наспех сколоченные досок, протянутых над морем, были сделаны туалеты. На подходе к Охотскому морю началась бортовая качка, и когда одна, особенно свирепая, волна ударила в борт, эти доски вместе с людьми рухнули в воду. Спасать утопающих никто и не собирался. А у Маторина тогда впервые появилась седина...

По прибытии в Нагаево всех доплывших погрузили в автомашины и повезли по Магаданской трассе в лагеря на прииски. Маторина сгрузили в Сусумане, где вскоре ему представился шанс поработать на телефонной станции – уезжал вольнонаемный сусуманский телефонист. Сказав, что по физике у него всегда была пятерка, Маторин предложил телефонисту за протекцию и профобучение все свои накопления – 25 рублей. Тот все устроил, но столь красивой жизни Маторину обломилось всего на полтора месяца: после того, как он соединил абонента не с дежурным по лагерю, а с начальником, его выставили, и все его «инвестиции» в светлое будущее – «сгорели».

В Сусумане ему поручили наладить физкультурную работу и соорудить на речке Берелех каток. При этом чуть не утонул вертевшийся под ногами мальчишка лет семи – сын начальника управления. То есть он утонул бы, не спаси его Маторин. После этого поступило распоряжение кормить его лишний раз в день с черного хода в местной столовой: Маторин об этом не просил, но от этого не отказался.

Барнаул и Канск

Пять лет ИТЛ истекли в 1942 году, но война почти удвоила этот срок. Лишь после Победы Маторин покинул Колыму и на положенное себе спецпоселение осел на материке, на Алтае. Здесь, в Барнауле, он основал свою школу классической борьбы (1946–1949). Боролся и сам, став, например, чемпионом Сибири и Дальнего Востока 1948 года (турнир проходил в Барнауле).

Будучи, как спецпоселенец, невыездным, он же, как человек независимого характера, нередко пренебрегал своим статусом и выезжал со своими воспитанниками на соревнования и за Урал, и за Байкал. Возможно, это сыграло свою роль при его вторичном аресте и осуждении. Это произошло в Барнауле летом 1949 года.

Отправили Маторина в Красноярский край на лесозаготовки, но и там он устраивал спортивные праздники. В 1951 году его переводят в Канск, где до окончания ссылки в 1954 году он обучал офицеров МВД боевому самбо. Так что, наряду с Барнаулом, городом, где Маторин основал школу борьбы, стал еще и Канск.

Всего в лагерях и ссылках Дмитрий Михайлович Маторин провел семнадцать бесконечных лет!..

Ленинград

Лишь в 1954 году 43-летний Маторин вернулся в родной город. В 1956 году его реабилитировали.

Он сразу же начал работать по своей «узкой» специальности – тренировать борцов-«классиков». С 1956 по 1971 г. работал старшим тренером ДСО «Труд» по классической борьбе, его команды и ученики неоднократно выходили победителями клубных и региональных первенств. Как тренер он подготовил более 50 мастеров спорта СССР, в том числе чемпионов и призеров общесоюзных первенств. В 1960-е годы ему присваивают звания «Заслуженный тренер РСФСР» и «Судья всесоюзной категории», избирают в президиум Федерации классической борьбы Ленинграда. Но он не только практик классической и вольной борьбы, не только тренер: он еще их историк и теоретик![10]

В 1973 году, будучи уже пенсионером, Д. Маторин пришел в Ленинградский Институт физкультуры им. П.Ф. Лесгафта, где работал мастером спортивных сооружений, а позднее массажистом в медсанчасти.

Там в медсанчасти Дмитрий Михайлович и назначил мне наше первое свидание. Он и в старости был человеком поразительной физической силы. Его молодое рукопожатие, как, впрочем, и его голос, – характерно отрывистый и хриплый, – были его своеобразными визитными карточками.

Дмитрий Михайлович Маторин, мандельштамовский «Митя», умер в Санкт-Петербурге 4 февраля 2000 года – немного не дотянув до 90 лет.

---

[1] Очерк составлен на основании собственных записей и сведений, почерпнутых из литературы, приведенной в библиографии. Благодарю за ценные уточнения семью Д.М. Маторина – В.М. Румянцева, его сына, И.Н. Иванову, племянницу, и, в особенности, Е.В. Логвинову, внучатую племянницу.

[2] *Иванова Г.Г.* Из рода Хвостовых. История одной семьи. Калининград–Лихославль, 2003. С.18.

[3] *Финкельштейн К.* Императорская Николаевская Царскосельская гимназия. Ученики. СПб.,: Изд-во Серебряный век, 2009. С. 234–237.

[4] См. подробнее в: *Решетов А.М.* Трагедия личности: Николай Михайлович Маторин // Репрессированные этнографы. Вып. 2. Сост. Д. Д. Тумаркин. М., 2003. С. 147–192.

[5] *Тамбовкина Т.И.* Челкар (1937–1942). Калининград, 2006.

[6] Судьба трех ее дочерей была грустной: Таня – пропала без вести, Элеонора – уехала в ссылку в Стерлитамак, Нина – в детском доме.

[7] Реабилитирован в 1956 году. См.: *Бирюкова Н.* По интернату идёт директор; *Кузнецова Н.* Взрослый друг (Об М.М. Маторине). // На Севере. Альманах. 1963. № 2. С.135–143.

[8] Талантливый инженер, он стал крупным специалистом-теплотехником по паровым машинам, затем в качестве профессора преподавал в Технологическом институте и Институте путей сообщения.

⁹ Он даже не удержался и спросил: «А где Нина?». На что получил оглушительный ответ (Нина была уже расстреляна к этому времени!): «Вам лучше знать!»

¹⁰ В 1995 году он выпустил фотоальбом: Маторин Д.М. Наследие: История классической (греко-римской) и вольной борьбы в Санкт-Петербурге (Петрограде–Ленинграде). 1885–1985. СПб.: Роза мира, 1995. Это издание небольшого формата включает в себя очерк по истории и около 80 уникальных фотографий.

ТРИНАДЦАТЫЙ СВИДЕТЕЛЬ: ЮРИЙ МОИСЕЕНКО (1991)

> *Я воюю правду...*
> Ю. Моисеенко

Письма другу

Юрий (Георгий) Илларионович Моисеенко родился 8 июня 1914 года в Белоруссии, в г. Хотимске Могилевской губернии. В 1930 г., после окончания школы с отличием, он поступил в Московский педагогический техникум на Кропоткинской, который окончил в 1933-м. Затем поступил в Саратовский правовой институт на судебно-прокурорское отделение, где проучился с 1 сентября 1934 по 1 июля 1935 года (окончил 1-й курс и был отчислен 20 ноября 1935 года). 31 августа1935 года перевелся из Саратова в Москву на 2-й курс Московского института советского права им. П. Стучки[1] на ул. Герцена. Ему повезло: он попал в те 5%, кому разрешалось поступать сюда без трехлетней трудовой практики. Работал внештатным корреспондентом «Пионерской правды», был членом кружка юнкоров при газете, в который входило 8 чел., в том числе и Женька Долматовский. «Очень тогда интересовался политикой», – говорил о себе Ю.М.

Однажды, обсуждая текущие события, Ю.М. и другие кружковцы выразили несогласие с арестами Каменева и Зиновьева. Но окончательно судьбу Ю.М. решили три письма, которые он послал своему лучшему другу и односельчанину Л.Ф. Шуркову. Тот же, как настоящий советский человек, отнес их куда надо.

Вот эти письма, которые определили всю его последующую жизнь. За них и за доверие к другу Юрий Моисеенко отсидел 10 лет[2]:

<1>

II-1935 г.

Добрый день дорогой друг!

…На многом ты меня заставил усиленно призадуматься и решить вопрос так, или иначе? Дорого все это мне обошлось. Ох! Дорого чорт побери. Ведь ты знаешь всю мою историю с чего я пошел и куда пришел. 1930 г. Хотимск, в школе: я первый организатор в борьбе со всякой сволочью злорадствующей нашим неудачам…

Активный деткор-разоблачитель.

Делегат I-го Всесоюзного слета деткоров. Еду в Москву. Впервые вижу жизнь, сотнями лет недоступное для нашего класса сделалось свободным.

Страна дала свободу ранее угнетенным, и вечные нищие лапотники потянулись к центру учиться, чтобы самим управлять страной, строить жизнь. Думал ли мой, или твой отец, что его дети будут учиться, свободно жить?

Нет.

Попадаю в Москву. Учеба. Редакция укрепляет мою надежду в будущее.

1932 г. Лето. Командировки в разные уголки, везде слышу вой, плач, на каждой стоянке к открытым окнам поезда и старики, и дети протаскивают руку с плачем, горьким плачем «Милые, дайте кусочек хлеба».

Они изодраны. Смотришь становится жалко. И так все от Москвы до Одессы, от Тифлиса до Москвы, от Москвы до Владивостока. Тяжелые годы принимают длительный характер. А возвращаешься в Москву там смех в кабарэ, шум в кабарэ.

В ресторанах съедаются лучшие блюда, опьяненные пары падают под звуки фокстрота, «танго» и их, счастливцев увозят зеркальные Линкольны.

А там отступив от Москвы в любую сторону падают толпы, рабочий народ, который создал богатства в стране, но отдал их на хранение в разгульные руки. Москва о всем окружающем не хочет знать. Она пишет, орет о счастье, свободе, великом будущем, заклинает прошлое. Но настоящее… увы!

Я ведь субъект с присущим для меня мышлением вникаю в суть дела, но взвешиваю все по-своему и становлюсь на одну из более близких позиций своего мировоззрения «оплакивателей голодных деревень». Я негодую внутри себя. Но что из этого, кому польза… А бороться? Против кого? Против своих отцов?

Приходится искать врага. <…>

Прошу пожалуйста сохрани при себе все.

<…> Сейчас и просто душевно болен, за пережитое прошлое. Я почувствовал себя в таком положении, когда требуется ускоренно пройти тяжелый путь. Я шел, прошел большую половину, и вдруг говорят не туда, вспомнишь трудности пути и не знаешь, что делать и вот я пораженный сел и плачу. Не знаю что делать. Где же взять столько силы, чтобы опять идти. Как жалко утерянного. Заблудил. Бывает. И особенно с молодыми. Субъективно я будто кончил все, но объективно тяготеет еще, независимо от моих желаний – прежний груз.

Груз лишний, который мешает подыматься вверх со всеми, и я с ним отстаю, а сбросить трудно, он крепко привязан. Я за него отвечаю. И вот приходится еле карабкаться и полегонечку высвобождаться от него. Один раз я прорезал мешок этого груза, высыпал все. Было легко и свободно идти. Но теперь вот опять декабрь. Ленинград. Расправа с З. и К.[3] Я просто не могу примириться, когда люди обо всем даже не мыслили и их как злейших врагов народа. Власть за которую они боролись всю свою жизнь, она с ними расправилась, во имя чего? А во имя чего и для кого они боролись? Я должен сказать, что много неправды, лжи и мирно ее не преодолеть. Вот тебе факт, сегодня ты лидер, герой народа, завтра тебя как врага. В истории этого не было. Нам молодежи сейчас не верят, в нас ищут врага, цепляются за всякую мелочь и возводят в абсолют. А зачем, по чьей воле, для кого? Правду сейчас не любят и только. Восстановлено господство лжи, созданной небольшой группой и исходящей от одних лиц, но лжи огражденной стальной бронею, под мечом и свинцом. Я бы требовал вот что: свободу о правде, говорить, обсуждать и сделать в пользу ее. Нельзя все брать военной диктатурой, смертью, ссылкой, тюрьмой. Озверелый народ жесток.

Ты скажешь: да! я болен, мысли мои заражены несовременностью, происходит борьба взаимоисключающих противоположностей, количество накопившихся переживаний революционным скачком должно перейти в здоровое и плодотворное качество.

Тяжело. Слишком.

Изучая философию, иностранные и другие предметы до каникул успевал отлично, теперь совсем не готовлюсь, но и не отстаю. Проработал много литературы. В институте вообще в Саратове почувствовал скуку, тяжесть и теперь двойной гнет обрушился на меня. Впереди не вижу перспектив.

Со мной учатся люди из семилеток, абсолютно безграмотные, не знают ничего. С ними нельзя ни о чем поговорить. Проходим очень элементарную политическую экономию. Хуже, чем в техникуме, мне все знакомо. Госустройство это тот же ленинизм. <...> Люди на 3-ем курсе уже заканчивают, а я развитее их, честное слово.

Диамат, единственный предмет, на который я клал много надежд, но профессора после каникул как ранее исключенного из партии сняли и теперь читает какой-то дьячек, говорит только об извращениях БУХАРИНА, ДЕБОРИНА, все пошло насмарку. Интересный предмет превращен в отброс. Жалко года, но я не знаю, что делать. Больше здесь я не буду, пусть оно провалится.

Бытовые условия скверные, народ невежливый, ничему здесь нельзя научиться, а получишь только разочарование в жизни и выйдешь калекой. Думаю перейти опять к вам.

Посоветую, дорогой друг, по-прежнему не гневайся на меня, раскрыл я перед тобой свою грудную клетку, теперь видишь все и только тебе я так признателен, ожидаю взаимности.

Не обижайся. Ругай, но не бросай. Изложи свою позицию объективно. Я лично тебя не знаю. Не прекращай связи. Надеюсь наш путь одинаков. Конечная точка одна, ибо мы идем вместе с толпой, но беда в том, что впереди и первыми все ощущаем и переживаем в себе. Поэтому в другой раз и поколеблемся. Ничего. Я верю в будущее, а ты верь мне, но и исправляй.

В Москве был по делам. Привозил экскурсию ударников учебы и только, были еще дела, о них тоже сообщу.

У нас весь февраль тепло, снегу нет, сухо сейчас морозно, а летом здесь будет раздолье, так говорят. Вот приезжай весной на несколько дней, а потом вместе и уедем, я проживу здесь только до конца года.

<…>

Юрий.

<2>

Саратов, 8/IV-35 г.

Здорово друг!

Письмо твое получил. Благодарю, хотя во многом я с тобой объективно не согласен. Однако хотелось бы мне обо всем лично поговорить и более убедительно, но пока нет возможности.

Последние дни, т.е. с самого начала апреля явились днями для меня упорной открытой борьбы. Я перешел в наступление на весь комитет комсомола, я воюю правду, очень твердо и уверенно. Кое-кто испугался моих первых выстрелов и поражений и начал прибегать к открытой атаке и маскировке. Вчера 7-го апреля наш бой вылился в жестокое баррикадное сражение на групповом партийно-комсомольском собрании. Атаковали меня все и со всех сторон, пустили в ход все виды оружия вплоть до артиллерии.

Я в меньшинстве. На моей стороне только три нацмена: два армянина и один калмык. Мы тверды и непоколебимы. Когда вчера на собрании предложили мне слово с условием признать ошибки, критику и дать обещание исправить все, я выступил с последней громовой речью, бесстрашной, разоблачал их. Раскрывал все махинации их лжи и обмана. Для них мои слова гремели приговором. Это по ним большой удар с неожиданной стороны.

Собрание меня и армян постановило исключить из рядов ВЛКСМ и института.

Сегодняшний день я превратил в очередной решительный шаг наступления. Чувствую себя бодро и уверенно. Знаю за что страдаю. От правды никогда не отступлю. Ничего меня не устрашит. Со стороны массы надеюсь встретить поддержку. Бороться буду до смерти за жизнь. Надеюсь выйти победоносцем. Немного здоровье обмануло.<…> Свое положение скоро думаю разрешить, пока остаюсь здесь. Прошу держать все в секрете. Может прибуду в Москву. Надеюсь не пропаду. Гадам не отдамся в жертву.

Адрес: Саратов. Почта № 1 до востребования мне.

Юрий.

<3>

24/IV-1935 года

Дорогой Ю.

Получил твое последнее сообщение, представь себе так поздно, только сегодня, а почему надеюсь ясно? Мне очень жалко тебя, я искренне сочувствую тебе в твоем горе и всегда готов его разделить пополам. <...>

Человечество обмануто, оно блудит и его ведут в глушь, темноту, обещая лучшего светлого. Сначала народ поверил и гордо двинулся вперед, не боясь никаких препятствий, затем устал. Изнурился, многие пали жертвой на этом пути в мрак ненависти от голода, горя, болезней, а другие попытавшиеся отказаться идти дальше и сказать, что маршрут неверный, нужно идти вот так вот, были уничтожены и истерзаны, как беззащитное животное хищным голодным зверем. И люди, видя эти терзания, падающий, изнуренный народ, слепо повинуясь под угрозой смерти, идут вперед. Они потеряли все: семьи, детей, мораль и всякий интерес к людям, к природе, к жизни. Многие превратились в прямых хищников, отшельников от общества и стали уничтожать друг друга во имя борьбы за свое личное существование, во имя удовлетворения инстинктов. Наш народ превращается в животных, зато большая группа руководящей силы имеет все и владеет всем, у нее все богатства, вся роскошь, в общем она управляет всем тем, что завоевывается потом и кровью рабочих и трудящихся крестьян. Это те же капиталисты, те же пауки кровососы, но только называющие себя директорами, председателями, уполномоченными, завами и проч. такой сволочью.

А печать, радио, искусство, наука превращены в подсобный кнут над нашими отцами, их гонят до самой смерти, расправляются с ними свирепее, чем с рабами.

А они, перенесшие на своих плечах такие тяжести, думали, вот уж дождались праздника свободы, но это только реклама, обман. Я удивляюсь содержанию твоего последнего письма, мне не верится, что ты так стал думать. Помнишь, ты меня недавно убеждал и прочее. Теперь ясно? <...>

Я не хочу насыщать и обосновывать это научно, но скажу, что наш прямой долг бороться до конца не жалея себя, своих сил, за спасение родины, за свободу угнетенного человечества, против армии паразитов, палачей, жуликов и аферистов. <...>

Работаю над философией, это инструмент, определяющий путь будущего. Пока. До свидания. Жму всю лапу, живи, цвети. Пиши по последнему адресу. Жду. Твой М.

Сосед Мандельштама по нарам

В институте имени прокурора Стучки ускоренно готовили на следователей. Теоретически Моисеенко вполне мог познакомиться с Мандельштамом в том же 1938 году, но не в лагерном бараке, а в своем следовательском кабинете. Но получилось, как мы знаем, иначе. Да и невозможно представить в «органах» человека, написавшего: «*на каждой стоянке к открытым окнам поезда и старики, и дети протаскивают руку с плачем, горьким плачем «Милые, дайте кусочек хлеба»*[4].

Конечно же, его место на нарах, рядом с великим поэтом, который в то же время и о том же написал:

> Природа своего не узнает лица,
> И тени страшные Украйны и Кубани...
> На войлочной земле голодные крестьяне
> Калитку стерегут, не трогая кольца.

В письме своему «другу» Шуркову от 8 апреля 1935 года Моисеенко доверительно сообщал:

> «*...Последние дни, т.е. с самого начала апреля явились днями для меня упорной открытой борьбы. Я перешел в наступление на весь комитет комсомола, я воюю правду, очень твердо и уверенно. Кое кто испугался моих первых*

выстрелов и поражений и начал прибегать к открытой атаке и маскировке. Вчера 7-го апреля наш бой вылился в жестокое баррикадное сражение на групповом партийно-комсомольском собрании. Атаковали меня все и со всех сторон, пустили в ход все виды оружия вплоть до артиллерии.

Я в меньшинстве. На моей стороне только три нацмена: два армянина и один калмык. Мы тверды и непоколебимы. Когда вчера на собрании предложили мне слово с условием признать ошибки, критику и дать обещание исправить все, я выступил с последней громовой речью, бесстрашной, разоблачал их. Раскрывал все махинации их лжи и обмана. Для них мои слова гремели приговором. Это по ним большой удар с неожиданной стороны.

Собрание меня и армян постановило исключить из рядов ВЛКСМ и института».

А 14 октября 1935 года Юрий Моисеенко был арестован прямо в институте во время занятий, и через 2 месяца, 13 декабря, было составлено обвинительное заключение, согласно которому он:

«а) в 1932 г. входил в состав контр-революционной группы литературных работников редакции газеты «Пионерская правда на радио», участвуя в нелегальных сборищах последней; б) в 1934 г. входил в состав фашистской группы студентов Саратовского института Советского права, участвуя на устраиваемых ею сборищах; в) вел обработку в контр-революционном и террористическом направлении студента ШУРКОВА Л.Ф. и г) имел намерение нелегально перейти границу с целью сотрудничества в буржуазной прессе, помещая в ней контр-революционную клевету против СССР, т.е. в преступлении предусмотренном ст.ст. 58-10 и 58-11 УК».

Известно, как велось в те времена следствие, как появлялись «намерения нелегально перейти границу», «фашистские группы студентов» и признательные показания, – ну не судить же человека только за жалость к голодным крестьянам?

Их и взяли всех семерых – самого Ю.М., в частности, 14 октября 1935 года, прямо в институте (не взяли – одного Евгения Долматовского)[5]. В Бутырках Ю.М. сидел в камере № 10, рядом с Пугачевской башней. Судили их 11 февраля 1936 года и оформили как контрреволюционную группировку, дав по 5 лет лагерей. Ю.М. работал в Вяземлаге под Смоленском на строительстве стратегического шоссе Москва – Минск: тачка, тяжелые земляные работы, на которые он физически был просто не способен.

Но Вяземлаг и «всего лишь» 5 лет ИТЛ можно было считать большой удачей по тем временам. И вскоре государство, удивленное собственной мягкотелостью, спохватилось.

Поводом для вторичного ареста послужили отказ от работы и стычка с начальством. 7 августа 1937 года Судебной коллегией отд. Западного облсуда при Вяземлаге НКВД по ст. 58-10 УК РСФСР был осужден вторично – на этот раз к 10 годам лишения свободы с поражением в правах на 3 года (по ст. 58, п.10, ч. I).

17 сентября 1937 года определение относительно Ю.М. издал и Верховный суд РСФСР. Осенью 1938 года Ю.М. был отправлен по этапу на Колыму, но до Колымы не доехал: по болезни он был оставлен в пересыльном лагере под Владивостоком.

Где и познакомился с только что прибывшим Осипом Мандельштамом, оказавшимся его соседом по нарам. Рядом с ними жил Ковалев – пожилой человек из амурских казаков, мальчиком привезли его в Благовещенск из Белоруссии родители-переселенцы. Ковалев был очень крепкий мужик, охотник на медведей (почему его комиссовали, а не отправили на Колыму – Ю.М. не знал). Он проникся необычайным уважением к Мандельштаму и по-отечески за ним ухаживал, приносил еду (и доедал за ним, если Мандельштам отказывался что-то есть). В лагере, как правило, хорошо, по имени, отчеству и фамилии знали только ближних соседей, но цепкая память Ю.М. сохранила имена и других солагерников: Николай Пекурник, инженер завода № 22; некто Жаров, инженер-мелиоратор из Республики Коми; Алексеев – шофер посольства в Шанхае; Николай Иванович Гриценко – военнопленный времен Первой мировой; Николай Стадниченко – инвалид 1-й Конной; Сапоненко – начальник отдела стандартизации; Уваров – инженер; Семен Бейтов – филателист из Иркутска; Николай Николаевич Кузнецов из Верхнеудинска – из политкаторжан; Ян Матвеевич Мизик, политэмигрант, отец двух дочерей; Исмаил Фарпухия – перс; Кацнельсон – военнослужащий; Харламов – 22–23-летний студент МГУ; некто Ваганов – совершенный молчун, в арестантском халате из серого сукна; Владимир Вельмер – священник, с ним Ю.М. познакомился еще в Смоленской тюрьме, вместе были и во Владивостоке, и в Мариинских лагерях.

Называл Моисеенко и Льва Давидовича Ландау (до ареста Моисеенко знал его жену – Наталью Соломоновну Тылкину-Ландау, преподавшую ему в Москве в 1931–1934 английский язык). Но тут явная аберрация: Ландау на пересылке не было! (Поговаривал и про Бруно Ясенского, но Ю.М. и не утверждал, что сам его видел.)

Ю.М. был одним из немногочисленных свидетелей последних недель жизни и смерти Осипа Мандельштама. Серия статей об этом, опубликованная в свое время Э. Поляновским в «Известиях», была прочитана всей страной. Та сцена при прожарке вещей, что, со слов Ю.М., описал тогда журналист, была все же еще не смертью поэта, как полагал журналист, а ее преддверием. И состоялась она не 27 декабря, а несколько раньше.

Причиной смерти Мандельштама, как полагал Ю.М., был скорее всего начинающийся сыпной тиф: руки его дрожали, температура, казалось, была высокой (Ю.М. и сам перенес сыпняк – почти сразу после смерти Мандельштама – и хорошо помнит эту головную боль и утомленность, как все горит будто внутри).

Ни дизентерии, ни поноса у Мандельштама накануне не было. Но была слабость, весь был истощенный, была еще пеллагра. «Никаких мышц, одна шкурка, бесформенный был человек, истощенный – и не съедал свою порцию, боялся!»

Бывший враг народа

После перенесенного в январе 1939 года сыпняка Ю.М. оглох, его комиссовали и отправили не на Колыму, а в Мариинские лагеря. Часть срока отбывал на заводе минометного вооружения в Томске. Полностью отсидев 10 лет, Ю.М. освободился 7 августа 1947 года. Его направили в Тернополь, но он поехал в Белоруссию, в Хотимск, где жили его отец с мачехой. Они его приняли и выкормили. Найти работу учителя он не смог и был вынужден устроиться по оргнабору плотником на строительство моста в Гомеле. После женитьбы Ю.М. перебрался в Осиповичи, где более 25 лет проработал служащим роты Могилевской дистанции гражданских сооружений.

Как и в случае с Мандельштамом советское правосудие оказалось неспособным признать свою неправоту сразу по двум приговорам, поэтому по второму делу Моисеенко был реабилитирован в 1957 году, а по первому – только в 1989-м.

Его второе дело было пересмотрено 8 января 1957 года Президиумом Верховного суда РСФСР, и приговор от 7 августа 1937 года, равно как и определение Верховного суда РСФСР от 17 сентября 1937 года, были отменены, а дело производством прекращено за отсутствием состава преступления.

Тем не менее 9 мая 1965 года – в 20-летие Победы! – инструктор местного обкома партии прогнал Ю.М. с праздничного митинга – как бывшего врага народа!

И даже то, что 2 августа1989 года его реабилитировали и по «первому делу» (от 11 февраля 1936 года), не избавило от чувства оскорбления и унижения. Незалечимая рана!

29 июня 2003 года мы побывали у Юрия Илларионовича в Осиповичах и «договорились» о следующей встрече уже с кинооператором, надеясь снять о нем фильм…

Увы, этому не суждено было состояться: 31 марта 2004 года, у себя дома в Осиповичах, на 90-м году жизни Юрий Илларионович скончался.

---

[1] Стучка П.И. (1865–1932), с 1923 по 1932 г. председатель Верховного суда РСФСР.

[2] См. их публикацию в: *Нерлер П., Поболь Н.* Сосед Мандельштама по нарам // Собеседник на пиру. Памяти Николая Поболя. М., 2013. С. 430–440. Орфография и пунктуация оригинала сохранены.

[3] Зиновьевым и Каменевым.

[4] Из первого письма Шуркову, 1935 г. (*Там же.* С. 435).

[5] Сам Долматовский счел за благо вообще не вспоминать о таком пустячном эпизоде (см.: *Долматовский Е.* Очевидец. Книга документальных рассказов о жизни автора и его современников в XX веке, в советское время. Нижний Новгород: Деком – РГАЛИ, 2014. 360 с.).

ЧЕТЫРНАДЦАТЫЙ СВИДЕТЕЛЬ
(ЧЕТВЕРТЫЙ НЕОПРОШЕННЫЙ):
СЕРГЕЙ ЦИНБЕРГ (2013)

Уже отмечалось, что уточнить или пополнить список попутчиков и солагерников О.М. помог сетевой журнал «Заметки по еврейской истории». Публикация в «Заметках» воспоминаний химика и сиониста Моисея Герчикова, в апреле 1939 года проследовавшего через пересылку из Беломорска на Колыму, вывела на еще одну еврейскую «ниточку».

Зэки-транзитники – тем более не туристы, и по лагерным достопримечательностям их не водят, но Герчикову там все же рассказывали, что прошлогодний декабрьский сыпняк унес жизни не только близкого ему и по духу, и по профессии Сергея (Израиля) Лазаревича Цинберга (1872–1938), но и поэта Осипа Мандельштама[1].

Цинберг – историк еврейской литературы, библиограф и публицист, добрый знакомый Горнфельда. Химик по образованию, он возглавлял еще и химическую лабораторию Кировского завода. Его арестовали в Ленинграде 8 апреля 1938 года и приговорили к 8 годам ИТЛ.

Прибыл он на пересылку 15 октября 1938 года, то есть на три дня позже Мандельштама. А умер 28 декабря того же года – всего на один день позже, чем Мандельштам![2]

При этом сообщалась деталь, на удивление совпадающая с тем, что рассказывал о мандельштамовской смерти Ю.И. Моисеенко:

«По рассказу очевидца, группу заключенных, в которой был Ц., погнали в баню, после чего долго держали на улице, не выдавая одежды, в результате многие заболели и умерли»[3].

Подразумеваемым тут очевидцем был, по всей вероятности, другой гебраист, находившийся в том же лагере, – историк и социолог Гилель Самуилович Александров (1890–1972). Он был осужден и прибыл на Вторую Речку еще осенью 1937 года, попал в отсев и был оставлен для работы в регистратуре. Перед смертью Цинберг просил его позаботиться о своем архиве (точнее, о той его части, что не погибла в НКВД), как и о том, чтобы имя его не было забыто. Вернувшись в Ленинград в 1959 году, Александров не преминул это сделать и занялся исследованием архива Цинберга, переданного семьей на хранение в ленинградский филиал Института востоковедения АН СССР (фонд 86)[4].

Как знать, может, отыщется архив и самого Гилеля Александрова, а в нем – неизвестные факты о Мандельштаме?..

---

[1] См.: *Герчиков М.* Пути-дороги // Сетевой альманах «Еврейская старина». 2006. № 11. Гл.7. В Сети http://berkovich-zametki.com/2006/Starina/Nomer8/Gerchikov1.htm. Реабилитированный в 1963 г., Моисей Герчиков (1904–1966) свои воспоминания записал в Ленинграде незадолго до смерти.

[2] См.: *Элиасберг*, 2005. С. 140–148. М. Бейзер сообщает о другой дате – 3 января 1939 г. (*Bejzer M.* New information on the life of Izrail Zinberg // Soviet Jewisch Affairs. 1991. Vol.21. No.2. P.35).

[3] См. о нем в «Электронной еврейской энциклопедии» (http://www.eleven.co.il/article/14623) и в: *Васильков Я.В.*,

Сорокина М.Ю. Люди и судьбы. Биобиблиографический словарь востоковедов – жертв политического террора в советский период (1917–1991). СПб.: Петербургское Востоковедение, 2003. С.404. (В Сети: http://memory.pvost.org/pages/aleksandrov.html)

[4] См. публикации Г. Александрова об этом архиве в журнале «Советише геймланд» (1965. №№ 2 и 3).

АБЕРРАЦИИ ПАМЯТИ: БРУНО ЯСЕНСКИЙ, ЛЕВ ЛАНДАУ, ЕВГЕНИЙ ЛАНСЕРЕ, ВАСИЛИЙ ШУХАЕВ И ЮЛИАН ОКСМАН

Некоторых свидетелей подводила память или, скорее, их информаторы, когда они сообщали о третьих лицах: мол, те сидели с Мандельштамом в одно время и в одном месте. Особенно часто мерещился Бруно Ясенский, автор романа «Человек меняет кожу», к этому времени уже давно расстрелянный. Его «видели» или о нем слышали и Моисеенко, и Злобинский, и Баталин, и Герчиков.

Вместе с тем известно, что Бруно Ясенский (1901–1938), писатель, бывший член ЦК Компартии Франции и член ЦИК Таджикской ССР, был арестован 31 июля 1937 года, а 17 сентября 1938 года осужден к «вышке» и в тот же день расстрелян и похоронен в Коммунарке[1].

Разгадка феномена массовой аберрации, возможно, в надписи, вырезанной на доске в стене одного из бараков: «*Здесь лежали писатель Бруно Ясенский и артист МХАТа – Хмара*»[2].

Также не был ни на Колыме, ни на пересылке художник-архитектор Николай Евгеньевич Лансере (1879–1942, брат художника Евгения Лансере), о котором Баталину рассказывал доктор Миллер.

Как и Лев Давидович Ландау (1908–1968), о пребывании которого на Колыме слышал Ю. Моисеенко, думавший, что знает его семью: в 1931–1934 гг. Наталья Соломоновна Тылкина-Ландау, первая, по его словам, жена Ландау, преподавала ему английский язык. Тут аберрация скорее всего двойная. Во-первых, Ландау был арестован 28 апреля 1938 года и, отсидев ровно год в тюрьме, был освобожден по ходатайству академика П.Л. Капицы, взявшего его на поруки. Во-вторых, своего рода «аберрацией», по-видимому, является и сама Н.С. Тылкина как жена Л.Д. Ландау. Единственная нефизическая теория Ландау – «теория счастья» – подразумевала мораторий на курение, выпивку и на официальный брак. В 1932–1936 гг. Ландау работал преимущественно в Харькове, так что, возможно, Н.С. Тылкина и была его московской подругой или одной из его московских подруг. Новые эксперименты и открытия, по-видимому, подвигли Ландау на частичный пересмотр «теории счастья»: в 1946 году он официально женился на К.Т. Дробанцевой (Коре) – своей давнишней, начиная с 1934 года, подруге.

Несколько иные аберрации коснулись и художника Василия Ивановича Шухаева (1887–1973), о котором «вспоминали» Крепс и Моисеенко, и пушкиниста Юлиана Григорьевича Оксмана (1895–1970). Оба проехали через транзитку, но задолго до Мандельштама: Шухаев – в декабре 1937 года, а Оксман – в самом начале 1938 года.

Профессор Петроградской Академии художеств и преподаватель Высшего училища декоративных искусств, Шухаев в 1920 году нелегально выехал в Финляндию, а затем во Францию, где занимался живописью и книжной графикой, оформлял театральные спектакли, работал для кинематографа. В 1935 году вернулся в СССР, занимался художественным творчеством и преподавательской деятельностью. В апреле 1937 года арестован и осужден «по подозрению в шпионаже» на 8 лет ИТЛ. Этапирован на Колыму 13 декабря 1937 года. Во время срока и еще три года после освобождения (29 апреля 1945 года) работал художником в Магаданском музыкально-драматическом театре им. М. Горького. В октябре 1947 году вместе с женой, Верой Федоровной, выехал в Грузию, а с 1960 года осел в Подмосковье.

Тем не менее оба – и Шухаев, и Оксман – слышали на Колыме о судьбе Мандельштама, и оставили об этом, каждый, свои «вторичные» свидетельства.

Шухаев – более творческое и фантастическое: Кире Вольфензон-Цыбулевской (вдове Александра Цыбулевского) он как-то рассказывал, что однажды в лагере его угостили самокруткой, свернутой... из мандельштамовского автографа!..

Это когда же – в 1947 году, по дороге в Грузию?

Что касается Оксмана, то он как историк уснащает свои сведения – легендарные, но не фантастичные – всеми необходимыми ссылками (на «товарищей» и «врачей»). Сведения эти впервые встречаются даже не у него самого, а в воспоминаниях об О.М. Елены Михайловны Тагер.

Оба товарищи еще с юношеских лет и оба пушкинисты, Оксман и Тагер встретились в 1943 году в Магадане. Между ними завязалась своеобразная «переписка из двух углов», и в первом же письме Оксман сообщил о смерти Мандельштама.

Е.М. Тагер приводит выдержку из его письма:

«К несчастью, это верно. Я говорил с товарищами, бывшими при нем до конца, говорил с врачами, закрывшими ему глаза. Он умер от нервного истощения, на транзитном лагпункте под Владивостоком. Рассудок его был помрачен. Ему казалось, что его отравляют, и он боялся брать пайку казенного хлеба. Случалось, что он съедал чужую пайку (чужой хлеб – не отравлен), и Вы сами понимаете, как на это реагировали блатари. До последней минуты он слагал стихи, и в бараке, и в поле, и у костра он повторял свои гневные ямбы. Они остались незаписанными, – он умер.

Он умер – За музыку сосен Савойских,
За масло парижских картин»[3].

¹ См. в Сети: http://www.memo.ru/memory/communarka/index.htm

² *Хургес*, 2012. С. 497–498.

³ *Сажин В.* Еще не умер ты… // Литературное обозрение. 1991. № 1. С. 97 (со ссылкой на авторизованную машинопись в архиве Е.М. Тагер в Российской национальной библиотеке). По словам В. Каверина, Оксман рассказывал ему, что О.М. умер от голода, копаясь в куче отбросов (Литературная газета. 1988. 15 июля. С. 5).

МИФОТВОРЦЫ И МИСТИФИКАТОРЫ

РЕКОНСТРУКЦИЯ СМЕРТИ
ИЛИ ПЕРЕВОПЛОЩЕНИЕ?
НИНА САВОЕВА И ВАРЛАМ ШАЛАМОВ[1]

Он, кажется, дичился умиранья…[2]

1

Нина Владимировна Савоева-Гокинаева родилась 15 августа 1916 года в селе Христиановском (ныне город Дигора) в Северной Осетии. С детства мечтала стать врачом и, – поступив в Московский медицинский институт имени Сеченова, – врачом стала.

Окончив институт в 1940 году, из четырех предложенных ей для распределения мест она добровольно и сознательно выбрала Колыму: там, как ей казалось, больных очень много, и врачи особенно нужны. Ее направили в распоряжение УСВИТЛа на Колыму.

Там она работала в различных больницах и санчастях: на прииске имени Чкалова Чай-Урьинского горнопромышленного управления, в поселке Беличье Юго-Западного управления (начальником санчасти), на приисках «Ударник», в Нижнем Семчане и Сусумане. Врач-подвижник, она спасла жизнь и здоровье многих и многих з/к. За осетинскую смоль волос больные называли ее «мама черная», со многими из них она переписывалась потом еще десятки лет.

Среди спасенных и выхоженных ею был и молодой фельдшер, бывший студент-медик Борис Николаевич Лесняк (1917–2004), из-за которого ее в 1944 или 1945 году выгнали из партии и за которого в ноябре 1946 года она вышла замуж.

Он родился 17 августа 1917 года в Чите. Годы с 1924 по 1933 он провел за границей – в Маньчжурии, на Китайской военной железной дороге (КВЖД), где его отец, Николай Никодимович Лесняк, работал таможенником на железной дороге. В 1931 году Борис поступил в дорожно-строительный техникум в Харбине, где проучился два года до возвращения в СССР. Его мать – Вера Яковлевна (впоследствии также репрессированная) – была врачом-стоматологом.

Собираясь идти по ее стопам, Борис поступил в 1936 году в 3-й Московский медицинский институт, подрабатывая при этом разгрузкой вагонов и еще систематизацией архива негативов у знаменитого фотографа Моисея Наппельбаума.

Но в 1937 году его арестовали. С 1 ноября 1937 и по середину июня 1938 года он провел в Бутырской и Лубянской тюрьмах, соседями по камере были арестованные коминтерновцы. Его следователь – капитан Новиков – довел дело до приговора: постановлением Особого совещания, Лесняк получил 8 лет ИТЛ по статье 58.10.

В середине июля 1938 года – после этапа во Владивосток – пароход «Джурма» доставил его на Колыму. Почти три года – до середины 1941 года – Лесняк проработал на прииске Верхний Ат-Урях – на золотодобыче в открытом забое. Заболев (дистрофия и куриная слепота), он попал в приисковую больницу, где его и спасла «мама черная» – доктор Нина Савоева.

С середины 1943 года Лесняк как бывший студент-медик – больничный фельдшер: сначала – на том же прииске, а с февраля 1943 года – в больнице Севвостлага в поселке Беличьем. После освобождения (в ноябре 1945 года) он еще долго оставался на том же месте и при той же должности. А через год – в ноябре 1946 года – он и Нина Савоева стали мужем и женой[3].

В 1951 году супруги перебираются в Магадан, где спустя год родилась их дочь Татьяна (ныне музыкальный педагог в Москве). Нина Владимировна проработала хирургом в Магадане еще около 20 лет: сначала в областной больнице, а потом во 2-й городской поликлинике.

Лишенный возможности стать врачом, Борис Николаевич поступил в 1954 году во Всесоюзный заочный политехнический институт, который окончил в 1960 году с дипломом инженера и химика-технолога. До выхода в 1972 году на пенсию проработал инженером на Магаданском ремонтно-механическом заводе, был, сообразно характеру, активным рационализатором.

Так же заочно он закончил и факультет журналистики Вечернего университета в Магадане. Одержимый фотолюбитель, он приобрел известность и как фотокорреспондент. Со второй половины 1960-х гг. в печати появляются публикации самого Б. Лесняка (в основном афоризмы). В 1970 году в Магадане вышла его первая сатирическая книга «Ветер из щели» (начальству, как и положено, не понравившаяся).

В сентябре 1972 года Борис Николаевич и Нина Владимировна переехали в Москву. Здесь Лесняк продолжил свою журналистскую деятельность, в качестве мемуариста и сатирика выступал в печати, по радио и на телевидении[4]. Его кредо-афоризм: «Афоризм – послание ума, адресованное сердцу».

Оказавшись в Москве и как бы удалившись от Колымы, оба – и Нина Владимировна, и Борис Николаевич – написали *свои* «колымские рассказы». Обе книги вышли в Магадане, связь с которым не прерывалась и поддерживалась до самой их смерти: в 1996 году – короткие воспоминания Нины Савоевой «Я выбрала Колыму»[5], а в 1998-м – сборник рассказов о тюрьме и лагере Бориса Лесняка «Я к вам пришел!..»[6].

2

Мое личное знакомство с Борисом Николаевичем и Ниной Владимировной состоялось в конце 1980-х гг. на одном из шаламовских вечеров в Доме культуры медицинских работников в Москве. Многие наверняка видели и запомнили добрые глаза и взволнованный голос Нины Владимировны: телеинтервью с ней украсило большой телефильм об Осипе Мандельштаме, выпущенный на экраны 15 января 1991 года – в год столетия со дня рождения поэта.

Став в 1991 году членами Мандельштамовского Общества (можно сказать, с первой секунды его основания), оба живо интересовались всеми новостями и публикациями Мандельштама или о Мандельштаме, а если здоровье позволяло – приходили на заседания общества. Два бедных пенсионера, Нина Владимировна и Борис Николаевич, были, кажется, единственными людьми во всей России, кто упорно пользовался своим уставным правом не только платить взносы, но и делать пожертвования в пользу нищей организации!..

За те почти 15 лет, что я был знаком и дружен с ними, я не переставал восхищаться врожденным оптимизмом и сердоболием Нины Владимировны, а главное – красотой ее вечно неспокойной и неискоренимо доброй и наивной души. Ей постоянно хотелось кому-то помочь, кого-то согреть, кого-то утешить, кому-нибудь что-то подарить или послать.

Когда же здоровье перестало отпускать их далеко от дома – участились мои визиты в их тесную, но такую радушную квартирку на Усиевича. И ни разу такого не было, чтобы у Нины Владимировны не оказывалось чарки домашнего осетинского вина и какой-то дивной – удивительно простой и вкусной – кавказской снеди.

Нина Савоева умерла 13 марта 2003 года, а 15 июня 2004 года, спустя 15 месяцев, не стало и Бориса Лесняка.

Позади остались более полувека их знакомства и семейного счастья. Трудно говорить о них по отдельности, настолько единое и нерасторжимое целое они составляли. И, хотя Борис Николаевич, бесспорно, играл в их союзе строгую, казалось бы, роль рационалистического начала, их общий знаменатель сводился скорее к иному – к той феноменальной открытости и доброте к людям, которую оба излучали практически во всем и которая запечатлелась в их книгах, в их устных рассказах и, что особенно эфемерно, в их неповторимых улыбках.

Светлое чувство от жизненного соприкосновения с четой Савоевой и Лесняка не покидает меня и сейчас.

3

Вернемся еще раз в конец лета 1940 года, когда Н.В. Савоева в составе большой группы молодых выпускников 1-го Медицинского скорым поездом Москва – Владивосток отбыла во Владивосток.

Н.В. Савоева вспоминала:

> *«Городок на Второй Речке Владивостока не очень гостеприимно, без особого комфорта принял группу транзитных пассажиров, ехавших на Колыму. Еще несколько лет тому назад этот городок являл собою пересыльную зону ГУЛАГа для заключенных всех мастей и статей, направляемых на золотые прииски и оловянные рудники с правом умереть там от стужи, голода и непосильной работы. Теперь эту зону перевели в Ванино и Находку. А Владивосток принимает договорников»*[7].

В ожидании парохода в Нагаево, как вспоминала Савоева,

> *«...молодых врачей попросили помочь на кухне, так как нагрузка на поваров была большая. Поварами, раз-*

датчиками, уборщицами работали в основном женщины. И наша группа врачей на 80 процентов была женской. Одна из поварих работала здесь еще в лагерной кухне, когда этапы заключенных шли непрерывными потоками. Думаю, что и она сама была тогда заключенной с небольшим сроком по бытовой статье. Она со мной разговаривала доверительно, мне было интересно ее слушать. Я ходила к ней в гости несколько раз, и в беседе без свидетелей как-то она мне сказала:

– Хотите, я покажу вам в вашем бараке место на нарах, где умер в 1938 году известный поэт Мандельштам? Он был уже мертв, а соседи по нарам еще два дня получали на него хлеб, завтрак, обед, ужин. Он был известен еще до революции...

Мне это имя было тогда еще не знакомо, но я запомнила его в связи со столь трагической судьбой этого человека»[8].

Молодая медичка хорошо запомнила то, что тогда услышала и увидела…

Наконец, пришел пароход («Феликс Дзержинский»), и в сентябре 1940 года она прибыла в Магадан. Спустя два года, став главврачом больницы в Беличьем, она познакомилась с больным Варламом Шаламовым, тяжелым полиавитаминозником и дистрофиком, которому в 1944 году и рассказала все то, что увидела или услышала о смерти Осипа Мандельштама[9].

4

Исправим, вслед за В. Марковым (2011), некоторые неточности, что закрались в воспоминания Н. Савоевой.

Тот «негостеприимный и некомфортный городок на Второй Речке», в котором она очутилась под Владивостоком, был территорией вовсе не бывшей пересылки, а особого городка для вольнонаемных УСВИТЛа в поселке Рыбак – где-то между железнодорожной станцией и бывшей «Транзиткой»[10]. Выглядел он, правда, немногим лучше пересылки, ибо являл собой комбинацию из нескольких старых каменных зданий и новых временных бараков с брезентовым верхом.

Радикально изменился и маршрут эшелонов с запада: из Владивостока они заходили в Находку (здесь как раз обустраивался новый лагерь), а затем в Ванино, к этому моменту перехвативший роль главной «Транзитки» ГУЛАГа. Впрочем, в 1940 году и старая пересылка все еще функционировала[11], но уже находилась в процессе передачи в ведение Тихоокеанского флота[12].

Иными словами, фактически Н.В. Савоева была совсем не в том лагере, где был О.М., и то, что ей показала повариха, никак не могло быть мандельштамовским бараком и его нарами.

В то же время несомненно, что некая повариха ей что-то показала, о чем искренне думала: вот мандельштамовский барак и вот его нары. И что Нина Владимировна пересказала все увиденное и услышанное дальше. И что Шаламов оказался третьим в этой цепочке.

Никто из троих – ни повариха, ни Савоева, ни Шаламов – не встречали О.М. на пересылке и не закрывали ему глаза. То, что, однако, первой в этой цепочке услышала и восприняла повариха, в чем-то расходилось с реальностью и в то же время находилось с нею в некотором соответствии.

И это второе – соответствие реальности – и есть самое главное, тем более что в Шаламове эта реальность встретилась не с летописцем и не с историком, а с совершенно иной материей – с творческой, с писательской!

И это ж надо было такому случиться, чтобы весть о банальной смерти гениального поэта легла именно в его, шаламовские, уши!

Итак, с Осипом Мандельштамом Варлама Шаламова свела не жизнь, а смерть.

Смерть Мандельштама, уже наступившая, и смерть своя собственная, которая могла наступить в любой момент.

Душа и перо Шаламова отозвались на это в 1954 году – спустя 15 лет после самой смерти на Второй Речке – поразительным рассказом «Шерри-бренди». Впервые он был опубликован еще через 14 лет, в 1968 году, в американском «Новом журнале»[13].

Но еще до этого он гулял в самиздате, а однажды даже прозвучал на родине. 13 мая 1965 года Шаламов прочел его на вечере памяти Осипа Мандельштама на Мехмате МГУ: вечер вел Эренбург, а в зале сидела Надежда Яковлевна. Назывался рассказ тогда иначе – «Смерть поэта»[14], а сам Шаламов, по свидетельству А. Гладкова, «...исступленно, весь раскачиваясь и дергаясь, но отлично говорил...»[15].

5

Н.Я. Мандельштам так отозвалась об этом рассказе в «Воспоминаниях»:

> «Кое-кто сочинял новеллы о его смерти. Рассказ Шаламова – это просто мысль о том, как умер Мандельштам и что он должен был при этом чувствовать. Это дань пострадавшего художника своему собрату по искусству и судьбе»[16].

Она решительно выделяла «Шерри-бренди» и даже противопоставляла шаламовскую реконструкцию смерти поэта всему множеству прочих «легенд».

Весной 1966 года, в частности, она рассказывала К. Брауну:

> «О смерти М. существует невероятное количество легенд. Эти все легенды я собирала и как-то выковыривала что ли из них кусочки правды. В общем, получилась довольно ясная картина смерти. Легенды отпадали, пото-

му что они всегда либо опоэтизировали, либо наоборот привлекали массу грубого вранья к рассказу.

«Шерри-бренди» относится не к числу легенд, это теоретическое построение о том, как должен быть умирать человек с голоду в этих условиях. В конце прибавлена легенда, не знаю, было это на самом деле или нет, но такая легенда ходит, что несколько раз получали хлеб на мертвого. Умер М. в больнице, а не на нарах. Больница была достаточно ужасна, но во всяком случае не то, что описано. Самый же процесс смерти – это смерть от голоду, подробно рассказанная.

О том, что думал М.: вероятно, он думал другое, но, вероятно, Шаламов представлял, как он сам будет умирать и как эта смерть придет к нему – со стихами или без стихов. Вот приблизительно то, что я могу сказать об этом. Я не санкционирую это как факт, но уважаю, как одно из мнений»[17].

Конечно же, «Шерри-бренди» – мысль, конечно же, дань и, конечно же, «теоретическое построение». Но далеко не только это, и просто к размышлениям вслух или к чему-то вроде моделирования чувств умирающего в лагере поэта рассказ не сводится, это было бы упрощением.

Представить себя на месте Мандельштама колымчанину Шаламову, фельдшеру и поэту, было не трудно. Но он пишет не об историческом или медицинском фактах, а о перетекании жизни и смерти друг в друга, об их вхождении в умирающее тело и выхождении из него, – и об этом он пишет уже не понаслышке.

И как тогда быть с другими образами из «Шерри-бренди», например, с прорицателем из китайской прачечной или с завораживающими концентрическими линиями-бороздами на подушечках изъеденных табаком пальцев?.. Поэт, еще живой, смотрит на этот дактилоскопический узор как на срезы ствола дерева, уже спиленного и поверженного!..

Простой цеховой солидарности – зэческой или писательской – тут явно недостаточно, налицо совершенно иная глубина проникновения, вживание в один, быть может, из самых дорогих сердцу образов. Во всем этом художественная глубина, сделавшая рассказ «Шерри-бренди» великим и одним из лучших у Шаламова.

Изначально рассказ писался для всех читателей – и знающих, и не знающих Мандельштама, больше для вторых. Сам Шаламов писал об этом:

> *«Рассказ написан сразу по возвращении с Колымы в 1954 году в Решетникове Калининской области, где я писал день и ночь, стараясь закрепить что-то самое важное, оставить свидетельство, крест поставить на могиле, не допустить, чтобы было скрыто имя, которое мне дорого всю жизнь, чтобы отметить ту смерть, которая не может быть прощена и забыта. А когда я вернулся в Москву, я увидел, что стихи Мандельштама есть в каждом доме. Обошлось без меня. И если бы я это знал, я написал бы, может быть, по-другому, не так»*[18].

Для тех же, кто знал стихи и судьбу Мандельштама и кто угадывал в «Поэте» именно его, былое величье свободных исканий и творческих озарений только усиливалось на контрасте с низменными обстоятельствами этой смерти и способности мозга обдумывать одну лишь мысль – о еде.

Не забывает Шаламов и напомнить об окружающем умирающего поэта барачном социуме – тех самых «гурте и гурьбе», о которых сказано в «Стихах о неизвестном солдате». В концовке говорится об изобретательности этого социума: двое суток удавалось им выдавать умершего уже поэта за живого и тем самым получать за мертвеца дополнительную пайку дополнительные два дня. *«Стало быть: он умер раньше даты своей смерти – немаловажная деталь для будущих его биографов».*

¹ Благодарю В. Есипова и С. Соловьева за советы и замечания.

² Из стихотворения О.М. «Когда душе и торопкой и робкой…»

³ Не должно быть упущено, что за связь с политзаключенным Н.В. Савоевым в 1943 г. исключили из партии!

⁴ Он был основателем и одним из активнейших членов Московского клуба афористики.

⁵ Эта книжка открыла собой серию «Архивы памяти», выпускаемую на средства общества «Поиск незаконно репрессированных».

⁶ Борис Николаевич приготовил ее 2-е издание, но его выхода в свет он, увы, уже не дождался.

⁷ *Савоева Н.В.* Я выбрала Колыму / Предисл.: И. Паникаров. Магадан: АО МАОБТИ, 1996. 48 с. (Сер.: Архивы памяти. Вып.1). С. 11.

⁸ Там же. С. 11.

⁹ Там же. С. 12.

¹⁰ В. Марков локализует его так: в районе нынешних улиц Иртышской, Гамарника, Постышева, Шошина и в междуречье Второй Речки и Ишимки.

¹¹ *Евсюгин А.Д.* Судьба, клейменная ГУЛАГом. Нарьян-Мар, 1993. С. 92–94.

¹² Сюда, по данным Маркова, передислоцировался экипаж (воинская часть) № 15110.

¹³ Новый журнал. № 91. 1968. С. 5–8. Эта публикация была дефектной. Р. Гуль (главный редактор), находя рассказ слабым, напечатал его не в авторской, а в своей редакции и исключительно по политическим соображениям.

¹⁴ Изустная версия. Во всех черновиках название неизменно «Шерри-бренди».

¹⁵ *РГАЛИ. Ф. 2590. Оп. 1. Д. 105. Л. 47.*

¹⁶ *Мандельштам Н.* Воспоминания // Собр. соч. В 2 тт. Т.1. Екатеринбург, 2014. С. 477.

[17] Беседы профессора Кларенса Брауна с Н.Я. Мандельштам / Жить подальше от литературы. К 115-летию Н.Я. Мандельштам / Публ. и примеч. С.В. Василенко и П.М. Нерлера. Предисл. П. Нерлера. // Октябрь. 2014. № 7. С. 139–162. В Сети: http://magazines.russ.ru/october/2014/7/7p.html

[18] *Шаламов В.Т.* Собрание сочинений: В 6[7] тт. М.: Книжный Клуб Книговек, 2005. Т. 5. С. 150.

ПЕТРАРКА У КОСТРА,
ИЛИ КУКУШКИН КУПЛЕТ:
НЕ ЮЗ АЛЕШКОВСКИЙ

> *...Больной, у костра он читал сонеты Петрарки.*
>
> Илья Эренбург

> *...А нам читает у костра Петрарку*
> *Фартовый парень Оська Мандельштам.*
>
> Народ

Меркулов по-эренбурговски
и Ручьев по-слуцки

Ленинградский физиолог Василий Меркулов рассказывал Илье Эренбургу в 1952 году примерно то же, что и Моисею Лесману в 1969 году:

> *«Когда Мандельштам бывал в хорошем настроении, он читал нам сонеты Петрарки, сначала по-итальянски, потом – переводы Державина, Бальмонта, Брюсова и свои. Он не переводил «любовных» сонетов Петрарки. Его интересовали философские».*

Эренбург несколько препарировал эти сведения, и в 1961 году многомиллионный советский читатель, со ссылкой на брянского агронома Меркулова, прочитал в «Новом мире»:

«...в 1938 году Осип Эмильевич умер за десять тысяч километров от родного города; больной, у костра он читал сонеты Петрарки. Да, Осип Эмильевич боялся выпить стакан некипяченой коды, но в нем жило настоящее мужество, прошло через всю его жизнь – до сонетов у лагерного костра...»[1]

Сделал это Эренбург совершенно сознательно – «*для стиля*» (сам Меркулов даже называл это М. Ботвиннику «извращением»). Петрарку Эренбург взял, философичность интересовавших Мандельштама сонетов отбросил, зато добавил от себя нечто совершенно невозможное в условиях гулаговского лагеря – костры, у которых можно было собираться, чтобы почитать или послушать стихи.

Это породило два типа реакций: штучную, со стороны свидетелей, протестующих против искажения исторической правды «брянским агрономом» (например, реакция Д. Злобинского: «*Боюсь, что конец Мандельштама был менее романтичен...*»), и массовую, читательскую. Советский интеллигент, читая, живо представлял себе лицо поэта в отблесках костра и великие итальянские стихи под треск прогорающих сучьев – и все это накануне смерти в сталинских лагерях! Был в этой картине в его глазах некий особый героический шик и то, что сам Эренбург – и тоже, наверное, не случайно – назвал «настоящим мужеством», лишь оттеняемым физической немочью героя-поэта.

Именно этот, «разожженный» Эренбургом, костер надолго вытеснил из массового сознания все иные – «менее романтические» – образы и коннотации гибели поэта. На его несуществующих углях взошел и выпекся самый настоящий историко-литературный миф!

Эренбург, правда, не пишет, кто именно собирался у его костра – интеллигенция или шпана. То, что интеллигенция, – казалось ему само собой разумеющимся. Однако и эту мелочь блатари, как водится, забрали себе, как забирали приличную одежку и обувь.

Эту экспроприацию тонко уловила Н.Я., пропустившая через себя максимум словесной эмпирики на этот счет:

«Но среди новелл есть и другие, претендующие на достоверность и изукрашенные массой подробностей. Одна из них рассказывает, что Мандельштам умер на судне, направлявшемся на Колыму. Далее следует подробный рассказ, как его бросили в океан. К легендам относится убийство Мандельштама уголовниками и чтение у костра Петрарки. Вот на последнюю удочку клюнули очень многие, потому что это типовой, так сказать, поэтический стандарт. Есть и рассказы "реалистического" стиля с обязательным участием шпаны.

Один из наиболее разработанных принадлежит поэту Р. Ночью, рассказывает Р., постучали в барак и потребовали "поэта". Р. испугался ночных гостей – чего от него хочет шпана? Выяснилось, что гости вполне доброжелательны и попросту зовут его к умирающему, тоже поэту. Р. застал умирающего, то есть Мандельштама, в бараке на нарах. Был он не то в бреду, не то без сознания, но при виде Р. сразу пришел в себя, и они всю ночь проговорили. К утру О.М. умер, и Р. закрыл ему глаза. Дат, конечно, никаких, но место указано правильно: "Вторая речка", пересыльный лагерь под Владивостоком. Рассказал мне всю эту историю Слуцкий и дал адрес Р., но тот на мое письмо не ответил»[2].

«Поэт Р.» – это Борис Ручьев, о его встрече с Мандельштамом (вернее, о том, что мы знаем об этой встрече) рассказано выше. В наиболее правдоподобной версии этой встречи нет ни подчеркнуто вежливой шпаны, ни «всю ночь не сомкнули глаз и проговорили», ни тебе самих глаз, закрытых одним поэтом другому...

«Спасибо вам, я греюсь у костра…», или Канонизация мифа

В этом контексте песню «Товарищ Сталин, Вы большой ученый…» вполне можно рассматривать как попытку интеллигенции отбить у шпаны и по праву вернуть себе этого мифического Мандельштама, хотя бы и «Оську», хотя бы и «фартового».

Эта песня – чистая классика интеллигентского жанра «а'ля блатная песня». Она пользовалась настолько огромной популярностью, что имя ее автора долгие годы не существовало в исполнительском сознании, как бы оторвалось и затерялось в народных толщах.

Вместе с тем автор у нее был и даже, слава богу, есть: это Юз Алешковский (р. 1929), уроженец Красноярска на востоке России и житель штата Коннектикут на востоке США. Память у него прекрасная, она сохранила не только год, но и месяц написания песни: июль 1959 года.

Вот ее текст в авторизованной версии из 11 куплетов – на персональном сайте автора[3]:

> Товарищ Сталин, вы большой ученый –
> в языкознанье знаете вы толк,
> а я простой советский заключенный,
> и мне товарищ – серый брянский волк.
>
> За что сижу, поистине не знаю,
> но прокуроры, видимо, правы,
> сижу я нынче в Туруханском крае,
> где при царе бывали в ссылке вы.
>
> В чужих грехах мы с ходу сознавались,
> этапом шли навстречу злой судьбе,
> но верили вам так, товарищ Сталин,
> как, может быть, не верили себе.

И вот сижу я в Туруханском крае,
здесь конвоиры, словно псы, грубы,
я это все, конечно, понимаю
как обостренье классовой борьбы.

То дождь, то снег, то мошкара над нами,
а мы в тайге с утра и до утра,
вот здесь из искры разводили пламя –
спасибо вам, я греюсь у костра.

Вам тяжелей, вы обо всех на свете
заботитесь в ночной тоскливый час,
шагаете в кремлевском кабинете,
дымите трубкой, не смыкая глаз[4].

И мы нелегкий крест несем задаром
морозом дымным и в тоске дождей,
мы, как деревья, валимся на нары,
не ведая бессонницы вождей.

Вы снитесь нам, когда в партийной кепке
и в кителе идете на парад...
Мы рубим лес по-сталински, а щепки –
а щепки во все стороны летят.

Вчера мы хоронили двух марксистов,
тела одели ярким кумачом,
один из них был правым уклонистом,
другой, как оказалось, ни при чем.

Он перед тем, как навсегда скончаться,
вам завещал последние слова –
велел в евонном деле разобраться
и тихо вскрикнул: «Сталин – голова!»

Дымите тыщу лет, товарищ Сталин!
И пусть в тайге придется сдохнуть мне,
я верю: будет чугуна и стали
на душу населения вполне.

Песня длиннющая и очень неровная, но лучшие строфы и впрямь веселы и хороши. Так что запоминалась она легко и пелась широко – буквально всеми слоями и стратами населенья, наверное, и в КГБ тоже.

И вдруг с песней приключилось нечто совершенно необычайное: на какое-то время она действительно оторвалась от автора, улетела «в народ» и вернулась с приращением одного – неавторского – куплета.

Произошло это не сразу, но в конце 1962 года – по крайней мере в это время новация докатилась до Надежды Яковлевны Мандельштам. Очевидно, что через Александра Гладкова, 22 декабря 1962 года записавшего в дневник:

«Получил письмо от Н.Я. Мандельштам[5]. Благодарит за посланный ей «День поэзии», бранит сборник, негодует за выmarки из «Стансов» О.Э., радуется посланному ей куплету песни про то, как «Фартовый парень Оська Мандельштам читает зека стихи Петрарки у костра» (из известного «Письма зека товарищу Сталину», текст которого растет на глазах)»[6].

Понятно, что эти фольклорные «наращения» к песне Алешковского могли возникнуть только после «эренбурговских костров» в январской книжке «Нового мира» за 1961 год.

Сама же песня, но в особенности ее новый куплет сильно позабавили и порадовали Н.Я.: еще бы – она не забыла, как в видах барышей от кандидатской степени она и сама вступила в точности на ту же стезю, что и «товарищ Сталин» – на стезю языкознания. В общем-то из-за него, а не из-за Ахмановой с Левковской ей пришлось переделывать диссертацию, поскольку названные дамы, а также некоторые господа, нападая в ее лице на ее научного руководителя (Жирмунского), в качестве дубинок и палиц размахивали недостаточной – в свете указаний товарища Сталина – «демарризацией» ее диссертации.

Этот двенадцатый куплет позабавил и порадовал ее настолько, что она тут же поделилась им сразу с несколькими корреспондентами.

6 января 1963 года из Пскова она написала Н.Е. Штемпель:

«Прислали мне строчки лагерной песенки (товарищ Сталин, вы большой ученый, в языкознаньи вы познали толк, а я простой советский заключенный, и мне товарищ серый брянский волк). Ее широко сейчас поют. И в ней новая строфа:

В Москве открыли ваш музей подарков,
Сам Исаковский пишет песни вам,
А нам читает у костра Петрарку
Фартовый парень – Оська Мандельштам»[3].

В те же, по-видимому, дни Н.Я. сообщила эту важную новость и Л.Я. Гинзбург:

«Знаете песенку:
Товарищ Сталин, вы большой ученый,
Во всех науках вы познали толк,
А я простой советский заключенный,
И мне товарищ серый брянский волк[1].
Ее поют с новой строфой:
В Москве открыли ваш музей подарков,
Сам Исаковский пишет песни вам,
А нам читает у костра Петрарку
Фартовый парень Оська Мандельштам.
Это идет перед:
Вчера мы хоронили двух марксистов.
Автор песни – Юз Алешковский»[7].

Сама же строфа вписалась и мгновенно прилепилась к песне. И с тех пор всегда она исполнялась во все 12 куплетов, а если кто-то куплет-другой и опускал – по причине ли забывчивости, или сознательно отбрасывая самые неинтересные строфы, – то никогда в отброшенное не попадал припарковавшийся куплет из народа.

Но не все так ему радовались, как Н.Я. Искренне огорчался куплету-чужаку сам автор песни, Юз Алешковский, разглядевший в этом уникальном случае не проявление витальности своего произведения, а одно лишь покушение на чистоту даже не своих авторских прав, а авторского самолюбия. Мол, под моим именем – какие-то не мои, какие-то кукушкины строчки: да никогда!..

Я обратился к С. Неклюдову и узнал, что описанное явление – «дописывание» неустановленным кем-то строф-куплетов (как, впрочем, и их выпадение) – не уникально и является верным признаком фольклоризации песни[8].

Поэтому печатная версия песни приобрела раздваивающийся вид. Сам автор публикует ее натурально без кукушкиного куплета, а кто-то – назовем его по имени: народ – печатает, как и поет, целиком: как реальную и живую песню[9].

При этом «канон» обсуждаемой строфы несколько отличается от того, что приводила Н.Я.:

> Для вас в Москве построен «Дом подарков»,
> Сам Исаковский пишет оды вам,
> А здесь в тайге читает нам Петрарку
> Фартовый парень Оська Мандельштам.

Что ж, перестанем препираться с авторской волей и полюбовно согласимся с автором, что это НЕ Юз Алешковский.

И оторвемся, наконец, от забавной предыстории вопроса, куда более интересного все же в другом отношении.

Постараемся понять, что эти две короткие, но емкие строчки – «…А здесь в тайге читает нам Петрарку / Фартовый парень Оська Мандельштам» – собой означают?

Что?

Сразу и одновременно (или, как сейчас говорят, в одном стакане): и циркуляцию, и фиксацию, и канонизацию мифа.

Мифа о гибели Поэта от рук Тирана и мифа о его победе над Тираном, коль скоро его первым вспоминают те, кто готов бесконечно смеяться над «большим ученым», познавшим толк и в языкознании.

---

[1] Новый мир. 1961. № 1. С.144.

[2] *Мандельштам Н.* Воспоминания // Собр. соч. В 2 тт. Т. 1. Екатеринбург, 2014. С. 477–478.

[3] См.: http://www.yuz.ru/pesni.htm/ Авторская версия в «Новом мире» содержит несколько несущественных отличий (*Алешковский Ю.* «Не унывай, зимой дадут свидание…» / Новый мир. 1988. № 12. С. 121–122). В другой печатной версии у песни есть заглавие («Песня о Сталине») и даже эпиграф: *«На просторах родины чудесной / Закаляясь в битвах и труде, / Мы сложили радостную песню / О великом друге и вожде.*

В. Лебедев-Кумач».

[4] Эта строфа также не входит в авторский канон.

[5] Письмо это, увы, не разыскано.

[6] *РГАЛИ. Ф. 2590. Оп.1. Д. 102. Л. 92.*

[7] Из письма Н.Я. Л.Я. Гинзбург (см.: Письма Надежды Яковлевны Мандельштам к Лидии Яковлевне Гинзбург / Подг.

текста Н.К. Цендровской (при участии А.Г. Меца), коммент. Л.Я. Гинзбург // Звезда. 1998. № 10. С.149. В публикации – под № 54, без даты).

[8] *«У таких строк, конечно, всегда есть какой-то сочинитель, но обнаружить его практически никогда не удается. Более того, и к «признаниям в авторстве» в подобных случаях стоит относиться предельно критично»* (из эл. письма С. Неклюдова от 31 августа 2014 г.).

[9] См.: Новый мир. 1988. № 12. С. 121–122; Музыкальная жизнь. 1989. № 12. С. 30–31.

НЕОТВЯЗНЫЙ ЗАВКАФЕДРОЙ: МИСТИФИКАТОР ПАВЕЛ ТЮФЯКОВ

Н.Я. писала, что все ее информаторы о «Второй Речке» были доброжелательными и явно сочувствующими и О.М., и ей. За одним-единственным исключением:

«Дело происходило в Ульяновске, в самом начале пятидесятых годов, еще при жизни Сталина. По вечерам ко мне повадился ходить член кафедры литературы, он же заместитель директора, некто Тюфяков, инвалид войны, весь увешанный орденами за работу в войсковых политотделах, любитель почитать военные романы, где описывается расстрел труса или дезертира перед строем. Всю свою жизнь Тюфяков отдал "делу перестройки вузов", и потому не успел получить ни степеней, ни дипломов, ни высшего образования. Это был вечный комсомолец двадцатых годов и "незаменимый работник". С тех пор, как "его сняли с учебы" и дали ему ответственное поручение, его задача состояла в слежке за чистотой идеологии в вузах, о малейших уклонениях от которой он сообщал куда следует. Его переводили из вуза в вуз, главным образом, чтобы следить за директорами, которых подозревали в либерализме. Именно для этого он и прибыл в Ульяновск на странную и почетную роль "заместителя", от которого нельзя избавиться, хотя у него нет формальных прав работать в высшем учебном заведении. Таких вечных комсомольцев у нас было два – Тюфяков и другой, Глухов, эту фамилию следовало бы сохранить для потомства – внуков и дочерей, преподающих где-то историю и литературу.

Этот успел получить орден за раскулачивание и кандидатское звание за диссертацию о Спинозе. Он действовал открыто и вызывал к себе в кабинет студентов, чтобы обучить их, о ком и какую разоблачительную речь произнести на собрании, а Тюфяков трудился втихаря. Оба занимались разгромом вузов с начала двадцатых годов.

"Работу" со мной Тюфяков вел добровольно, сверх нагрузки, ради отдыха и забавы. Она доставляла ему почти эстетическое удовольствие. Каждый день он придумывал новую историю – Мандельштам расстрелян; Мандельштам был в Свердловске, и Тюфяков навещал его в лагере из гуманных побуждений; Мандельштам пристрелен при попытке к бегству; Мандельштам отбывает новый срок в режимном лагере за уголовное преступление; Мандельштама забили насмерть уголовники за то, что он украл кусок хлеба; Мандельштам освободился и живет на севере с новой женой; Мандельштам совсем недавно повесился, испугавшись письма Жданова, только сейчас дошедшего до лагерей... О каждой из этих версий он сообщал торжественно: только что справлялся и получил через прокуратуру такие сведения... Мне приходилось выслушивать его, потому что стукачей прогонять нельзя. Кончался наш разговор литературными размышлениями Тюфякова: "Лучший песенник у нас Долматовский... Я ценю в поэзии чеканную форму... Без метафоры, как хотите, поэзии нет и не будет... Стиль – это явление не только формальное, но и идеологическое – вспомните слова Энгельса... С ними нельзя не согласиться... А не дошли ли до вас из лагеря стихи Мандельштама? Он там много писал"... Сухонькое тело Тюфякова пружинилось. Под военными, сталинского покроя усами мелькала улыбка. Ему раздобыли в Кремлевской больнице настоящий корень жень-шеня, и он предостерегал всех против искусственных препаратов: "Никакого сравнения"...»[1]

Нынче, благодаря раскопкам А.П. Рассадина в ульяновских архивах, мы знаем о Павле Алексеевиче Тюфякове (1907–1954) кое-что еще. После окончания Пермского индустриально-педагогического института он работал на различных должностях в сфере школьного и высшего образования: в гороно, преподавателем-ассистентом и заведующим кафедрой литературы, помощником заведующего учебной частью вуза, деканом и т.д. Участник Великой Отечественной войны, которую закончил в звании подполковника.

Летом 1950 года переехал в Ульяновск и был назначен зам. директора педагогического института «по учительскому институту» и старшим преподавателем кафедры литературы. В 1951 году, в связи с закрытием учительского института он был переведен на должность заместителя директора по заочному отделению; одновременно в течение некоторого времени исполнял обязанности зав. кафедрой немецкого языка. Был секретарем партбюро факультета иностранных языков[2].

Интересно, что 22 мая 1951 года, на заседании Ученого совета Ульяновского пединститута, вомном посвященном «критике» Н.М., Тюфяков был едва ли не единственным, кто за нее заступался.

Очевидно, что Тюфяков имел доступ к материалам из институтского Отдела кадров, но вряд ли был вхож в Военную прокуратуру. Так же понятно и то, что вряд ли Н.Я. – да еще при жизни Сталина – слезно просила его наводить какие-либо справки где бы то ни было.

Судя по дате смерти Тюфякова – 1954 год, – без Сталина ему и с женьшенем жизнь была не в жизнь. Он умер, как и Мандельштам, в 47 лет.

---

[1] *Мандельштам Н.* Воспоминания // Собр. соч. В 2 тт. Т. 1. Екатеринбург, 2014. С. 478–479.

[2] *Архив Ульяновского Гос. Педагогического университета.* Оп. 69. Личное дело Тюфякова.

«И СНОВА СКАЛЬД...»:
МИСТИФИКАТОР ЮРИЙ ДОМБРОВСКИЙ

И как его свою произнесет!..
Парафраз

Чей щегол?

Надежда Яковлевна выпустила немало копий и стрел в адрес символистов с их страстью к мистификациям. Но сами по себе символистские мистификации вживую Мандельштама не коснулись.

При жизни с ним если и происходили, то не «мистификации», а казусы, как, например, с публикацией под его именем клычковского стихотворения «Пылала за окном звезда...» или гумилевских переводов из Вийона.

Мистификации начались гораздо позднее, и имели они вид или маленьких побед над цензурой-дурой, как, например, две строчки из мандельштамовских стихов, вставленные Н.Я. в ее производственный очерк о вышивальщицах в «Тарусских страницах». Да и весь самиздат вполне можно рассматривать как огромную коллективную «мистификацию» властей читателями: недаром вводились нормы на копирование – сколько экземпляров считать еще хранением и сколько уже распространением самиздата.

В то же время и сам Мандельштам в эти же годы не избежал такой разновидности «мистификации», как плагиат.

Его «Щегол» («Мой щегол, я голову закину...») залетел на страницы советских изданий довольно рано – еще в 1963 году. Но как залетел?!

Он вышел в сборнике «Имена на поверке. Стихи воинов, павших на фронтах Великой Отечественной войны», выпущенном издательством «Молодая гвардия», – вышел, разумеется, в искаженном виде (только две строфы), но главное – под именем... Всеволода Багрицкого, погибшего на войне сына Эдуарда Багрицкого!

Незамеченным это не осталось, и вскоре (5 мая 1964 года) Лидии Густавовне Багрицкой, Севиной маме, давшей эти стихи в сборник, пришлось разъяснять это «досадное недоразумение» в «Литературке». Что не помешало тому же «Щеглу» еще раз появиться под именем Севы Багрицкого в 1978 году – в двуязычном русско-английском сборнике «Бессмертие – Immortality: Стихи советских поэтов, погибших на фронтах Великой Отечественной войны», выпущенном издательством «Прогресс».

Интересно, что в плагиате обвиняли и самого Мандельштама!

И не Горнфельд с Заславским, а его «подмастерье» – Сергей Борисович Рудаков! В письме жене от 26 мая 1935 года из Воронежа он «поймал» Мандельштама на заимствовании у одного поэта середины 30-х годов – у Сергея Борисовича Рудакова!

«...*Лина, Лина, тут лучше всего:*

Толковые лиловые чернила.

Источник?

Привычные кирпичные заборы!!![1]

Лика, что делать!?! Нельзя же встать на Невском и все это рассказывать. Мое он знает наизусть»[2].

И смех, и грех!..

Юрий Домбровский:
свидетельство о Поэте и Каше.

Н.Я. писала в «Воспоминаниях»:

*«До меня часто доходили слухи о лагерных стихах Ман-
дельштама, но всегда это оказывалось вольной или неволь-
ной мистификацией. Зато недавно мне показали любопыт-
ный список, собранный по лагерным "альбомам". Это достаточно искаженные записи ненапечатанных стихов, где
нет ни одного с явным политическим звучанием, вроде
"Квартиры". Основной источник – это циркулировавшие
в тридцатых годах списки, но записывались стихи по памяти, и отсюда множество искажений. Некоторые стихи
попали в старых, отвергнутых вариантах, например,
"К немецкой речи". А кое-что, несомненно, надиктовано самим Мандельштамом, потому что ни в какие списки не по-
падало. Не он ли сам вспомнил свои детские стихи о Распя-
тии? В альбомах попалось и несколько шуточных стихов,
которых у меня нет, например, "Извозчик и Данте", но,
к сожалению, в диком виде. Его могли завезти в те края
только ленинградцы, а их там было более чем достаточно.*

*Мне показал этот список Домбровский, автор пове-
сти о нашей жизни, которая написана, как говорили
в старину, "кровью сердца"[3]. В этой повести вскрыта самая сущность нашей злосчастной жизни, хотя в ней говорится о раскопках, змеях, архитектуре и канцелярских
барышнях. Человек, вчитавшийся в эту повесть, не может не понять, почему лагеря не могли не стать основной силой, поддерживающей равновесие в нашей стране.*

*Д. утверждает, что видел Мандельштама в период
"странной войны", то есть через год с лишним после
27 декабря 38 года, которое я считала датой смерти.
Навигация уже открылась, а человек, которого Д. счел за
О.М. или который действительно был О.М., находился
в партии, направлявшейся на Колыму. Дело происходило*

все в том же лагере на "Второй речке". Д., тогда юноша, экспансивный и горячий, услыхал, что в партии находится человек, известный под кличкой "Поэт", и пожелал его повидать. Человек этот отозвался, когда Д. окликнул его: "Здравствуйте, Осип Мандельштам". Отчества Д. не знал... "Поэт" производил впечатление душевнобольного, сохранившего все же некоторую ориентацию. Встреча была минутной – поговорили об осуществимости переправы на Колыму в дни военной тревоги. Затем старика – "Поэту" на вид было лет семьдесят – позвали есть кашу, и он ушел.

Старческий вид лагерника, мнимого или настоящего Мандельштама, не свидетельствует ни о чем: в тех условиях люди старились с невероятной быстротой, а О.М. никогда моложавостью не отличался и выглядел значительно старше своих лет. Но как сопоставить эти сведения с моими данными? Можно предположить, что Мандельштам вышел из больницы, когда все знавшие его уже рассеялись по лагерям, и прожил тенью еще несколько месяцев или даже лет. Или какой-нибудь старик – однофамилец, а у всех Мандельштамов повторяются одни и те же имена, и они схожи лицом – откликнулся на прозвище "Поэт" и жил в лагере, где его принимали за О.М. Есть ли основания считать человека, встреченного Д., О. Мандельштамом?

Мои сведения слегка поколебали уверенность Д., а его рассказ смутил меня, и я уже ни в чем не уверена. Разве есть что-нибудь достоверное в нашей жизни? И я взвесила все про и контра...

Д. с Мандельштамом знаком не был, но в Москве ему случалось видеть его, но всегда в периоды, когда О.М. запускал бороду, а лагерный "Поэт" был гладко выбрит. Все же какие-то черты напомнили Д. облик Мандельштама. Для полной уверенности этого, конечно, мало – обознаться легче легкого. Д. узнал одну деталь, но не со слов "Поэта", а через третьи руки: судьбу О.М. решило *какое-то письмо Бухарина. Очевидно, в 38 году всплыло приложенное к первому делу письмо Бухарина к Сталину и многочисленные записки Бухарина, отобранные при первом обыске. Случай этот более чем вероятный. И о нем мог знать только настоящий Мандельштам.*

Однако остается открытым вопрос, говорил ли об этом письме таинственный старик по кличке "Поэт" или ему только приписывали бытовавший в лагере рассказ уже умершего человека, за которого его принимали. Иначе говоря: лагерники знали, что в деле Мандельштама фигурировало письмо Бухарина. Какого-то старика, быть может, однофамильца, принимали за О.М. и, вспомнив историю с бухаринским письмом, приписали ее старику. Проверить, что было на самом деле, невозможно. Но один факт здесь меня интересует: слух о письме. Это первый и единственный слух, дошедший до меня о тюремном периоде в период второго, повторного, дела. О.М. недаром сказал в "Четвертой прозе": "Мое дело не кончилось и никогда не кончится"... На основании письма Бухарина дело 34 года пересматривалось в 34 же году, и на основании того же письма оно пересматривалось и в 38... Далее оно пересматривалось в 55 году, но осталось совершенно темным, и я надеюсь, что оно будет пересматриваться еще не раз»[4.]

Комментировать эту большую цитату не приходится: «Поэт» Юрия Домбровского, если только он не был его художественным вымыслом, как «Поэт» у Шаламова, не был Осипом Мандельштамом.

Стихи под диктовку:
«список Чухонцева» и «список Поболя»

…Писательский Дом творчества в Голицыно, в отличие от других подобных заведений, был местом, в котором писатели, в основном старшего поколения, действительно работали. Попадала в Голицыно и молодежь, и вечерами случались интересные посиделки – старики и молодняк. Приходил на них и Арсений Тарковский, чья собственная дача находилась неподалеку.

Здесь, в Голицыно, осенью 1969 года, Олег Григорьевич Чухонцев познакомился и подружился с Юрием Осиповичем Домбровским и его женой Кларой. Домбровский любил бутылочку и иногда перебирал дозу. В такие минуты он любил читать стихи, собственные стихи – и читал их очень выразительно, как-то по-своему, педалируя и выкрикивая какие-то фразы или слова.

Однажды вечером в такую минуту Домбровский вдруг спросил Чухонцева: «А хотите неизвестные стихи Мандельштама послушать?» – «Конечно, прочтите!» – «Ну, слушайте...».

И в подобающей случаю возбужденной манере Домбровский прочитал те стихи, что приведены ниже. Дочитав, сказал, что записал их со слов автора на пересылке.

Чухонцев не растерялся и попросил: «А можете продиктовать?» – «Могу!»

И стал диктовать.

Чем больше Чухонцев писал, тем более убеждался, что это не Мандельштам. Да, живо, да, талантливо, но как-то для главного, в его представлении, российского поэта XX столетия – жидковато. Зато вполне тянуло на хорошего эпигона или мистификатора. А к мистификациям Юрий Осипович был вполне благорасположен, и тут-то Чухонцева озарило: да это же он сам, Домбровский, и написал!..

Когда диктовка закончилась, Чухонцев протянул листок Домбровскому. Тот внимательно все перечел, взял ручку и приписал на полях: «*Я никогда никому это не рассказывал, а сейчас рассказал, потому что выпил. Юрий Домбровский*».

...Вскоре, уже в Москве к Чухонцеву заглянули жившие по соседству знакомые – литературовед Олег Михайлов и великий джазовый трубач Андрей Товмасян, ставшие одними из первых слушателей «неизвестного Мандельштама». «Дайте нам, – запросили гости. – Мы сделаем научную текстологическую экспертизу».

Ксероксов тогда не было, перепечатывать было лень, и Чухонцев отдал им оригинал своей записи под диктовку Домбровского.

Прошло какое-то время, и Товмасян возвратил листок – в целости и сохранности. Но со словами: «Это Мандельштам!»

Нисколечко не изменив своим сомнениям, Чухонцев тем не менее промолчал, но подумал: «Ну, хорошо. Научная экспертиза… А почему бы и нет? Красивая легенда…»

Когда в конце августа 2014 года Олег Григорьевич рассказывал по телефону эту историю и обещал сделать хорошую ксерокопию с этого голицынского листочка, сам я пребывал в полном убеждении, что историю эту в каком-то более смутном виде я уже знаю и что даже сам листочек этот или листочки уже видел. Более того – порывшись у себя в компьютере, я нашел в нем мэйл от Коли Поболя, ближайшего моего друга[5]. Переписка об этом велась зимой 2009 года, один из атачментов содержал сканы двух страниц (или, возможно, одной страницы с оборотом), на которых и был записан этот «апокриф». Как и откуда он попал к Коле, уже и не вспомнить, но мне казалось, что от самого Чухонцева (может быть, через Липкина).

Низ второго листа был срезан при сканировании, и приписка решительно не совпадала с тем, что рассказывал о приписке по памяти Олег. Но никаких сомнений в том, что это и есть тот самый «голицынский список» Чухонцева, рассказ о котором я только что записал, у меня не возникало.

Недоставало только сравнить «приписки», и я приложил эти сканы к электронному письму Чухонцеву с записью его рассказа.

Каково же было наше обоюдное удивление, когда выяснилось, что это разные списки!

«Список Чухонцева» – это список его рукой с припиской Домбровского на полях. «Мой» же – это список рукой не двух, а одного лица (руку Домбровского я не знал, но почерк показался мне хорошо знакомым). Строфы для верности пронумерованы, на первом листке – с 1 по 6, на втором – с 7 по 9 плюс приписка. В верхней части первого листа справа – еще два пояснения: «[копия]» и «[ошибки в правописании сохранены]», что фактически исключало руку самого Домбровского.

И вот тут я однозначно опознал почерк – да это же Колина рука!..

Приведу текст «неизвестного Мандельштама» по этому источнику (назовем его «списком Поболя»):

О, для чего ты погибала, Троя,
И выдуман был Одиссеем конь?
Каких изменников, каких героев
Испепелил бенгальский твой огонь?

Зачем не откупилась ты от тлена
В свечении своих бессмертных риз,
Похожая на молнию Елена,
И был забыт лысеющий Парис?

А может быть, влюбленные для вида,
Целуются они, обнажены,
Лишь на картине юного Давида –
Две декорации с одной стены?

И юноша исполненный отваги,
Лишь в те минуты юн и именит,
Когда в устах ослепшего бродяги
Его шальная молодость звенит.

Исчезло всё. И рыцари, и боги,
Истёртые в один летучий прах.
Пустынный вихорь ходит по дороге
Сухую пыль вздувая в лопухах.

Гудит, гудит, расходится кругами,
Вновь возвращается на прежний путь,
И словно пыль скрипит под сапогами
Мозг Одиссея и Елены грудь.

Но брошенное волей бутафора
На землю, где убийство – ремесло,
Чудовищное яблоко раздора
За три тысячелетья проросло.

И вот опять похищена Елена,
Да только чья Елена – не поймешь…
Опять сзывает хриплая сирена
Созревшую к убою молодежь.

Уступленная недругу без боя,
И брошенная, как Троянский конь,
Европа бедная, покинутая Троя,
Ты погибаешь, на коленях стоя,
Не испытав железо на огонь.

Далее следовала дата («*1937–1938?*») и следующая приписка:

«*Этого стихотворения Осипа Мандельштама, нет ни в одном издании его стихов, ни в советских, ни в американских.*

Стихотворение это было написано О.Э. Мандельштамом в лагере. Он читал его своим друзьям и товарищам по несчастью, и один человек (фамилию не помню) запомнил его, и когда этот человек – чудом выжив, вышел из ла-

геря, он (уже в Москве) передал это стихотворение Олегу Чухонцеву (поэту), и тот в свою очередь – мне.

Стихотворение это знает весьма ограниченный контингент лиц, в основном фанаты и любители творчества О.Э. Мандельштама.

В самиздатовских списках это стихотворение не ходило.

Стихотворение это не знала даже вдова поэта Надежда Яковлевна Мандельштам.

Стихотворение это попало […]»

И дальше – дефект Колиного скана: текст «обрезан»!

В «списке Чухонцева» авторская (его рукой!) приписка такова:

«Это то стихотворение, которое О.Э. прочитал мне на второй речке Свитлага (Владивосток), пересыльный лагерь на Колыму. Но Н.Я. пишет о другом стихотворении – это же я диктую первый раз. Потому что я выпил. Д.

Есть еще и одна тонкость – я знал О.Э. тогда, когда он по справке НКВД был уже мертв – но он был жив, и это стихотворение времени Дроль Д'игер[6], т.е. лето 1940 г.».

К тому же у двух текстов явно разные даты записи. В первом случае, как вспоминает Чухонцев, то была осень 1969 года, причем «пишет» применительно к Н.Я. означает не изданную книгу, а ее машинопись, которую она показывала Домбровскому (загадкой тут является «другое стихотворение» – в окончательном тексте «Воспоминаний» ничего подобного нет), а во втором – никак не раньше 1974 года (первое советское издание стихов Мандельштама – томик в Большой серии «Библиотеки поэта» – вышло буквально в последние дни 1973 года).

Экспертиза-соло

Олег Чухонцев упомянул два имени – музыканта и поэта Андрея Товмасяна и литературоведа Олега Михайлова. Казалось бы, осуществления «экспертизы», то есть атрибуции авторства, логичнее было бы ожидать от второго. Но сделал ее, похоже, именно первый – великий джазовый трубач и большой поклонник поэзии Мандельштама.

> «Стихи я любил с детства. Зачитывался сказками Пушкина, позже полюбил Лермонтова, а впоследствии – намертво влюбился в стихи Осипа Эмильевича Мандельштама, с творчеством которого меня познакомил мой друг, писатель Олег Михайлов. Он дал мне 1-й том вашингтонского издания О. Мандельштама, и я втихаря – раньше за это преследовали – сделал себе ксерокопию»[7].

Именно он, вольно или невольно, подхватил из рук Домбровского знамя его мистификации. Сравнительно недавно – в 2007 году – он опубликовал в своем блоге «Андрей Товмасян Акрибист» на сайте «Проза.ру» серию штудий о Мандельштаме, и первая из них – как раз о произведении «О, для чего ты погибала, Троя?..»[8].

Если бы это был все-таки Мандельштам, то мы имели бы дело с первопубликацией: трубите, фанфары, ура!

Но проблема атрибуции здесь даже не встает и не обсуждается: разумеется, Мандельштам, кто же еще?

А если и ставится перед собой задача, то такая:

> «...Установление правильной датировки написания О.Э. Мандельштамом стихотворения «О, для чего ты погибала, Троя?», а также анализ некоторых загадок и неслучайностей данного текста». Далее – утверждается: «Стихотворение О.Э. Мандельштама «О, для чего ты погибала, Троя?» - палиндромично. В первой строфе:

конь – огонь. Во второй строфе: тлена – Елена. В последней строфе: огонь – конь. В предпоследней строфе: сирена – Елена. И так далее».

И так далее.

Кончается же штудия «Примечанием автора»:

«Это моя первая текстологическая публикация в Интернете. Если, хотя бы один мой читатель найдёт в этой моей работе что-нибудь полезное для себя, я буду считать, что сделал ещё одно доброе дело. А, вообще, я продолжаю писать стихи, прозу и делаю всё то, что я и делаю почти всю свою жизнь. Ещё хочу сказать, что дата написания этого стихотворения, всё ещё пока не установлена, но весь материал для установления этой даты, я представил. Андрей Товмасян Акрибист. 19–24 октября 2007 года».

Итак – итоги: у эксперта никаких сомнений – это Мандельштам! Указаний на конкретный источник никаких нет![9] Как нет и обещанной датировки, кроме разве что даты самой «экспертизы»!

Зато знакомство с текстом, опубликованным Товмасяном, раскрыло источник «списка Поболя»: это или сайт Товмасяна (хотя я с трудом представляю себе Поболя, рыщущим в Интернете), а скорее всего сам Товмасян – в близком дружеском круге Товмасяна не было, но круг Колиных знакомств не ведал границ, и пересечься они могли запросто – да еще при Колиной любви к джазу-то! В пользу второго предположения говорит и приписка, отсутствующая на сайте.

Точка над i: «список Домбровского»

Собственно говоря, задача «разоблачить» шутника-мистификатора не стоит. Это сделал сам автор, вернее, его вдова, Клара, выпустившая в 1997 году – по автографам

«ГУРЬБА И ГУРТ»: СОЛАГЕРНИКИ МАНДЕЛЬШТАМА

и черновикам, сохранившимся в архиве, – сборник его стихов «Меня убить хотели эти суки…». На страницах 31–32 расположились и «мандельштамовские» стихи[10].

Иными словами, формальная точка над i в вопросе о мандельштамовском dubia уже поставлена – как если бы мы уже заглянули в конец задачника на страничку с правильными решениями.

Следует признать: стихотворение Домбровского очень талантливо, и оно действительно могло бы сойти за стилизацию Мандельштама периода «Tristia». Но, если бы Домбровский и впрямь встретил бы в ГУЛАГе Мандельштама, то перед ним стоял бы автор не «Tristia», а «Стихов о неизвестном солдате»!

Интересно, что о своей попытке мистификации Клара и не подозревала, – узнав об этом только сейчас, летом 2014 года, от меня. Но своеобразный след от этой попытки в книге все же остался – это указанное Домбровским место и время их написания: *Владивостокская пересылка, Вторая речка. Осень 1940 г.*»

Дата эта заведомо неточна: сам Домбровский был на пересылке в 1939 году[11], а в 1940 году он был уже на Колыме, о чем и сам написал на списке Чухонцева.

Аберрация памяти или озорной отблеск мистификации, хотя бы в дате?

Трио для текстолога: очная ставка деталей

Остается, пожалуй, лишь один вопрос – о правильном тексте этого бывшего dubia.

Ведь у нас в распоряжении три источника– «список Чухонцева», «список Поболя-Товмасяна» и печатный.

Приведем еще раз текст, но по списку Чухонцева, отмечая его отличия от двух других:

> *О, для чего ты погибала, Троя,*
> *И выдуман был Одиссеем конь?[12]*

Каких изменников, каких героев
Испепелял[13] бенгальский твой огонь?[14]

Зачем не откупилась ты[15] от тлена
В свечении[16] своих бессмертных риз,
Похожая на молнию Елена,
И был забыт лысеющий Парис?[17]

А может быть, влюбленные для вида,
Они милуются[18], обнажены,
Лишь на картине юного Давида[19]
Две декорации с одной стены?

И юноша, исполненный отваги,
Лишь в те минуты юн и именит,
Когда в устах ослепшего бродяги
Его шальная молодость звенит.

Истлело[20] всё: и рыцари, и боги[21],
Истёртые в один летучий прах.[22]
Пустынный вихорь ходит по дороге
И чью-то пыль вздувает[23] в лопухах.
Гудит, гудит, расходится кругами,
Вновь возвращается на прежний путь,
И, словно пыль[24], скрипит под сапогами
Мозг Одиссея и Елены грудь.

Но[25], сброшенная[26] волей бутафора
На землю, где убийство – ремесло,
Чудовищное яблоко раздора
За эти тыщелетья[27] проросло.

И вот опять похищена Елена,
Да только чья Елена – не поймешь…[28]
Опять взывает[29] хриплая сирена
Созревшую к убою молодежь.

Уступленная недругу без боя,

И брошенная, как троянский[30] конь,

Европа бедная, покинутая Троя,

Ты погибаешь, на коленях стоя,

Не испытав железо и огонь[31].

Текст «списка Чухонцева» производит наиболее целостное и систематичное, а потому и наиболее удачное – впечатление (хотя серьезных отличий от «списка Поболя» немного, а в одном случае – где «три тысячелетья» – «список Поболя» и органичнее).

Авторитетность книжной версии серьезно понижена выпадающей из метра заключительной строкой 7-го катрена (*«За тысячелетья проросло»*),

Неудачей книжной публикации является ее графика. Не знаю, насколько это оправдано источником, но ничто в структуре стихотворения не говорит за то, что его надо печатать не девятью катренами, а четырьмя сдвоенными катренами с одиноким девятым катреном в конце.

P.S. Три птицы мистификации: «плагиат щегла», «тетерев на току» и «троянская утка»

Надо сказать, что Осип Эмильевич стал невольным «участником» даже не просто трех мистификаций, а трех типов мистификаций.

Первый тип – это Лидия Густавовна Суок-Багрицкая: банальное воровство чужого щегла из клетки у репрессированного и погибшего в ГУЛАГе бесправного старика во славу родимой кровиночки – талантливого мальчишки, погибшего на войне! Мандельштама же все равно не печатают – не пропадать же добру. И даже если среди бумаг сына был неподписанный автограф или список даже Севиной рукой, – выпадение этого стихотворения из прочих сыновних текстов не могло не бросаться в глаза!

Второй – это литературный маньяк Сергей Рудаков: самовлюбленный тетерев на току, Ромео, до беспамятства и безрассудства влюбленный в… Ромео!

И, наконец, тип третий – это как раз Юрий Домбровский, чей психологический мотив, восприми мы его всерьез, был бы особо дерзновенным и самонадеянным: ничего «не брать» у Мандельштама, а как бы отдать ему самому – своего рода принцип горделивой «кукушки»!

Но в таком случае мир – а уж Н.Я. и подавно – наверняка знали бы об этом апокрифе, об этой «колымской Трое» Мандельштама, и узнали бы гораздо раньше, чем об этом поведал Чухонцев. Ведь Н.Я. и «поэт Д.» были достаточно рано (не позднее осени 1965 года) и напрямую знакомы.

Нет, все было куда проще: один поэт выпил, разволновался и, мешая «домашнюю заготовку» (Мандельштам аж на Колыме!) с импровизацией, попытался разыграть другого, и даже, наверное, думал, что разыграл. Но ни один не побежал патентовать ни свои шальные утверждения, ни тем более свои законные сомнения.

Так что если выбирать из мира птиц, то это все же не «кукушка», а троянская «утка». Тяжело взмахнув крыльями, натужно оторвавшись от воды, но не сделав и круга, она почти сразу же села обратно.

---

[1] Искаженная строчка из стихотворения С.Б. Рудакова «Громкоговоритель, чище вытяни…»: «Знакомыми становятся соседи, / Привычными – кирпичные заборы» (Рудаков С.Б. Стихотворения // О.Э. Мандельштам в письмах С.Б. Рудакова к жене (1935–1936) / Вступит. статья: Е.А. Тоддес, А.Г. Мец. Публ. и подг. текста: Л.Н. Иванова и А.Г. Мец // Ежегодник Рукописного отдела Пушкинского Дома на 1993 год. Материалы об О.Э. Мандельштаме. СПб.: Академический проект,1997. С.187).

² О.Э. Мандельштам в письмах С.Б. Рудакова к жене (1935–1936) / Вступит. статья: Е.А. Тоддес, А.Г. Мец. Публ. и подг. текста: Л.Н. Иванова и А.Г. Мец // Ежегодник Рукописного отдела Пушкинского Дома на 1993 год. Материалы об О.Э. Мандельштаме. СПб.: Академический проект,1997. С.55.

³ Имеется в виду повесть Ю.О. Домбровского «Хранитель древностей», вышедшая в 1964 г. в «Новом мире».

⁴ *Мандельштам Н.* Воспоминания // Собр. соч. В 2 тт. Т. 1. Екатеринбург, 2014. С. 480–481.

⁵ См. о нем: *Собеседник на пиру.* Памяти Николая Поболя / Сост. П. Нерлера. М.: ОГИ, 19 мая 2013. 624 с.

⁶ Неточная транскрипция франц. выражения dr le de guerre, что значит «Странная война», то есть период, когда Франция и Германия находились в состоянии войны друг с другом, но боевых действий еще не вели (иногда так называют еще и советско-финскую войну).

⁷ См.: *Товмасян А.* Воспоминания. В Сети: http://www.jazz.ru/mag/tovmasian/tovmasian7.htm.

⁸ В Сети: http://www.proza.ru/2007/11/27/162

⁹ Если не считать следующей ремарки: *«Тексты попадали ко мне из разных источников. В молодости от Александра Морозова, позднее от Олега Михайлова, от Олега Чухонцева, и ещё от совершенно незнакомых мне людей, разрешавших мне делать выписки из своих рукописных тетрадочек 30-х годов. Поэтому я приношу свои извинения за некоторые неточности в текстах и в датировках текстов»* (Там же).

¹⁰ *Домбровский Ю.* Меня убить хотели эти суки… / Сост. К. Домбровская. М.: Возвращение, 1997. С. 31–32. См. в Сети: http://coollib.com/b/249194/read.

¹¹ В 1940 г. она уже передавалась Тихоокеанскому флоту.

¹² В списке Поболя: точка.

¹³ В списке Поболя: «испепелил».

¹⁴ В книге: восклицательный знак.

[15] В книге: «откупилася»

[16] В книге: «Свечением».

[17] В книге: точка.

[18] В списке Поболя: «Целуются они».

[19] В книге: тире.

[20] В списке Поболя: «Исчезло».

[21] В книге: «Боги».

[22] В книге: многоточие.

[23] В списке Поболя: «Сухую пыль вздувая».

[24] В списке Поболя нет запятых.

[25] В списке Поболя нет запятой.

[26] В списке Поболя – правильно: «сброшенное» («сброшенная» – ошибка слуха при диктовке).

[27] В списке Поболя: «три тысячелетья». В книге: «тысячелетья» (заведомо ошибочный вариант).

[28] В книге: многоточие.

[29] В списке Поболя и книге: «сзывает».

[30] В списке Поболя: «Троянский» (с большой буквы).

[31] В списке Поболя: «на огонь». А у самого Товмасяна еще один вариант: «железа на огонь»!

СЛЕДОПЫТЫ

НАДЕЖДА МАНДЕЛЬШТАМ,
МОИСЕЙ ЛЕСМАН И ДРУГИЕ

Надежда Мандельштам

Самым первым – во всех смыслах этого слова – «историческим следопытом» была сама Надежда Яковлевна, представившая свои результаты в двух заключительных главах «Воспоминаний» – «Дата смерти» и «Еще один рассказ».

Она пишет о десятке свидетелей, которых она лично расспрашивала о последних месяцах жизни О.М. Ее собственная кочевая жизнь мало способствовала методическому поиску и расспросам, но тем не менее можно отметить, что как минимум четверо – Казарновский, Меркулов, Хазин и «физик Л.» – оставили свой след в ее тексте. Еще трое – писатель Д. (Домбровский), поэт Р. (личность не установлена, но В. Марков говорил мне, что близок к решению этой загадки) и неназванный (?) Шаламов – свидетели пусть не о Мандельштаме, но о лагерях. Никак не обозначены у нее Филипп Гопп (он, правда, ничего и не рассказал) и Иван Милютин, чей текст, возможно, попал к ней уже после отправки рукописи «Воспоминаний» на Запад. Но не охвачен ею и Злобинский!

В ее усилиях следопыта просматривается несколько этапов.

Первый – это ташкентский, когда сама судьба свела Н.Я. с первым из встреченных ею посланцев с того света – с Казарновским.

Второй – ульяновский, когда ее мучил своими «новостями» об О.Э. нравственный садист-особист Тюфяков.

Третий – московско-чебоксарский – связанный с хрущевскими разоблачениями и началом всесоюзного процесса реабилитации безвинно репрессированных лиц. В записях Н.Я. находим след этого процесса:

«**Реабилитация.** *Слухи о реабилитации начались в 54–55 гг. Во время одного из приездов в Москву из Чебоксар я услыхала про героическую борьбу за реабилитацию вдовы Бабеля и внучки Мейерхольда*»[1.]

И четвертый – тарусско-московский, когда Н.Я., получив прописку и купив квартиру, «осела» в столице. Это впервые дало ей возможность относительно спокойно встречаться с интересующими ее очевидцами (впрочем, и в тарусскую свою пору она не останавливалась перед тем, чтобы выбраться к Хазину в Болшево, например).

Терпеливо собирая крупицы сведений о последних злосчастиях своего мужа, она опросила десятки свидетелей и лжесвидетелей, после чего поделилась с читателями тем, что за долгие годы смогла узнать. В ее первой книге «Воспоминания» этому посвящены две последние главы: «Дата смерти» и «Еще один рассказ».

Илья Эренбург

Вторым – пусть и невольным – следопытом следует признать Илью Григорьевича Эренбурга. Его воспоминания «Люди, годы, жизнь…» будильником прозвенели в ушах усыпленного поколения, многие (не все, конечно) встряхнулись и, благодаря ей, начали думать и понимать. Именно Эренбургу Н.Я. обязана большинством своих свидетелей и свидетельств.

Приведенные или процитированные Эренбургом поразительные стихи были, в сущности, первыми публикациями «позднего Мандельштама» на родине, а сообщенные биографические сведения – вешками той неписаной биографии-судьбы поэта, еще только возникавшей в сознании читателя.

В январской книжке за 1961 год можно было прочесть следующее:

> *«Кому мог помешать этот поэт с хилым телом и с той музыкой стиха, которая заселяет ночи? В начале 1952 года ко мне пришел брянский агроном В. Меркулов, рассказал о том, как в 1938 году Осип Эмильевич умер за десять тысяч километров от родного города; больной, у костра он читал сонеты Петрарки. Да, Осип Эмильевич боялся выпить стакан некипяченой воды, но в нем жило настоящее мужество, прошло через всю его жизнь – до сонетов у лагерного костра...»*[2]

Этот абзац оказался той классической наживкой замедленного действия, – той, что вскоре привела к Эренбургу нескольких посланцев с того света, видевших Мандельштама кто в эшелоне, кто в лагере, а кое-кто – и на Колыме, где тот никогда не был.

Каждого из них Эренбург так или иначе переадресовывал ко вдове Мандельштама. Надо ли говорить, как сама она, по крупицам собиравшая и быль, и небыль о последних месяцах и смерти О.М., жадно искала такие контакты и как жаждала лично каждого расспросить! На страницах ее книг, в ее переписке и в ее архиве остались многочисленные следы таких переадресовок и встреч, а вместе с ними – иногда – и сами свидетельства.

И еще одно явление предопределил этот пассаж – романтизацию мандельштамовской смерти.

В действительности же не было не только стихов у костра, но и самих костров. Ни Меркулов, ни Злобинский ничего такого ни Эренбургу не рассказывали и не писали, так что «разжигал» их сам Эренбург, причем намеренно – для создания антуража и стиля.

Но именно на эту – фальшивую, в сущности, – ноту впоследствии запали очень многие романтики-мифотворцы[3].

Евгений Мандельштам

Третьим по времени следопытом следовало бы назвать Евгения Эмильевича Мандельштама (1898–1979), младшего брата поэта. Это он – предположительно в 1966 году – вышел на академика Крепса, благо его старший сын Юрий работал у Крепса в институте, и это он в январе 1967 года рассказал свояченице о Крепсе (или Гревсе, как она запомнила с голоса).

Тем самым он подтолкнул Н.Я к автономным поискам этого самого «Гревса» (действия через свояка были для нее исключены): она «озадачила» этим своих ленинградских друзей – Александра Гладкова и Иосифа Амусина, а последний подключил к поискам Марка Ботвинника. О полученных результатах Марк Наумович «отчитался» напрямую перед Н.Я.

Как правило, она сама стремилась участвовать в такого рода беседах, но не всегда это было возможно, и тогда Н.Я. доверяла расспросы потенциальных очевидцев своим друзьям[4].

Моисей Лесман

Следует заметить, что самый интерес к подлинным событиям сталинского террора долгое время был предосудителен и небезопасен, недаром многие из очевидцев либо упорно уклонялись от разговоров на эту тему, либо оговаривали свою глубокую «конспирацию» (как, например, «физик Л.» или тот же Злобинский). Поэтому воздадим должное мужеству Надежды Яковлевны и всех тех, кто вопреки обстоятельствам времени собирал, искал, записывал, копил эти свидетельства – в твердой уверенности, что рано или поздно они понадобятся для воссоздания как можно более полной картины «жизни и судьбы» Мандельштама.

Именно таким человеком предстает и четвертый (а по сути второй) следопыт: им был Моисей Семенович Лесман (1902–1985) – ленинградский пианист-концертмейстер и известнейший коллекционер книг и рукописей. Он был не просто собирателем и хранителем древностей – он, как и вдова поэта, целенаправленно искал и находил очевидцев, тщательно записывал их бесценные свидетельства к биографии О.М. и даже подбирал материалы к их комментарию.

В 1990 году его вдова, Н.Г. Князева, опубликовала подборку таких записей в первом в СССР сборнике, посвященном поэту[5].

Марков, Шенталинский, Поляновский и другие

Собирать такие свидетельства в горбачевское или ельцинское время, несмотря на все упущения, было сравнительно просто, но те, кто вслед за Н.Я. и М. Лесманом, продолжили этот поиск, приступили к нему еще до перестройки.

Это, например, владивостокский краевед Валерий Михайлович Марков. Как никто другой много сделал он для историографии местной пересылки и для выяснения «на месте» десятков локальных подробностей. Он сумел даже выдвинуть и обосновать гипотезу о наиболее вероятном месте нахождения братской могилы, где, по его выражению, «и мандельштамовские косточки лежат».

Это и писатель Виталий Александрович Шенталинский, секретарь Комиссии СП СССР по репрессированным писателям, опубликовавший в «Огоньке» – в дни мандельштамовского столетия – фрагменты обоих следственных дел Мандельштама со своими комментариями.

Но волна мандельштамовского юбилея в январе 1991 года вынесла самотеком наверх и еще одно ценнейшее свидетельство – Юрия Илларионовича Моисеенко из белорусских Осиповичей, чье письмо опубликовали «Известия» 22 февраля 1991 года. Тогда же он откликнулся и на наш призыв и прислал в Мандельштамовское общество еще одно, более подробное, письмо.

С именем Моисеенко накрепко связалось и имя Эдвина Лунниковича Поляновского, журналиста-известинца, первым съездившего в Осиповичи и поместившего в «Известиях» целую серию очерков о Моисеенко и Мандельштаме, а затем и выпустившего книгу о них[6].

Это, наконец, и пишущий эти строки, интервьюировавший Поступальского, Крепса, Маторина и Моисеенко и мощно поддержанный в своих разысканиях Николаем Поболем, с ходу обнаружившим список и прочую документацию «мандельштамовского эшелона» (он же вместе со мной ездил и в Осиповичи к Моисеенко). Поддержанный и Светланой Неретиной, взявшей одно из лучших интервью у Дмитрия Маторина. Еще в 1988 году я как секретарь Комиссии по литературному наследию О.Э. Мандельштама знакомился с тюремно-лагерным делом О.М., обнаруженным в магаданском архиве МВД[7].

Конечно, не надо ни недооценивать, ни переоценивать такого рода свидетельства сами по себе. В них – и это неизбежно – немало неточностей и несообразностей, ведь никакая память не способна выдержать все, что обрушивалось на советского «зэка» в те годы.

Но все новые и новые крупицы знания, накладываясь друг на друга и совмещаясь (или, наоборот, не совмещаясь!), – в какой-то момент способны вызвать к жизни и относительно полную картину этих коротких и последних одиннадцати недель, картину – как бы освобожденную от несуразностей и хотя бы от части противоречий.

---

[1] *РГАЛИ. Ф. 1893. Оп. 3. Д. 108. Л. 39.*

[2] Новый мир. 1961. № 1. С.144.

[3] См. ниже.

[4] В частности, к Д. Злобинскому ее посланцами были: в 1963 г. – А. Морозов и в 1974 г. – Ю. Фрейдин.

[5] Новые свидетельства о последних днях О.Э. Мандельштама / Публ. Н.Г. Князевой. Предисловие П.М. Нерлера // *Жизнь и творчество. С. 47–52.*

[6] *Поляновский, 1993.* В книге, основанной на интервью с Ю.И. Моисеенко, вчистую проигнорирован весь остальной материал.

[7] При активном содействии сотрудников ЦА МВД В.П. Коротеева и Н.Н. Соловьева.

ВАЛЕРИЙ МАРКОВ: ПЕНА НА ГУБАХ

«Я воюю кривду…»
Парафраз

Четыре ведра помоев

У владивостокского краеведа Валерия Маркова – *«бывшего секретаря комсомола, ушедшего в свое личное мандельштамоведение как в монашество»*[1] – неоценимые заслуги перед теми, кому дорог Мандельштам. Во-первых, это краеведческие разыскания и первые сведения о пересыльном лагере, в котором поэт умер; во-вторых, приблизительная локализация той братской могилы, в которой и мандельштамовские косточки должны бы лежать. И это он привез на 100-летний мандельштамовский юбилей горсть владивостокской земли с места его могилы и бросил ее 19 января 1991 года в снег на могиле Н.Я. Мандельштам на Старокунцевском кладбище – запоминающийся жест.

В статье «Очевидец», опубликованной в 13-м выпуске Тихоокеанского альманаха «Рубеж»[2], он – впервые систематически – называет свои источники к первому и излагает ход рассуждений, приведших ко второму и третьему. Все это прямая поисковая и созидательная работа исследователя-краеведа – честь и хвала.

Но на этот раз Марков взялся за перо, увы, совсем для другого – чтобы разоблачить, чтобы вывести на чистую воду, чтобы сорвать маску с одного из важнейших свидетелей последних недель мандельштамовской жизни. Мало того, все предыдущие свои труды и достижения Марков считает не более чем «увертюрой-прелюдией» этого разоблачительного сеанса, аттестуемого им как *«новый этап исследований, вызванных явлением очередного (не знаю – какого по счету) очевидца смерти поэта»*. В другом месте он пишет, что, получая очередную справку, «разоблачающую» Моисеенко, он готов был *«плакать счастливыми слезами»*, в третьем – что готовился к этому сеансу-бенефису в «Рубеже» больше 20 лет.

Поздравления! Жизнь, наконец, удалась!..

Юрий Илларионович Моисеенко оставил свои свидетельства в форме писем, аудио- или печатных интервью. Нас, расспрашивавших его о Мандельштаме, было всего трое – Эдвин Поляновский да еще Николай Поболь и пишущий эти строки – вдвоем (впрочем, он давал интервью и местным корреспондентам). Моисеенко уже нет в живых, умерли и двое из его собеседников. Посему считаю себя просто обязанным отложить все дела и вступиться за честь опороченного Марковым честного человека и замечательного, с цепкой памятью, очевидца.

Свой опус Марков, кстати, так и назвал: Очевидец.

Без кавычек. Но все его содержание – это набрасывание этих липучек-«кавычек» на Моисеенко – как на лжесвидетеля.

Оспаривая достоверность свидетельств Моисеенко, Марков не смущается повторять совершенно бредовые истории о смерти, слышанные им в начале своего «романа с Мандельштамом» (автохарактеристика):

«Краевед и знаток литературной истории Приморья Сергей Иванов, сам побывавший в шкуре «врага народа» и отсидевший свой, к счастью, – небольшой срок, под большим секретом поведал о том, что Мандельштам был убит уголовниками, когда находился в пересыльном лагере. Его тело было расчленено на части и уложено в че-

тыре ведра. Затем, от других людей, довелось слышать разные варианты этой легенды, и во многих фигурировали эти страшные «четыре ведра». Откуда такая расцветка смерти поэта – не знаю».

Так же, ничем не моргнув и ничего не фильтруя, он вводит в научный оборот версии о Мандельштаме в психзоне под Сучаном и об идиллической старушке в селе Черниговке, с которой Мандельштам коротал свои последние дни:

«*Очевидцы утверждали, что своими глазами видели покосившийся крест на могиле поэта с полуистертой надписью „О. ...штам". Однако эти сведения оказались неподтвержденными».*

Ведь ценнейшие какие сведения, ну и что что неподтвержденные! Осталось только доискаться, эмалированными ли были ведра и не Ариной ли Родионовной звали старушку?..

Мне, кстати, приходилось встречать мандельштамовского лжесвидетеля: безобиднейший народ. К прочитанному рассказу Эренбурга или, в лучшем случае, Надежды Яковлевны они прибавляли от себя всего пару фраз: всегда – о том, как Мандельштам умер у них на руках, и, через раз, вторую – что́ именно он, умирая, успел произнести в их адрес напутственное. На несовершенный залог, – то есть не на «умер», а на «умирал» с подробностями – фантазии или решимости уже не хватало.

А тут наглый враль Моисеенко, натискавший целый «ро́ман» детализированных фантазий, к тому же подтверждающихся и мемориальной базой данных, и другими свидетельствами: все учел, все предусмотрел этот хитрован из Осиповичей!

Впрочем, и Марков не прост. Потому и мечет свой томагавк не во все, что сообщил Моисеенко, а только в часть. Он не оспаривает того, что Моисеенко был в лагере осенью 1938 года и в сибирских лагерях весной 1939 года, не оспаривает он и его знакомства с поэтом. Та малость, которую он пыжится доказать, – лишь в том, что с начала декабря 1938 года и по апрель 1939 года Моисеенко был не на Владивостокской пересылке, а на Колыме. А в таком случае – ура! – смерти Мандельштама Моисеенко видеть никак не мог, так что никакой бани с прожаркой не было, – что и требовалось доказать!

Мне лично довелось переписываться и даже разговаривать с тремя очевидцами – Крепсом, Маториным и Моисеенко. Крепс и вывел меня на Маторина, не переставая нахваливать его как свидетеля (а я направил к нему и Маркова), а о Моисеенко тогда еще никто не знал. Старые зэки Моисеенко и Маторин, прочитав о Мандельштаме друг у друга, явно недолюбливали свидетельства друг друга, оба возбуждались и отмечали то, в чем, по их мнению, ошибается другой, но ни один не говорил о другом, что он лжец или самозванец и не позволял себе того, что Григорий Померанц называл «пеной на губах».

А вот Марков – позволил, и на губах его одна только пена, а у читателя вместо лебединой песни – только шипение пенящейся пустоты...

Четыре ведра помоев: из мандельштамоведов в моисеенковеды

Свое наступление Марков повел сразу с двух сторон – с риторической и с исторической.

Сначала о риторическом заходе. На протяжении многих страниц – выморочные попытки разоблачения «лжи». *«Самое главное, – покоя не давало смутное ощущение того, что кроме ошибочных сведений, герой-прозелит что-то скрывает, не договаривает...».* Таких фразочек в «Рубеже» – десятки!

Но после такой арт-риторической подготовки так и ждешь, что теперь Марков-историк добьет своего «героя-прозелита» неотразимо убийственными аргументами.

Что ж, слово Маркову-историку!

Составленный им каталог прегрешений Моисеенко против правды-матки не так уж и длинен.

Во-первых, говорил, что прибыл в лагерь 15-го, а на самом деле 14 октября.

Во-вторых, говорит, что срок у Мандельштама 10 лет, а на самом деле 5.

В-третьих, грубейшею ложью является утверждение, что до самой смерти поэт оставался в подаренном Эренбургом, желтой кожи, пальто.

Ну и, в-четвертых и в-пятых, Моисеенко утаил, что плыл на «Джурме» в Нагаево и что зиму 1939 года провел на Колыме: в начале декабря 38-го года – туда и в апреле 39-го – обратно! Так что смерти мандельштамовской не видел, ври да не завирайся.

К Нагаево и Колыме мы еще вернемся, а сейчас напомним о феномене аберрации памяти, то есть о первых трех обвинениях.

Воспользуемся для этого теми пассажами, где Марков поминает лично меня или мои работы. Так, он пишет, что я приезжал во Владик с телевизионщиками в 1989 году и что нас якобы не пустили на территорию экипажа – бывшую лагерную. А я помню это иначе: дело было в 1990 году (фильм вышел на экраны 15 января 1991 года), и нас за ворота пустили, но только двоих и без камеры. Марков тогда уверенно показывал мне свои краеведческие реконструкции местонахождений – и 11-го барака, и больнички, и карьера, и места братской могилы (но это уже снаружи). Мое второе посещение экипажа состоялось в 2006 году, и с нами был Коля Поболь. Третьего визита не было.

Итак, двое участников одного и того же события утверждают о нем весьма разное. Проверить, кто из них прав, в данном случае не очень сложно. Но, кто бы прав ни оказался, его «правота» вовсе не означает, что другой, тот, кто не прав, – лжец. Просто одного из нас, а может быть и обоих, подвела память, поскольку мы, слава богу, не в состоянии удерживать все детали в их доподлинности бесконечно долго. Это, собственно, и называется «аберрацией памяти», – и это не болезнь и не злой умысел.

Когда Моисеенко упорно говорит о наличии на умирающем Мандельштаме желтого кожаного пальто Эренбурга, а другие помнят иначе и даже говорят, что это пальто уже давно было украдено или выменено Мандельштамом на сахар, тут же у него и украденный, то все это более чем возможно, но все это тоже аберрации памяти. Если всем сообщающим об утрате поверить, то нарядов у поэта был целый гардероб – тут и бушлат, и телогрейка, и пиджак, и даже тулуп, и зеленый френч, но ни один наряд не совпал в памяти разных людей хотя бы дважды. Усомнился бы я и в готовности находящегося в ГУЛАГе и не отличающегося богатырским здоровьем Мандельштама обменять накануне или в разгар зимы единственную теплую вещь на десерт.

Лично для меня убедительнее остается версия Моисеенко, сообщающего такую яркую, такую доподлинную деталь, какую невозможно придумать: пальто не взяли в прожарку из-за того, что оно кожаное (и, наверное, обработали иначе, например, сулемой). Вполне возможно, что у Мандельштама было не пальто, а тулуп (с кожаным верхом), полученный в больнице, когда поэт оказался в ней в первый раз.

И сколько бы Марков и загадочная фрау Кухарски из Вены ни ахали и ни охали, цена таким «доказательствам» – грош. Доказать тут ничего нельзя, можно только допустить.

Оспаривал Марков и самый факт хождения в баню и на прожарку. Мол, холодно и далеко. Но когда и кого это в ГУЛАГе останавливало? Новые свидетельства, – в частности, Моисея Герчикова, сообщающего, что Сергей Цинберг, скончавшийся назавтра после Мандельштама, умер именно после похода в баню, – прекрасно согласуются с моисеенковскими.

Обратимся к центральному марковскому аргументу – к путешествию Моисеенко на Колыму. Сам Моисеенко, правда, упорно о себе думает, что в январе-феврале 1939 года переболел тифом и оглох, после чего в апреле и был сактирован в Мариинск. По Маркову – все иначе: Моисеенко забросили в начале декабря последним в 1938 году трюмом в Нагаево. Моисеенко, видимо, был там настолько позарез нужен, что даже карантин по тифу, объявленный на пересылке со 2 декабря (и закончившийся 26 декабря, как и полагается, прожаркой вещей и бараков), не остановил ни его собравшихся у причала работодателей с цветами в руках, ни его биографа Маркова с лупой и календарем. Марков Моисеенко на Колыме уже и местечко получше подобрал, где тот коротал бы эти месяцы: больнично-санаторного типа лагерек «23-й километр». Но даже на таком курорте, как Колыма, приморский тиф, видимо, полностью не прошел, или же с Моисеенко произошло что-то еще, но магаданские гуманисты возьми да и верни его в апреле 1939 года с благодарностью сначала на материк, на пересылку, а оттуда, уже не мешкая, в Мариинск – столицу Сиблага[3].

Ну хорошо, пройдем и мы вслед за Марковым по стопам биографии Юрия Моисеенко.

Марков охотно раскрывает свое «досье на Моисеенко», цитирует в полном объеме свою переписку с различными инстанциями. Он договаривается до того, что официальное письмо из местного УФСБ называет, словно невесту, *«первой ласточкой, "сделавшей весну"* (sic! – *П.Н.) и пробившей лучиком света тайну очередного очевидца».*

Что же до содержания досье – этой коллекции сушеных «ласточек», то бишь архивных справок, составленных на основании учетных карточек, – то все они говорят только об одном: 11 апреля 1939 г. Моисеенко отбыл из Севвостлага в Сиблаг (Мариинские лагеря). Пересылка во Владивостоке – такая же часть Севвостлага, как и золотые или оловянные прииски. И ни одна лучезарная справка не содержит ни тени намека на пребывание Моисеенко именно на Колыме – хотя бы на полчаса. Ни одна![4]

И напрасно Марков радовался сравнению с «почти идентичной» карточкой Сергея Королева. Он, кажется, даже не понял, что, приводя ее и текстуально, и факсимильно, предается забавам вдовы одного унтер-офицера. У Королева как раз Колыма указана и очень конкретно. А вот у Моисеенко – не указана. И не по ошибке, а потому что он там не был.

Карточка Моисеенко – да, магаданская. Потому что архив всего Дальстроя, в том числе и владивостокской пересылки, – в Магадане, его столице, в информационном центре областного УВД. Там же, кстати, хранится и тюремно-лагерное дело Мандельштама.

Поисками же корабельной документации (наподобие эшелонной) Марков не озаботился.

В одной из слетевшихся в досье ласточек-справок – из Томска – было написано: «Дело на заключенного было уничтожено 30 марта 1960 года по акту по истечению срока хранения». Прослезился или нет, но этого Марков тоже не мог упустить:

> *«Уничтожение дела со всеми справками, выписками и формулярами; в их числе документы о пребывании на Колыме, можно сказать – неопровержимыми уликами, возможно, и стало одной из первопричин, побудивших Юрия Моисеенко сделать ложный шаг. Он достоверно знал об этом, не предполагая одного, что следы остаются... Как говорится: «ГУЛАГ не отпускает никогда...»*

Его не останавливает даже то, что Моисеенко, в отличие от Маркова, даже не подозревал о событии 30 марта 1960 года, столь возбудившем Маркова спустя почти полвека. Его не смущает даже то, что любезнейший ГУЛАГ, хотя и не отпускает никогда, но своих детей, в том числе и Моисеенко, о состоянии их делопроизводств, хоть оно и невежливо, не извещает…

«Прямо шахматная партия», – говорил Мандельштам Ахматовой по поводу ее пушкиноведческих статей. Марков же, расставив шахматные фигуры, решил сыграть ими в «шашки-чапаевцы», прицельно выстреливая ногтем по беззащитной мишени.

Мазила!

«Разоблачение разоблачения»

Напоследок, уже завершая свое мелкодокументальное и совсем не историческое эссе, Марков пробует еще раз унизить поверженного Моисеенко – сравнением с другими, «ему подобными», лжецами:

«Но, как говорят в народе – «свято место пусто не бывает», – вплоть до настоящего времени появляются новые «очевидцы», с неожиданными, порой – совершенно нелепыми легендами».

И тут же, в сноске – новый образчик, очередная легенда[5]:

«Автор приводит рассказ жителя г. Большой Камень Приморского края – Николая Ива́нушко. Будучи семи лет от роду, он, якобы из рук Осипа Мандельштама, получил записку, когда эшелон с невольниками перестаивал на станции Партизан (ныне – Баневурово) Транссибирской магистрали на 9190 км. от Москвы и в 79 км. от

Владивостока. В ней говорилось: «Меня везут на Даль-
ний Восток. Я человек видный, пройдут годы, и обо мне
вспомнят». И подпись: "Иосиф Мандельштам"». Со слов
очередного очевидца, автор указывает неверную дату
этой встречи – «июнь-июль 1938 года». И еще, – поэт
никогда не называл себя Иосифом; достаточно посмо-
треть его любой автограф – перед фамилией он всегда
ставил «О» – Осип…»

Поправим биографа. Мандельштам родился Иосифом, и его еврейское имя еще долго сосуществовало па-
раллельно с русифицированным «Осипом». То, что в ле-
гендарной записке стоит «Иосиф», не делает ее достовер-
ной, но делает достовернее.

В сущности, мандельштамовским биографом Марков
уже перестал быть. Он теперь биограф, точнее антибио-
граф Моисеенко. А Мандельштам ему нужен лишь тогда,
когда срабатывает рефлекс разоблачать Моисеенко.

Например, с датировкой «дня письма», отнесенной
Моисеенко на начало ноября, до праздников. Но раз
Мандельштам пишет в письме: «очень мерзну без вещей», а на улице в начале ноября было аж целых 10–
11 градусов тепла, то есть бархатный сезон, то Марков
возмущен: Моисеенко и тут заливает. Ну не мог Мандельштам мерзнуть без вещей в такую жару!..

А может, Моисеенко и в ноябре не было на пересылке, а?..

….Все время спрашиваю себя о мотивации марков-
ских сверхусилий по «разоблачению» части свидетельств
одного из немногих последних очевидцев. Что за низкие, злобные комплексы, что за бесы толкали взрослого
человека на такое странное, такое малосимпатичное
и совершенно пустое занятие? Ревность и зависть к же-
лезнодорожному обходчику из белорусской глубинки,
к ему, а не тебе доставшемуся *«шквалу обрушившегося*

на него внимания», к «согретости и обласканности прессой и, практически, всемирной славе», к «зениту славы»?

Нелепые слова, ложные представления. Как бы жарко несколько сот человек на Земле ни любили стихи Мандельштама, но в ООН вопросы его текстологии все еще не обсуждаются.

Как и «физик Л.» и другие очевидцы, Моисеенко не только не искал «всемирной славы», но скорее побаивался своего намеренья открыться и рассказать даже то, что знал. В Осиповичах, в семье Моисеенко дело, по словам его дочери Людмилы, происходило так:

> «...Написать свое первое письмо о Мандельштаме побудил его мой брат Сергей. Так получилось, что я нечаянно застала конец их разговора. Папа был возбужден и говорил что-то возмущенно, я услышала только слова брата: „А если бы это ты, мой отец, не вернулся и я ничего не мог узнать о твоих последних днях?! Ты должен рассказать, что знаешь!" Дословно я, конечно, не помню, но смысл был такой.
>
> Папа ничего не ответил, он просто замолчал, а до этого я слышала: „Не хочу, не хочу, не хочу". Думаю, ему пришлось побороть себя, чтобы пережить все снова и снова»

P.S.

Свои аргументы в защиту Моисеенко я впервые опубликовал в интернет-журнале «Информпространство»[6]. И недавно получил от дочери Моисеенко новое письмо:

> «Павел, прочла Вашу статью на одном дыхании и расплакалась. Мне до сих пор было больно за поруганную память о моем отце. Вы сняли эту тяжесть с моего сердца, и я Вам очень благодарна».

[1] *Битов А.* Колина страничка // Собеседник на пиру. Памяти Николая Поболя. М., 2013. С. 94.

[2] *Марков*, 2013. С. 202–231.

[3] Сиблаг, существовавший с 1929 и по 1960 г. Его столица перемещалась – то она в Мариинске, то в Новосибирске. С 28 февраля 1937-го и по 29 июля 1939-го – как раз в Мариинске.

[4] Колымская документация содержала в себе, как правило, и указание на корабельный этап, которым зэка приплыл в Нагаево.

[5] Приводится сноска на: *Калашникова Юлия.* Незнакомец по имени… Мандельштам // Дальневосточные ведомости, 2010. 31 марта.

[6] *Нерлер П.* Разоблачение разоблачения, или про четыре ведра помоев // Информпространство. Живое слово. 2014. № 3 (185). С. 76–83. В Сети: http://www.informprostranstvo.ru/N185_2014/pavelnerler.html

КРУГИ ПО ВОДЕ

Хотелось бы всех поименно назвать…

А. Ахматова. Реквием.

Сначала – по крупицам – собирались свидетельства.

Разные – солидные и не очень – любые!

Потом из них сложилась мозаика – калейдоскоп последних недель жизни поэта.

И тогда только возникла потребность раскрыть все инкогнито и присмотреться к каждому солагернику Мандельштама в отдельности: что это за люди и не даст ли это что-то новое?

Не отдаляясь от мандельштамовского фарватера, я углублялся в судьбы его товарищей и даже некоторых врагов. И передо мной, один за другим, вдруг соткались и проплыли поразительные образы и истории: тут и поэты-пьяницы, и студенты (физик и юрист), и художник, и альпинист, и чемпион по борьбе, и инженер, и кандидат биологических наук.

Каждая судьба тянула за собой шлейф, состоявший из писем, фотографий, старых документов, а если поэт – то из стихов (а если художник – то и из картин!). Во внутренний окоем втягивались все новые и новые лица и персонажи. Например, художник Петр Малевич – через Смородкина и Хитрова, а один только весельчак Казарновский потянул за собой и Максима Горького, и Дмитрия Лихачева, и Пашку Васильева, и Алексея Гарри, и Марию Гонту, и стукачку из ЖАКТа!

И постепенно этот барачный – безлюдный и бессловесный – мир с умирающим поэтом посередине заселялся и обживался все новыми людьми, их историями и голосами.

Постепенно и сами круги поиска становились все шире и шире: за прямыми свидетелями пошли косвенные, а за ними и вовсе липовые. А за ними – творческие интерпретаторы, мифотворцы и даже откровенные мистификаторы.

И, наконец, следопыты – сама Надежда Яковлевна и те остальные, кто все эти крупицы собирал.

И за каждым новым обитателем этого виртуального космоса – свои архивы и архивисты, свои знатоки и общие знакомые, свои разговоры и разыскания.

И вдруг оказалось, что многим коллегам-смежникам все эти новодобытые факты и сведения, как и исследовательские технологии, тоже позарез нужны!

Вот шаламовед Есипов проходит по нашим с Поболем, в РГВА, следам и находит искомый эшелон «шаламовский», в котором обнаруживает и такого попутчика, как Оксман (и нашего, между прочим, «персонажа»)[1].

Огорчительная полемика с коллегой Марковым буквально швырнула в неисследованную проблематику: а где же хранятся аналогичные эшелонным судовые списки?!

Еще одно источниковедческое обобщение. Мемориальская база данных «Жертвы политического террора в СССР» – превосходная, но в то же время и совершенно недостаточная. Этих 2,6 миллиона записей явно мало, если сравнить цифру с суммарным числом репрессированных в СССР. Одних только лиц, подпадающих под действие Закона о реабилитации 1991 года, по оценке Арсения Рогинского, около 12,5 млн, из них около 5 млн – люди, осужденные решениями судов и внесудебных органов, а остальные – репрессированные по административным решениям (жертвы коллективизации, депортаций народов и т. д.).

Готовя к печати именной список заключенных того эшелона, с которым Мандельштам в 1938 году был доставлен во Владивосток (*Приложение 1*), мы с Николаем Поболем прокомментировали его персональными сведениями из мемориальской базы данных[2]. В нашем списке было ровно 700 имен – из них по базе данных было найдено только 169, то есть каждое четвертое. Следует учесть, что все мандельштамовские зэки-попутчики были из Москвы и Московской области – наиболее изученного в этом отношении региона. Отсюда хотя бы приблизительно видно, каковы истинные масштабы репрессий: не возразишь – «эффективен» был усатый менеджер!

Но из этого следует, что базу данных о жертвах террора следует фундаментально расширить, и РГВА с его фондом конвойных войск НКВД – первое место, куда надо идти за массовой информацией.

Тем не менее даже по такой скромной выборке хорошо видна несостоятельность многих расхожих утверждений, например, о направленности репрессий 37–38-го годов в основном против партии. Самый крупный в списке начальник – секретарь райисполкома. Большинство же репрессированных – это рабочие и крестьяне, за ними следуют учителя и бухгалтеры, есть два писателя, есть даже один Карл Маркс!..

Сама база данных, конечно, нуждается не только в количественном пополнении, но и в качественном усовершенствовании (в более строгой унификации карточек и избавлении от дублетов – хотя бы от очевидных[3]). Были бы ее сквозные данные – например, пол, возраст, основание репрессии, ее вид и кратность – сведены к единой формализованной маске (а все, что не вписывается в нее, можно сложить в рубрику «примечания» или «прочее»), то эти 2,6 миллиона заговорили бы не только от себя и за себя, но и как единое целое, как истинный архипелаг, как социум репрессированных, с которым интересно и важно поработать и демографу, и историку, и географу[4].

И как бы ни привыкла политика у нас хватать историю за дышло, пинать ее ногами, а из историков вить веревки, но наше «непредсказуемое прошлое» давно и остро нуждается в «приватизации» и деполитизации,

КОНСТАНТИН ХИТРОВ

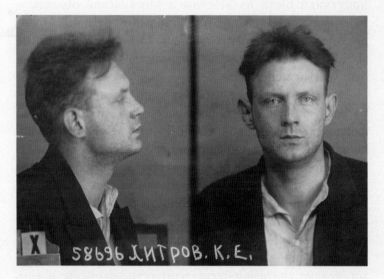

К.Е. Хитров. Тюремное Фото из следственного дела.
Лубянка, 27 апреля 1938 г.

К.Е. Хитров. *Верхние
Лихоборы, 8 мая 1935 г.*

К.Е.Хитров. *Ок. 1938 г.*

КОНСТАНТИН ХИТРОВ

Одно
из писем
с Колымы.
*Нексикан,
17 сентября
1943 г.*

КОНСТАНТИН ХИТРОВ

К.Е. Хитров. *2-я пол. 1950-х гг.*

К.Е. Хитров. *1960-е гг.*   К.Е.Хитров. *1971 г.*

МИХАИЛ СМОРОДКИН

М.П. Смородкин.
1948 г.

М.П. Смородкин.
Автопортрет.
Ок. 1975 г.

МЕИР РАБИНОВИЧ

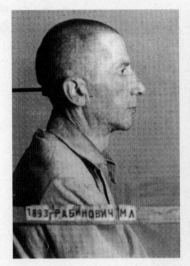

М. Рабинович. Фото из следственного дела. *1949 г.*

Дом в д. Большая Мурта
Красноярского края,
в котором отбывал
ссылку М. Рабинович.

ИВАН МИЛЮТИН

И.К. Милютин.
До ареста.

ВОЕННЫЙ ТРИБУНАЛ
МОСКОВСКОГО
ВОЕННОГО ОКРУГА
«24» апреля 195 6 г.

№ Н-1666/ос

г. Москва, Арбат, 37

СПРАВКА

Дело по обвинению МИЛЮТИНА Ивана Корнильевича, 1906 года рождения, до ареста 26 января 1938 года работавшего инженером КЭЧ Наро-Фоминского гарнизона, пересмотрено Военным трибуналом Московского военного Округа 23 апреля 1956 года.

Постановления Особого Совещания при НКВД СССР от 24 июня 1938 года и МГБ СССР от 25 июня 1949 года в отношении МИЛЮТИНА И.К. отменены и оба дела о нем за отсутствием состава преступления производством прекращены.

ВРИО ПРЕДСЕДАТЕЛЯ ВОЕННОГО ТРИБУНАЛА
МОСКОВСКОГО ВОЕННОГО ОКРУГА
ПОЛКОВНИК ЮСТИЦИИ

(Ф. ТИТОВ)

Л.К.

Справка о реабилитации И.К. Милютина. *Москва, 24.4.1956 г.*

ЮРИЙ КАЗАРНОВСКИЙ

Ю.А. Казарновский. Фото из следственного дела. *1938.*

Титульный лист книги
Ю.А. Казарновского
«Стихи» (1936).

Ю.А. Казарновский.
1930-е гг.

ЮРИЙ МОИСЕЕНКО

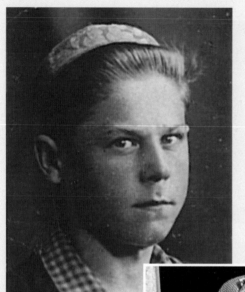

Ю.И. Моисеенко.
Москва,
17 июня 1932 г.

Ю.И. Моисеенко.
*Осиповичи,
нач. 1990-х гг,
(Фото П. Костромы)*

ДМИТРИЙ МАТОРИН

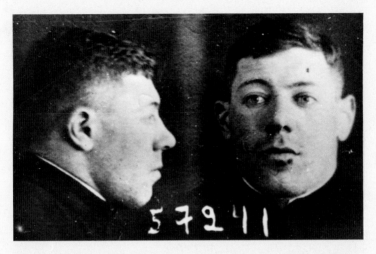

Д.Н. Маторин. Фото из следственного дела № 57241.
1938 г.

Д.Н. Маторин. *Ленинград,*
6.9.1935 г.

Д.Н. Маторин. *Ленинград,*
1961 г.

Варлам Шаламов. Начало рассказа «Шерри-бренди». *Автограф.*

Юрий Домбровский. «О, для чего ты погибала, Троя?..». *Автограф.*

Н.Я. Мандельштам. *Псков, 1964 г.*

И.Г. Эренбург. *Москва, нач. 1960-х гг.*

М.С. Лесман. *Ленинград, кон. 1960-х гг.*

СЛЕДОПЫТЫ

В.М. Марков и А.А. Мандельштам (племянник поэта)
у доски О.Э. Мандельштаму в Москве. *Январь 1991 г.*

П.М. Нерлер и Н.Л. Поболь. На заднем фоне –
постамент от первого местонахождения памятника
О.Э. Мандельштаму. *Владивосток, сентябрь 2006 г.*

СКУЛЬПТОР ВАЛЕРИЙ НЕНАЖИВИН

Скульптор В.Г. Ненаживин, автор памятника
О.Э. Мандельштаму во Владивостоке,
в своей мастерской.

Первая (гипсовая) версия
памятника О.Э. Мандельштаму
во Владивостоке. *1985*.

ПРИМОРСКИЕ ВАНДАЛЫ

Первый акт вандализма.
Апрель 1999 г.

Второй и третий акты вандализма.
Январь и март 2002 г.

ПАМЯТНИК ОСИПУ МАНДЕЛЬШТАМУ

Памятник
О.Э. Мандельштаму
в сквере Владиво-
стокского государ-
ственного универси-
тета экономики
и сервиса. *Открыт
16 января 2004 г.*

в обеспечении правдодобычи сырьем – в рассекречивании архивов и в спокойном и объективном научном анализе[5].

---

[1] *Есипов В.* Два гения в одном эшелоне (В.Т. Шаламов и Ю.Г. Оксман) // Знамя. 2014. № 6. С. 183–197.

[2] См.: http://lists.memo.ru/

[3] На О.Э. Мандельштама в базе данных четыре записи!

[4] См.: *Нерлер П., Поболь Н.* Благодаря Мандельштаму мы узнали количество репрессированных // Новая газета. 2008. № 36. 22–25 мая. С. 14.

[5] С недавних пор тема репрессий стала кошерной и для академической науки.

Приложение 1

МАНДЕЛЬШТАМОВСКИЙ ЭШЕЛОН: ПОИМЁННЫЕ СПИСКИ

‹1›

Эшелонный список из Бутырской тюрьмы[1]

№	ФИО	Год	Профессия	Обвинение
1.	АДЛЕР МЕЕР ШМУЛЕВИЧ	1910	каменщик	СОЭ
2.	АРОСЕВ АВИВ ЯКОВЛЕВИЧ[2]	1896	экономист	к-р. тр. деят.
3.	АВЕРБУХ ГРИГОРИЙ АЛЕКСАНДРОВИЧ	1916	электромонтер	к-р. агит.
4.	АБРАМОВ ПЕТР АЛЕКСЕЕВИЧ	1890	фин. бухгалтер	к-р. деят.
5.	АСТАШЕВСКИЙ ПАВЕЛ ПАВЛОВИЧ	1906	опер. сотр.	СОЭ
6.	АВДЕЕНКО ГРИГОРИЙ НИКИТИЧ	1894	артист	к-р. агит.
7.	АЗАРХ ИЛЬЯ АЛЕКСАНДРОВИЧ	1885	литер. раб.	к-р. деят.
8.	АРРО ХУГО АНТОНОВИЧ	1893	плотник	——
9.	АБОЛЬ АЛЬФРЕД ЯКОВЛЕВИЧ	1890	бухгалтер	——
10.	АУЗИН РОБЕРТ ЕВСЕЕВИЧ[3]	1889	землемер	к-р. агит.
11.	АЛЛИК БОРИС АРНОЛЬДОВИЧ[4]	1910	электротехник	——
12.	АРЕФЬЕВ ЖАН ЮРЬЕВИЧ	1887	кладовщик	а/с агит.
13.	БОРИСОВ СЕРГЕЙ ВАСИЛЬЕВИЧ[5]	1887	портной	к-р. деят.
14.	БРОН МОИСЕЙ ГРИГОРЬЕВИЧ	1889	торг. раб.	——
15.	БАБАНАШВИЛИ–ДУБРОВСКАЯ ГИЛЬДА АЛЬБЕРТОВНА	1914	торг. раб.	СОЭ
16.	БРЕЙТЕРМАН МИХАИЛ ДАВЫДОВИЧ	1890	инженер	к-р. тр. д.
17.	БЕЛОКОНЬ ПАВЕЛ ИОВИЧ	1910	опер. раб.	преступл. по должн.
18.	БЕРЕСТЕНСКИЙ АЛЕКСЕЙ АЛЕКСАНДРОВИЧ	1895	инженер	СОЭ

19. БРЮХАНОВ АРТЕМИЙ НИКОЛАЕВИЧ[6]	1904	экономист	к-р. деят.
20. БУТЛИЦКИЙ–ТУМАНОВ ЭДУАРД МИНЕЕВИЧ	1906	журналист	——
21. БОЙКО ПАВЕЛ ГРИГОРЬЕВИЧ	1893	токарь	подозр. в шпион.
22. БЫХОВ ЯКОВ СЕМЕНОВИЧ	1901	инж. строит.	к-р. деят.
23. БАЛАБИНОВ МИХАИЛ ИВАНОВИЧ	1895	гл. бухгалтер	к-р. тр. д.
24. БЛАЖЕВИЧ ЕГОР СЕЛИВЕРСТОВИЧ[7]	1878	плотник	к-р. деят.
25. БАХМЕТЬЕВ КИРИЛЛ ЛЕОНТЬЕВИЧ	1889	плотник	а/с агитац.
26. БЛАХ ЛЕВ ПАВЛОВИЧ	1884	инженер	к-р. деят.
27. БОГОМОЛЕЦ ИВАН ИОСИФОВИЧ	1902	экономист	——
28. БОРУХСОН ПАВЕЛ ГРИГОРЬЕВИЧ	1899	инж. экономист	подозр. в шпион.
29. БАУЭР НИКОЛАЙ АДОЛЬФОВИЧ	1888	служащий	к-р. деят.
30. БУРОВ НИКОЛАЙ ВАСИЛЬЕВИЧ	1900	технолог	подозр. в шпион.
31. БОР ГЕНРИХ АДОЛЬФОВИЧ	1888	бухгалтер	——
32. БИТТЕНБИНДЕР ИВАН ГАВРИЛОВИЧ	1889	——	к-р. деят.
33. ВИНТЕРХОЛЛЕР ВАСИЛИЙ КАРЛОВИЧ	1900	тракторист	——
34. ВАРБАСЕВИЧ ТОМАС АЛЕКСАНДРОВИЧ	1908	техн. по инстр.	подозр. в шпион.
35. ВОЛЬ[Ф]СОН СОЛОМОН БОРИСОВИЧ	1905	пред. месткома	к-р. деят.
36. ВЕБЕР ЛЕОНИД КОНДРАТЬЕВИЧ[8]	1911	тракторист	——
37. ВИНОГРАДОВ АЛЕКСАНДР ВЛАДИМИРОВИЧ[9]	1899	учитель	——
38. ВОЩЕНКОВ ДАНИИЛ ИВАНОВИЧ	1887	инспектор	к-р. тр. деят.
39. ВОЙТЫНА АЛЕКСАНДР АНТОНОВИЧ	1893	кондуктор	——
40. ВАЙНЕР АБРАМ АРОНОВИЧ	1915	техн. констр.	к-р. тр. агит.
41. ВЕНДЕ РОБЕРТ МАРЦЕВИЧ	1896	парт. раб.	к-р. тр. деят.
42. ВЫСОЦКИЙ АНТОН БРОНИСЛАВОВИЧ	1902	почт. раб.	к-р. деят.
43. ГОРОДЕЦКИЙ МИХАИЛ СЕМЕНОВИЧ	1897	экономист	подозр. в шпион.
44. ГЕРАСИМОВ ГЕОРГИЙ ПАХОМЫЧ[10]	1907	плотник	а/с агит.
45. ГОЛЬДВАРГ ЭММАНУИЛ СОЛОМОНОВИЧ[11]	1917	радиотехник	к-р. агит.
46. ГОРОВИЦ НОРБЕРТ АРОНОВИЧ[12]	1909	педагог	а/с агит.
47. ГРАБАР МАКСИМ АНТОНОВИЧ	1900	счетовод	к-р. деят.

48. ГАТИЛОВ ВЛАДИМИР ПАВЛОВИЧ	1918 счетовод	к-р. агит.
49. ГЕРМАН АЛЕКСАНДР ГРИГОРЬЕВИЧ	1906 журналист	к-р. деят.
50. ГИБЕРТ ЯКОВ ДАНИЛОВИЧ[13]	1904 учитель	к-р. агит.
51. ДОВОЛЬНОВ АЛЕКСЕЙ ИВАНОВИЧ	1900 чернорабочий	к-р. деят.
52. ДОРОФЕЕВ МАКЕДОН ПЕТРОВИЧ[14]	1891 машинист	——
53. ДОСТАНКО МАКАР СЕМЕНОВИЧ	1892 продавец	к-р. агит.
54. ДЖАПОРИДЗЕ АНЕМПОДИСТ НЕСТЕРОВИЧ	1892 экономист	СОЭ
55. ДАЕВ АЛЕКСЕЙ АЛЕКСАНДРОВИЧ[15]	1897 учитель	к-р. деят.
56. ДЖАФАРОВ АБДУРОХМАН–АБДУЛ ДЖАБАР	1896 повар	подозр. в шпион.
57. ДАГАЕВ КОНСТАНТИН АЛЕКСАНДРОВИЧ	1885 железнодорожник	к-р. агит.
58. ДОЛГОРУКОВ ВАСИЛИЙ ВАСИЛЬЕВИЧ	1913 ——	——
59. ЕФАРИЦКИЙ АЛЕКСЕЙ КОНСТАНТИНОВИЧ	1893 экономист	к-р. деят.
60. ЖИЛЯЕВ СТЕПАН СТЕПАНОВИЧ[16]	1903 учитель	——
61. ЖАРКОВ ИВАН ЛАВРЕНТЬЕВИЧ[17]	1899 налог. инспектор	——
62. ЗАМАРАЕВ ГРИГОРИЙ ЕВГЕНЬЕВИЧ	1896 шофер	СОЭ
63. ЗАНЯТКИН СЕРГЕЙ НИКОЛАЕВИЧ	1888 инженер	к-р. тр. деят.
64. ЗВЕЗКИН СЕРГЕЙ МИХАЙЛОВИЧ	1902 бухгалтер	к-р. деят.
65. ЗЫКОВ АЛЕКСАНДР ГЕОРГИЕВИЧ[18] (вычерк.)	1895 инженер	к-р. агит.
66. ЗАБОРСКИЙ СТАНИСЛАВ ОСИПОВИЧ	1895 сапожник	к-р. деят.
67. ЗНОТ ВЛАДИМИР ЯКОВЛЕВИЧ	1893 адм. хоз.	——
68. ЗИБЕНКЕС ФЕРДИНАНД ФЕРДИНАНДОВИЧ[19]	1888 бухгалтер	к-р. агит.
69. ЗЛОДЕЕВ ДМИТРИЙ ИВАНОВИЧ	1889 чернорабочий	СОЭ
70. ИГОШКИН ВЛАДИМИР ЯКОВЛЕВИЧ[20]	1910 сверловщик	к-р. агит.
71. ИМБЕРГ ЛЕОНИД МИХАЙЛОВИЧ	1899 бухг. экономист	к-р. тр. деят.
72. КЛИМОВ–КЛИМЕНОК ИГНАТИЙ ПРОКОФЬЕВИЧ	1895 зерн. инспектор	подозр. в шпион.
73. КОЛЛОНТАЙ ГЕОРГИЙ ФЕДОРОВИЧ	1895 художник	——
74. КИСЕЛЕВ ИВАН СЕРГЕЕВИЧ	1904 журналист	к-р. тр. деят.
75. КОНЬКОВ ИВАН ВАСИЛЬЕВИЧ[21]	1915 машинист	к-р. тр. деят.
76. КРИВИЦКИЙ РОМАН ЮЛЬЕВИЧ	1900 журналист	к-р. тр. деят.
77. КОРМИЛИЦИН НИКОЛАЙ ФЕДОРОВИЧ	1887 товаровед	подозр. в шпион.

78. КОЛОСОВСКИЙ ПЕТР ИОСИФОВИЧ	1898 в/с	——
79. КАБРИЦКИЙ ИСАЙ АЛЕКСАНДРОВИЧ	1896 экономист	к-р. деят.
80. КРАФТ ГЛЕБ ИВАНОВИЧ	1903 адм. хоз. раб.	к-р. тр. деят.
81. КАМЗОЛОВ МАКСИМ АНТОНОВИЧ	1905 слес.-водопров.	педерастия
82. КИСЛЯКОВ ГЕОРГИЙ ИЛЬИЧ[22]	1894 токарь по мет.	к-р. деят.
83. КУДРЯВЦЕВ ИВАН АЛЕКСАНДРОВИЧ (вычерк.)	1886 зам. нач. отд.	к-р. тр. деят.
84. КАЦ СЕМЕН ДАВЫДОВИЧ	1896 финансист	——
85. КУЗНЕЦОВ СЕРГЕЙ АЛЕКСЕЕВИЧ[23]	1903 медн. жестянщик	к-р. агит.
86. КРЕЙЦБЕРГ НИКОЛАЙ АЛЕКСЕЕВИЧ[24]	1905 инж.-электрик	к-р. тр. деят.
87. КВАЦЕВИЧ ГЕОРГИЙ ИВАНОВИЧ	1907 капитан РККА	подозр. в шпион.
88. КУПЦОВ МИХАИЛ ГРИГОРЬЕВИЧ	1901 служащий	к-р. агит.
89. КАРЦЕВ СТЕПАН АНДРЕЕВИЧ[25]	1885 вет. фельдшер	к-р. деят.
90. КЕСАЕВ САРАБЫЙ СЕРГЕЕВИЧ	1912 студент	к-р. агит.
91. КРЯЖЕВСКИЙ АЛЕКСАНДР СЕРГЕЕВИЧ	1892 химик	——
92. КАЛИНЫЧЕВ ИВАН АЛЕКСЕЕВИЧ[26]	1889 плановик	к-р. деят.
93. КАЧАЛКИН РОМАН ИВАНОВИЧ	1919 слесарь	побег с места ссылки
94. КАРМИЛОВ АЛЕКСАНДР НИКОЛАЕВИЧ	1909 токарь	подозр. в шпион.
95. КЛЕНКИН ИВАН ГЕОРГИЕВИЧ	1904 электромонтер	к-р. тер. агит.[27]
96. КУЗЬМИНОВ АЛЕКСАНДР ИВАНОВИЧ	1904 техник	к-р. агит.
97. КАПРАНОВ ЮРИЙ ПЕТРОВИЧ	1918 учащийся	——
98. КРЕЧКОВ ВЛАДИМИР СЕМЕНОВИЧ[28]	1909 мастер-оптик	——
99. КОНЬКОВ ИВАН ВАСИЛЬЕВИЧ	1915 слесарь	——
100. КНЕВИНСКИЙ ИВАН АНДРЕЕВИЧ[29]	1881 колхозник	подозр. в шпион.
101. КИДЫБА ПЕТР СТЕПАНОВИЧ	1888 фельдшер	к-р. агит.
102. ЛЕОНИДОВ БОРИС АЛЕКСАНДРОВИЧ	1887 врач	к-р. деят.
103. ЛУЗИК АРСЕНТИЙ ЯКОВЛЕВИЧ[30]	1891 сторож	——
104. ЛУНЕВСКИЙ ВИКТОР ДМИТРИЕВИЧ[31]	1893 учитель	——
105. ЛЕВЧЕНКО АНДРЕЙ АНДРЕЕВИЧ	1898 адм. хоз. работник	к-р. агит.
106. ЛЬВОВ ПЕТР АЛЕКСАНДРОВИЧ	1888 экономист	к-р. деят.
107. ЛИНЬКОВ ЕВГЕНИЙ ПЕТРОВИЧ[32]	1910 шофер	к-р. агит.

108. ЛАВЕНЕК ФРИЦ ЯНОВИЧ	1897 рабочий	подозр. в шпион.
109. ЛААС ИВАН МИХАЙЛОВИЧ[33]	1882 агроном	к-р. деят.
110. МАКАРЕНКО НИКОЛАЙ ВАСИЛЬЕВИЧ[34]	1902 учитель	——
111. МАГИД ЭЙЗЕР МАРКОВИЧ[35]	1914 адм. хоз. раб.	пров. деят.[36]
112. МАНДЕЛЬШТАМ ОСИП ЭМИЛЬЕВИЧ	1891 писатель	к-р. деят.
113. МАСТЕРОВ НИКОЛАЙ ИВАНОВИЧ	1882 сборщик	——
114. МОСТРЮКОВ ИВАН НИКОЛАЕВИЧ	1911 портной	к-р. агит.
115. МЕЩЕРЯКОВ ПАВЕЛ СПИРИДОНОВИЧ	1911 слесарь	——
116. МАЛЫШЕВ ИВАН ВАСИЛЬЕВИЧ[37]	1891 электрик	——
117. МИСТЕЛЬГОФ ТЕОДОР ИВАНОВИЧ	1895 строитель	подозр. в шпион.
118. МЕВИУС ЭМИЛЬ ВОЛЬДЕМАРОВИЧ[38]	1906 конструктор	——
119. МАТВЕЕВ ИВАН ВАСИЛЬЕВИЧ	1905 бриг. журн.	к-р. агит.
120. МЕДИК ФЕДОР ПАРФЕНТЬЕВИЧ	1890 лекар. нач.	
121. НЕКРАСОВ МИХАИЛ ИВАНОВИЧ	1899 счетовод а/с	агит.
122. НИСНЕВИЧ ЯКОВ ПЕТРОВИЧ	1910 лит. работ	к-р. тр. агит.
123. ОЛЬХОВ ХАНАН МАРКОВИЧ	1906 сварщик	
124. ОЛЕРСКИЙ МИХАИЛ ПЕТРОВИЧ	1892 артист	к-р. деят.
125. ОСИПЯН НИКОЛАЙ АРКАДЬЕВИЧ[39]	1916 электромонтер	к-р. агит.
126. ОТТ АЛЬБЕРТ АЛЬБЕРТОВИЧ	1881 преподаватель	подозр. в шпион.
127. ПЕНЕВ НИКОЛАЙ ВАСИЛЬЕВИЧ (вычерк.)	1906 техник	СОЭ
128. ПЕУТОНЕН ОНИ ДАВЫДОВИЧ	1911 маляр	подозр. в шпион.
129. ПАХОМОВ АЛЕКСАНДР ЕФИМОВИЧ	1893 в/с	а/с агит.
130. ПАДУА ЗИГМУНД НАУМОВИЧ[40]	1898 парт. раб.	к-р. тр. деят.
131. ПОТАПОВ ВАСИЛИЙ ПЕТРОВИЧ[41]	1914 расточщик	к-р. агит.
132. ПОТОЦКИЙ ВЛАДИМИР МАТВЕЕВИЧ[42]	1893 портной	преступл. по должн.
133. ПАВЛОВ ВАЛЕРИЙ ПАВЛОВИЧ	1907 техн. строит.	подозр. в шпион.
134. ПИСАРЕНКО ЛЕОНТИЙ ТИМОФЕЕВИЧ	1899 опер. раб.	преступл. по должн.
135. ПЕТРОВ АНАТОЛИЙ НИКОЛАЕВИЧ	1897 экономист	к-р. деят.

136. ПОТАНИН БОРИС СТЕПАНОВИЧ	1890 каменщик	преступл. по должн.
137. ПЕТРОВ ПЕТР ПЕТРОВИЧ	1891 адм. хоз. раб.	к-р. деят.
138. ПЕРЕПЕЛКИН ИВАН ТРОФИМОВИЧ	1887 железнодор.	к-р. тр. деят.
139. РАБИНОВИЧ МЕЕР ЛЕЙЗЕРОВИЧ[43]	1893 механик	к-р. деят.
140. РЖЕВСКИЙ ФЕДОР ВАСИЛЬЕВИЧ[44]	1900 бухгалтер	к-р. агит.
141. РУДОВ ПЕТР ИВАНОВИЧ[45]	1885 дир. школы	к-р. деят.
142. РАКЧЕЕВ НИКОЛАЙ КИРИЛЛОВИЧ[46]	1905 проводник	а/с агит.
143. РУББЕЛЬТ АЛЕКСАНДР МАТВЕЕВИЧ	1910 летчик	подозр. в шпион.
144. РУССАК ВЛАДИМИР ИВАНОВИЧ[47]	1903 пожарный	?
145. СПИРИДОНОВ ВАСИЛИЙ НИКОЛАЕВИЧ	1909 слесарь	к-р. деят.
146. СПИРИДОНОВ МИХАИЛ НИКОЛАЕВИЧ	1895 закройщик	——
147. СУСОВ МИХАИЛ АКИМОВИЧ[48]	1904 чернорабочий	——
148. СМИРНОВ ИОСИФ ВАСИЛЬЕВИЧ	1907 инженер	к-р. тр. деят.
149. СНЕТКОВ ГЕОРГИЙ МИХАЙЛОВИЧ[49]	1890 объездчик	к-р. деят.
150. СМИРНОВА АНТОНИНА СЕРГЕЕВНА (вычерк.)	1900 телеграфистка	——
151. СВЕРЛЯ ВАСИЛИЙ ВАСИЛЬЕВИЧ	1894 ——	——
152. СВЕТЛИЧНЫЙ АЛЕКСАНДР ПРОКОФЬЕВИЧ	1900 в/с	преступл. по должн.
153. СКРАГЕ ИВАН АНДРЕЕВИЧ[50]	1897 слесарь	к-р. агит.
154. СМОРОД[К]ИН МИХАИЛ ПАВЛОВИЧ[51]	1908 художник	к-р. деят.
155. СОРОКИН МИХАИЛ АНДРИАНОВИЧ	1897 в/с	преступл. по должн.
156. САВИН ИГНАТИЙ КУЗМИЧ[52]	1883 рыбовод	к-р. деят.
157. САКСОНОВ ОЛИМПИЙ ГЕСОЛЕВИЧ	1894 зам. нач. снаб.	СОЭ
158. СУКЕЧЕВ СЕМЕН ИЛЬИЧ	1891 нач. груз.	к-р. тр. деят.
159. СМИЛГА ГЕРМАН КАРЛОВИЧ	1894 монтер	к-р. деят.
160. СЕМЕНОВ–БЛАС АРКАДИЙ СЕМЕНОВИЧ	1895 типограф	к-р. тр. деят.
161. САБУРОВ НИКОЛАЙ НИКОЛАЕВИЧ	1896 плановик	педерастия
162. САБИЦКИЙ БОРИС ИСААКОВИЧ	1905 асс. звукоап.	подозр. в шпион.
163. ТИТОВ СЕРГЕЙ АЛЕКСАНДРОВИЧ	1909 агроном	к-р. деят.

164. ТРИШКИН АЛЕКСАНДР ИВАНОВИЧ[53]	1903 секр. РИКа[54]	——
165. ТРАСКОВИЧ ФЕДОР КОНСТАНТИНОВИЧ	1892 адм. хоз. раб.	——
166. УГЛЕЦКИЙ ВАСИЛИЙ НИКОЛАЕВИЧ	1892 бухгалтер	——
167. ФИЛОНОВ СЕМЕН МИХАЙЛОВИЧ	1901 вет. фельдшер	——
168. ФИШЕР МАКС ДАВЫДОВИЧ[55]	1897 кассир	подозр. в шпион.
169. ФИЛИППОВИЧ ИВАН ГРИГОРЬЕВИЧ[56]	1912 грузчик	к-р. агит.
170. ХИТРОВ КОНСТАНТИН ЕВГЕНЬЕВИЧ[57]	1914 физик	——
171. ХАЙЛО ПЕТР АЛЕКСАНДРОВИЧ	1902 инженер	к-р. тр. деят.
172. ХАРАК ГЕРБЕРТ ПЕТРОВИЧ	1914 нормировщик	к-р. деят.
173. ЦВАЛИС ВАЛЕРИЙ ВАРЛАМОВИЧ	1894 профессор	——
174. ЦУКУР АРВИД ЯНОВИЧ	1898 в/с	к-р. агит.
175. ЧЕРНОВ ВАСИЛИЙ СЕРГЕЕВИЧ	1903 —	——
176. ШИПОВ–АБРАМОВИЧ ИСААК ГРИГОРЬЕВИЧ	1900 инженер	к-р. тр. деят.
177. ШАПОВАЛОВ ЯКОВ ПАВЛОВИЧ	1891 технолог	к-р. деят.
178. ШРЕЙДЕР ЭЛИАС МАКСИМОВИЧ	1905 обществ. раб.	подозр. в шпион.
179. ШЕРМАН СТАНИСЛАВ ЯКОВЛЕВИЧ	1895 консул	к-р. агит.
180. ШЕПИЛОВ ДМИТРИЙ ВАСИЛЬЕВИЧ	1905 механик	подозр. в шпион.
181. ШИШКИН ПАВЕЛ ГЕРАСИМОВИЧ[58]	1909 зав. столовой	к-р. деят.
182. [НРЗБ.] ЭМИЛЬ	1904 кузнец	——
183. [НРЗБ.] ЕНБЕРГ КАРЛ ИВАНОВИЧ	1905 техн. ткач	к-р. агит
184. [НРЗБ.] НОВ ОГАНЕС ЛАЗАРЕВИЧ	1912 фотоинструктор	подозр. в шпион.
185. [НРЗБ.] ОНСКИЙ СТАНИСЛАВ ЛЕОНИДОВИЧ	1886 ‹нрзб›	к-р. деят.
186. [НРЗБ.] СЕРГЕЙ ВЛАДИМИРОВИЧ (вычеркнут)	1891 техник	к-р. агит.
187. [НРЗБ.] ВЛЕВ ИВАН НИКИТЫЧ	1904 шофер	к-р. деят.
188. [НРЗБ.] КАРЛ ГЕРМАНОВИЧ	1886 столяр	подозр. в шпион.
189. [НРЗБ.] АЛЬФРЕД АВГУСТОВИЧ	1900 наладчик	——
190. [НРЗБ.] ВСЕВОЛОД ВАСИЛЬЕВИЧ	1896 интендант 2 р.	——

‹2›

Эшелонный список тюрьмы № 7
Отдела мест заключения[59]

1. АРХИПКИН СЕРГЕЙ ПЕТРОВИЧ	1904	к-р	5 лет
2. БУХТИЯРОВ ГЕОРГИЙ ГАВРИЛОВИЧ[60]	1903	к-р	5
3. БРИТТ ПЕТР ИВАНОВИЧ	1912	58-10	5
4. БРЕЕВ ВАСИЛИЙ КОНСТАНТИНОВИЧ	1911	53-9	10
5. ВОЛОКИТИН ЛЕОНИД ИВАНОВИЧ	1897	к-р	8
6. ВОРОБЬЕВ ЗУСЬ КОПЕЛИВИЧ	1893	к-р	8
7. ГАБОВИЧ АБРАМ ДАВЫДОВИЧ	1899	——	5
8. ГРИГОРЬЯН ЕРЕМЕЙ ГРИГОРЬЕВИЧ	1894	——	8
9. ГРИГОРЬЕВ ИГНАТ РОДИОНОВИЧ	1905	——	10
10. ГОРБАЧЕВ ЗАХАР АРСЕНЬЕВИЧ	1902	58-10	5
11. ДАВЫДОВ СТЕПАН ЕВДОКИМОВИЧ	1890	к-р	8
12. ДОРОШЕНКО ВАСИЛИЙ ПАВЛОВИЧ	1916	——	5
13. ДЕБЕЛЬ ВЛАДИМИР ИВАНОВИЧ[61]	1909	——	5
14. ДЕН[Ь]ЧУКОВ СПИРИДОН ГРИГОРЬЕВИЧ	1886	——	8
15. ДЕМЕШКИН ТРОФИМ СТЕПАНОВИЧ	1896	53-9, 58-10	10
16. ДОШЕЛЕВ ИВАН ДМИТРИЕВИЧ	1896	от 7 авг.[62]	10
17. [НРЗБ.] КУЛИЛОВ ФРАНЦ ИОСИФОВИЧ	1913	к-р	10
18. ИЛЬИН ЛЕОНИД ИВАНОВИЧ	1888	58-7	15
19. [НРЗБ.] ФЕДОР ВАСИЛЬЕВИЧ	1914	58-10	10
20. [НРЗБ.] ЛЬЧИН ВАСИЛИЙ ИВАНОВИЧ	1888	к-р	8
21. [НРЗБ.] ВАЛИХ НИКОЛАЙ АНТОНОВИЧ	1892	——	5
22. [НРЗБ.] ОБЦЕВ СЕРГЕЙ ВАСИЛЬЕВИЧ	1888	58-10	10
23. [НРЗБ.] АМИНСКИЙ ИОСИФ НИКОЛАЕВИЧ	1903	58-10, 11	10
24. [НРЗБ.] ИРИЛОВ ФЕДОР ГРИГОРЬЕВИЧ	1888	к-р	10
25. [НРЗБ.] НФАНТЬЕВ НИКОЛАЙ ИВАНОВИЧ	1907	59-3	10
26. [НРЗБ.] ЕРАСИМОВ ВАСИЛИЙ ДАНОВИЧ	1905	——	10
27. КИРИЛЛОВ КИРИЛЛ ЯКОВЛЕВИЧ[63]	1891	к-р	5
28. [НРЗБ.] КИСОВ АЛЕКСАНДР ФЕДОРОВИЧ	1883	——	8
29. [НРЗБ.] КИСОВ НИКОЛАЙ ИВАНОВИЧ	1891	——	5
30. [НРЗБ.] ФРАНЦ МАРКОВИЧ	1906		10
31. [НРЗБ.] АСТОВСКИЙ АЛЕКСАНДР ИВАНОВИЧ	1905	——	5

32. МАЖУХИН ИГНАТ ОСИПОВИЧ	1903	——	8
33. МАЛАКАС ВЛАДИМИР МАКСИМОВИЧ[64]	1904	58	10
34. МЕШАКИН НИКОЛАЙ ИВАНОВИЧ	1899	к-р	8
35. НИКИФОРОВ ИВАН ПЕРФИРОВИЧ[65]	1905	58-10	5
36. НАТАРОВ НИКОЛАЙ АНТОНОВИЧ	1896	к-р	5
37. ПРОКОПОВИЧ ВАСИЛИЙ АЛЕКСАНДРОВИЧ	1899	——	10
38. ПАВЛЮКОВ МИХАИЛ ФЕДОРОВИЧ	1815	167	10
39. РЯБЦЕВ МИХАИЛ АЛЕКСАНДРОВИЧ[66]	1893	от 7 авг.	10
40. РЯБИНИН БОРИС АРТЕМОВИЧ[67]	1893	58-10	5
41. РОЗМАХОВ НИКОЛАЙ ФИЛИППОВИЧ	1890	к-р	8
42. СЕМ ФРАНЦ ФРАНЦЕВИЧ	1900	58	10
43. СРЕБНИЦКИЙ ЕВГЕНИЙ НАРЦИСОВИЧ	1907	к-р	5
44. ТОЛКАЧЕВ ИВАН ЛУКЬЯНОВИЧ	1909	58-7	15
45. ФЕТИЛОВ ТИХОН ФЕДОРОВИЧ	1903	к-р	5
46. ФЕДОРОВ СЕРГЕЙ ФЕДОРОВИЧ	1899	58-7	20
47. ШТЫБЕН ЭТОНУИЛ ЯНОВИЧ	1904	58	10
48. ЭГЛИТ ПАВЕЛ ДМИТРИЕВИЧ	1918	к-р	10
49. ЮДИН НИКОЛАЙ ДМИТРИЕВИЧ[68]	1893	——	5
50. ШТРУНОВ ДМИТРИЙ НИКОЛАЕВИЧ[69]	1895	——	5
51. ЯКУШИН ТИХОН ВАСИЛЬЕВИЧ	1902	58-10	5
52. БУЛАНОВ НИКОНОР ИВАНОВИЧ[70]	1888	——	5
53. ЖИЛОВ ИВАН КУЗМИЧ	1888	58	8
54. БЕЛОВ АНИСИМ АЛЕКСАНДРОВИЧ	1906	к-р	5
55. ВАЛЬНЕР ВАСИЛИЙ ЯКОВЛЕВИЧ[71]	1906	58-10	10
56. ГУСЕВ НИКОЛАЙ ДМИТРИЕВИЧ[72]	1898	к-р	8
57. МИРОНОВ ЯКОВ ИВАНОВИЧ[73]	1904	——	

‹3›

Эшелонный список Пересыльно-питательного пункта Отдела мест заключения УНКВД по Московской области[74]

1. АНДРИЕВСКИЙ СТЕПАН ЕФИМОВИЧ	1911	58	8
2. ДАВЫДОВ ВАСИЛИЙ ФЕДОРОВИЧ[75]	1900	58	8

3. КИСЕЛЕВСКИЙ ТОМАШ ФЛОРИАНОВИЧ[76]	1907	——	——
4. ТОБАКОРЬ ЕРЕМА КИРИЛЛОВИЧ	1900	——	——
5. ФОЛЬЦ ДАВЫД КАРЛОВИЧ	1911	——	——
6. МАСТЕРКОВ ЯН ФРАНЦЕВИЧ[77]	1894	——	——
7. ЧАЙКОВСКИЙ АНДРЕЙ ПАВЛОВИЧ[78]	1898	——	——
8. МАРЦЕНОВИЧ ВИКТОР ОСИПОВИЧ	1908	СВЭ	8
9. ЛЕВИТАНЦЕ БЕРКО БЕНДА	1889	СВЭ	8
10. ГЛУХО–КНИРА КИРИЛЛ ВАСИЛЬЕВИЧ	1895	58	——
11. ОСИС АЛЕКСАНДР ЭДУАРДОВИЧ[79]	1912	——	——
12. ГОФМАН ФИЛИПП ЯКОВЛЕВИЧ	1917	——	——
13. КЛИНГЕР АДОЛЬФ ФЕДОРОВИЧ	1896	СВЭ	——
14. КЛЕПЧАК ИОСИФ ДМИТРИЕВИЧ	1898	58	——
15. КУРЕЙ ВАСИЛИЙ МИХАЙЛОВИЧ	1900	——	——
16. КОЛЕСНИКОВ АНАНИЙ ЕРЕМЫЧ	1913	——	——
17. ЦВЕТКОВСКИЙ ДМИТРИЙ ФЕДОРОВИЧ	1891	——	5
18. БИЛЛЬ АЛЕКСАНДР ГЕОРГИЕВИЧ	1917	——	8
19. ГОЛЬД ИГНАТ АДАМОВИЧ	1885	——	——
20. ВЕБЕР ВИКТОР АЛЕКСАНДРОВИЧ	1907	——	——
21. ТИКИШКИН АНТОН АДАМОВИЧ	1891	СВЭ	5
22. РЕБИТСКИЙ ВЛАДИМИР ФРАНЦЕВИЧ	1900	СВЭ	8
23. МИНДРА ВАСИЛИЙ НИКОЛАЕВИЧ[80]	1885	И	——
24. НАВЦЕН МИХАИЛ ХАРИТОНОВИЧ	1896	СВЭ	——
25. СЛОВАК ЯРОСЛАВ ИВАНОВИЧ	1893	58	——
26. ТОБАКОРЬ ЕФИМ КИРИЛЛОВИЧ	1898	——	——
27. ШИРЕНКО ЯН КАРЛОВИЧ	1898	58	8
28. ТАМПЛЯН ВИКТОР АНДРЕЕВИЧ	1914	——	——
29. БАРАНОВ НИКОЛАЙ ЗАХАРОВИЧ[81]	1893	——	——
30. СЕРГЕЕВ АЛЕКСЕЙ КУЗМИЧ[82]	1893	——	——
31. ПАСИТОВ АРТУР ФРАНЦЕВИЧ	1898	——	——
32. КОЛЬВАРЧУК ИОСИФ ИВАНОВИЧ	1890	——	——
33. БАРТАШЕВСКИЙ ИОСИФ ФИЛИППОВИЧ	1892	СВЭ	8
34. ЛАРИОНОВ СТЕПАН ВАСИЛЬЕВИЧ	1903	——	5
35. КОПЫЛОВ НИКОЛАЙ ПЕТРОВИЧ[83]	1892	——	——
36. ЗЕЛЛЯ АЛЬБИН УСТИНОВИЧ	1891	——	——
37. КАФУ КРЕСТЬЯН МИХАЙЛОВИЧ	1897	——	8
38. КИМ МАТВЕЙ ТИМОФЕЕВИЧ[84] (вычеркнут)	1901	——	——

39. КИМ ГРИГОРИЙ ТИМОФЕЕВИЧ (вычеркнут)	1913	——	5
40. ХРИСТОВ ИЛЬЯ ИВАНОВИЧ, он же ПАРАМЕЗОВ	1897	——	8
41 ШАРКИ ФАТБЕГЕР ИОСИФ МИХАЙЛОВИЧ ГОТФРИД БЕН ЯКОВ	1905	——	——
42. ШМИДТ РУДОЛЬФ	1917	58	8
43. ШТАНЕР АНДРЕЙ АНДРЕЕВИЧ	1888	——	5
44. ХРИСТИНОВИЧ НИКОЛАЙ ТЕРЕНТЬЕВИЧ[85]	1894	——	8
45. ДЕРЕНЧ ГЕНРИХ ЮЛЬЕВИЧ	1912	——	——
46. ГАЛЛИХ ВЛАДИМИР МИХАЙЛОВИЧ	1907	——	——
47. ХИЖНЯК ПРОКОФИЙ ФИЛИППОВИЧ[86]	1910	——	——
48. БЕЛЕНИКИН ГРИГОРИЙ АРТЕМОВИЧ	1911	СВЭ	3
49. ТАМПЛАН ПАВЕЛ САМСОНОВИЧ (вычеркнут)	1915	58	8
50. ПУГАЧ ДМИТРИЙ ИВАНОВИЧ[87]	1891	——	——
51. МИЛЛЕР ОСКАР КАРЛОВИЧ	1892	——	——
52. КОЛАГЕРАКИ КОНСТАНТИН [НРЗБ.]	1906	——	5
53. МАТКОВСКИЙ АЛЕКСАНДР КОНСТАНТИНОВИЧ	1897	——	8
54. ВАРГА ИВАН ГРИГОРЬЕВИЧ (вычеркнут)	1884	——	——
55. ГЕДРОВИЧ ФИЛИПП ИВАНОВИЧ	1898	——	5
56. ЧАЙКОВСКИЙ НИКИФОР ДМИТРИЕВИЧ	1908	——	8
57. ЧЕРНЯВСКИЙ ЕВГЕНИЙ МИХАЙЛОВИЧ	1917	——	——
58. ЯВОРСКИЙ–ПЛАНКИ ИЛЬЯ ПЕТРОВИЧ (вычеркнут)	1905	СВЭ	——
59. КАНУ АЛЕКСЕЙ СТЕПАНОВИЧ	1873	СВЭ	5

‹4›

Эшелонный список Московской тюрьмы № 3[88]

1. ВОВСЫ ФАНЯ АРНОЛЬДОВНА	1899	ЧСИР[89]	5
2. ВЕСЕЛКИНА ЕВГЕНИЯ НИКОЛАЕВНА	1901	——	——
3. БУТУРЛИНА ВЕРА МИХАЙЛОВНА	1913	——	——

4. КАРПЯШИНА ЕВДОКИЯ ИЛЛАРИОНОВНА	1900	——	——
5. ДЕМЕНТЬЕВА ПРАСКОВЬЯ ФАДДЕЕВНА	1904	——	——
6. СМИРНОВА ПРАСКОВЬЯ МИХАЙЛОВНА	1911	подозр. в шпион.	——
7. СУКАЛЬСКАЯ АННА МИХАЙЛОВНА[90]	1895	ЧСИР	——
8. ИВАНОВА МАРИЯ КУЗМИНИЧНА	1901	——	——
9. ТАНКИНА ЕКАТЕРИНА ФЕДОРОВНА	1904	——	——
10. БЕССОНОВА АЛЕКСАНДРА СЕМЕНОВНА	1902	——	——
11. ИМАС ХАНА ДАВЫДОВНА	1898	——	——
12. МИТКЕВИЧ МАРИЯ НИКОЛАЕВНА	1898	——	——
13. МЕТАЛЬНИКОВА ЗИНАИДА ГЕОРГИЕВНА	1900	——	——
14. КУТАКОВА ВАЛЕНТИНА ВАСИЛЬЕВНА	1910	——	——
15. ВОРОНКОВА АЛЕКСАНДРА ИВАНОВНА	1904	——	——
16. ИНОЗЕМЦЕВА ПОЛИНА ИВАНОВНА	1901	——	——
17. ЗВОРОВСКАЯ ЗИНАИДА СРУЛОВНА	1905	——	——
18. САМСОНОВА АНИСЬЯ ФЕДОРОВНА	1902	——	——
19. АДАМЕНКО ВЕРА ГРИГОРЬЕВНА	1905	——	——

‹5›

Эшелонный список Пересыльно-питательного пункта Отдела мест заключения УНКВД по Московской области[91]

1. ШТАНГ ИОСИФ ИОСИФОВИЧ	1902	к-р	8
2. ШКЕРВЕЛЬ ПЕТР ПЕТРОВИЧ	1897	——	——
3. ШАУРА ВАЛИС ЯКОВЛЕВИЧ	1891	——	——
4. ТУРОВИЧ ФРАНЦ ИОСИФОВИЧ	1907	——	5
5. РАУЖМАН АЛЕКСАНДР ФЕДОРОВИЧ	1892	——	8
6. СТАКИУС КАРЛ ИНДРИВИЧ[92]	1897	——	5
7. ТРИВКА ФИЛИПП ИВАНОВИЧ	1891	——	8
8. ШКЕСТЕР АРНОЛЬД МАРТЫНОВИЧ[93]	1896	58-10	5
9. ОМ ФРИДРИХ ФЕРДИНАНДОВИЧ[94]	1919	к-р	8
10. ЗДАНОВИЧ ПАВЕЛ ВЕНЕДИКТОВИЧ	1892	——	——
11. ДОВАЛЬ ИОСИФ МАТВЕЕВИЧ	1880	——	——
12. ЮРАГО СТАНИСЛАВ МИХАЙЛОВИЧ	1883	к-р	8

13. ГАРР РУДОЛЬФ АНДРЕЕВИЧ	1910	——	——
14. ГОСМАН ДАВИД БОГДАНОВИЧ	1913	——	——
15. ГИДРОВИЧ ВИКТОР КАЗИМИРОВИЧ	1902	58-10	5
16. ШПИС ИВАН ПЕТРОВИЧ	1904	58-10	8
17. КОРЧМАРСКИЙ ИВАН ИОСИФОВИЧ[95]	1899	к-р	8
18. ШЛЕГЕЛЬ ИВАН ДАВЫДОВИЧ	1912	58-10	5
19. БАРТАЩАК ИВАН ТИМОФЕЕВИЧ	1885	к-р	8
20. БЕЙФУС ЯКОВ ИВАНОВИЧ	1908	——	——
21. БЕЙФУС КОНДРАТ ИВАНОВИЧ	1895	——	——
22. БРУНЕР ДАВИД ГЕОРГИЕВИЧ	1909	——	——
23. БИСТЕЛЬФЕЛЬД ПАВЕЛ ЯКОВЛЕВИЧ	1913	——	——
24. БУРАК СТАНИСЛАВ ХРИСТИАНОВИЧ	1888	——	——
25. ВЕЙЦ ИВАН ЯКОВЛЕВИЧ	1909	——	——
26. БУДКЕВИЧ НИКОЛАЙ АНТОНОВИЧ	1901	——	——
27. САМОХИН АЛЕКСЕЙ БОРИСОВИЧ	1885	——	5
28. ФИРСКИЙ СТЕФАН ИВАНОВИЧ	1891	58	8
29. НАГУРНЫЙ ФРАНЦ ФРАНЦЕВИЧ	1888	к-р	8
30. МЕВЕР ГЕНРИХ ИОГАНСОВИЧ	1909	——	——
31. МЕНИКС АДОЛЬФ БЕРДУЛОВИЧ	1885	——	——
32. МЕЙЕР ФРИДРИХ ИВАОВИЧ	1911	——	——
33. РОЗЕНГРИН ГЕОРГИЙ ДАВЫДОВИЧ[96]	1902	58-10	8
34. БЕЙЗЕЛ АНДРЕЙ ЕГОРОВИЧ	1904	——	——
35. БЕЙФУС ДАВИД ФИЛИППОВИЧ[97]	1903	——	5
36. БРЕДЕЛИС АНТОН СТЕПАНОВИЧ[98]	1893	——	——
37. ВОРОНЕЦКИЙ ВИКОР ВИКТОРОВИЧ	1896	——	8
38. ШУЛЬЦ БОГДАН ГЕОРГИЕВИЧ	1888	——	——
39. СИЛИН НИКОЛАЙ ВЛАДИМИРОВИЧ	1898	к-р	——
40. СОЛЬЦИНЕЦКИЙ ВЛАДИМИР ‹нрзб›	1894	——	5
41. ПОЛОНЕВИЧ ПЕТР КАРПОВИЧ	1904	58-10	8
42. ПУШ ВЛАДИМИР ХРИСТОФОРОВИЧ	1899	——	——
43. РУППЕЛЬ ВИКТОР БОГДАНОВИЧ[99]	1913	к-р	——
44. РУППЕЛЬ ГЕНРИХ КОНДРАТЬЕВИЧ	1910	——	——
45. РУППЕЛЬ ФЕДОР ДАВЫДОВИЧ	1888	——	——
46. ПРАУЛИН ФЕДОР ИВАНОВИЧ[100]	1886	——	——
47. ПЕТРОВСКИЙ ВЛАДИСЛАВ ВЛАДИМИРОВИЧ	1880	——	——

‹8›

Эшелонный список Бутырской тюрьмы[119]

1. АФАНАСЬЕВ ПЕТР ВАСИЛЬЕВИЧ	1804 агроном	к-р. тр. деят.
2. [НРЗБ.]		
3. БОРЕНШТЕЙН ДАВИД ЛЕОНОВИЧ	1915 маляр	——
4. ЗЕМСКОВ АЛЕКСАНДР ВАСИЛЬЕВИЧ	1908 радиомех.	——
5. ПЕДАНС ЮЛИЙ КАРЛОВИЧ	1887‹нрзб›	——
6. РОССИНИ ГОФРЕДА		подозр. в шпион.
7. ПЛЕНЦ РИХАРД ЭДУАРДОВИЧ	1913 мастер	к-р. тр. деят.
8. ЮЖНЫЙ МИХАИЛ БОРИСОВИЧ	1891 педагог	——

‹9›

Эшелонный список Бутырской тюрьмы[120]

1. [НРЗБ.]–ОГЛЫ НАСА ХАНУМ	1902 педагог	подозр. в шпион.
2. [НРЗБ.] СОФЬЯ ЭММАНУИЛОВНА	1898 швея	к-р. деят.
3. [НРЗБ.] АРЕВА СОФЬЯ ДМИТРОВНА	1895 библиотек.	подозр. в шпион.
4. [НРЗБ.] ЕЛЕРИДИ ЕКАТЕРИНА АНДРЕЕВНА	1900 секретарь	——
5. [НРЗБ.] ЕСЛИНА-СОЛОВЬЕВА ВАЛЕНТИНА ИВАНОВНА	1914 ——	к-р. деят.
6. [НРЗБ.] ЕГОВИЧ ОЛЬГА СТЕПАНОВНА	1896 д/хоз.	подозр. в шпион.
7. [НРЗБ.] БЧИК ТАТЬЯНА АНТОНОВНА	1904 рабочая	——
8. [НРЗБ.] ГЕННЕРГ ЭЛЬЗА ДАВЫДОВНА	1896 фармацевт	к-р. деят.
9. [НРЗБ.] УЛЬСОН ОЛЬГА ИВАНОВНА	1896 педагог	——
10. [РУБИНШТЕЙН] ГЕНРИЭТТА МИХАЙЛОВНА[121]	1911 инж.-текст.	к-р. тр. деят.
11. [НРЗБ.] УФМАН СОФЬЯ ИСААКОВНА	1906 фармацевт	к-р. агит.
12. СМИРНОВА АНТОНИНА СЕРГЕЕВНА	1900 телеграфист	——
13. [НРЗБ.] ПАВЕЛ ИВАНОВИЧ	1901 л/десятник	58-10
14. [НРЗБ.] ВАСИЛИЙ АЛЕКСАНДРОВИЧ	1900 служащий	58-10

15. [НРЗБ.] ЙКОВ СЕМЕН КОНСТАНТИНОВИЧ	1914 ——		58–8
16. [НРЗБ.] ЕЛЬДЗЕЙКО ИУСТИН МИХАЙЛОВИЧ	1897 телеграфист		——
17. [НРЗБ.] ФИН АЛЕКСЕЙ ПАВЛОВИЧ	1888 инженер		участн. прест. группы

‹10›

Список л/св[122], следуемых из тюрьмы № 4 Отдела мест заключения УНКВД по Московской области в распоряжение начальника тюрьмы № 2, гор. Москва, для направления в СЕВВОСТЛАГ НКВД, г. Владивосток, на Колыму[123]

1

1. ЗЕЙМАН КАРЛ ИВАНОВИЧ[124]	1892	к-р	5	Здоров
2. ДЕВЯКОВИЧ МИХАИЛ МАКСИМОВИЧ	1903	——	8	——
3. ГОЛЯТОВСКИЙ СТАНИСЛАВ ПЕТРОВИЧ	1895	——	——	——
4. КОМАРЕВИЧ МИХАИЛ ЕМЕЛЬЯНОВИЧ	1902	——	——	——
5. ЧЕЛЕБЕЕВ ПЕТР ГЕОРГИЕВИЧ	1899	——	——	——
6. ПОДОСИННИКОВ НИКОЛАЙ МОИСЕЕВИЧ[125]	1898	——	——	——
7. МАРКС КАРЛ КАРЛОВИЧ	1895	——	——	——

2[126]

1. ЧИДАРЕВ ПЕТР ПЕТРОВИЧ	1893	——		——
2. ЛЕЛЛЬ ИВАН ИОСИФОВИЧ	1917	——	5	——

3[127]

1. ГОЕНКО НИКОЛАЙ МИХАЙЛОВИЧ	1914	——	8	——
2. МИЧКОСОВ ПЕТР СЕРГЕЕВИЧ	1903	——		——

4[128]

1. НАТКИН АЛЕКСЕЙ ДМИТРИЕВИЧ[129] (вычеркнут)	1895	——	5	——
2. РОДИН АНДРЕЙ НИКОЛАЕВИЧ[130]	1880	——	8	——
3. САЛОВ КУЗЬМА САМОЙЛОВИЧ	1891	——	5	——

1. ВОРОНЦОВ ИВАН ДМИТРИЕВИЧ[132]	1872	—— 5	——
2. АКСЕНОВ ВАСИЛИЙ СЕРГЕЕВИЧ[133]	1896	—— 8	——
3. КОРОЛЕВ ПЕТР НИКОЛАЕВИЧ	1891	—— ——	——
4. ЯЛОЗЬ АЛЕКСАНДР БОРИСОВИЧ	1891	—— 5	——
5. СЛОИСТОВ ИВАН ИВАНОВИЧ[134]	1888	—— ——	——
6. КАБАНОВ АЛЕКСАНДР ГЕРАСИМОВИЧ[135]	1894	—— 8	——

‹11›

Список Таганской тюрьмы[136]

1. АНДРИЕВСКИЙ ПЕТР ГРИГОРЬЕВИЧ	1906	8
2. АЛИСКИН АЛЕКСАНДР ФИЛИППОВИЧ	1912	5
3. [НРЗБ.] (вычеркнуто)		
4. АНДРЕЕВ ВАСИЛИЙ АЛЕКСАНДРОВИЧ	1908	——
5. [НРЗБ.] ИНДИН СТЕПАН БОРИСОВИЧ	1894	——
6. БАТЮШИН СЕРГЕЙ ПЕТРОВИЧ	1892	8
7. БРУННЕР ФРИДРИХ ФРИДРИХОВИЧ	1916	5
8. БОГАТЫРЕВ ВАСИЛИЙ ТИМОФЕЕВИЧ[137]	1907	——
9. БАЛАНОВ СЕРГЕЙ СТЕПАНОВИЧ	1899	8
10. БУДИЛОВИЧ АНАТОЛИЙ ОСИПОВИЧ	1886	
11. БУРОВЦЕВ НИКОЛАЙ ПЕТРОВИЧ[138]	1900	——
12. БЕЛЯЕВ ВИКТОР МИХАЙЛОВИЧ[139]	1905	5
13. БУЗАЛЬСКИЙ ИОСИФ ИВАНОВИЧ[140]	1880	5
14. БРАТАНСКАЯ ЕКАТЕРИНА ВИКЕНТЬЕВНА	1900	8
15. БРИДЖИНСКАЯ ВЕРА ЯКОВЛЕВНА	1912	——
16. БОГАР ЕЛАНА ИОСИФОВНА[141]	1900	——
17. [НРЗБ.] ТРОФИМ МАРКИАНОВИЧ	1881	
18. ВОРОБЬЕВ ПАВЕЛ АЛЕКСАНДРОВИЧ[142]	1892	5
19. ВАЛЛЕНБЕРГ ЭРНСТ ОТТОВИЧ	1912	8
20. ВАСИЛЬЕВ НИКОЛАЙ АЛЕКСЕЕВИЧ	1886	5
21. БИРЛЕНДЕР ИОГАНН ИОГАННОВИЧ	1918	8
22. ВОЛКОВ РОМАН АНДРЕЕВИЧ	1894	——
23. ВАДКУЛЬ ГРИГОРИЙ АНТОНОВИЧ	1907	——
24. [НРЗБ.] ЯН ЯНОВИЧ	1892	——

25. ВЫБОРНОВ ВАСИЛИЙ ПОЛИКАРПОВИЧ[143]	1891	5
26. ВЕРЛИНКИН СЕРГЕЙ НИКОЛАЕВИЧ	1906	8
27. ВЛАСОВ ВИКТОР ТИМОФЕЕВИЧ[144]	1905	——
28. [НРЗБ.] (вычеркнуто)		
29. ВОДАРСКИЙ ИВАН МИХАЙЛОВИЧ	1895	——
30. ГОЛУБЕВ ВАСИЛИЙ ГРИГОРЬЕВИЧ[145]	1895	——
31. ГОВСЕЕВ ЛЕВ ЛАЗАРЕВИЧ	1906	——
32. ГЛУХОВСКИЙ МИХАИЛ ДОМИНИКОВИЧ[146]	1895	——
33. ГЕНГЕР СТАНИСЛАВА ГАВРИЛОВНА[147]	1911	——
34. ГРЕНВЕДЕ ГЕРТРУДА ЕВГЕНЬЕВНА	1900	——
35. ГДЕЕВ ЕГОР ВЛАДИМИРОВИЧ	1885	5
36. ГУСЕВ ИВАН ИВАНОВИЧ	1902	
37. ГРАБЕ ЯН ФРАНЦЕВИЧ	1897	8
38. ГАЛКИН ИВАН ГРИГОРЬЕВИЧ	1900	
39. ГОРМАН МИРОН ПЕТРОВИЧ	1897	——
40. ГОЛУБЕВ АЛЕКСАНДР АНДРЕЕВИЧ	1897	——
41. ГРИГАТ ОСКАР ЛЕОНЫЧ	1897	10
42. ДИТЕЛЬ АЛЕКСЕЙ АЛЕКСЕЕВИЧ	1899	5
43. ДЖЕРАНСКИЙ ТАДЕУШ МИХАЙЛОВИЧ	1914	8
44. ДАЕВ ГУСТАВ АНДРЕЕВИЧ[148]	1908	——
45. ДЕНЬКОВСКИЙ БРОНИСЛАВ ИЛЬИЧ	1907	——
46. ДЕРЖАВИН ВЯЧЕСЛАВ КСЕНОФОНТОВИЧ	1892	5
47. ДЕНЕНБЕРГ ХЕМА ЛЬВОВНА	1907	8
48. ДОЛЖЕНКО ТРОФИМ ВЛАДИМИРОВИЧ	1893	——
49. ДОЙЧЕВ ВЕНЕДИКТ ДМИТРИЕВИЧ	1903	——
50. ДАНИЛЬЧЕНКО ИВАН ГРИГОРЬЕВИЧ	1910	5
51. ЕРМОЛАЕВ НИКОЛАЙ ИВАНОВИЧ[149]	1901	8
52. ЕГОРОВ ТИХОН ФЕДОРОВИЧ	1893	10
53. ЕВСЮТЕНКО КОНСТАНТИН ИВАНОВИЧ[150]	1897	8
54. ЕГОРОВ АЛЕКСАНДР ФЛЕГОНТОВИЧ	1897	
55. ЕЛИСЕЕВ АЛЕКСЕЙ ПРОХОРОВИЧ[151]	1904	——
56. ЗЕЛИНСКИЙ ЯКОВ ГЕОРГИЕВИЧ	1884	——
57. ЗАДАЧИН ПАВЕЛ СТЕПАНОВИЧ	1899	
58. ЗИРНЕТ ПЕТР ЮРЬЕВИЧ	1887	——
59. ИГОЛЬНИК ИВАН ВИКТОРОВИЧ	1918	5
60. ИСАКОВ ДМИТРИЙ КОНСТАТИНОВИЧ	1883	8

61. ИВАНКИН ИВАН ИВАНОВИЧ   1813   ——
62. КОРЖАКОВ ИВАН ИВАНОВИЧ   1905   ——
63. КАМЕНЕЦКИЙ ДМИТРИЙ ПАВЛОВИЧ   1892   ——
64. КРАСИНСКИЙ ВИТОЛЬД ИВАНОВИЧ   1912   5
65. КОВАЛЬСКИЙ МАРК ИСАКОВИЧ   1904   8
66. КРИВИЦКИЙ–КОШЕВИК ИЛЬЯ АБРАМОВИЧ   1898   5
67. КОЛОВ ВАСИЛИЙ ТИХОНОВИЧ   1897   8
68. КОНКОВ ЕГОР АНДРЕЕВИЧ   1913   5
69. КНЕФЕЛЬ ВИКТОР ГОТФРИХОВИЧ   1911   8
70. КАРПОВ АДАМ БЕНЕДИКТОВИЧ[152]   1886   ——
71. КАРПОВ НИКОЛАЙ ИВАНОВИЧ   1896   8
72. КОМАРОВСКИЙ ВЛАДИМИР ИВАНОВИЧ[153]   1889   5
73. КЛИМОВ ДМИТРИЙ АЛЕКСАНДРОВИЧ   1908   8
74. КЕНИГ ГЕЛЬМУТ РИХАРДОВИЧ   1919   ——
75. КАПИТУЛОВ ТРОФИМ ЯКОВЛЕВИЧ   1904   ——
76. КОВАЛЬСКИЙ ПЕТР ИВАНОВИЧ[154]   1885   ——
77. КОНСТАНТИНДИ ЛАЗАРЬ ОГАЛЛИНОВИЧ   1909   10
78. КРЫЖАНОВСКИЙ ТИМОФЕЙ ИЛЬИЧ[155]   1905   8
79. КИРД ИВАН ГЕНРИХОВИЧ   1890   ——
80. КОЧИНСКИЙ ЭДУАРД ФЕЛИКСОВИЧ   1899   ——
81. КОЛЕТО ЛЕОНАРД СТАНИСЛАВОВИЧ   1919   ——
82. КИНИТ АЛЬБЕРТ КАРЛОВИЧ   1901   ——
83. КУГЕЛЬ КИРА ВЛАДИМИРОВНА   1895   ——
84. [НРЗБ.] (вычеркнуто)
85. КАНЕР МАТИАС МАТИАСОВИЧ   1885   ——
86. КРИШТАФОВИЧ МАРИЯ ИВАНОВНА   1912   ——
87. КАБАНОВ БОРИС АНДРЕЕВИЧ   1885   5
88. КАЛЬНЕТИС АНДРЕЙ КУЗМИЧ–КАЗИМИРОВИЧ[156] ——   ——
89. КАМАРИЦКИЙ АЛЕКСЕЙ ДМИТРИЕВИЧ   1911   8
90. КОВАЛЬЧЕК ФРАНЦ АНТОНОВИЧ   1891   5
91. ЛАУДА РУДОЛЬФ ИВАНОВИЧ   1899   8
92. [НРЗБ.] ЭДМУНД ВИТОЛЬДОВИЧ   1906   ——
93. ЛИТВИНОВ ИВАН ИВАНОВИЧ   1916   ——
94. ЛОЭВ АЛЕКСАНДР ЯКОВЛЕВИЧ   1914   ——
95. ЛЯХОВСКИЙ ПЕТР АДАМОВИЧ   1884   5
96. ЛИЦ ТИМОФЕЙ ИВАНОВИЧ   1909   8

97. ЛОПАТИН ГЕОРГИЙ МИХАЙЛОВИЧ	1887	——
98. ЛУКЖИН АЛЕКСЕЙ ГЕОРГИЕВИЧ	1894	——
99. ЛОЦМАН ИВАН ИВАНОВИЧ	1895	5
100. ЛЕСНИКОВ ВАСИЛИЙ ГАВРИЛОВИЧ	1900	8
101. ЛИТТЕ МИХАИЛ АНДРЕЕВИЧ[157]	1895	——
102. ЛЕЗЕНГАУНТ АРТУР ИВАНОВИЧ	1898	——
103. [НРЗБ.] ДЕМПА ЭДМУНД МИХАЙЛОВИЧ	1908	——
104. ЛИТВИНОВ ИВАН ВАСИЛЬЕВИЧ[158]	1903	——
105. МИРЗОЕВ АНДРЕЙ ИВАНОВИЧ	1912	——
106. МОЛОТОВ КОНСТАНТИН МИХАЙЛОВИЧ	— —	——
107. МАЛЯРОВ МИХАИЛ ГЕОРГИЕВИЧ	1975	10
108. [НРЗБ.] МОЙ(?) ВАСИЛИЙ ЕГОРОВИЧ	1889	5
109. МИХАЛЕВ ПЕТР ВАСИЛЬЕВИЧ[159]	1895	8
110. МИТЯНЕВА КАРЛА ИОСИФОВНА	1906	5
111. МАТТО МАРИЯ–МАГДА КАРЛОВНА	——	8
112. МИЛЛЕР ГОТЛИБ ИВАНОВИЧ[160]	1908	5
113. МАТВЕЕВ АЛЕКСАНДР ГЕРАСИМОВИЧ	1907	——
114. МАЛЫШЕВ ИВАН НИКОЛАЕВИЧ	1898	8
115. НАДЬ ГЕОРГИЙ МИХАЙЛОВИЧ	1895	5
116. НАЕДЕИН ВЛАДИМИР МАРТЫНОВИЧ	1895	8
117. НЕКРАСОВ РОМАН ТАРАСОВИЧ	1912	——
118. НОРКУС ТАДЕУШ АНТОНОВИЧ	1870	——
119. НАТЕР ЮЛИУС АДОЛЬФОВИЧ	1871	——
120. [НРЗБ.] НОИНСКИЙ(?) ВИТАЛИЙ СТАНИСЛАВОВИЧ	1904	——
121. ОЗОЛИН ЯН РОМАНОВИЧ[161]	1876	——
122. ОЗАРАЙ ИОСИФ ИВАНОВИЧ	1884	——
123. ОШНЯГО ИВАН ИГНАТЬЕВИЧ	1901	8
124. ПЛЕЩЕЕВ ДМИТРИЙ ЗАХАРОВИЧ	1913	5
125. ПИГАРЕВ АЛЕКСАНДР ИВАНОВИЧ	1896	8
126. ПУРАС ВИКЕНТИЙ КАЗИМИРОВИЧ	1891	——
127. ПИНЕРОВ КИРИЛЛ ТОМОВИЧ	1905	——
128. ПОЛИНСКИЙ БРОНИСЛАВ АНТОНОВИЧ[162]	1890	5
129. ПЕПЕЛЬНИК ВИТАЛИЙ КОНСТАНТИНОВИЧ	1906	8
130. ПОПОВ ГАВРИИЛ РАЙКОВИЧ	1902	——
131. ПУЦЕ ОСКАР АНДРЕЕВИЧ[163]	1898	5
132. РОТШТЕЙН НАУМ АБРАМОВИЧ	1901	8

133. РОТЦЕЙГ ЭРИКА ГУСТАВОВНА	1896	5
134. РАНЦЕВ САВЕЛИЙ НАЗАРОВИЧ	1896	——
135. РАДЗЮК МИХАИЛ СЕМЕНОВИЧ	1880	8
136. РОЗИНОВ МОИСЕЙ ЛАЗАРЕВИЧ[164]	1910	5
137. РАУБО БРОНИСЛАВ ИОСИФОВИЧ	1906	——
138. РОЗИНЕР АЛЕКСАНДР ВЛАДИМИРОВИЧ	1905	8
139. РАХМАНОВ ЯКОВ АЛЕКСАНДРОВИЧ	1889	5
140. РОЛАНДТ ГАНС ЛЬВОВИЧ	1886	8
141. СТЕПАНЕК АЛЕКСАНДР ГЕРАСИМОВИЧ	1907	5
142. САКСОН АЛЕКСАНДР ОСВАЛЬДОВИЧ	1897	8
143. СУХОВ АЛЕКСЕЙ СТЕПАНОВИЧ	1905	——
144. САМУИЛО БИНОК ВАЦЛОВОВИЧ	1899	——
145. САДОВСКИЙ СЕРГЕЙ АЛЕКСЕЕВИЧ	1890	——
146. САДОВСКИЙ ЕФИМ САВЕЛЬЕВИЧ[165]	1901	——
147. САВЕЛЬЕВ ИВАН ПАВЛОВИЧ[166]	1900	5
148. СТАХАНСКИЙ ИВАН МИХАЙЛОВИЧ[167]	1909	8
149. СТЕПАНОВ ПАВЕЛ ИВАНОВИЧ[168]	1906	——
150. СЛУЦКИЙ ВЕНИАМИН ИСААКОВИЧ	1880	——
151. СЕМЯТИНСКАЯ ФАИНА МИХАЙЛОВНА	1907	5
152. [НРЗБ.] (вычеркнуто)		
153. САМОДУРОВА МАРИНА АЛЕКСАНДРОВНА	1897	8
154. СЕРЖАНТ АЛЕКСАНДР ИВАНОВИЧ[169]	1885	——
155. СКРИПКИН АЛЕКСАНДР ПАВЛОВИЧ[170]	1885	5
156. СТАСЕВСКИЙ ВЛАДИМИР ПЕТРОВИЧ[171]	1890	8
157. СКАЧКОВ НИКОЛАЙ ГЕРАСИМОВИЧ	1902	——
158. СИДОРЕНКО–СИДОРЕЦ ИВАН АНДРЕЕВИЧ	——	——
159. САШИН ПЕТР ИЛЬИЧ	1907	——
160. СТАРОБИН ФЕБУС ЗЫКОВИЧ	1901	——
161. СРЕТИНСКИЙ ВАСИЛИЙ ПЕТРОВИЧ	1899	——
162. ТОПЛЕР ИОСИФ ИОСИФОВИЧ	1918	——
163. ТКАЧ МИХАИЛ МИХАЙЛОВИЧ	1890	5
164. ТАМАНКОВ НИКОЛАЙ ИВАНОВИЧ	1887	8
165. ТЕРЕНТЬЕВ НИКОЛАЙ ВАСИЛЬЕВИЧ[172]	1885	5
166. ТЫНАР СЕРЕНА ФРАНЦЕВНА	1880	8
167. ТОНЕЕВ ВИКТОР АНДРЕЕВИЧ	1904	——
168. ТРЕЩАНСКИЙ МИХАИЛ ЛЕОНОВИЧ	1890	——

169. ТЕТЕРИН ПЕТР АФАНАСЬЕВИЧ (вычеркнут)   1884   ——
170. ТЕЛЬ ИОСИФ АНДРЕЕВИЧ   1894   ——
171. ТАВАНОМАН ХАИМ ВУЛЬФОВИЧ   1908   ——
172. ТИМОФЕЕВ ИВАН АЛЕКСАНДРОВИЧ   1891   ——
173. УРБАН МАГНУС ГУСТАВОВИЧ[173]   1893   5
174. ФЕЛЕР АННА РЕЙНГАРДОВНА   ——   ——
175. ФЕДКЕВИЧ ПЕТР ГРИГОРЬЕВИЧ[174]   1900   8
176. ФЛОРОВ АЛЕКСАНДР АНДРЕЕВИЧ[175]   1888   ——
177. ФИКС ГРИГОРИЙ САМОЙЛОВИЧ   1865   ——
178. ФЕЙГИНА ДИНА МИХАЙЛОВНА   1911   10
179. ХОДОРОВИЧ МИХАИЛ НИКОЛАЕВИЧ   1907   8
180. ХОДОКОВ МИХАИЛ ПАВЛОВИЧ   1905   ——
181. ЦИЛОВ МАТВЕЙ ИВАНОВИЧ   1888   ——
182. ЦВЕТНИХ ФРИДРИХ ФРИДРИХОВИЧ   1898   ——
183. ЦИБУЛЬСКИЙ ИВАН ФОМИЧ[176]   1883   ——
184. ЧАЙКО НИКОЛАЙ ЯКОВЛЕВИЧ   1885   ——
185. ЧИСТЯКОВ ВАСИЛИЙ СЕРГЕЕВИЧ   1894   ——
186. ЧУКАНОВ МИХАИЛ АЛЕКСАНДРОВИЧ   1904   ——
186. ШАВЫРИН ВЛАДИМИР МИХАЙЛОВИЧ   1888   ——
187. ШЕЛЬГАВИ КАРЛ ЯКОВЛЕВИЧ   1900   ——
188. ШКЛОВСКИЙ КАЗИМИР ФОМИЧ   1895   ——
189. ШНАЙДЕР АНДРЕЙ АНДРЕЕВИЧ   1911   ——
190. ШВЕДОВ ПЕТР ИВАНОВИЧ   1900   ——
191. ШВЕЦ БОРИС ИОСИФОВИЧ   1905   ——
192. ШКИПСНЕ ЭРНЕСТРО–ВИЛЬГЕЛЬМ САМОЙЛОВИЧ   1900   ——
193. ШОНТАГ АЛЬФРЕД САМОЙЛОВИЧ   1885   ——
194. ШИЛЕЙКО ВАЛЕНТИНА ИВАНОВНА   1904   ——
195. ШИДЛОВСКИЙ АЛЕКСЕЙ АНТОНОВИЧ[177]   1911   ——
196. ШИМАНОВСКИЙ НИКОЛАЙ УЛЬЯНОВИЧ   1905   ——
197. ЭРМАН ЕВГЕНИЙ МИХАЙЛОВИЧ   1887   ——
198. ЭРЕНТРЕЙС ЯН МИХАЙЛОВИЧ   1891   ——
199. ЯЗВИНСКИЙ СТАНИСЛАВ АНТОНОВИЧ[178]   1912   ——
200. ЯКОВЛЕВ ИВАН ИВАНОВИЧ   1886   ——
201. ЯРЕЦКАЯ БЕРТА МОИСЕЕВНА   1898   ——

Попутный список из тюрьмы № 6 (Коломна)[179]

1. ИВЕРСОН ВАЛЬДЕМАР МАТСОВИЧ[180]	1896	58-10	8
2. НАУМИН АНДРЕЙ АНДРЕЕВИЧ	1897	58-10	8
3. ОБУХОВИЧ ВЛАДИМИР ИОСИФОВИЧ	1893	——	
4. ПОШАЛОВ АЛЕКСАНДР ФЕДОРОВИЧ	1909	——	
5. ДАНИЭЛЬ СПИРИДОН КИРЬЯНОВИЧ	1883	——	
6. КРАЙНЕРТ КРИСТИЯН КРИСТИЯНОВИЧ	1916	——	
7. ШЕВИНСКИЙ ПАВЕЛ ПЕТРОВИЧ	1890	——	
8. ИВАНОВ МИХАИЛ ПЕТРОВИЧ[181]	1898	——	5
9. НИКИФОРОВ ВАСИЛИЙ ВАСИЛЬЕВИЧ	1890	——	5
10. ИГОЛКИН ПАВЕЛ ИВАНОВИЧ[182]	1880	——	8
11. ГОРСТ АДАМ АДАМОВИЧ	1896	58–6	——
12. ПЕККЕР ПЕТР ХРИСТОФОРОВИЧ[183]	1886	58-10	——
13. ДЕМЧУК НИКИТА ХАРИТОНОВИЧ[184]	1899	——	
14. ТАУТ ПАВЕЛ МИХАЙЛОВИЧ	1892	——	
15. ВИКТОРОВИЧ ИВАН ИВАНОВИЧ[185]	1876	——	
16. ГРАЗГРУ МОИСЕЙ ИОСИФОВИЧ[186]	1896	58–6	——
17. ВЫШИНСКИЙ АНДРЕЙ МАРТЬЯНОВИЧ	1900	58-10	——
18. ЭНИНГ КАРЛ КАРЛОВИЧ[187]	1890	58-10	8
19. РУЛЬ ДАВИД ПЕТРОВИЧ[188]	1914	——	——
20. ТОМАШЕВСКИЙ БРОНИСЛАВ ЮЛИАНОВИЧ	1913	——	——
21. ЯКУБОВСКИЙ ПЕТР КУЗЬМИЧ[189]	1885	——	
22. ТОРХАНОВСКИЙ ИВАН МАКСИМОВИЧ	1889	——	
23. КУКИС ВИКЕНТИЙ ИВАНОВИЧ[190]	1896	——	
24. СОКОЛОВ–РАКОВИЧ ВИКЕНТИЙ ГАВРИЛОВИЧ	1892	——	
25. СОСНЕНКОВ АНДРЕЙ КУЗЬМИЧ	1888	——	
26. МАКАРОВ ФЕДОР ФЕДОРОВИЧ	1885	——	——
27. ОЛЕЙНИКОВ АЛЕКСАНДР КОНДРАТЬЕВИЧ	1909	——	——
28. ПОЛЯРИНСКИЙ АЛЕКСАНДР АНДРЕЕВИЧ[191]	1895		5
29. СУЛЬБ МИХАИЛ ИВАНОВИЧ[192]	1899	——	5
30. ГРОШЕВ ПЕТР АЛЕКСЕЕВИЧ[193]	1888	——	8
31. ХОЛОДКОВ ИВАН АЛЕКСЕЕВИЧ	1883	——	——

32. БОРИСОВ НИКОЛАЙ МАКАРОВИЧ	1888	——	——
33. ВОЛОДИН ИВАН ФЕДОРОВИЧ	1901	——	5
34. АГАЛЬЦОВ СЕМЕН ЕГОРОВИЧ	1900	——	8
35. БАУМАН ЗИНАИДА МАКСИМОВНА	1909	58-6	——
36. ВАСИЛЕНКО НАТАЛЬЯ ВАСИЛЬЕВНА	1905		——
37. ЛЕЛИКОВ АЛЕКСАНДР НИКОЛАЕВИЧ	1904	58-10	——
38. СКРЕЖЕШЕВСКИЙ ВОТСЛАВ АДОЛЬФОВИЧ	1905	——	
39. ХРИСАНФОВ ИВАН ХРИСАНФОВИЧ	1888		——
40. КОРМАН АЛЕКСАНДР СУХАРЕВИЧ	1911	58-6	
41. СОСНЕНКОВА ЕЛЕНА ГЕОРГИЕВНА	1888		——
42. УЛАНОВ СТЕПАН ВАСИЛЬЕВИЧ	1913	59–10	
43. РОЗЕНФЕЛЬД МАРИЯ ИВАНОВНА[194]	1898		——
44. МОНАХОВ ИВАН НИКОЛАЕВИЧ	1899		——
45. ГЛАДКИХ ФЕДОР ВАСИЛЬЕВИЧ	1899	——	5

[1] *РГВА. Ф. 18444. Оп. 2. Д. 203. Л. 91–97.* Машинописный список на семи листах папиросной бумаги. Помимо граф ФИО, год рождения, профессия и статья, в списке есть графа «наименование осудившего органа», которая в нашей публикации не приводится, так как она одинакова для всех заключенных, а именно: ОСО НКВД. Всего в списке 190 фамилий. Установить фамилии арестованных под порядковыми номерами 182–190, к сожалению, не удалось из-за глубокой подшивки листов в деле. Пять фамилий вычеркнуты, таким образом, по данному списку Бутырской тюрьмы ГУГБ во Владивосток доставлено 185 человек.

[2] 29 сентября 1938 г. был выгружен и сдан в качестве тяжело больного на станции Урульча.

[3] Аузин Роберт Евсеевич. Родился в 1889 г., Лифляндская губ., Рижский уезд, с. Сигеаль (Латвия); нач. учетно-статистического сектора Таганского райисполкома, г. Москва. Проживал: Москва, Тверской б-р, 9, кв. 7. Арестован 4 декабря 1937 г. Приговорен ОСО НКВД СССР 2 июля 1938 г., обвинен

в антисоветской агитации. Приговор: 8 л. ИТЛ, умер 20 декабря 1938 г. в местах лишения свободы. Реабилитирован 25 марта 1996 г. (Прокуратура г. Москвы. Дело № П-47864).

[4] Аллик Борис Арнольдович. Родился в 1910 г., Московская обл., с. Серебряные Пруды; член ВКП(б); работал зав. электрохозяйством Боровской ГЭС. Проживал: г. Боровск. Приговорен ОСО НКВД СССР 2 июля 1938 г., обвинен по ст. 58, п. 10 УК РСФСР. Приговор: 5 лет лишения свободы (*КПКО*).

[5] Борисов Сергей Васильевич. Родился в 1887 г., Владимирская обл., Кольчугинский р-н, д. Кудрявцево. Проживал: г. Москва. Арестован 26 августа 1937 г. Приговорен 2 августа 1938 г., обвинен в к.-р. деятельности. Приговор: 8 лет лишения свободы. Проживал: Владимирская обл., г. Александров. Арестован 4 мая 1949 г. Приговорен 6 августа 1949 г., обвинен в антисоветской агитации. Приговор: ссылка на поселение (Годы террора: Книга памяти жертв политических репрессий. Пермь).

[6] Брюханов Артемий Николаевич. Родился в 1904 г., г. Уфа; образование высшее; б/п; зам. директора Всесоюзной конторы «Союзметизстройторг» Наркомата торговли СССР. Проживал: Москва, ул. Кузнецкий Мост, д. 20, кв. 46. Арестован 30 апреля 1938 г. Приговорен ОСО НКВД СССР 2 августа 1938 г., обвинен в к.-р. деятельности. Приговор: 8 лет ИТЛ. Содержался в Севлаге НКВД. 27 декабря 1938 г. бежал из лагеря. Арестован 19 января 1939 г. Приговорен ВК ВС СССР 13 июля 1941 г., обвинен в подготовке терактов против руководителей СССР. Расстрелян 27 июля 1941 г. Место захоронения — Московская обл., Коммунарка. Реабилитирован в ноябре 1956 г. ВК ВС СССР (Расстрельные списки: Москва, 1937–1941: «Коммунарка», Бутово: Книга памяти жертв политических репрессий. М.: Звенья, 2000).

[7] Блажевич Егор Селиверстович. Родился в 1878 г. в Литве; колхозник. Проживал: Московская обл., Ново-Петровский р-н, д. Шаблыкино. Дело П-47457 (*КПМО*).

[8] Вебер Леонид Кондратьевич. Родился в 1911 г., Крым, Ленинский р-н, с. Эльнежели; б/п; работал трактористом. Про-

живал: Калужская обл., Герасимов-Боровский р-н, с/х им. Молотова. Приговорен ОСО НКВД СССР в 1938 г., обвинен по ст. 58, п. 10 УК РСФСР. Приговор: 8 лет ИТЛ (*КПКО*).

[9] Виноградов Александр Владимирович. Родился в 1899 г., Московская обл., Угодско-Заводской р-н, г. Заложье; б/п; учитель начальной школы. Проживал: Калужская обл., Высокиничский р-н, с-з «Чаусово». Приговорен ОСО НКВД СССР 28 июля 1938 г., обвинен по ст. 58, п. 7, 11 УК РСФСР. Приговор: 8 лет ИТЛ (*КПКО*).

[10] Герасимов Георгий Пахомович. Родился в 1907 г., плотник, завод № 24. Проживал: Москва, ул. Соколиная Гора, барак 23. Дело 20343 (*МП*).

[11] Гольдварг Эммануил Соломонович. Родился в 1917 г., Одесская обл., Березовский р-н, с. Яковка; техник радиоузла, Центральный дом культуры железнодорожников. Проживал: Московская обл., ст. Пушкино, Акуловское шоссе. Дело 15890 (*КПМО*).

[12] Горовиц Норберт Аронович. Родился в 1909 г., студент, Московское государственное еврейское театральное училище. Проживал: Москва, ул. Трифоновская, 53-а, кв. 12. Дело 18433 (*МП*).

[13] Гиберт Яков Данилович. Родился в 1904 г., Оренбургская обл., к-з Деевка; учитель. Проживал: Московская обл., Куровской р-н, с. Ильинский Погост. Дело 15854 (*КПМО*).

[14] Дорофеев Македон Петрович. Родился в 1891 г., Московская обл., Куровской р-н, д. Цаплино; ст. машинист, электростанция Ильинской больницы. Проживал: Московская обл., Куровской р-н, с. Ильинский Погост. Дело П-44970 (*КПМО*).

[15] Даев Алексей Александрович. Родился в 1897 г., Калужская губ., Высокиничский р-н, с. Тростье; б/п; учитель. Проживал: Московская обл., Высокиничский р-н, с. Тростье. Приговорен ОСО НКВД СССР 28 июля 1938 г., обвинен по ст. 58 п. 7, 11 УК РСФСР. Приговор: 8 лет ИТЛ (*КПКО*).

[16] Жиляев Степан Степанович. Родился в 1903 г., Калужская обл., Тарусский р-н, с. Введение; б/п; работал зав. начальной школы. Проживал: г. Таруса. Приговорен ОСО НКВД СССР 27 июня 1938 г., обвинен по ст. 58 п. 7, 11 УК РСФСР. Приговор: 8 лет ИТЛ (*КПКО*).

[17] Жарков Иван Лаврентьевич. Родился в 1899 г., Тульская обл., Веневский р-н, д. Озерская Слобода; налоговый инспектор, Лопасненский Райфо. Проживал: Московская обл., с. Лопасня, ул. Зачатье, 82. Дело 20207 (*КПМО*).

[18] Зыков Александр Георгиевич. Родился в 1895 г., Московская обл., г. Малоярославец; руководитель группы, Центральная научно-экспериментальная лаборатория. Проживал: Москва, Даев пер., 27, кв. 7. Дело 49293 (*КПМО*).

[19] Зибенкес Фердинанд Фердинандович. Родился в 1888 г., Эстония, г. Балтийский Порт. Проживал: Московская обл., Боровский р-н, д. Самсоново. Приговорен ОСО НКВД СССР 2 июля 1938 г., обвинен по ст. 58, п. 8, 10, ч. 1 УК РСФСР. Приговор: 10 лет ИТЛ (*КПКО*).

[20] Игошкин Владимир Яковлевич. Родился в 1910 г., студент, 2-й мединститут. Проживал: Москва, Кадашевская наб., 12, кв. 10 (*МП*). Дело 20162.

[21] Коньков Иван Васильевич. Родился в 1915 г., слесарь, завод им. Горбунова. Проживал: Москва, Б. Конюшковский пер., 18, кв. 17. Дело 20193 (*МП*).

[22] Кисляков Георгий Ильич. Родился в 1894 г., г. Ростов-Ярославский; директор ф-ки «Союзмебель. Проживал: г. Свердловск. Арестован 20 августа 1937 г. Приговорен 2 августа 1938 г. Приговор: 8 лет ИТЛ (Книга памяти Свердловской обл.).

[23] Кузнецов Сергей Алексеевич. Родился в 1903 г., Московская обл., д. Часлово; медник, Автобаза Главмаслопрома. Проживал: Москва, ул. Восточная, 1, кв. 22. Дело П-47934 (*КПМО*).

[24] Крейцберг Николай Алексеевич. Родился в 1905 г., г. Харьков; начальник цеха з-да «Динамо» им. Кирова. Прожи-

вал: Московская обл., г. Москва. Арестован 15 августа 1936 г. Приговорен ОСО НКВД 20 октября 1936 г., обвинен по ст. 58, п. 10, ч. 1. Приговор: 5 лет ИТЛ. Реабилитирован 16 апреля 1956 г. Московским горсудом (Не предать забвению: Книга памяти жертв политических репрессий, связанных судьбами с Ярославской областью. Ярославль).

[25] Карцев Степан Андреевич. Родился в 1885 г., Тульская обл., Арсеньевский р-н, с. Докукино; ветеринарный фельдшер, Кунцевское РайЗО. Проживал: Московская обл., пос. Мещерский, ул. Трудовая, 222. Дело П-46841 (*КПМО*).

[26] Калинычев Иван Алексеевич. Родился: Рязанская обл., Пронский р-н; слобода Плотная, плановик, швейная артель «Ильинский портной». Проживал: Московская обл., Куровской р-н, с. Ильинский погост. Дело П-44970 (*КПМО*).

[27] Контрреволюционная террористическая агитация.

[28] Кречков Владимир Семенович. Родился в 1909 г., Московская обл., Раменский р-н, с. Быково; мастер, Оптическая мастерская Центрального аптекоуправления. Проживал: Московская обл., Раменский р-н, с. Быково. Дело 20326 (*КПМО*).

[29] Кневинский Иван Андреевич. Родился в 1881 г., Курляндская губ., х. Платис; колхозник, к-з «Свой труд». Проживал: Московская обл., Михневский р-н, с. Успенское. Дело 15846 (*КПМО*).

[30] Лузик Арсентий Яковлевич. Родился в 1881 г. в Эстонии; сторож, Военно-охотничье хозяйство Московского военного округа. Проживал: Московская обл., Новопетровский р-н, д. Городище. Дело П-47458 (*КПМО*).

[31] Луневский Виктор Дмитриевич. Родился в 1893 г., Калужская обл., Угодско-Заводский р-н, с. Карилово; б/п; инспектор средних школ. Проживал: Московская обл., Высокиничский р-н, с. Высокиничи. Приговорен ОСО НКВД СССР 27 июля 1938 г., обвинен по ст. 58, п. 7, 11 УК РСФСР. Приговор: 8 лет ИТЛ (*КПКО*).

[32] Линьков Евгений Петрович. Родился в 1910 г., Саратовская губ., Петровский уезд, д. Морозовка; шофер автобазы Госбанка СССР. Проживал: ст. Пушкино, Сев. ж. д., ул. Добролюбовская, 40. Арестован 30 апреля 1938 г. Приговорен ОСО НКВД СССР 15 июля 1938 г., обвинен в контрреволюционной агитации. Приговор: 5 лет ИТЛ. Реабилитирован 14 июня 1996 г. Прокуратурой г. Москвы. Дело П-48137 (Прокуратура г. Москвы).

[33] Лаас Иван Михайлович. Родился в 1882 г., Эстония, с. Торгель; без определенных занятий. Проживал: Московская обл., Наро-Фоминский р-н, с-з «Лобаново» (*КПМО*). Дело П-47452.

[34] Макаренко Николай Васильевич. Родился в 1902 г., Калужская обл., Тарусский р-н, г. Таруса; б/п; учитель. Проживал: Калужская обл., Тарусский р-н, г. Таруса. Приговорен ОСО НКВД СССР 27 июля 1938 г., обвинен по ст. 58, п. 7, 11 УК РСФСР. Приговор: 8 лет ИТЛ (*КПКО*).

[35] Магид Эйзер Маркович. Родился в 1914 г. в Киевской обл.; еврей. Проживал: г. Москва. Арестован в 1938 г. Приговорен Военным трибуналом 23 января 1942 г., обвинен по ст. 58. Расстрелян 27 февраля 1942 г. Реабилитирован в июле 1992 г. (За нами придут корабли: Список реабилитированных лиц, смертные приговоры в отношении которых приведены в исполнение на территории Магаданской области. Магадан, 1999).

[36] Провокаторская деятельность.

[37] Малышев Иван Васильевич. Родился в 1891 г., электромонтер, завод «Серп и молот». Проживал: Москва, ул. Ульяновская, 52, кв. 1. Дело П-47941 (*МП*).

[38] Мевиус Эмиль Вольдемарович. Родился в 1906 г., конструктор. Проживал: Москва, пл. Прямикова, 5. Дело 15903 (*МП*).

[39] Осипян Николай Аркадьевич. Родился в 1916 г., г. Тбилиси; рабочий з-да «Платиноприбор». Проживал: Московская

обл., ст. Никольская, Горьковской ж. д., Вишняковское ш., 1, кв. 6. Арестован 29 апреля 1938 г. Приговорен ОСО НКВД СССР 27 июля 1938 г., обвинен по ст. 58, п. 10. Приговор: 5 лет ИТЛ. Реабилитирован 20 февраля 1996 г. Прокуратурой г. Москвы. Дело П-47931 (*КПМО*).

[40] Падуа Зигмунд Наумович. Родился в 1898 г. Без определенных занятий. Проживал: Москва, Ср. Тишинский пер., 4, кв. 5. Дело П-47944 (*МП*).

[41] Потапов Василий Петрович. Родился в 1914 г., Московская обл., Звенигородский р-н, д. Чупряково; слесарь, з-д им. Сталина. Проживал: Москва, поселок ЗИСа, 34, кв. 2. Дело П-56336 (*КПМО*).

[42] Потоцкий Владимир Матвеевич. Родился в 1893 г. в Эстонской ССР; образование незаконченное высшее; член ВКП(б); начальник отдела НКВД Башкирской АССР. Арестован 1 сентября 1937 г. Приговор: 8 лет лишения свободы. Реабилитирован 15 октября 1957 г. Источник: Книга памяти Республики Башкортостан.

[43] Рабинович Меер Лейзерович. Зять главного московского хасидского раввина Шмарьяху-Иегуды-Лейба Медалье (1872—1938). Родился в 1893 г. в Минске, механик. Арестован 9 июня 1938 г., осужден 2 августа 1938 г. за к-р. д. и приговорили к 8 годам ИТЛ. Провел их на Колыме. Освободился летом 1946 г. и поселился в Петушках, в 100-км-й зоне от Москвы. 14 февраля 1949 г. арестован вторично, приговорен к вечной ссылке и отправлен в сельскую местность в Красноярском крае, откуда перевелся в райцентр Б. Мурта. Осенью 1954 г. вернулся, но в Москве вплоть до 1955 г. не прописывали. Умер в феврале 1959 г.

[44] Ржевский Федор Васильевич. Родился в 1900 г., Киев; бухгалтер, с-з «Горки Ленинские». Проживал: Московская обл., Ленинский р-н, с. «Горки Ленинские». Дело П-50901 (*КПМО*).

[45] Рудов Петр Иванович. Родился в 1885 г., Смоленская обл., Семлевский р-н, д. Дубки; б/п; работал директором школы.

Проживал: Калужская обл., Высокиничский р-н, д. Алтухово. Приговорён ОСО НКВД СССР 27 июля 1938 г., обвинен по ст. 58, п. 7, 11 УК РСФСР. Приговор: 8 лет ИТЛ (*КПКО*).

⁴⁶ Ракчеев Николай Кириллович. Родился в 1905 г., Рязанская обл., с. Подвислово; проводник вагонов, ст. Москва, Ленинской ж. д. Проживал: Московская обл., г. Раменск, ул. Лесная, 33. Дело П-47420 (*КПМО*).

⁴⁷ Руссак Владимир Иванович. Родился в 1903 г., Гродненская губ., Слонимский уезд, с. Подлесье; помощник начальника пожарной охраны, ф-ка им. Ногина. Проживал: Московская обл., г. Кунцево, ф-ка им. Ногина, 20. Дело П-50870 (*КПМО*).

⁴⁸ Сусов Михаил Акимович. Родился в 1904 г., Московская обл., Михайловский р-н, д. Хавертово; чернорабочий, Московский велозавод. Проживал: Кожухово, ул. Сайкина, 6, кв. 5. Дело 20187 (*КПМО*).

⁴⁹ Снетков Георгий Михайлович. Родился в 1889 г., Московская обл., Угодско-Заводский р-н, д. Огубь; б/п; работал объездчиком. Проживал: Московская обл., с. Высокиничи. Приговорён Тройкой при УНКВД Московской обл. в 1938 г., обвинен по ст. 58, п. 10 УК РСФСР. Приговор: 8 лет ИТЛ (*КПКО*).

⁵⁰ Скраге Иван Андреевич. Родился в 1897 г. в Латвии; кладовщик, МОЗОС. Проживал: Московская обл., Наро-Фоминский р-н, д. Собакино. Дело П-52871 (*КПМО*).

⁵¹ Смородкин (в оригинале списка ошибочное «Смородин») Михаил Павлович. Родился 3 июня 1908 г. В 1937 г. Смородкин работал вместе с Петром Малевичем художниками в издательстве «Сельхозгиз». Был знаком с К.Е. Хитровым еще до ареста (дружил с его старшим братом Александром). Арестован в 1938 г. На Колыму его не взяли, наказание отбывал в Мариинских лагерях, а после освобождения осел на Алтае, где началась его карьера театрального художника. Умер 3 сентября 1974 г. в Калининграде.

[52] Савин Игнатий Кузьмич. Родился в 1893 г., Латвия, г. Люцин; ст. рыбовод, рыбхоз. Проживал: Московская обл., Звенигородский р-н, рыбхоз «Нара». Дело 17294 (*КПМО*).

[53] Тришкин Александр Иванович. Родился в 1908 г., Рязанская обл., Ново-Деревенский р-н, с. Просечье; б/п; секретарь Высокиничского райисполкома. Проживал: Московская обл., с. Высокиничи. Приговорен ОСО НКВД СССР в 1938 г., обвинен по ст. 58, п. 10 УК РСФСР. Приговор: 8 лет ИТЛ (*КПКО*).

[54] Районный исполнительный комитет.

[55] Фишер Макс Давыдович. Родился в 1897 г., кассир, хлебозавод им. Марсакова. Проживал: Москва, Тихвинский пер., 9, кв. 48. Дело П-54115 (*МП*).

[56] Филиппович Иван Григорьевич. Родился в 1912 г., грузчик, трест «Главдизель». Проживал: Москва, ул. Беговая, 20, кв. 3. Дело 15861 (*МП*).

[57] Хитров Константин Евгеньевич. Родился в 1914 г., Московская обл., г. Клепики; студент, Московский областной педагогический институт. Проживал: Московская обл., д. В. Лихоборы, 32. Дело П-839 (*КПМО*).

[58] Шишкин Павел Герасимович. Родился в 1909 г., Московская обл., Серпуховский р-н, с. Дракино; б/п; работал зав. столовой. Проживал: Московская обл., с. Высокиничи. Приговорен ОСО НКВД СССР в 1938 г., обвинен по ст. 58, п. 10 УК РСФСР. Приговор: 8 лет ИТЛ (*КПКО*).

[59] *РГВА. Ф. 18444. Оп. 2. Д. 203. Л. 98.* Список написан от руки, на обеих сторонах серой плотной бумаги. Из-за глубокой подшивки документов часть фамилий прочитать невозможно.

[60] Бухтияров Георгий Гаврилович. Родился в 1904 г., Орловская обл., Покровский р-н, д. Н. Кунэч; учитель. Проживал: Орловская обл., Покровский р-н, д. Н. Кунэч. Арестован в 1937 г. Приговор: 5 лет ИТЛ (Реквием: Книга памяти жертв политических репрессий на Орловщине. Орел).

⁶¹ Дебель Владимир Иванович. Родился в 1909 г., Донецкая обл., Макеевский р-н, с. Федоровка, в/с. Проживал: БССР, м. Старые Дороги. Арестован 23 мая 1937 г. Приговорен ОСО НКВД СССР 8 июля 1938 г., обвинен в сотрудничестве с к/р шпионской организацией. Приговор: 5 лет, спецпоселение: Магаданская, Омская обл., с 5 декабря 1949 по 23 января 1956 г. Реабилитирован 15 марта 1961 г. Военным трибуналом Белорусского Военного округа, 5 сентября 1995 г. УВД Омской обл. (УВД Омской обл.). Дело ОФ-19667 (Возвращенные имена: Книга памяти жертв политических репрессий Саратовской обл., подготовительные материалы).

⁶² Имеется в виду закон «о трех колосках» от 7 августа 1932 г.

⁶³ Кириллов Кирилл Яковлевич. Родился в 1891 г., Краснинский р-н, с. Красное; грузчик Краснинского Заготзерна. Проживал: Краснинский р-н, с. Красное. Обвинен по ст. 58, п. 10 УК РСФСР. Приговор: 5 л. лишения свободы (Помнить поименно: Книга памяти жертв политических репрессий Липецкого края с ноября 1917 г.: В 2 тт. Т. 1. Липецк, 1997).

⁶⁴ Малакас Владимир Михайлович. Родился в 1904 г., ст. Минеральные Воды; литовец; помощник машиниста электростанции, ст. Беслан. Приговорен ОСО НКВД СССР 7 июля 1938 г. Приговор: 10 лет ИТЛ (Книга памяти жертв политических репрессий Республики Северная Осетия — Алания. Т. 1. Владикавказ, 2000).

⁶⁵ Никифоров Иван Перфильевич. Родился в 1905 г., Московская обл., Вязниковский р-н, д. Серково; кустарь. Проживал: д. Серково, Вязниковского р-на. Арестован 18 декабря 1937 г. Приговор: 5 лет лишения свободы (*КПВО*).

⁶⁶ Рябцев Михаил Александрович. Родился в 1894 г., Московская обл., Каширский р-н, с. Грабченки; зав. складом, з-д «Шарикоподшипник». Проживал: Москва, Стандартный городок, 1 ГПЗ, 1, кв. 5. Дело 38842 (*КПМО*).

[67] Рябинин Борис Артемович. Родился в 1896 г., Вязниковский р-н, д. Басаргино; крестьянин. Проживал: д. Басаргино, Вязниковского р-на. Арестован 17 декабря 1937 г. Приговор: 5 лет лишения свободы (*КПВО*).

[68] Юдин Николай Дмитриевич. Родился в 1893 г., Орловская обл., Мценский р-н, д. Золотухино; колхозник. Проживал: Орловская обл., Мценский р-н, д. Золотухино. Арестован в 1937 г. Приговор: 5 лет ИТЛ (Реквием: Книга памяти жертв политических репрессий на Орловщине. Орел).

[69] Штрунов Дмитрий Николаевич. Родился в 1895 г., Рязанская обл., Кадомский р-н, д. Раковка; грузчик, Катуаровский кирпичный з-д. Проживал: Московская обл., Дмитровский р-н, Катуаровский кирпичный з-д. Дело П-48163 (*КПМО*).

[70] Буланов Никонор Иванович. Родился в 1888 г., Московская обл., Малинский р-н, с. Кочкорево; без определенных занятий. Проживал: Московская обл., Малинский р-н, с. Кочкарево. Дело П-48131 (*КПМО*).

[71] Вальнер Василий Яковлевич. Родился в 1895 г., Псковская обл., Великолукский р-н, д. Богородицкое; мастер депо ст. Великие Луки. Арестован 23 июня 1938 г. Приговорен ОСО НКВД СССР 2 июля 1938 г., обвинен по ст. 58, п. 10 УК РСФСР. Приговор: 10 лет лишения свободы. Реабилитирован 22 января 1959 г. (Не предать забвению: Книга памяти жертв политических репрессий. Псков).

[72] Гусев Николай Дмитриевич. Родился в 1898 г., Калининская обл., Есеновичский р-н, с. Дубровка; сырьевщик, Волоколамская контора «Заготпушнина». Проживал: Московская обл., г. Волоколамск. Дело П-48138 (*КПМО*).

[73] Миронов Яков Иванович. Родился в 1904 г., Московская обл., Волоколамский р-н, д. Бортники; колхозник. Проживал: Московская обл., Волоколамский р-н, д. Бортники. Дело П-48135 (*КПМО*).

[74] *РГВА. Ф. 18444. Оп. 2. Д. 203. Л. 99.* Список написан от руки на большом листе папиросной бумаги (примерно фор-

мат А-3). Кроме граф ФИО, год рождения, статья и срок, есть графа «кем и когда осужден», в данном списке не приводимая. В списке 59 фамилий, 5 из них вычеркнуты.

[75] Давыдов Василий Федорович. Родился в 1900 г., Московская обл., Орехово-Зуевский р-н, д. Власово; счетовод, бумажно-прядильная ф-ка. Проживал: Московская обл., г. Орехово-Зуево, Кировский пос., 31, кв. 19. Дело П-56046 (*КПМО*).

[76] Киселевский Томаш Флорианович. Родился в 1907 г., Киевская обл., Тетиевский р-н, с. Денгоровка; токарь, з-д Барышникова. Проживал: Московская обл., г. Орехово-Зуево, ул. Володарского, 38а, кв. 29. Дело П-52091 (*КПМО*).

[77] Мастерков Ян Францевич. Родился в 1894 г. в Польше; слесарь автогаража, з-д № 3. Проживал: Московская обл., г. Орехово-Зуево. Дело П-51932 (*КПМО*).

[78] Чайковский Андрей Павлович. Родился в 1898 г., Винницкая обл., Ямпольский р-н, с. Михайловка; рабочий механоткацкой ф-ки. Проживал: Московская обл., г. Егорьевск, ул. Жуковско-Лесная, 44. Дела П-1296, П-49677 (*КПМО*).

[79] Осис Александр Эдуардович. Родился в 1912 г., Горьковская обл., с. Ильинское; мастер по ткачеству, одеяльная ф-ка Орехово-Зуевского хлопчатобумажного треста. Проживал: Московская обл., г. Орехово-Зуево, казарма № 77, кв. 8. Дело 17273 (*КПМО*).

[80] Миндра Василий Николаевич. Родился в 1885 г., Кишинев; подвозчик товара, ткацкая ф-ка «Вождь пролетариата». Проживал: Московская обл., Егорьевский р-н, д. Федуловская. Дело П-47878 (*КПМО*).

[81] Баранов Николай Захарович. Родился в 1893 г., Тульская обл., Веневский р-н, д. Ламиново; начальник цеха, бумажно-прядильная ф-ка. Проживал: Московская обл., Пролетарский р-н, г. Орехово-Зуево, 210, кв. 2. Дело П-56046 (*КПМО*).

[82] Сергеев Алексей Кузьмич. Родился в 1893 г., Владимирская обл., Петушинский р-н, д. Бормино; слесарь. Про-

живал: Владимирская обл., Петушинский р-н, д. Бормино. Арестован 16 марта 1938 г. Приговор: 8 лет лишения свободы (*КПВО*).

[83] Копылов Николай Петрович. Родился в 1892 г., Московская обл., Луховицкий р-н, с. В. Белоомут; закройщик, артель инвалидов. Проживал: Московская обл., г. Егорьевск, ул. Рязанская, 21. Дело П-51750 (*КПМО*).

[84] Ким Матвей Тимофеевич. Родился в 1901 г., Дальневосточный край, Буденновский р-н, д. Туадеми; кореец; образование высшее политическое; Высшая Коммунистическая Сельскохозяйственная школа. Проживал: Бурят-Монгольская АССР, г. Улан-Удэ. Арестован 5 февраля 1936 г. Приговорен ОСО НКВД СССР 30 декабря 1936 г., обвинен по ст. 58, п. 6 УК РСФСР. Приговор: зачтен срок предварительного заключения, освобожден. Реабилитирован 21 сентября 1956 г. Военным трибуналом Забайкальского военного округа. Дело 7627 (Книга памяти жертв политических репрессий Бурятии, подготовительные материалы).

[85] Христинович Николай Герасимович. Родился в 1894 г., Польша, Новогрудский р-н, с. Морозовичи; статистик, з-д Дулево-Красочный. Проживал: Московская обл., Орехово-Зуевский р-н, д. Дулево, Ликино, ул. Коммунистическая, 2. Дело 15301 (*КПМО*).

[86] Хижняк Прокофий Филиппович. Родился в 1910 г., Днепропетровская обл., Запорожский р-н, с. Беленькое; гл. бухгалтер, з-д «Моссельпром». Проживал: Московская обл., г. Орехово-Зуево, ул. Володарского, 38, кв. 12. Дело П-52896 (*КПМО*).

[87] Пугач Дмитрий Иванович. Родился в 1891 г., Венгрия, Будапешт; вальцовщик, з-д «Карболит». Проживал: Московская обл., г. Орехово-Зуево, ул. 3-го Интернационала, 38. Дело 15304 (*КПМО*).

[88] *РГВА. Ф. 18444. Оп. 2. Д. 203. Л. 100.* Машинопись на нестандартном листе папиросной бумаги. Кроме граф ФИО,

год рождения, статья и срок, в списке есть графы — наименование осудившего органа и дата, начало срока, соц. положение, образование, специальность, категория трудоспособности и состояние здоровья. В графе «специальность» всюду прочерк, в графе «соц. положение» — сведений нет, в графе «образование» — грамотен, кроме 10 и 19, где стоит мало/грамотен. Категория трудоспособности примерно поровну — 1-я и 2-я.

[89] Член семьи изменника родины.

[90] Сукальская Анна Михайловна. Родилась в 1895 г., педагог, детский театр. Проживала: Москва, ул. 3-я Ямская-Тверская, 12, кв. 26. Дело П-55994 (*МП*).

[91] *РГВА. Ф. 18444. Оп. 2. Д. 203. Л. 101*. Список написан от руки на большом листе папиросной бумаги. Кроме приведенных здесь граф — ФИО, год рождения, статья срок, есть графа — номер личного дела и графа — кем осужден. В последней графе у всех стоит — ОС СОВ НКВД. По этому списку во Владивосток прибыло 67 человек.

[92] Стакиус Карл Индрикович. Родился в 1897 г. в Латвии; бригадир, Подольский з-д. Проживал: Московская обл., г. Подольск, ул. Кирова, 14. Дело П-47456 (*КПМО*).

[93] Шкестер Арнольд Мартынович. Родился в 1896 г. в Латвии; тракторист. Проживал: Московская обл., Каширский р-н, с-з «Ледово». Дело П-47472 (*КПМО*).

[94] Ом Фридрих Фердинандович. Родился в 1910 г., Азово-Черноморский кр., с. Равнополье; плотник. Проживал: Московская обл., Подольский р-н, племхоз «Константиново». Дело 15937 (*КПМО*).

[95] Корчмарский Иван Иосифович. Родился в 1899 г. в Польше; мастер, Подольский з-д № 17. Проживал: Московская обл., г. Подольск, Революционный пр., 34, кв. 18. Дело П-50904 (*КПМО*).

[96] Розенгрин Георгий Давыдович. Родился в 1902 г., АССР Немцев Поволжья, Марксштадтский р-н, с. Недер Мунджу;

рабочий, с-з «Красная заря». Проживал: Московская обл., Малинский р-н, с-з «Красная Заря». Дело 15932 (*КПМО*).

[97] Бейфус Давид Филиппович. Родился в 1903 г., АССР Немцев Поволжья, Краснокутский р-н (кантон), с. Шеншаль; конюх. Проживал: Московская обл., Каширский р-н, с-з «Образцово». Дело П-47890 (*КПМО*).

[98] Бределис-Бределев Антон Станиславович. Родился в 1893 г., Литва, Ковенская губ., д. Ново-Местечко; Кузнец. Проживал: Московская обл., Каширский р-н. Дело 15851 (*КПМО*).

[99] Руппель Виктор Богданович. Родился в 1913 г., Саратовская обл., с. Эрленбах; рабочий, племсовхоз «Константиново». Проживал: Московская обл., Подольский р-н, с-з «Константиново». Дело П-50484 (*КПМО*).

[100] Праулин Федор Иванович. Родился в 1880 г. в Латвии; слесарь, Подольский госмехзавод. Проживал: Московская обл., Подольск, Революционный пр., 25, кв. 4. Дело 17265 (*КПМО*).

[101] Ковшун Казимир Антонович. Родился в 1896 г. в Польше; мастер-шлифовщик, Подольский з-д № 17. Проживал: Московская обл., г. Подольск, Революционный пр., 13, кв. 9. Дело П-49624 (*КПМО*).

[102] Крюгер Генрих Карлович. Родился в 1910 г., АССР Немцев Поволжья, Марксштадтский р-н, с. Орловское; слесарь, с-з «Чепелево». Проживал: Московская обл., Лопаснинский р-н, с-з «Чепелево». Дело 17461 (*КПМО*).

[103] Лукашевич Андрей Андреевич. Родился в 1887 г., мастер цеха, Подольский з-д № 17. Проживал: Московская обл., Подольск, Революционный пр., 66, кв. 68. Дело 17263 (*КПМО*).

[104] Зайко Леонид Николаевич. Родился в 1894 г., г. Калуга; б/п; работал на заводе. Проживал: Калужская обл., г. Малоярославец. Приговорен ОСО НКВД СССР 15 июля 1938 г., обвинен по ст. 58, п. 10 УК РСФСР. Приговор: 5 лет ИТЛ (*КПКО*).

[105] Гусев Александр Александрович. Родился в 1907 г., Московская обл., Каширский р-н, с. Коростылево; пожарный, пожарная

охрана комбината № 150. Проживал: Московская обл., Каширский р-н, пос. Комбината № 150, 8, кв. 33. Дело 17293 (*КПМО*).

[106] Руппель Готфрид Кондратьевич. Родился в 1883 г., Саратовская обл., Эрленбах; сторож, племхоз. Проживал: Московская обл., Подольский р-н, племхоз «Константиново». Дело 17453 (*КПМО*).

[107] Мерва-Мевр Казимир Павлович. Родился в 1916 г., Винницкая обл., д. Витовина; чернорабочий, Цементный з-д. Проживал: Московская обл., г. Подольск, пос. Цементного завода, 50. Дело 17448 (*КПМО*).

[108] Лейтан Петр Карлович. Родился в 1882 г. в Латвии; станочник, Подольский з-д. Проживал: Московская обл., г. Подольск, пр. им. Кагановича, 114, кв. 1. Дело П-47448 (*КПМО*).

[109] Медведев Петр Гаврилович. Родился в 1894 г., Минская обл., Мозырский р-н, д. Городец; ветеринарный фельдшер, с. Молоди. Проживал: Московская обл., Подольский р-н, с. Молоди. Дело 17262 (*КПМО*).

[110] *РГВА. Ф. 18444. Оп. 2. Д. 203. Л. 102.* Машинопись на обеих сторонах стандартного листа серой бумаги. Есть еще две графы — кем осужден и здоровье. Все осуждены ОСО НКВД и все здоровы.

[111] Постников Александр Михайлович. Родился в 1908 г., Московская обл., Луховицкий р-н, д. Дединово; заведующий, Красно-Пахорская районная семеноводческая лаборатория. Проживал: Московская обл., Красно-Пахорский р-н, д. Колотилово. Дело 20203 (*КПМО*).

[112] Вендель Петр Михайлович. Родился в 1889 г., Владимиро-Волынский уезд, д. Дубечко; преподаватель, Текстильный техникум. Проживал: Московская обл., г. Серпухов, 2-я ул. Революции, 7. Дело 20206 (*КПМО*).

[113] Гейснер Дюло Карлович. Родился в 1890 г., Венгрия; колхозник, к-з «Красный земледелец». Проживал: Московская обл., Серпуховский р-н, д. Сьяново. Дело 20335 (*КПМО*).

[114] Лаптев Иван Устинович. Родился в 1880 г., Московская обл., Серпуховский р-н, с. Подмоклово; без определенных занятий. Проживал: Московская обл., г. Серпухов, ул. 2-я Московская, 47. Дело П-48127 (*КПМО*).

[115] Гусев Федор Григорьевич. Родился в 1895 г., Калининская обл., Калязинский р-н, с. Мытнино; ст. техник, Серпуховский радиоузел. Проживал: Московская обл., Серпухов, пос. Сталина, 14, кв. 3. Дело 20065 (*КПМО*).

[116] *РГВА. Ф. 18444. Оп. 2 Д. 203. Л. 103.* Написано от руки на стандартном листе папиросной бумаги. Есть еще одна графа — куда следует. Все следуют — Севвостлаг НКВД.

[117] Романов Иван Осипович. Родился в 1896 г., Московская обл., Уваровский р-н, д. Александровка; безработный. Проживал: Московская обл., Уваровский р-н, д. Александровка. Дело 20341 (*КПМО*).

[118] Кусков Константин Андреевич. Родился в 1888 г., Московская обл., Уваровский р-н, д. Самодуровка; колхозник. Проживал: Московская обл., Уваровский р-н, д. Бычково. Дело П-48130 (*КПМО*).

[119] *РГВА. Ф. 18444. Оп. 2. Д. 203. Л. 104.* Машинопись на стандартном листе папиросной бумаги. Еще одна графа — наименование осудившей организации. Все осуждены Особым совещанием.

[120] *РГВА. Ф. 18444. Оп. 2. Д. 203. Л. 105.* Машинопись на стандартном листе папиросной бумаги. Глубокая подшивка листов дела не позволяет прочитать фамилии.

[121] Рубинштейн Генриэтта Михайловна. Родилась в 1911 г. Инженер-текстильщик. Вторая жена Сергея Седова (младшего сына Л. Троцкого), 2 августа 1938 г. ее приговорили к 8 годам ИТЛ. Была отправлена морем в Магадан 20 ноября 1938 г. Работала в магаданских лагпунктах (штукатуром, затем чертёжницей). После освобождения (8 марта 1947 г.) отбывала ссылку и жила в посёлке Ягодное (в 1947–1962 гг.), где встретила и реабилитацию (28 ноября 1956 г.). В 1962 г. переехала

в Таллин, где и умерла 5 июня 1987 г. См. о ней: «Милая моя Ресничка!...» Сергей Седов. Письма из ссылки / Сост. С. Ларьков, Е. Русакова, И. Флиге. СПб.: НИЦ «Мемориал», 2006.

[122] Лишенные свободы.

[123] *РГВА. Ф. 18444. Оп. 2. Д. 203. Л. 106.* Пять коротких машинописных списков из тюрьмы г. Серпухова, на одинаковых листах серой бумаги, одинаково оформленные.

[124] Зейман Карл Иванович. Родился в 1898 г. в Латвии; рабочий, Серпуховская ситценабивная ф-ка. Проживал: Московская обл., г. Серпухов, ул. Садовая, 17. Дело П-47463 (*КПМО*).

[125] Подосинников Николай Моисеевич. Родился в 1898 г., Северо-Кавказский кр., г. Ейск; заведующий Инвалидным домом в с. Новники. Проживал: Московская обл., г. Серпухов, ул. Бригадная, 15. Дело 15290 (*КПМО*).

[126] *РГВА. Ф. 18444. Оп. 2. Д. 203. Л. 107.*

[127] *Там же. Л. 108.*

[128] *Там же. Л. 109.*

[129] Наткин Алексей Дмитриевич. Родился в 1895 г., Таруса; временно не работал. Проживал: Московская обл., г. Серпухов, ул. Садовая, 9, кв. 72. Дело П-53528. (*КПМО*).

[130] Родин Андрей Николаевич. Родился в 1880 г., Московская обл., Ленинский р-н, д. Садовники; колхозник. Проживал: Московская обл., Ленинский р-н, д. Садовники. Дело П-48167 (*КПМО*).

[131] *РГВА. Ф. 18444. Оп. 2. Д. 203. Л. 110.*

[132] Воронцов Иван Дмитриевич. Родился в 1872 г., Московская обл., Подольский р-н, с. Лямцино; служитель церкви. Проживал: Московская обл., Лопаснинский р-н, с. Зачатье. Дело П-48132 (*КПМО*).

[133] Аксенов Василий Сергеевич. Родился в 1896 г., Московская обл., Лопасненский р-н, с. Филипповское; крестьянин. Проживал: Московская обл., Лопасненский р-н, с. Филиппов-

ское. Столяр, артель «Ремонт обуви». Проживал: Москва, ул. Горького, 51, кв. 6. Дела П-2145, 18435 (*КПМО, МП*).

[134] Слоистов Иван Иванович. Родился в 1888 г., Московская обл., Егорьевский р-н, д. Панино; слесарь, Московская загородная психиатрическая больница. Проживал: Московская обл., Лопасненский р-н, с. Троицкое. Арестован в 1938 г. Приговорен Военным трибуналом 24 октября 1941 г., обвинен в антисоветской агитации. Расстрелян 18 декабря 1941 г. Реабилитирован в апреле 1992 г. Дело П-48134 (*КПМО*; За нами придут корабли: Список реабилитированных лиц, смертные приговоры в отношении которых приведены в исполнение на территории Магаданской области. Магадан, 1999).

[135] Кабанов Александр Герасимович. Родился в 1894 г., Московская обл., Лопасненский р-н, с. Бегичево; колхозник, к-з «Заветы Ильича». Проживал: Московская обл., Лопасненский р-н, с. Бегичево. Дело 20349 (*КПМО*).

[136] *РГВА. Ф. 18444. Оп. 2. Д. 203. Л. 112–122.* Машинописный список очень плохого качества на 11 листах папиросной бумаги. В списке 209 фамилий, 8 из них вычеркнуто, сдано во Владивостоке 201 человек.

[137] Богатырев Василий Тимофеевич. Родился в 1907 г., Орловская обл., Дубровский р-н, с. Радичи; б/п; работал ст. зоотехником. Проживал: Московская обл., с. Высокиничи. Приговорен ОСО НКВД СССР в 1938 г., обвинен по ст. 58, п. 10 УК РСФСР. Приговор: 8 лет ИТЛ (*КПКО*).

[138] Буровцев Николай Петрович. Родился в 1900 г., Московская обл., Клинский р-н, с. Тараканово; заведующий фабрикой «Красный Октябрь». Проживал: Московская обл., ст. Ховрино, ул. Тельмана, участок 231. Дело 18432 (*КПМО*).

[139] Беляев Виктор Михайлович. Родился в 1903 г., слесарь, з-д «Вентиляция». Проживал: 4-й Вятский пер., 16, кв. 3. Дело 20347 (*МП*).

^{140} Бузальский Иосиф Иванович. Родился в 1880 г., зам. директора ф-ки № 7. Проживал: Москва, Гороховский пер., 12, кв. 8. Дело П-47925 (*МП*).

^{141} Богар Елена Иосифовна. Родилась в 1900 г., зав. книжным киоском. Проживала: Москва, М. Путинковский пер., 1, кв. 3. Дело 15929 (*МП*).

^{142} Воробьев Павел Александрович. Родился в 1892 г., модельщик, Автозавод им. Сталина. Проживал: Москва, ул. 5-я Тверская-Ямская, 7, кв. 84. Дело 20321 (*МП*).

^{143} Выборнов Василий Поликарпович. Родился в 1891 г., Московская обл., Коммунистический р-н, д. Филимоново; председатель колхоза. Проживал: Московская обл., Коммунистический р-н, д. Филимоново. Дело П-50905 (*КПМО*).

^{144} Власов Виктор Тимофеевич. Родился в 1905 г., ст. агроном, Наркомат совхозов РСФСР. Проживал: Москва, Бауманская ул., 36, кв. 31. Дело П-43515 (*МП*).

^{145} Голубев Василий Григорьевич. Родился в 1895 г., военрук школы № 212. Проживал: Москва, Столешников пер., 8/13, кв. 17-а. Дело 15908 (*МП*).

^{146} Глуховский Михаил Доминикович. Родился в 1893 г., механик, 3-я база такси. Проживал: ул. Станционная, 1, кв. 1. Дело 20048 (*МП*).

^{147} Генгер Станислава Люциановна. Родилась в 1911 г., домохозяйка. Проживала: пос. завода № 95, 10, кв. 14. Дело П-47871 (*МП*).

^{148} Даев Густав Андреевич. Родился в 1908 г., Польша, Ровенский р-н, д. Александровка; б/п; работал кузнецом. Проживал: Калужская обл., Жуковский р-н, х. Молчановский. Приговорен ОСО НКВД СССР 2 июля 1938 г., обвинен по ст. 58, п. 10. 11 УК РСФСР. Приговор: 8 лет ИТЛ (*КПКО*).

^{149} Ермолаев Николай Иванович. Родился в 1901 г., мастер паросилового цеха, з-д им. Сталина. Проживал: Москва, Казарменный пер., 8, кв. 114. Дело 20345 (*МП*).

[150] Евсютенко Константин Иванович. Родился в 1897 г., Орловская обл.; украинец. Проживал: г. Москва. Арестован в 1938 г. Приговорен Военным трибуналом 5 ноября 1941 г., обвинен в участии в контрреволюционной повстанческой организации. Расстрелян 4 декабря 1941 г. Реабилитирован в ноябре 1992 г. (За нами придут корабли: Список реабилитированных лиц, смертные приговоры в отношении которых приведены в исполнение на территории Магаданской области. Магадан, 1999).

[151] Елисеев Алексей Прохорович. Родился в 1904 г., Рязанская обл., Спасский р-н, д. Аграмаково; б/п; работал учителем. Проживал: Московская обл., с. Высокиничи. Приговорен ОСО НКВД СССР в 1938 г., обвинен по ст. 58, п. 10 УК РСФСР. Приговор: 8 лет ИТЛ (*КПКО*).

[152] Карпов Адам Бенедиктович (Венедиктович). Родился в 1886 г., Могилевская обл., Добровинский р-н, с. Гураки; председатель колхоза. Проживал: Московская обл., Кунцевский р-н, с. Суково, 23. Дело П-48126 (*КПМО*).

[153] Комаровский Владимир Иванович. Родился в 1889 г., ст. техник, отдел землеустройства Московского областного земельного управления. Проживал: Москва, ул. Советская, 41. Дело 20328 (*МП*).

[154] Ковальский Петр Иванович. Родился в 1886 г. в Польше; лесник, Тучковское лесничество. Проживал: Московская обл., Рузский р-н, д. Молодяково. Дело П-47708 (*КПМО*).

[155] Крыжановский Тимофей Ильич. Родился в 1905 г. в Румынии; шофер, з-д «Карболит». Проживал: Московская обл., г. Орехово-Зуево, м. Крутое, 151, комн. 34. Дело П-53320 (*КПМО*).

[156] Кальнетис Андрей Кузьмич. Родился в 1890 г., Терская обл., Прикумский р-н, с. Урожайное; ст. бухгалтер, Зарайская нефтебаза. Проживал: Московская обл., г. Зарайск, пос. им. Сталина, 5. Дело 20067 (*КПМО*).

[157] Литте Михаил Андреевич. Родился в 1895 г., в Сусумане, Вальмарский уезд, с. Стайцель; слесарь, клинкерный з-д. Проживал: Московская обл., пос. Тучково. Дело 15853 (*КПМО*).

¹⁵⁸ Литвинов Иван Васильевич. Родился в 1903 г., Московская обл., Сараевский р-н, с. Сараи; путевой обходчик на железной дороге. Проживал: Московская обл., ст. Бутово, железнодорожная будка, 35. Дело 15266 (*КПМО*).

¹⁵⁹ Михалев Петр Васильевич. Родился в 1895 г., Рига; машинист, Дулевский з-д. Проживал: Московская обл., Орехово-Зуевский р-н, Ленинский пер., 15а. Дело П-47450 (*КПМО*).

¹⁶⁰ Миллер Готлиб Иванович. Родился в 1908 г., АССР Немцев Поволжья; кочегар, Митрохинская промартель. Проживал: Московская обл., Куровской р-н, с. Ильинский Погост. Дело П-47909 (*КПМО*).

¹⁶¹ Озолин Ян Романович. Родился в 1876 г., Фиднерштадский уезд, х. Бути; колхозник. Проживал: Московская обл., Коммунистический р-н, с. Покровское. Дело 15292 (*КПМО*).

¹⁶² Полинский Бронислав Антонович. Родился в 1890 г., Гродненская губ., Белостокский уезд, с. Чеховизна; пом. наездника, Государственная заводская конюшня. Проживал: Московская обл., г. Руза, пер. Демократический. Дело П-49123 (*КПМО*).

¹⁶³ Пуце Оскар Андреевич. Родился в 1893 г., Лифляндская губ., усадьба Вацого; главбух, артель «Норофонторг». Проживал: Московская обл., г. Наро-Фоминск, ул. Урицкого, 13. Дело 15836 (*КПМО*).

¹⁶⁴ Розинов Моисей Лазаревич. Родился в 1910 г, инженер-проектировщик, контора «Гормост». Проживал: Москва, пер. 7-й Ростовский, 15, кв. 48. Дело 15872 (*МП*).

¹⁶⁵ Садовский Ефим Савельевич. Родился в 1901 г., слесарь, завод № 24. Проживал: Москва, Кирпичная ул., 11, кв. 4. Дело 15832 (*МП*).

¹⁶⁶ Савельев Иван Павлович. Родился в 1900 г., Рига; зам. директора Дулевского с-за. Проживал: Московская обл., Орехово-Зуевский р-н, п. Дулево, Заводская ул., 26, кв. 6. Дело П-48716 (*КПМО*).

[167] Стаханский Иван Михайлович. Родился в 1909 г, начальник секции, завод № 39. Проживал: Москва, Хорошевское ш., 5, кв. 16. Дело П-54117 (*МП*).

[168] Степанов Павел Иванович. Родился в 1906 г., без определенного места работы. Дело 15848 (*МП*).

[169] Сержант Александр Иванович. Родился в 1885 г. в Латвии; бухгалтер магазина. Проживал: Московская обл., г. Истра, ул. Урицкого, 55. Дело П-47757 (*КПМО*).

[170] Скрипкин Александр Павлович. Родился в 1885 г, бухгалтер, фабрика механизированного учета Народного комиссариата путей сообщения. Проживал: Москва, ул. Солянка, 1, кв. 67. Дело 20119 (*МП*).

[171] Стасевский Владимир Петрович. Родился в 1890 г., зам. зав. сектором, Сокольнический парк культуры и отдыха. Проживал: Москва, 1-й Огородный пер., 5, кв. 5. Дело 20346 (*МП*).

[172] Терентьев Николай Васильевич. Родился в 1885 г., Московская обл., Малинский р-н, д. Родоманово; печник. Проживал: Московская обл., Ленинский р-н, с-з Пахомова, барак № 1. Дело П-47923 (*КПМО*).

[173] Урбан Магнус Густавович. Родился в 1893 г., Мариупольский уезд, д. Ошминта; гл. бухгалтер, Ногинское отделение Мособлтранса. Проживал: Московская обл., г. Ногинск, Пчельный пер., 3. Дело 20336 (*КПМО*).

[174] Федкевич Петр Григорьевич. Родился в 1900 г., Польша, Ковенская губ., м. Окниста; бухгалтер, з-д № 8. Проживал: Московская обл., ст. Подлипки, ул. Ленинская, 17, кв. 3. Дело 15858 (*КПМО*).

[175] Флоров Александр Андреевич. Родился в 1888 г., г. Хабаровск; экономист. Арестован 29 марта 1931 г. Приговорен 30 мая 1931 г. Приговор: 3 года лишения свободы. Дело П-26241 (Воронежское общество «Мемориал»).

[176] Цибульский Иван Фомич. Родился в 1885 г., Винницкая обл., Ямпольский р-н, с. Михайловка; безработный. Прожи-

вал: Московская обл., г. Орехово-Зуево, ул. Урицкого, 35. Дело 15874 (*КПМО*).

[177] Шидловский Алексей Антонович. Родился в 1911 г., нормировщик, Кунцевский з-д № 95. Проживал: поселок завода № 95, 16, кв. 5. Дело П-47869 (*МП*).

[178] Язвинский Станислав Антонович. Родился в 1912 г., Белоруссия, пос. Мезлужье; контролер ОТК, 1-й Автогенный з-д. Проживал: Московская обл., Ленинский р-н, с. Черемушки, 31. Дело 20196 (*КПМО*).

[179] *РГВА. Ф. 18444. Оп. 2. Д. 203. Л. 111.* Машинописный список на стандартном листе бумаги. Кроме граф ФИО, год рождения, статья и срок, графа — куда направляется (все во Владивосток).

[180] Иверсон Эдуард Матсович. Родился в 1890 г., Эстония, Терева; лесничий, Коломенский лесхоз. Проживал: Московская обл., Карасевское лесничество. Дело П-56440 (*КПМО*).

[181] Иванов Михаил Петрович. Родился в 1898 г., Московская обл., с. Облезьево, Каширский р-н; пожарник, с-з «Озеры-1». Проживал: Московская обл., г. Озеры, с-з № 1, 2, кв. 2. Дело 20340 (*КПМО*).

[182] Иголкин Павел Иванович. Родился в 1880 г., Ивановская обл., г. Лух; заведующий, Семеновская школа. Проживал: Московская обл., Коломенский р-н, д. Семеновское. Дело 20356 (*КПМО*).

[183] Пеккер Петр Христофорович. Родился в 1886 г., г. Астрахань; слесарь. Проживал: г. Александров. Арестован 23 ноября 1948 г. Приговор: 8 лет лишения свободы (*КПВО*).

[184] Демчук Никита Харитонович. Родился в 1899 г., Брест-Литовский уезд, с. Пухачево; машинист ж. д. Проживал: Московская обл., ст. Голутвин, Озерский переезд, 2. Дело 15245 (*КПМО*).

[185] Викторович Иван Иванович. Родился в 1876 г., Ленинград; экономист, з-д им. Куйбышева. Проживал: Московская обл., Коломенский р-н, пос. Боброво, ул. Ремонтная, 17. Дело 15243 (*КПМО*).

¹⁸⁶ Гразгру Моисей Иосифович. Родился в 1896 г., Бессарабская губ., г. Хотин; зав. аптекой. Проживал: Московская обл., Воскресенский р-н, д. Харлово. Дело 15257 (*КПМО*).

¹⁸⁷ Энинг Карл Карлович. Родился в 1890 г., Рига; шорник, Коломенский з-д им. Куйбышева. Проживал: Московская обл., г. Коломна, ул. Шоссейная, 78. Дело П-56038 (*КПМО*).

¹⁸⁸ Руль Давыд Петрович. Родился в 1914 г., Саратовская обл. Реабилитирован 17 июля 1992 г. УВД Магаданской обл. (УВД Магаданской обл.).

¹⁸⁹ Якубовский Петр Кузьмич. Родился в 1885 г., Варшавская губ., Осечек; кочегар, Коломенский театр Москино. Проживал: Московская обл., г. Коломна, ул. Красных Зорь, 1. Дело П-50758 (*КПМО*).

¹⁹⁰ Кукис Василий Иванович. Родился в 1896 г. в Польше; рабочий, Гололобовский кирпичный з-д. Проживал: Московская обл., Коломенский р-н, с. Гололобово. Дело П-47587 (*КПМО*).

¹⁹¹ Поляринский Александр Андреевич. Родился в 1895 г., Эстония, г. Ревель; слесарь, з-д «Союздизель». Проживал: Московская обл., Виноградовский р-н, с. Ашитково. Дело П-47447 (*КПМО*).

¹⁹² Сульб Михаил Иванович. Родился в 1899 г., Эстония; управляющий, Дачный поселок ИТР ст. Софрино. Проживал: Московская обл., Виноградовский р-н, с-з «Фаустово». Дело П-47460 (*КПМО*).

¹⁹³ Грошев Петр Алексеевич. Родился в 1888 г., Московская обл., г. Коломна; рабочий, з-д им. Куйбышева. Проживал: Московская обл., г. Коломна, Рабочий поселок им. Ленина, 17, кв. 8. Дело П-48537 (*КПМО*).

¹⁹⁴ Розенфельд Мария Ивановна. Родилась в 1890 г., Северо-Двинская губ., г. Великий Устюг; заведующая, Педагогический кабинет РОНО. Проживала: Московская обл., г. Коломна, ул. Посадская, 18. Дело П-48142 (*КПМО*).

Приложение 2

ПАМЯТНИК МАНДЕЛЬШТАМУ ВО ВЛАДИВОСТОКЕ
Черновики и чистовик

Скульптору Валерию Геннадьевичу Ненаживину[1] было около 30 лет, когда в начале 1970-х он впервые прочел стихи Мандельштама и, по его же выражению, «утонул в них».

Сразу же пришло решение создать для своего города и края памятник великому поэту. К поиску пластического образа Ненаживин приступил в 1985 году, когда создал три скульптурных портрета Мандельштама – в гипсе, в бетоне и в бетоне с металлом, в том числе композицию «Тиски» (голова поэта, зажатая в металлические тиски)[2]. В качестве портретного прототипа он взял известный рисунок В. Милашевского.

В том же 1985 году Ненаживин по собственной инициативе и на свои средства впервые изваял – в гипсе – и сам памятник, а в декабре 1988 года впервые выставил его в Приморской картинной галерее во Владивостоке.

Фигура О.М. весьма выразительна: поэт стоит в своей характерной позе, с запрокинутой по-птичьи головой и с закрытыми глазами. И в нем клокочут стихи, и в то же время его мучит смертельный приступ, щемит сердце, нечем дышать – правая рука тянется к вороту, и, кажется, впереди еще лишь последний вздох. На шее – удушающая веревка, на руках и затылке – раны от гвоздей. Правая рука поднесена к шее в жесте, как если бы поэт хотел освободиться от душащих его пут.

Как отмечал Е.Мырзин в предисловии к каталогу персональной выставки Ненаживина в 2000 году, «...знаменитый памятник Мандельштаму, – имеет несгибаемую, мужественную, но изящную и утонченную линию. Поэт – вопреки страданиями и благодаря им – стоит на земле легко и наполнен стихами»[3].

Однако попытки скульптора преподнести памятник в дар Владивостоку в первые 10–12 лет наталкивались на упорное нежелание городских властей и местных писателей видеть у себя памятник «этому еврею». В качестве обоснования выдвигался тезис: не один Мандельштам сложил тут, на владивостокской пересылке, по дороге на Колыму, свои косточки. Другие же подчеркивали именно обобщающую силу обретенного в памятнике образа: это обо всех репрессированных писателях и политзаключенных!

13 лет памятник простоял во дворе ненаживинской мастерской (Русская улица, 27), где снималось и большинство телефильмов о нем и о его памятнике[4].

Установка памятника в качестве официального знака стала возможной благодаря инициативе и усилиям Мандельштамовского общества, Российского и Владивостокского Пен-клубов, местных краеведов, а также поддержке мэрии Владивостока, администрации Приморского края и Приморского центра по охране памятников истории и культуры.

Первоначально памятник планировалось установить на месте братской могилы, в которой покоятся кости поэта, но для этого требовалось получить разрешение командования Тихоокеанского военно-морского флота, которому подчинялся так называемый «экипаж», то есть военно-морская часть, дислоцированная на территории бывшего лагеря, где погибал и погиб О.М. Не получив от флота добро, тогдашний мэр Владивостока В.И. Черепков предложил в качестве альтернативы небольшой сквер на улице Ильичева – внутри квартала за кинотеатром «Искра», что на проспекте имени 100-летия Владивостока.

Памятник был выполнен из специального бетона с арматурой и с внешним покрытием в технике энкаустика. Он был *впервые* установлен и открыт 1 октября 1998 года. Вместе с краевыми и городскими властями выступали председатель Пен-Центра и член Совета Мандельштамовского общества Андрей Битов и местные литераторы (Александр Колесов, Александр Егоров и др.). Собралось около 300 человек, работала съемочная группа канала «Культура».

Накануне, 29 сентября, в местном Доме Офицеров состоялся поэтический вечер, а 25 декабря 1998 во Владивостокском краеведческом музее открылась выставка «Век мой, зверь мой…», посвященная 50-летию со дня гибели О.Э. Мандельштама. На выставке, организованной Мандельштамовским обществом, Государственным объединенным музеем им. В. Арсеньева, Приморской организацией Общества книголюбов и Научной библиотекой Дальневосточного госуниверситета, были представлены книги и материалы из собрания В.М. Маркова.

27 декабря 1998 года, в день 50-летия со дня гибели О.Э. Мандельштама, по каналу «Культура» был показан пилотный вариант фильма «Конец пути», снимавшегося каналом «Культура» в том числе и в дни открытия памятника поэту во Владивостоке[5].

Читатель, наверно, уже споткнулся о выражение – применительно к памятнику – «впервые установлен и открыт». Увы, это корректное выражение.

22 апреля 1999 года, спустя полгода с небольшим после своего открытия, памятник стал жертвой вандалов, отбивших у фигуры поэта пальцы на правой руке и всю левую кисть, а также изуродовавших его лицо, в частности, глаза и нос. 26 апреля 1999 года Андрей Битов, Фазиль Искандер, Андрей Вознесенский и другие писатели заявили свое возмущение губернатору Приморского края Е.И. Наздратенко и новому мэру Владивостока Ю.М. Копылову: Они потребовали возбуждения уголовного дела, реставрации памятника и его переноса в более публичное место, с обеспечением муниципального контроля за его состоянием.

Новую версию мандельштамовского памятника – уже третью, если брать в расчет и первоначальную гипсовую, стоявшую во дворе, – Неnaживин выполнил уже в чугуне, при этом отдельные детали незначительно видоизменились в силу специфики нового материала. От отливки в бронзе сразу же отказались, поскольку тогда возникал риск сделаться жертвами уже не вандалов, а «предпринимателей» – собирателей и скупщиков лома цветных металлов.

Летом 2000 года обновленный памятник снова хотели установить на территории бывшего пересыльного лагеря, однако не вышло и на этот раз: скульптура вновь была установлена на старом пьедестале в скверике за кинотеатром «Искра». Церемония открытия состоялась 11 декабря 2001 года: на ней выступали Битов, Егоров и другие писатели, В.И. Черепков (уже как бывший мэр города), а также глава городской думы Б.И. Данчин.

Однако уже в январе и марте 2002 года памятник вновь подвергся атакам вандалов, на этот раз обливавших его – дважды! – несмываемой белой краской.

В 2003 году ректор Владивостокского государственного университета экономики и сервиса Г.И.Лазарев выступил с инициативой установить памятник в уютном парке возле университета. 16 января 2004 года, после очередной реставрации, памятник был в третий раз установлен – на своем теперешнем месте[6].

Здесь – по новому адресу: улица Гоголя, 39а-41, – в ограде университетского кампуса, памятнику, кажется, не страшны ни вандалы, ни «предприниматели». Он уже стал городской достопримечательностью, привлекая российских и зарубежных туристов.

О непростой истории памятника Мандельштаму написаны десятки статей. Каждое 15 января и каждое 27 декабря – в годовщины рождения и смерти Осипа Мандельштама – у памятника собираются писатели и студенты, возлагаются цветы и венки, читаются стихи. Университетской традицией стали и непериодические «Мандельштамовские дни» (или, по официальной версии, «Мандельштамовские чтения»), в которых принимают участие писатели, литературоведы и переводчики из разных городов и стран. Впервые они прошли 18–20 сентября 2006 года, вобрав в себя выставку «Осип Мандельштам: личность, творчество, эпоха», подготовленную Приморской государственной публичной библиотекой им. А.М. Горького, поэтический вечер и однодневную конференцию.

Сегодня, когда в Варшаве – городе, где Осип Мандельштам родился, – есть уже улица Мандельштама, остается только недоумевать, почему такой же улицы нет во Владивостоке – городе, в котором закончились его дни?

---

[1] Он родился 25 октября 1940 года в Уссурийске. Член Союза Художников СССР (1974), заслуженный художник России (2006).

[2] Вот ненаживинская «мандельштамиана»: О.Э. Мандельштам. 1985, бетон; О.Э. Мандельштам. Красные тиски. 1985, бетон, металл (Приморская картинная галерея); Портрет О.Э. Мандельштама. 1985, гипс; Памятник О.Э.Мандельштаму. 1985, бетон, энкаустика; Памятник О.Э. Мандельштаму. 2001, чугун.

[3] Скульптор Валерий Ненаживин. [Каталог]. Владивосток: Галерея современного искусства Артэтаж, 2000.

[4] Мой Мандельштам (Владивосток, 1985, реж.Б.В.Кучумов); Скульптор Ненаживин (Владивосток, 1986, реж.Б.В.Кучумов); Конец пути (1998, Москва, канал «Культура», реж. Г.А. Самойлова); О скульпторе Ненаживине (Владивосток, 2000, канал «Лица»); Настоящие приморцы (Владивосток, 2000, реж. В.Подлесная); Битов у Ненаживина (Владивосток, 2001, канал ПТР); Шум времени [Об установке памятника в 2001] (Владивосток: Home pictires, 2002, реж Г.Г. Телешов).

[5] 29 декабря 1998 г. он был повторен на Мандельштамовских чтениях в РГГУ.

[6] В церемонии открытия участвовал начальник управления культуры Владивостока В. Коркишко.

POSTSCRIPTUM

ВДОГОНКУ РУКОПИСИ

Пока шла работа над версткой этой книги, в моем распоряжении оказались некоторые новые материалы. В частности, два следственных дела Злобинского – №№ П-10035 и П-21320 – и (спасибо С. Соловьеву!) даты прибытия некоторых из наших персонажей в Магадан или в Сиблаг, то есть в Мариинск.

…Давид Исаакович Злобинский родился в 1907 году в Миргороде, что под Полтавой, в торговой семье. В 1924 году уехал оттуда в Харьков, где в 1925-1926 гг. работал в газете «Молодой ленинец». В 1926-1927 гг. следователь шил ему поддержку «троцикисткой оппозиции». В 1927 году комсомол командирует его в Вышний Волочок, а оттуда в Ногинск. С осени 1927 и по лето 1937 гг. он проработал в органах печати Ногинского района.

В 1931 году Злобинского принимают в кандидаты в члены ВКП(б), но в 1935 году исключают из партии, затем восстанавливают еще раз как кандидата, а 20 сентября 1936 года еще раз исключают из кандидатов как неустойчивый и невыдержанный элемент.

Тут-то 24 июня 1937 года он был арестован НКВД - по сути за то, что, высказываясь публично о классовой борьбе, объявил себя противником тезиса о необходимости ее остроты и обострения. За это – уже как член контрреволюционной троцкистской организации – он был осужден 20 декабря 1937 года к 8 годам ИТЛ. В начале 1938 году он в Бутырской тюрьме, затем ненадолго в БАМЛАГе, оттуда на Владивостокскую пересылку, откуда – уже в 1939 году – был этапирован в Мариинские лагеря. Освободившись 23 августа 1946 гола, Злобинский перебрался в Александров Ивановской области, откуда переехал в д. Грибово Киржачского района Владимирской области, где четыре года проработал статистиком, бухгалтером и нормировщиком Паршинского торфопредприятия.

Семью да ареста он завести не сумел, не женился и после освобождения. Так и жил – одиноко, замкнуто, очень бедно. Когда 14 апреля 1950 года его снова арестовали, то при обыске ничего, кроме облигаций, у него не оказалось. Никаких новых обвинений ему не предъявили – достаточно и старых, в частности, показаний бывшего секретаря Ногинского горкома Гурина от 28 июня 1937 года, «руководителя их группы», давным-давно уже расстрелянного.

Вот только здоровье после первого ареста лучше не стало: но и туберкулез легкого, и деформация остатков поясничной области – не преграда к признанию годности к труду, правда, к легкому. Обвинительное заключение было состряпано всего за неделю – уже к 21 апреля 1950 года (статьи стандартные: 58.10.1 и 58.11). Приговор же от 5 августа 1950 года оказался «мягким»: никакого тебе ГУЛАГа, а просто ссылка в Красноярский край на поселение, без указания, правда, срока, то есть на вечное поселение.

Из Сибири Злобинский вернулся только после своего освобождения Верховным судом СССР от 9 ноября 1956 года. При этом просьбу о реабилитации в 1946 году отклонили: все же нехорошо сомневаться в полезности обострения классовой борьбы.

Тягостное ощущение высосанности дела из пальца и работы на галочку в случае репрессий против Давида Злобинского достигает, кажется, своего природного максимума!

За два присеста Злобинский отдал НКВД 14 лучших лет жизни, навсегда оставшись бесконечно обиженным, одиноким и больным.

И бесконечно напуганным! Его письмо Эренбургу и последующее общение с Н.Я. и ее посланцами – самый настоящий подвиг мужества!

Что касается дат, то они принесли с собой и сюрпризы, требующие определенных корректив. В частности, подтвердилась догадка о том, что Филипп Гопп, бывший на пересылке в 1937 году, О.М. там видеть не мог: так что из перечня очевидцев его надо изымать и переносить к мистификаторам.

Туда же «просится» и еще один «очевидец», доставленный на Колыму пароходом «Дальстрой» 24 июля 1938 года, то есть тогда, когда О.М. дожидался в тюрьме своей участи. И это не кто-нибудь, а со времен еще Н.Я. первейший свидетель – Юрий Казарновский!

Он и здесь оказался верен себе! Хорошо запомнив рассказы того или тех з/к, кто действительно был с О.М. в лагере, он талантливо и правдоподобно изложил этот ро́ман Н,Я., бесконечно взволнованной и не заподозрившей плагиата. Поэтому он ни разу не назвал ей никакое другое, кроме мандельштамовского, имя, а остальные солагерники ни разу не припомнили его самого.

Принятые сокращения

АМ – Архив О.Э. Мандельштама, Файерстоунская библиотека, Принстонский университет, Принстон, США.

а/с – антисоветская.

Бацаев, Козлов, 2002. – Бацаев И. Д., Козлов А. Г. Дальстрой и Севвостлаг НКВД СССР в цифрах и документах: В 2-х ч. Ч. 1 (1931–1941). Магадан: СВКНИИ ДВО РАН, 2002.

б/п – беспартийный.

ВКВС – Военная коллегия Верховного суда СССР, Москва.

ВЛКСМ – Всесоюзный Ленинский комитет советской молодежи.

ВЦИК – Всесоюзный Центральный исполнительный комитет.

ГАМО – Государственный архив Магаданской области, Магадан.

ГАРФ – Государственный архив Российской Федерации, Москва.

гб – Госбезопасности.

Герштейн, 1998. – Герштейн Э. Мемуары. СПб.: ИНАПРЕСС, 1998. 528 с.

ГИХЛ – Государственное издательство художественной литературы, Москва.

губ. – губерния.

ГУГБ – Главное управление госбезопасности НКВД СССР, Москва.

ГУСДС – Главное Управление строительства Дальнего Севера.

ж.д. – железная дорога.

Жизнь и творчество. – Жизнь и творчество О.Э. Мандельштама: Воспоминания. Материалы к биографии. «Новые стихи». Комментарии. Исследования / Отв. ред.: О.Г. Ласунский. Воронеж: Изд-во Воронежского ун-та, 1990. 544 с.

ИРММ ЧУГПУ – Центральные механические мастерские Чай-Урьинского горнопромышленного управления.

ИТЛ – Исправительно-трудовой лагерь.

ИТР – Инженерно-технические работники.

КГБ – Комитет государственной безопасности СССР, Москва.

КПКО – Из бездны небытия: Книга памяти репрессированных калужан. – Калуга: Т. 1: А – Д. 1993. 472 с.; Т. 2: Е – О. 1994. 455 с.; Т. 3: П – Я. 1994. 441 с. и Т. 4. Золотая аллея, 2003. 270 с.

КПМО – Книга памяти жертв политических репрессий жителей Московской области. – М.: ООО «ФЭРИ – В», 2002. 615 с.

КПП – Контрольно-пропускной пункт.

к-р. д. – контрреволюционная деятельность.

л/св – лишенные свободы.

МАА – Архив Музея Анны Ахматовой в Фонтанном Доме, Санкт-Петербург.

Марков, 2013. – Марков В. Очевидец. К 75-летию гибели Осипа Эмильевича Мандельштама. Документально-историческое эссе // Рубеж. Тихоокеанский альманах. Вып.13. Владивосток. 2013. С. 202–231.

МГБ – Министерство государственной безопасности СССР, Москва.

Милютина, 1997. – Милютина Т.П. Люди моей жизни. Тарту: Крипта, 1997. С. 342–344.

МО – Московская область.

МП – газета «Московская правда», Москва (см.: http://old.mospravda.ru/returned/)

НКВД – Народный комиссариат внутренних дел СССР, Москва.

Н.М. – Надежда Яковлевна Мандельштам.

нрзб. – неразборчиво.

Н.Я. – Н.Я. Мандельштам – Надежда Яковлевна [Мандельштам].

Нерлер, 2010. – Нерлер П. Слово и «Дело» Осипа Мандельштама. Книга доносов, допросов и обвинительных заключений / При участии Д. Зубарева и Н. Поболя. Ред.: С. Василенко. М.: Петровский парк, 2010. 199 с.

Нерлер, 2014. – Нерлер П. Con amore. Этюды о Мандельштаме. М.: НЛО, 2014. 854 с.

Никольский, Поболь, 1999 – Никольский А., Поболь Н. Как их везли // Железнодорожное дело. 1999. № 2–4. С. 43–47.

обл. – область.

ОЛП – Отдельный лагерный пункт.

О.М. – Осип Мандельштам.

О.Э. – Осип Эмильевич [Мандельштам].

ОГПУ – Объединенное главное политическое управление СССР, Москва.

ОСО – Особое совещание при НКВД СССР.

П.Н. – Павел Маркович Нерлер.

Пейрос, 2008. – Пейрос И.И. Из архива памяти // Архив еврейской памяти. Т. 5. М., 2008.

Поляновский, 1993. – Э. Поляновский Э. Гибель Осипа Мандельштама. СПб.: Нотабене; Париж: Изд-во Гржебина, 1993. 231 с. (Сер.: Biblioteque Russe de l'Institut d'etudes slaves. Vol. 42).

р-н – район

РГАЛИ – Российский государственный архив литературы и искусства, Москва.

РГАСПИ – Российский государственный архив социально-политической истории, Москва.

РГВА – Российский государственный военный архив, Москва.

РФ – Российская Федерация.

РСФСР – Российская советская федеративная социалистическая республика.

СВИТЛ – Северо-Восточные исправительно-трудовые лагеря НКВД СССР.

СОЭ – Социальноопасный элемент.

СП – Союз писателей СССР, Москва.

ССП – Союз советских писателей, Москва.

СССР – Союз Советских Социалистических Республик.

тр. – троцкистская.

УГБ – Управление государственной безопасности.

УК – Уголовный кодекс.

УНКВД – Управление Народного комиссариата внутренних дел СССР.

УСВИТЛ – Управление Северо-Восточных исправительно-трудовых лагерей НКВД СССР.

Хургес, 2012. – Хургес Л. Москва – Испания – Колыма. Из жизни радиста и зэка / Ред.-сост.: П. Полян и Н. Поболь. М.: Время, 2012. 800 с. (Сер.: Диалог).

ЦА МВД – Центральный архив Министерства внутренних дел РФ, Москва.

ЦА ФСБ – Центральный архив Федеральной службы безопасности РФ, Москва.

ЦК ВКП(б) – Центральный комитет Всесоюзной коммунистической партии (большевиков).

Элиасберг, 2005. – Элиасберг Г.А. «Один из прежнего Петербурга...»: С.Л. Цинберг, историк еврейской литературы, критик и публицист», М.: РГГУ, 2005. 576 с.

Ю.М. – Моисеенко Юрий Илларионович.

Именной указатель[1]

Абалаков Виталий Михайлович
337, 340, 342
Абалаков Евгений Михайлович
338-342
Аболь А.Я. 450
Абрамов П.А. 450
Абт Э.О. 463
Авдеенко Г.Н. 450
Авербух Г.А. 450
Авченко В. 500
Агаджанова-Шутко Н. 315
Агальцов С.Е. 479
Агниашвили П. 60
Агранов Я.С. 80
Адаменко В.Г. 461
Адлер М.Ш. 450
Азадовский К.М. 341
Азарх И.А. 450
Айвазовский И.К. 294
Акимов Т.А. 464
Аксенов В.С. 467, 491, 492
Алексеев 209, 374
Александров Г.С. 127, 128, 209,
378, 379
Алешковский Ю. 396, 399-402,
Алискин Б.Ф. 467
Аллик Б.А. 450, 475
Алтаузен Д.259
Алымов С. 231
Аматов Н.Н. 145, 357
Амусин И.Д. 320, 321, 336, 430
Ангаров А. 231
Андреев Андрей Андреевич 72,
73, 97
Андреев Василий Александрович
467
Андреев Даниил Леонидович

228, 257
Андреев Леонид Николаевич 94
Андриевский Петр Григорьевич
467
Андриевский Степан Ефимович
458
Антокольский П.Г. 60, 244
Антонов-Грицюк (Антонов)
Николай (Лука) Иосифович
108, 112
Антонова Александра Петровна
229, 230
Аренс Е.М. 49
Аренс А.Ж. 49
Аренс В.Ж. 49
Арефьев Ж.Ю. 450
Аросев Авив Яковлевич 121, 127,
450, 474
Аросев Александр Яковлевич 121
Аросева Ольга Александровна
123
Арро Х.А. 450
Арская А. 311
Архангельский 149, 160, 161, 209
Архипкин С.П. 457
Асеев Н.Н. 41
Асташевский П.П. 450
Атанасян В. 171, 209
Аузин Р.Е. 450, 474, 475
Афанасьев П.В. 465
Ахманова О.С. 401, 402
Ахматова А.А. 25, 40, 53, 55, 110,
111, 163, 206, 328-330, 342,
442, 446

Бааль Э. (Белтов Э.) 128
Бабанашвили–Дубровская Г.А.
450

---

[1] При совпадении фамилий раскрываются, по возможности, имена и отчества.

Бабель И.Э. 44, 428
Баберкина Н.А. 30
Байрон Дж. 89
Бабаев Э.Г. 234-237, 259
Багрицкая (Суок-Багрицкая) Лидия Густавовна 410, 423
Багрицкий Всеволод Эдуардович (Сева) 410, 423
Багрицкий Эдуард Георгиевич 252, 410
Балабинов М.И. 451
Баланов С.С. 467
Бальмонт К.Д. 156, 264, 396
Бараев А.И. 204
Баранов Н.З. 459, 485
Барзунов Н.И. 120
Барташевский И.Ф. 459
Бартащак И.Т. 462
Баршев 61
Баталин В.А. (о. Всеволод) 16, 209, 343, 344, 380
Батюшин С.П. 467
Бауэр Н.А. 451
Бауман З.М. 474
Бах И.-С. 46, 48
Бахметьев К.Л. 451
Бацаев И.Д. 140, 144
Бедный Д. 152
Бейзер М. 378
Бейтов С. 209, 374
Бейфус Давид Филиппович 120, 462, 488
Бейфус Кондрат Иванович 462
Бейфус Яков Иванович 462
Беленикин Г.А. 460
Белкин И. 151, 211
Белобородов В. 344
Белоконь П.И. 450
Белов А.А. 458
Белый А. 157, 159, 218, 262, 264-266, 283, 347
Бельский Л.Н. 293-295
Беляев В.М. 467, 492
Бен – см. Лившиц Бенедикт Константинович

Березовский Ф.А. 78, 79, 82
Берестенский А.А. 450
Бергер 108, 111
Берзин Ю.С. 58, 61, 63
Берзин Эдуард Петрович 138, 140, 143
Беспамятнов 61
Бессонова А.С. 461
Бетховен Л. фон 94
Билль А.Г. 459
Билль-Белоцерковская Е. 258
Бирлендер И.И. 467
Бирюков А.М. 280
Бистельфельд П.Я. 462
Битов А.Г. 445, 501, 502, 504
Биттенбиндер Н.В. 451
Блажевич Е.С. 451, 475
Блах Л.П. 451
Блок А.А. 50, 157, 218, 220, 221
Блок Ж.-Р. 76
Блюм 357
Бобель А. 100
Богатырев В.Т. 467, 492
Богар Е.И. 467
Богданова Э.Г. 20
Богомолец И.И. 451
Богомолов НА. 255
Бодлер 264
Бойко П.Г. 451
Бокий Г. 222
Большаков К.А. 59
Бор Г.А. 451
Боренштейн Б.Л. 465
Борисов Сергей Васильевич 450, 475
Борисов Николай Макарович 474
Борухсон П.Г. 451
Ботвинник Марк Наумович 16, 210, 320, 321, 336, 341, 397, 430
Ботвинник Наталья Марковна 341
Ботвинник Наум Рафаилович 320
Ботвинник Эмилия Марковна 320
Боярский А.М. 315, 316
Браун К. 83, 391, 395

Бределис (Бределис-Бределев)
   А.С. 462, 488
Бреев В.К. 457
Брейгель ?? 47
Брейтерман М.Д. 450
Брики О.М. и Л.Ю. 227
Бритт П.И. 457
Брон М.Г. 450
Брунер Д.Г. 462
Бруни Н.А. 44
Бруни Надежда 44
Бруннер Ф.Ф. 467
Брюсов В.Я. 156, 157, 264, 265,
   347, 396
Брюханов А.Н. 451, 475
Будкевич Н.А. 462
Буданов 294
Буданцев С.М. 209, 275, 280
Будилович А.О. 467
Буланов Н.И. 458, 484
Буравлев М.А. 156, 168, 169, 209,
   345, 346
Буров Н.В. 451
Буровцев Н.П. 467, 492
Буткеев М.Я. 311
Бурак С.Х. 462
Бутлицкий–Туманов Э.М. 451
Бутурлина В.М. 461
Бухарин Н.И. 52, 53, 68, 80, 107,
   348, 367, 412, 413
Бухтияров Г.Г. 457, 482
Быков Д.Л. 256
Быковец 83
Быхов Я.С. 451
Бялик Б. 281

Ваганов 209, 374
Вагинов К. 60, 61
Вадкуль Г.А. 467
Вайнер А.А. 451
Вайсбург А.И. 139, 262, 267, 326,
   334
Вакс Б.А. 38
Ваксель О. 319
Валленберг Э.О. 467

Вальнер В.Я. 458, 484
Ваншенкин К.Я. 317
Варбасевич Т.А. 451
Варга И.Г. 460
Василенко Наталья Васильевна
   474
Василенко Сергей Васильевич
   18, 75, 83, 395, 501
Васильев Глеб Казимирович 241-
   245, 260
Васильев И. 68
Васильев Николай Алексеевич
   467
Васильев Павел Николаевич
   (Пашка) 68-70, 230-232, 258,
   446,
Васильков А.В. 378, 379
Васнецов В.М. 294
Ваякина Н.Н.18
Введенский А.И. 61, 62
Вебер Виктор Александрович 459
Вебер Леонид Кондратевич 451,
   475, 476,
Вейц И.Я. 462
Вельмер В. 209, 374
Венде Р.М. 451
Вендель П.М. 463, 489
Вепринцев С.Н. 70
Верлен П. 244, 264
Верлинкин С.Н. 467
Веселкина Е.Н. 460
Видгоф Л.М. 18, 341, 342
Виктор-Серж – см. Кибальчич
   В.Л.
Викторович И.И. 473
Вилевский Карл Янович 463
Виноградов А.В. 451, 476
Винтерхоллер В.К. 451
Владимирский 288
Влагин Н.И. 463
Власов В.Т. 468, 493
Вовсы Ф.А. 460
Водарский И.М. 468
Вознесенский А.А. 501
Войтына А.А. 451

Волин Б.М. 294
Волков Р.А. 467
Володин И.Ф. 474
Волокитин Л.И. 457
Вольпе Ц.С. 32
Вольфсон С.Б. 451
Воробьев Зусь Копеливич 457
Воробьев Павел Александрович 467, 493
Воронецкий В.В. 462
Воронкова А.И. 461
Воронцов И.Д. 467, 491
Вощенков Д.И. 451
Выборнов В.П. 468, 493
Выгодский Д.И. 53, 58, 63, 64
Высоцкий А.Б. 451
Выхото П.Р. 463
Вышинский Андрей Мартьянович 473
Вышинский Андрей Януарьевич 101, 110, 111

Габович А.Д. 457
Галкин И.Г. 468
Галлих В.М. 460
Гальперина-Осмеркина – см. Осмеркина Елена Константинова
Гамалея Н.Ф. 260
Гантман 64
Гаранин С.Н. 138-141
Гарбуз Л. (Томчинский) 147, 209, 210, 326, 327, 334
Гарр Р.А. 462
Гарри (Бронштейн) Александр Николаевич 230, 231, 258, 446
Гарри Мария Александровна 258
Гарри-Полякова В.Г. 228-232
Гатилов В.П. 452
Гатов М.Л. 233, 259
Гдеев Е.В. 468
Гедрович Ф.И. 460
Гейснер Д.К. 463, 489
Генгер С.Г. 468, 493
Герасимов Г.П. 451, 476

Герасимов М.П. 67
Герман А.Г. 452
Герчиков М.Г. 127, 128, 210, 211, 377, 378, 380, 439
Герштейн Григорий Моисеевич 39
Герштейн Эмма Григорьевна (Эмма) 27, 30, 39, 74, 75, 198, 205, 206
Гидрович В.К. 462
Гилельсон М. 320, 321
Гинзбург Л.Я. 402, 404, 405
Гиберт Я.Д. 452, 476
Гитлер А. 53, 130, 288, 289, 354
Гладких Ф.В. 474
Гладков А.К. 13, 18, 78, 99, 100, 259, 269, 319, 320, 391, 401, 430
Глебов-Юфа З.Н. 108, 111
Глускина Л.М. 320
Глухо–Книра К.В. 459
Глуховский М.Д. 468, 493
Говсеев Л.Л. 468
Гоенко Н.М. 466
Голдовская М.Е. 256
Голованов С.Д. 464
Голубев В.Г. 468, 493
Голубовский Е.М. 19, 255
Голунский С.А. 101
Гольд И.А. 459
Гольдварг Э.С. 126, 451, 476
Голятовский С.П. 466
Гонкуры Э. и Ж. 73, 76
Гонта М.П. (Марийка) 227, 228, 257, 446
Гончаров В.А. 82
Гончуков А.А. 105
Гопп Ф.И. 314-318
Госман Д.Б. 462
Гофман Ф.Я. 459
Гофф И.А. 318
Горбачев З.А. 457
Горелов 63
Горенштейн М.Г. 464
Горлов В.М. 346

Горман М.П. 468
Горнфельд А.А. 377
Горовиц Н.А. 126, 451, 476
Городецкий М.С. 451
Горский Н.Н. 219, 225
Горст А.А. 473
Горький А.М. 77, 213-219, 229, 256, 446
Грабар М.А. 451
Грабе Я.Ф. 468
Гразгру М.И. 473, 498
Гревс – см. Крепс
Гренведе Г.Е. 468
Григат О.Л. 468
Григоровский М.И. 464
Григорьев И.Р. 457
Григорьян Е.Г. 457
Гриценко Н.И. 209, 374
Громова Н.А. 255, 257
Гронский И.М. 68, 89-90
Грошев П.А. 473, 498
Гуль Р.Б. 394
Гумилев Лев Николаевич 61, 94
Гумилев Николай Степанович 65, 152, 218, 245, 409
Гурвич Александр Гаврилович 264
Гурвич Элеонора Самойловна (Лёля) 199, 206
Гурин, 505
Гурьянов А.Е. 18, 127
Гусев Александр Александрович 463, 488, 489
Гусев Иван Иванович 468
Гусев Николай Дмитриевич 458, 484
Гусев Федор Григорьевич 464, 490
Гутман Л. 338, 342
Гущин М.В. 120

Д. (поэт Д.) – см. Домбровский Ю.О.
Давыдов Василий Федорович 458, 485

Давыдов Михаил Алексеевич 56
Давыдов Степан Евдокимович 457
Дагаев К.А. 452
Дагаев С.М. 58, 60, 62
Дадиомов Михаил Яковлевич 16, 210, 281, 336-342
Дадиомова Рахиль Яковлевна 337
Дадиомова Рейза Хаймовна 337
Даев Алексей Александрович 452, 476
Даев Густав Андреевич 468, 493
Данильченко И.Г. 468
Данчин Б.И. 502
Даниэль С.К. 473
Данте 96, 280, 411
Дашковы 93
Дворжак А. 46, 48, 94
Дебель В.И. 457, 483
Деборин А.М. 367
Девякович М.М. 466
Дементьева П.Ф. 461
Демешкин Т.С. 457
Демчук Н.Х. 473, 497
Дененберг Х.Л. 468
Деньгова Л.А. 287
Деньковский Б.И. 468
Деньчуков С.Г. 120, 121, 457
Дергауз К.С. 354
Дергауз С.Е. 354
Деренч Г.Ю. 460
Державин Гаврила Романович 156, 264, 396,
Державин Вячеслав Ксенофонтович 468
Дзержинский Ф.Э. 139, 354
Джапоридзе А.Н. 452
Джафаров А.-А.Д. 452
Джеранский Т.М. 468
Диев И.А. 65
Дикий 58
Дитель А.А. 468
Дмитренко А. 64
Дмитриева Ц.Е. 88
Доваль И.М. 461

Довольнов А.И. 452
Долгоруков В.В. 452
Дойчев В.Д. 468
Долженко Т.В. 468
Долматовский Е.А. 364, 372, 376
Домбровская К.Ф. 420, 421, 425
Домбровский Ю.О. (Д., поэт Д.) 107, 212, 282, 409-427
Дорофеев М.П. 452, 476
Дорошенко В.П. 457
Достанко М.С. 452
Дошелев И.Д. 457
Дробанцева К.Т. (Кора) 381
Друскин Я. 62
Дунаевский А.А. 19

Евсюгин А.Д. 394
Евсютенко К.И. 468, 494
Евтеева В.М. 229
Евтушенко Е.А. 252, 253
Егоров Александр Афанасьевич 501, 502
Егоров Александр Флегонтович 468
Егоров Тихон Федорович 468
Ежов Н.И. 80, 81, 83, 84, 85, 97, 103, 139, 190, 272,
Елисеев А.П. 468, 494
Ельницкий Л.А. 118
Ермолаев Н.И. 468, 493
Есенина Е.А. 68
Есенин Сергей Александрович 68, 152, 220, 221, 288, 311, 318
Есенин Юрий (Георгий) Сергеевич 68
Есипов В.В. 19, 394, 447, 449
Ефарицкий А.К. 452

Жарков И.Л. 452, 477
Жаров, солагерник 210, 374
Жаров Александр Алексеевич, поэт 278
Жаров Михаил Иванович 228
Жилов И.К. 458
Жиляев С.С. 452, 477

Жуков Д.П. 62
Жукова Н. 62
Жунусов О. Б.И.
Журбенко А.С. 70, 79, 80, 97, 98, 100, 101

Заболоцкий Н.А. 58, 61-63, 89
Заборский С.О. 452
Задачин П.С. 468
Замараев Г.Е. 452
Замятин Е.И. 255
Заняткин С.Н. 452
Захаров П.П. 338-342
Звезкин С.М. 452
Звягинцев А. 101
Зворовская З.С. 461
Зданович П.В. 461
Зейман К.И. 466, 491
Зелинский Я.Г. 468
Зелля А.У. 459
Земсков А.В. 465
Зенкевич Е.П. 100, 323
Зибенкес Ф.Ф. 452, 477
Зикеев В. 340
Зиновьев Г.Е. 316, 337, 351, 352, 364, 376
Зирнет П.Ю. 493
Злобина Г.Р. 19, 255, 311
Злобинский (Злотинский) И.Д. 16, 19, 156-158, 173, 209-211, 274-281, 311, 336, 380, 397, 427, 429, 430, 433, 505
Злодеев Д.И. 452
Злотинский И.Д. – см. Злобинский И.Д.
Знот В.Я.452
Зоргенфрей В.А. 58, 62, 63
Зубарев Д.И.?. 18, 125, 128
Зыков А.Г. 452, 477

Иванкин И.И. 469
Иванов Всеволод Вячеславович 86, 250
Иванов Вячеслав Всеволодович 91

Иванов Михаил Петрович 473, 497
Иванов С. 435, 436
Иванова Г.Г. 362
Иванова И.Н. 362
Иванова Л.Н. 424, 425
Иванова Мария Кузминична 461
Иванова Т. 258
Иванушко Н. 122, 123, 442
Иверсон В.М. 473, 489
Иголкин П.И. 473, 497
Игольник И.В. 468
Игошкин В.Я. 452, 477
Ильин Алексей Афиногенович 32
Ильин Леонид Иванович 457
Ильинский 317
Ильф И.А. 159
Илюшенко И.И. 70
Имас Х.Д. 461
Имберг Л.М. 452
Иноземцева П.И. 461
Исаков Д.К.
Исаковский М.В. 402, 403
Искандер Ф.А. 501

Кабанов Александр Герасимович 467, 492
Кабанов Борис Андреевич 469
Кабрицкий И.А. 453
Каверин В.А. 96, 383
Казарновская Анна Яковлевна 214, 217, 218
Казарновский Алексей, отец 213
Казарновский Юрий Алексеевич 16, 150, 151, 167, 182, 210, 211, 213-261, 268, 270, 271, 314, 318, 329, 427, 446, 505
Калаушин Н.Ф. 353
Калачинский А.В. 19
Калашникова Ю. 123, 445
Калинычев И.А. 453, 478
Калугин О.Д.110
Кальнетис А.К.-К. 469
Камарицкий А.Д. 469
Каменев Л.Б. 263, 316, 337, 352, 364, 376

Каменецкий Д.П. 469
Камзолов М.А. 453
Канегиссер Л.О. 57, 58, 64
Канер М.М. 469
Кану А.С. 460
Капитулов Т.Я. 469
Капланский Л.М. 315
Капралов-Ткачев Н.П. 464
Капранов Ю.П. 453
Каплун (Спасская) С.Г. 61, 328
Караваева А. 82
Кармилов А.Н. 453
Карпов Адам Бенедиктович 469, 494
Карпов Михаил, писатель 68
Карпов Николай Иванович 469
Карпов, чекист 64
Карпяшина Е.И. 461
Карцев С.А. 453, 478
Касабова Г.И. 258
Катаевы, братья 31
Катаев В.П. 32, 48, 81, 82, 84
Катанян В.В. 72
Катонова Н.Я. 311
Кафу К.М. 459
Кац С.Д. 453
Кацнельсон 210, 374
Качалкин Р.И. 453
Кашинцева В.М. 74
Квацевич Г.И. 453
Кениг Г.Р. 469
Керенский А.Ф. 107
Керженцев (Лебедев) П.К. 78, 82
Кесаев С.С. 453
Кибальчич В.Л. (Виктор-Серж) 59, 61, 64, 107, 109
Кидыба П.С. 453
Ким Григорий Тимофеевич 460
Ким Матвей Тимофеевич 459, 486
Кинит А.К. 469
Кирд И.Г. 469
Кириллов Владимир Тимофеевич 67, 68
Кириллов Кирилл Яковлевич 455, 483

Кирплюс С.Н. 463
Кирсанов С.И. 25
Киселев, художник 357
Киселев Иван Сергеевич 452
Киселева Л.Н. 334
Киселевский Т.Ф. 459, 485
Кисляков Г.И. 453, 477
Климов–Клименок И.П. 452
Клингер А.Ф. 459
Клюев Н.А. 60, 61, 63, 89, 90, 344,
Клейман Н.И. 311
Кленкин И.Г. 453
Клепчак И.Д. 459
Клычков С.А. 28, 68-70, 405
Кневинский И.А. 453, 478
Кнефель В.Г. 469
Князева Н.Г. 19, 267, 325, 344,
    431, 433
Ковалев И.Н. 151, 177, 178, 210,
    211, 373
Ковальский Марк Исаакович 469
Ковальский Петр Иванович 469,
    494
Ковальчек Ф.А. 469
Ковшун К.А. 463, 488
Козлов, чекист 136
Козлов А.Г., историк – 140, 144
Коккин Иван Александрович 352,
    354
Коккин Николай 350
Коккина Ирина Ивановна 352, 353
Коккина Тамара Ивановна 352
Коккина Элеонора 350
Колагераки К. 460
Колас 152
Колбасьев С. 63
Колесников А.Е. 459
Колесов А.В. 501
Колето Л.С. 469
Колкер М. 55
Коллонтай Г.Ф. 452
Колов В.Т. 469
Колокольников Е. 340
Колосовский П.И. 453
Кольварчук И.И. 459

Комаревич М.Е. 466
Комаровский В.И. 469, 494
Конков Е.А. 469
Коноплянник М.Н. 464
Константинди Л.О. 469
Коньков И.В. 453
Копылов Иван Иванович 464
Копылов Николай Петрович 459,
    486
Копылов Юрий Михайлович 501
Коржаков И.И. 469
Кормилицин Н.Ф. 452
Корнейчук А. 82
Корнель П. 57
Королев Петр Николаевич 467
Королев Сергей Павлович 441
Коротаев В.Н. 18
Коротеев В.П. 19, 433
Корзун Е. 342
Коркунов В.В. 43
Корман А.С. 474
Кормильцев Ю. 283, 284
Корнилов Б.П. 61, 89
Корчмарский И.И. 462
Костарев Н.К. 24-30, 77-84
Костарева Н.Н., дочь 30,
Котенко К.И. 464
Котовский Г.И. 258
Коцубей Т.Г. 296
Кочетков Ф.Л. 464
Кочинский Э.Ф. 469
Крайнева Н.И. 111
Крайнерт К.К. 473
Крамской И.Н. 294
Красильников С.А. 152, 334
Красинский В.И. 469
Краснушкин Е.К. 108, 112
Крафт Г.И. 453
Кревс – см. Крепс
Крейцберг Н.А. 453, 477
Крепс (Гревс, Кревс) Евгений
    Михайлович 16, 17, 139, 145,
    153-155, 169, 210, 211, 263,
    265, 267, 273, 280, 319-326,
    344, 349, 358, 381, 430, 432, 437

Крепс Термен Михайлович 153
Кресанов 181, 182
Крестьянкин И. 343
Кречков В.С. 453, 478
Кривицкий Александр Юльевич 348
Кривицкий Роман Юльевич 15, 122, 210, 211, 347, 348, 452
Кривицкий-Кошевик Илья Абрамович 348, 469
Кривов А.Г. 464
Криштафович М.И. 469
Крученых А.Е. 41
Крыжановский Т.И. 469, 494
Крюгер Г.П. 463, 488
Крюков 334
Кряжевский А.С. 453
Кувырталова Т.Г. 287, 311
Кугель К.В. 469
Кудашева М. 146, 240
Кудрявцев И.А. 453
Кузин Б.С. 45, 46, 52, 54, 72, 80, 94, 176, 193-195, 197, 200-206,
Кузмин М.А. 61
Кузмина А.А. 353
Кузьминов А.И. 453
Кузнецов Николай Николаевич, врач 170, 171, 210, 262, 266, 267, 322, 374
Кузнецов Петр, следователь 106
Кузнецов Сергей Алексеевич, попутчик по эшелону 453, 477
Кузнецова Антонина Васильевна 353
Кузнецова Н. 362
Кузовкин Г. 125, 128
Куклин Г.О. 58, 63
Кулагин 79
Кулаков 289, 311
Кулешов Л. 315
Кулаева С.Б. 341
Куняев С.С. 70
Куняев С.И. 70
Купала Я. 152
Купцов М.Г. 453

Кусков К.А. 464, 490
Кутакова В.В. 461
Кухарски 439
Кучумов Б.В. 503

Л. (физик Л.) – См. Хитров ЕК.Е.
Лаас И.М. 454, 479
Лавенек Ф.Я. 454
Лавренев Б.А. 61
Лаврионевич И.И. 463
Лаговская Т.П. – см. Милютина Т.П.
Лазарев Г.И. 502
Ландау Л.Д. 374, 380, 381
Лансере Евгений Евгеньевич 380
Лансере Николай Евгеньевич 344, 380
Лапин Б.М. 71, 98
Лаптев И.У. 463, 490
Ларионов С.В. 459
Ларьков С.А. 128, 313, 491
Лахути А.А. 40-42, 79
Лебедев-Кумач В.И. 404
Левина Е.Ф. 287
Левитанце Б.Б. 459
Левковская К.А. 401, 402
Левченко А.А. 453
Лезенгаунт А.И. 470
Лежнева Л. 258
Лейтан П.К. 463, 489
Лейтес Ф. 258
Леликов А.Н. 474
Лелль Иван Иосифович 466
Лелль Иосиф Карлович 463
Ленин В.И. 288
Леонидов Б.А. 453
Леонов Л.М. 86
Леонтюк А.М. 112
Лермонтов М.Ю. 152, 220, 419
Лесман М.С. 16, 19, 111, 151, 209, 210, 263, 323, 334, 344, 396, 427, 430, 431
Лесневский С.С. 89
Лесников В.Г. 470
Лесняк Борис Николаевич 348, 384-388, 394

Лесняк Вера Яковлевна 385
Лесняк Татьяна Борисовна 386
Лесючевский Н.В. 89
Либеров Р. 19
Литвин Я.Ф. 463
Литвинов Владимир Борисович 167
Литвинов Иван Васильевич 470, 495
Литвинов Иван Иванович 469
Литте М.А. 470, 494
Лившиц Бенедикт Константинович (Бен) 32, 53, 57-64, 81, 82, 111, 198, 244, 347
Лившиц Кирилл Бенедиктович 198
Лившиц Екатерина Константиновна (Тата) 32, 42, 198
Линьков Е.П. 453, 479
Липавский Л. 62
Липкин С.И. 415
Лихачев Дмитрий Сергеевич 152, 218, 219, 225, 253, 256, 259, 446
Лихачев И.А. 58, 62
Лиц Т.И. 469
Ловушкин Г. 358
Логвинова Е.В. 362
Лозгачев Н.К. 464
Лозинский М.Л. 31, 32, 53
Лозовой Алексей 291
Лозовой Борис Алексеевич 291, 292
Лозовой Юрий Алексеевич 291
Лопатин Г.М. 470
Лоцман И.И. 470
Лоэв А.Я. 469
Луговской В.А. 86
Лузик А.Я. 453, 478
Лукашевич А.А. 463, 488
Лукжин А.Г. 470
Луневский В.Д. 453, 478
Лунин 62
Луппол И.К. 74, 76, 82

Лурье Соломон 320
Лурье Феликс Моисеевич 54
Львов П.А. 453
Любимова, писатель 250
Любман 108
Лях В. 150, 151, 211
Ляховский П.А. 469
Ляшкевич 79

Магид Э.М. 454, 479
Мажухин И.О. 458
Майзель 61
Макаренко Г. 258
Макаренко Николай Васильевич 454, 479
Макаров Иван Иванович 68, 69
Макаров Федор Федорович 473
Максимов, чекист 263
Малакас В.М. 458, 483
Малевич Дмитрий Игоревич 311-313
Малевич Петр Харитонович 19, 293-296, 311, 312, 446, 481
Малларме С. 244
Малий А.С. 354
Малышев Иван Васильевич 454, 479
Малышев Иван Николаевич 470
Малявин 288
Маляров М.Г. 470
Мамонтова Е. 152, 334
Мандельштам Александр Александрович (Шурик) 192, 193, 204
Мандельштам Александр Эмильевич (Шура) 162-165, 192, 193, 198, 199, 206
Мандельштам Евгений Эмильевич (Женя) 17, 84, 100, 153, 159, 165, 271, 319, 323, 324, 430
Мандельштам Наталья Евгеньевна (Татька) 32
Мандельштам (Хазина) Надежда Яковлевна (Н.М., Н.Я.) 16, 17, 19, 24, 25, 28-37, 40-46, 48-56,

73, 74, 76, 81, 83, 95, 96, 99,
101, 107, 112, 122, 123, 150,
164, 167, 189-206, 253, 259,
267, 270, 272, 277, 280, 284,
286, 314, 315, 318, 319, 321-
323, 325, 326, 328-330, 334,
335, 391-394, 398, 401-409,
411-413, 418, 424, 425, 427-
Мандель... 447, 505
182 ....дора Осиповна

Мандельштам Эмиль
Вениаминович 32, 95, 96, 181,
182

Мандельштам Юрий Евгеньевич
323, 325, 430

Мануйлов В.А. 54

Маранц Моисей Ильич 179, 182,
210

Маранц Соломон Рувимович 182

Марков В.М. 17-20, 123, 152,
389, 394, 427, 431, 434-445,
447, 501

Маркс К.К. 448, 466

Мартынова Т.А. 287

Марценович В.О. 459

Марченко И.? 79, 226, 227

Мастеров Н.И. 454

Мастерков Я.Ф. 459, 485

Матвеев Александр Герасимович
470

Матвеев Иван Васильевич 454

Матвеев О.К. 19

Матковский А.К. 460

Маторин Дмитрий Михайлович
16, 17, 19, 139, 148-150, 153-
156, 165, 185, 205, 209-212,
267, 326, 349-363, 432, 437

Маторин Михаил Васильевич 349

Маторин Михаил Михайлович
353-356,

Маторин Николай Михайлович
267, 350-352, 354,

Маторин Роман Михайлович 353-
356,

Маторина Зинаида Михайловна
350, 352, 353

Маторина Лидия Петровна 354

Маторина (Дергауз) Наталья
Михайловна 354

Маторина Нина Михайловна 353,
355, 356, 362, 363

Матто М.-М.К. 470

Маяковский В.В. 152, 218, 220,
221, 227, 347

Мевиус Э.В. 454, 479

Медалье Броха 125

Медалье Шмарьяху-Иегуда-Лейб
125, 126

Мед...еев П.Г. 463, 489

Медик Ф.т. 454

Мейерхольд В.М. 39, 55, 75, 428

Мейслер И.И. 463

Мекк фон Г.Н. 33

Мельницкий В.К. 45, 49, 51

Мерва (Мерва-Мевр) К.П. 463, 489

Мережковский Д. 157

Меркулов В.Л. (М., агроном М.)
16, 111, 145, 147, 149, 153-157,
159, 165, 169-171, 203, 204,
210, 211, 261-267, 274, 276,
277, 279, 320, 322, 326, 327,
336, 337, 341, 396, 397, 427,
429

Метальникова З.Г. 461

Мехлис Л.З. 79, 231

Мец А.Г. 404, 405, 424, 425

Мешакин Н.И. 458

Мещерский, князь 111

Мещеряков И.В., 454

Мизик Я.М. 210, 374

Микитич Л.Д. 65

Милашевский В.А. 499

Миллер, доктор 344

Миллер Готлиб Иванович 470

Миллер Николай Михайлович
464

Миллер Оскар Карлович 460

Милютин Александр Иванович
334, 335

Милютин Иван Корнильевич 15,
16, 19, 144, 148, 149, 170, 186,
210, 211, 326-335, 427

Милютина (Лаговская) Тамара Павловна 144, 186, 328-330, 335
Миндра В.Н. 459, 485
Миронов Я.И. 458, 484
Мироненко С.В. 19, 311
Мирошниченко Г.С. 464
Мистельгоф Т.И. 454
Миткевич М.Н. 461
Митянева К.И. 470
Михайлов О.Н. 414, 415, 419, 425
Михайловы, инженеры 357
Михалев П.В. 470, 495
Михалков С.? 250
Михеев М. 270
Михоэлс С.М. 31, 39
Мичкосов П.С. 466
Моисеев С. 151, 174, 211
Моисеенко Сергей Юрьевич 444
Моисеенко Юрий (Георгий) Илларионович 17, 19, 145, 150-152, 156, 158, 163-165, 174, 177, 178, 209-211, 239, 259, 279, 295, 364-375, 377, 380, 381, 432-445
Молева Н.М. 311
Молотов Вячеслав Михайлович 121, 123
Молотов Константин Михайлович 470
Молчанов Б.Е.?. (Борис) 50
Монаков И.Н. 474
Морейнис 138
Морозов А.А. 19, 210, 277, 280, 425, 433
Мострюков И.Н. 454
Муравьев А. 357
Мусоргский М.П. 46, 48
Мырзин Е. 500

Набоков В.В. 153
Навцен М.Х. 459
Навасардов А.С. 140
Надь Г.М. 470
Надеин В.М. 470
Наздратенко Е.И. 501

Наппельбаум Ида Моисеевна 61, 64-66.
Наппельбаум Лев Моисеевич 32, 37, 43
Наппельбаум Людмила Константиновна 32, 37, 43
Наппельбаум Моисей Соломонович 385 37
Наппельбаум Эрч 7, 151, 152,
Наранович 327
рбут В.И. 67, 247, 347
Наседкин В.Ф. 68, 69
Натер Ю.А. 470
Наткин А.Д. 466, 491
Натаров Н.А. 458
Наумин А.А. 473
Научитель 138
Невский А., князь 87
Недобожин-Жаров 55, 189, 190
Неклюдов С.Ю. 403, 405
Некрасов Михаил Иванович 454
Некрасов Роман Тарасович 470
Нельдихен С.Е. 316
Ненаживин В.Г. 499-504
Неретина С.Н. 16, 17, 432
Неслуховская М.К. 60
Нехамкин С. 258
Никё М. 90
Никитин Афанасий Никитич 54
Никитин Иван Никитич 54, 55
Никитин Николай Николаевич, врач 263
Никитин Николай Николай Николаевич, писатель 59
Никифоров И.П. 458, 483
Николаев, нач. санчасти Владивостокского пересыльного пункта 138
Николаев А.М., писатель 250
Никольский А. 30, 117, 118
Никулин Лев В. 47, 58, 315, 316, 317
Нисневич Я.П. 454
Новиков, чекист 385
Нодия Д.Ч. 19, 255, 311

Ноймайр А. 112
Нохотович Д.Н. 19
Н.М. – см. Мандельштам Н.Я
Н.Я. – см. Мандельштам Н.Я.

Обоймина Е. 206
Обухович В.И. 473
Овчинников И.В. 139
Оглье О.Х. 464
Огурцов А.П. 56
Озарай И.И. 470
Озолин Я.Р. 470, 495
Оксман Ю.Г. 212, 380-383, 447, 449
Олейников Александр
    Кондратьевич 473
Олейников Николай Макарович
    58, 62, 63
Олерский М.П. 454
Олеша Ю.К. 58, 314
Ольхов Х.М. 454
Ом Ф.Ф. 461, 487
Орешин П.В. 68, 69
Орлов, майор милиции 232
Орлов Ю. 101
Орлова К.И. 286
Осипян М.А. 454, 479
Осис А.Э. 459, 485
Осмеркин Александр
    Александрович ?? 53, 75
Осмеркина Галина Георгиевна 75
Осмеркина (Гальперина-
    Осьмеркина) Елена
    Константинова 75, 206
Осмеркина Лилия
    Александровна 206
Оськин, зам. секретаря парткома
    ССП 79
Отт А.А. 454
Охотин Н.Г. 110
Ошняго И.И. 470

Павленко П.А. 79-81, 85-90
Павлов Валерий Павлович 454
Павлов Иван, мл. лейт. НКВД 61,
    106, 111
Павлов Иван Павлович, академик
    263, 349
Павлов Карп Александрович 138
Павловский Сергей Г. 68-70, 107
Павлюков Н.Ф. 458
Падуа З.Н. 454, 480
Пайцекан А.М. 463
Паниткова П.Д. 120
Паситов А.Ф. 459
Пастернак Б.Л. 32, 39, 147, 157, 227,
    228, 257, 259, 262, 265, 267, 347
Пахомов А.Е. 454
Пашка – см. Васильев Павел
    Николаевич
Педанс Ю.К. 465
Пейрос И.И. 117, 118
Пеккер П.Х. 473, 497
Пекурник Н. 210, 374
Пенев Н.В. 454
Пепельник В.К. 470
Переверзев В.Ф. 275, 279, 280
Перелешин Б.Н. 157-159, 264
Перепелкин И.Т. 455
Петрарка 156, 157, 262, 264, 274,
    396-398, 401-404, 429
Петров Анатолий Николаевич 454
Петров Никита Владимирович
    18, 111
Петров Петр Петрович 455
Петровский Вячеслав
    Владимирович 462
Петровский Дмитрий Васильевич
    227, 257
Петрошенко А.А. 20
Пеутонен О.Д. 454
Пигарев А.И. 470
Пильняк Б.А.59, 86, 89
Пинеров К.Т. 470
Писаренко Л.Т. 454
Платонов А.П. 86
Пленц Р.Э. 464
Плещеев Д.З. 470
Плиско Н. 226, 227
Поболь Н.Л. 17, 18, 117, 118, 124,
    127, 128, 130, 259, 279, 376,

383, 413, 415, 416, 420, 421, 423, 425, 426, 432, 435, 438, 445, 447, 449-498, 502

Повереннов – 183

Подосинников Н.М. 466, 491

Подылов В.Ф. 288

Полей А.Е. 120

Поликарпов Д.А. 247

Полинский Б.А. 470

Поляновский Э.Л. 17, 19, 152, 158, 374, 431-433, 435

Поляринский А.А. 473, 498

Померанц Г.С. 437

Пономарева Г.М. 334

Попов Андрей Васильевич 464

Попов Гавриил Райкович 470

Попова Еликонида (Лиля) Ефимовна 34, 35, 39, 42, 50

Постников А.М. 463, 489

Поступальский И.С. 17, 61, 123, 171, 209-212, 347, 348, 432

Потанин Б.С. 455

Потапов В.П. 454, 480

Потоцкий В.М. 130, 454, 480

Пошалов А.Ф. 273

Праулин Ф.И. 462, 488

Приблудный И. 68

Пришвин М.М. 41-43

Полоневич П.К. 462

Прокопович В.А. 458

Прут И.Л. 81, 84

Пугач Д.И. 460, 486

Пунин Н.Н. 25, 32

Пунины 32

Пук 55, 189, 190

Пустовалый Ю.И. 342

Пуце О.А. 470

Пуш В.Х. 462

Пушкин А.С. 36, 37, 65, 96, 152, 220, 22, 254, 279, 284, 381, 382, 419, 442,

Р. (поэт Р.) – см. Ручьев Б.А.

Рабинович Меер Лейзерович 19, 125, 126

Рабинович Элеазер Меерович 19, 125

Радек К.Б. 311

Радзюк М.С. 471

Разумов Анатолий Яковлевич. 19, 62, 92, 99. 272, 273

Разумова, проф. 27

Ракчеев Н.К. 455, 481

Ранцев С.Н. 471

Рассадин А.П. 407

Раубо Б.И. 471

Раужман А.Ф. 461

Рахманов Я.А. 471

Ребитский В.Ф. 459

Редьков Н.В. 463

Рембо А. 244

Рембрандт Х. ван Р. 47

Ренде Т.А. 311

Ренуар П.О. 47

Репин И.Е. 294

Ржевский Ф.В. 455, 480

Робеспьер 60

Рогинский Арсений Борисович 110, 447

Рогинский Григорий Константинович 98, 101

Роговая Л.А. 19, 255, 311

Роденбах Ж. 244

Родин А.Н. 466, 491

Рожков П. 78, 79

Розенгрин Г.Д. 462, 487, 488

Розенфельд Б. 256

Розенфельд Б.Л. 292

Розенфельд Мария Ивановна 474, 498

Розинер А.И. 471

Розинов М.Л. 471, 495

Розмахов Н.Ф. 458

Роландт Г.Л. 471

Роллан Р. 121, 147, 240

Романов И.И. 119, 123, 135

Романов Иван Осипович 464, 490

Романенко А.А. 255

Ронсар П. де 157, 264

Россини Г. 464

Ротцейг Э.Г. 471
Ротштейн Н.А. 470
Руббельт А.М. 455
Рубенс П.П. 47
Рубинчик О.Е. 19
Рубинштейн Г.М. 125, 127, 128, 465, 490, 491
Рублев А. 38
Рудаков С.Б. 28, 39, 40, 55, 189, 206, 410, 424, 425,
Руденко Р.А. 101
Рудов П.И. 455, 480, 481
Руль Д.П. 473, 498
Румянцева В.М. 362
Румянцева Т.Г. 354
Рупасов Н.А. 464
Руппель Виктор Богданович 462, 488
Руппель Генрих Кондратьевич 462
Руппель Годфрид Годфридович 469
Руппель Годфрид Кондратьевич 463, 469
Руппель Федор Давыдович 462
Русакова В.А. 64
Русакова Е. 128, 491
Руссак В.И. 455, 481
Ручьев (Кривощеков) Б.А. 171, 210, 211, 282-284, 396, 398
Рыжов 309
Рыков А.И. 52, 53
Рюисдаль (Рейсдаль) Я. ван 47
Рябинин Б.А. 458, 484
Рябцев М.А. 458, 483

Сабицкий Б.И. 455
Сабуров Н.Н. 455
Савин И.К. 455, 482
Савоева (Савоева-Гокинаева) Н.В. 183, 384-390,
Савельев И.П. 471, 495
Садовский Ефим Савельевич 471, 495
Садовский Сергей Алексеевич 471

Саед Шах А. 89
Сажин В.Н. 62, 63, 383
Саксон А.О. 471
Саксонов О.Г. 455
Саладин Л. 338-342
Салин Д. 248
Салов К.С. 466
Самодурова И.А. 471
Самойлова Г.А. 502
Самохин А.Б. 462
Самсонова Л.Ф. 461
Самуило Б.В. 471
Самшуков-Мусатов И.Я. 464
Санников Г.А. 86
Сапоненко 210, 374
Сапитон (Моисеенко-Сапитон) Л.Ю. 444
Сарабьянов А.Д. 311
Сатаров А.и. 315
Сафонова С. 311
Сашин П.И. 471
Сверля В.В. 455
Светличный А.П. 455
Северянин И. 221, 218, 222, 225
Седов Александр Иванович 464
Седов Сергей Львович 127, 128, 490, 491
Сезанн (Сезан) П. 47
Сельвинская Б.Я. 249, 252
Сельвинский И.Л. 163, 247-252, 254
Сем Ф.Ф. 458
Семенко И.М. 165
Семенов-Блас А.С. 455
Семеновский В. 337
Семятинская Ф.М. 471
Сенковец В.М. 464
Сергеев А.К. 459, 485, 486
Сержант А.И. 471, 496
Сидоренко-Сидорец И.А. 471
Силин Н.В. 462
Симонов К.М. 348
Симуков И.З. 464
Скачков Н.Г. 471
Скраге И.А. 455, 481

Скрежешевский В.А. 474

Скрипкин А.П. 471, 496

Скрисанов Н. 356

Словак Я.И. 459

Слоистов И.И. 467, 492

Слуцкий Борис Абрамович 282, 396

Слуцкий Вениамин Исаакович 471

Смилга Г.К. 455

Смирнов, писатель 250

Смирнов, следователь в Ленинграде 263

Смирнов, следователь в Москве 288

Смирнов Иосиф Васильевич 455

Смирнов Михаил Борисович 140

Смирнова Антонина Сергеевна 455, 465

Смирнова Прасковья Михайловна 461

Смольцов А.Л. 108, 111

Смолянский А. 284

Смородкин Михаил Павлович 19, 123, 210, 293-296, 299, 300, 311, 446, 455, 481

Смородкина Светлана Михайловна 296, 311

Снетков Г.М. 455, 481

Смык 139, 326

Соболев Александр Л. 255

Соболев Виктор Леонидович 16, 210, 267, 279, 280, 323, 336-342

Соболев Л., рецензент «Знамени» 257

Соколов Степан Константинович 464

Соколов Федор 139, 144

Соколов-Ракович Евгений Гаврилович 473

Соколова М.В 55

Солженицын А.И. 238

Соловьев Николай Николаевич 19, 433

Соловьев Сергей Михайлович 394, 505

Сольцинецкий В. 462

Сорокин М.А 455

Сорокина М.Ю. 378, 379

Сосненков А.К. 473

Сотников А.А. 353

Сошкин И.А. 464

Спасская – см. Каплун С.

Спасский С.Д. 61

Спиноза Б. 407

Спиридонов Василий Николаевич 455

Спиридонов Михаил Николаевич 455

Сребницкий Е.Н. 458

Сретинский В.П. 471

Ставский В.П. 26, 27, 29, 40, 47, 52, 71, 72, 74, 85, 77-84, 97, 98, 108, 231

Стакиус К.И. 461, 487

Сталин И.В. 13-15, 57, 58, 60, 62, 67-69, 88-90, 99, 112, 147, 152, 156, 165, 169, 205, 222, 240, 261, 262, 265, 287, 288, 293, 316, 331, 354, 399-402, 404, 406, 408, 413,

Старобин Ф.З. 471

Стасевский В.П. 471, 496

Стаханский И.М. 471, 496

Стенич В.О. 32, 53, 58, 60, 62-64, 109,

Степанек А.Г. 471

Степанов П.И. 471, 496

Стогов Ю.Г. 35, 43

Стонова А.258

Сукечев С.И. 455

Сусов М.А. 455, 481

Субоцкий А. 231

Суздальская И.П. 320, 321

Сукальская А.М. 461, 487

Сульб М.И. 473, 498

Суперфин Г.Г. 18, 255, 311, 334, 336, 337, 341

Сурков А.А. 41, 42, 79, 80, 247

Сухов Алексей Степанович 471

Сухов В.В. 311

Табидзе Т. 60

Таваноман Х.В. 472

Тагер Е.М. 58, 63, 382, 383

Таманков Н.И. 471

Тамплан (Тамплян?) Павел Самсонович 460

Тамплан (Тамплан?) Виктор Андреевич 459

Танкина Е.Ф. 461

Тарковский А.А. 414

Тарсис В.Я. 89

Тата – см. Лившиц Екатерина Константиновна

Татлин В.Е. 227

Татькова О. 206

Таут П.М. 473

Телешов Г.Г. 504

Тель И.А. 472

Тенирс Д. 47

Терентьев Н.В. 471, 496

Тетерин П.А. 472

Тетюхин Д.Ф. 168, 169, 210, 345, 346

Тикишкин А.А. 459

Титов С.А. 455

Тименчик Р.Д. 227, 257

Ткач М.М. 471

Тобакорь Ерема Кириллович 459

Тобакорь Ефим Кириллович 459

Толкачев И.Л. 458

Тонеев В.А. 471

Траскович Ф.К. 456

Тренева Л. 58

Тренева Н.К. 88

Трещанский М.Л. 471

Тришкин А.И. 130, 456, 482

Тихонов Н.С. 57, 58, 60, 64, 86, 88, 347

Товмасян А.Е. 414, 415, 419, 420, 425, 426

Тоддес Е.А. 424, 425

Толстой А.Н. 82

Томан Н.В., писатель 250

Томашевский Борис Викторович 96

Томашевский Бронислав Юлианович 473

Торхановский И.М. 473

Торчинов В.А. 112

Травников Павел Федорович 46

Травникова Татьяна Васильевна 46

Травниковы 48, 55, 71, 190

Тренева Л. 259

Тривка Ф.И. 461

Тропинин В.А. 294

Трофимов 289, 311

Троцкий Л.Д. 127, 490

Трусова М.А. 229, 230

Тулицын 35

Туполев ?? 293

Турович Ф.И. 461

Тылкина-Ландау Н.С. 374, 380, 381

Тынар С.Ф. 471

Тынянов Ю.Н. 96

Тыртышный В. 253

Тышлер А.Г. 71

Тюфяков П.А. 406-408

Уваров 211, 374

Углецкий В.Н. 456

Уланов С.В. 474

Ульянов А.И. 54, 55

Урбан М.Г. 472

Урицкий М. 58

Уткин И. 41, 278

Ухтомский А.А. 262

Фадеев А.А. 72-74, 81, 82, 97, 228, 234, 259

Файко Л. 258

Фарпухия И. 211, 374

Фатбегер Г.Б-Я. 460

Федин К.А. 59, 61

Федкевич П.Г. 472, 496

Фейгина Д.М. 472

Фелер А.Р. 472

Федоров, чекист 64

Федоров Сергей Федорович 458

Фетилов Т.Ф. 458

Фикс Г.С. 472

Филиппович И.Г. 456, 482

Филонов С.М. 456

Финк Э. 258

Финкельштейн К. 362

Фирский С.И. 462

Фирсов, бакенщик 34, 35

Фиче М.Ф. 463

Фишер М.Д. 456, 482

Флиге И.А. 128, 491

Флоров А.А. 471

Флят Л. 126, 128

Фольц Д.К. 459

Фомичев С.В. 96, 99, 100, 102

Франковский 61

Фрате 357

Фрезинский Б.М. 18

Фрейдин Ю.Л. 277, 279, 342, 433

Фриновский М.П. 98, 100, 101

Фроман М.А. 61, 65

Фракман – см. Фроман

Фрунзе М.В. 100

Функ Ю.Г. 283, 284

Хазин Евгений Яковлевич 42, 43, 51, 175, 199, 200, 204,

Хазин Самуил Яковлевич 16, 167, 211, 268-272, 427, 428

Хазина Анна Яковлевна 95

Хазина Вера Яковлевна 24, 30-33, 237

Хайло П.А. 456

Харак Г.П. 456

Харджиев Н.И. 32, 38, 39, 54, 71, 200, 206

Харик И.Д. 81

Харламов 211, 374

Хармс Д.И. 62

Хвостова З.Н. 349, 350

Хилькевич В.А. 65

Хинт, инженер 144, 167, 211, 271-273,

Хинт Ааду Александрович 272

Хинт Иоханнес Александрович 166, 271-273

Хинтт Юганес Янович 272

Хитров Александр Евгеньевич 293, 296-299, 302, 305, 313

Хитров Александр Константинович 292

Хитров Борис Евгеньевич 298, 299, 301, 306

Хитров Евгений Михайлович 288

Хитров Константин Евгеньевич («физик Л.») 16, 19, 142, 146, 160-162, 170, 172, 173, 209-211, 239, 285-313

Хитров Михаил Александрович 311

Хитров Юрий Евгеньевич 299, 301, 306

Хитрова Мария Андреевна 292,

Хитрова Мария Евгеньевна 292, 302-309,

Хитрова Наталья Ивановна 298, 302-309,

Хитрова (Мельникова) Наталья Константиновна 292

Хитрова Ольга Александровна 298-302

Хижняк П.Ф. 460, 486

Хлебников В.В. 38, 39, 96

Хмара, артист 380

Ходоков М.П. 472

Ходорович М.Н. 472

Холодков И.А. 473

Хрисанфов И.Х. 474

Христов (Пармезов) И.И. 460

Христинович Н.Т. 460, 486

Христофоров В.С. 19

Хрущев Н.С. 110, 285, 311, 314, 428,

Хургес Л.Л. 118, 128, 130, 233, 234, 259, 279, 383, 502

Цвалис В.В. 456

Цветаева М.И. 31, 111, 257,

Цветковский Д.Ф. 459

Цветних Ф.Ф. 472

Цебирябов 171, 211

Цендровская Н.К. 404, 405

Цибульский И.Ф. 472, 496
Цилов М.И. 472
Цинберг Сергей (Израиль) Лазаревич 127, 128, 152, 165, 166, 179, 211, 377-379, 440
Цукур А.Я. 456
Цховребов 292
Цыбулевская-Вольфензон К.А. 382
Цыбулевский А.С. 382

Чага Л.В. 54
Чайко Н.И. 472
Чайковский Андрей Павлович 459, 495
Чайковский Никифор Дмитриевич 460
Чевычелов Д.И. 65
Челебеев П.Г. 466
Черепков В.И. 500, 502
Черняк Е.Б. 257
Чернов Василий Сергеевич 456
Чернова Екатерина Евгеньевна 287, 311
Чернова Любовь Константиновна 287, 311
Черный Саша 248, 255
Чернявский Е.М. 460
Чидарев П.П. 466
Чижевский А.И. 463
Чистяков Иван Васильевич 171, 211
Чистяков Василий Сергеевич 472
Чувилин И. 311
Чудинова Г.Н. 315, 316
Чуев Ф.И. 123
Чуканов М.А. 472
Чуковский Н.К. 58
Чухонцев О.Г. 413-419, 421, 423-425

Шавырин В.М. 472
Шагинян Мария Сергеевна 55
Шагинян Мирель Яковлевна 55, 75
Шадрин А.М. 58, 63

Шаламов В.Т. 138, 180, 181, 212, 225, 238, 348, 384-395, 413, 427, 447, 449
Шапиро И. 109
Шаповалов Я.П. 456
Шапорина Л.В. 63
Шведов П.И. 472
Швец Б.И. 472
Шевченко Т.Г. 71, 96
Шевинский П.П. 473
Шелуханов, низовой работник НКВД 99
Шельгави К.Я. 472
Шенталинский В.А. 17, 69, 90, 111, 431, 432
Шепелев Т.В. 70
Шепилов Д.В. 456
Шепчинский (Шипчинский) Д.В. 219, 225, 256
Шерман С.Я. 456
Шибалова С.А. 287
Шиваров Н.Х. 72, 85, 90, 130, 347
Шидловский А.А. 472, 497
Шилейко В.И. 472
Шилкин П. 107, 108
Шимановский Н.И. 472
Шипов–Абрамович И.Г. 456
Ширенко Я.К. 459
Шировантов И.М. 464
Широков А.И. 140
Шишканов 99
Шишкин П.Г. 456, 482
Шишко А.В. 316
Шкестер А.М. 461, 487
Шкипсне Э.В.-С. 472
Шкирятов М.В. 78, 79
Шкловская-Корди Варвара Борисовна 38
Шкловская-Корди Василиса Георгиевна 37, 38
Шкловская-Корди Наталья Георгиевна 38
Шкловские 37, 38, 198
Шкловский Виктор Борисович. 38, 41, 261

Шкловский Казимир Фомич 472
Шлегель И.Д. 462
Шмидт Р. 460
Шнайдер А.А. 472
Шнейдерман Э.М. 62-65,
Шнейдерман 288
Шонтаг А.С. 472
Шопен Ф. 254
Шостакович Д.Д. 94, 100
Шпис И.П. 462
Шрейдер Э.М. 456
Штавадакер И.И. 464
Штанер А.А. 460
Штанько Л.А. 19, 127
Шарки И.М. 460
Шпура В.С. 464
Штатланд Э. 197, 206
Штейнберг А.А. 46
Штемпель Н.Е. 24, 30, 34, 35,
37-39, 43, 55, 206,
Штрунов Д.Н. 458
Штыбен Э.Я. 458
Шульц Богдан Георгиевич 462
Шульц В. 117
Шумихин С.В. 100
Шумяцкий Б.З. 78, 82
Шурков Л.Ф. 364-372, 376
Шухаев В.И. 380-382
Шухов И.П. 258

Щеглов-Норильский С. 258
Щеголев П.Е. 45, 54
Щербатский Ф.И. 267
Щербацкий князь 262, 267
Щуко 357

Эглит П.Д. 458
Эдельгауз 320, 321
Эйзенштейн С.М. 87
Эйхе Р. 147, 327
Эйхенбаум Б.М. 59
Экк Н. 228
Элиасберг Г.А. 166, 378
Эльсберг Я.Е. 89

Энгельке А.А. 58, 63
Энинг К.К. 473, 498
Эрдман Н.Р. 44-46, 49, 54
Эренбург Илья Григорьевич 16,
19, 57, 58, 64, 104, 134,
147-149, 157, 159, 178, 210,
261, 262, 265, 268, 269,
274-278, 280, 311, 318, 320,
336, 391, 396, 397, 401, 404,
428-430, 436, 438, 439, 505.
Эренбург Любовь Михайловна
59 60, 64
Эрентрейс Я.М. 472
Эрлих В. 60
Эрман Е.М. 472
Эфрон С.Я. 111
Эфрос Абрам Маркович 190, 191,
203
Эфрос Надежда Давыдовна 203

Юдин Николай Дмитриевич 458,
484
Юдина Марья Вениаминовна 39
Южный М.Б. 465
Юраго С.М. 462
Юревич В.И. 98, 100
Юрова М.Д. 100
Юркун Ю.И. 58, 60-63, 65, 111

Яворский–Планки И.П. 460
Ягода Г.? 80, 90, 139
Язвинский С.А. 472, 497
Яковлев И.И.
Якубовский П.К. 473, 498
Якулов Г.Б. 112
Ялозь А.Б. 467
Якушин Т.В. 458
Янушкевич Р. 257
Ярецкая Б.М. 472
Ясенский Б. 275, 344, 374, 380
Яхновецкий П. 152
Яхонтов В.Н. 29-37, 39, 50

Bollinger M.J. 140
Steiner R. 342
Zöpfi E. 342

Географический указатель

Австрия 53

Аграмаково Спасского р-на Рязанской обл. 494

Азово-Черноморский край 487

Аймякон (Оймякон) 305

Акмола – см. Акмолинск

Акмолинск (Акмола, Астана) 193, 204

Александров 31, 138, 379, 475, 497, 505

Александровка Ровенского р-на Польши 493

Александровка Уваровского р-на МО 490

Алма-Ата 241–246, 337, 340, 341

Алтай 295, 300, 360, 481

Америка – см. США

Амурский залив 141

Ангара 327, 328

Анзер 355

Арсеньевский р-н Тульской обл. 478

Архангельск 233

Архангельская обл. 296

АССР Немцев Поволжья 487, 488, 495

Астана – см. Акмолинск

Астрахань 343, 497

Ашитково Виноградовского р-на МО 498

Байкал 360

Балтийский Порт, Эстония 477

БАМ (Байкало-Амурская магистраль) 121

Бамлаг 279, 505

Баку 85

Баневурово – см. Партизан

Барнаул 295, 360, 361

Бартат Большемуртинского р-на Красноярского края 353

Басаргино Вязниковского р-на МО 484

Башкирская АССР (Башкоростан) 130, 350, 480

Башкоростан – см. Башкирская АССР

Бегичево Лопасненского р-на 492

Беленькое Запорожского р-на Днепропетровской обл. 486

Беличье 384, 385, 389

Белое море 218

Беломорье 219

Беломорск 377

Белоруссия (БССР) 81, 85, 295, 364, 373, 375, 432, 443, 483, 497

Белостокский уезд Гродненская губ. 495

Берег Слоновой Кости 114

Березовский р-н район Одесской обл. 126

Берелех 289, 360

Берлин 87

Беслан 483

Бессарабская губ. 498

Бийск 295

Благовещенск 151, 210, 373

Боброво Коломенского р-на МО 498

Богородицкое Великолукского р-на Псковской обл. 484

Богучаны Красноярского края 327, 328

Болдино 219

Болшево 268, 270, 428

Большая Мурта 126, 480

Большемуртинский р-н Красноярского края 353

Большой Камень 122, 442

Бормино Петушинского р-на Владимирской обл. 485, 486

Боровое 260

Боровск 475

Боровский р-н Калужской (МО) обл. 475-477

Бортники Волоколамского р-на МО 484

Брест-Литовский уезд Гродненской губ. 497

БССР – см. Белоруссия

Будапешт 486

Буденновский р-н Дальневосточного края 486

Бузулук Оренбургской обл. 353, 354

Бурят-Монгольская АССР 486

Бути Фиднерштадского уезда 495

Бутово 475, 495

Быково Раменского р-на МО 478

Бычково Уваровского р-на МО 490

Валмиерский уезд, Латвия 494

Ванино 283, 388, 390

Варшава 500

Варшавская губ. 498

Введение Тарусского р-на Калужская обл. 477

Велиж 85

Великие Луки 484

Великолукский р-н Псковской обл. 484

Венгрия 486, 489

Веневский р-н Тульской обл. 477, 485

Верхние Лихоборы МО 482

Верхний Ат-Урях 385

Верхний Белоомут Луховицкого р-на МО 486

Винницкая обл. 485, 489
Виноградовский р-н МО 498

Витовина Винницкая обл. 489

Владимиро-Волынского уезд Волынской губ. 489

Владимирская обл. 475

Владивосток 17, 119, 120, 123, 133-135, 137, 141-145, 164, 165, 172, 186, 198-200, 205, 209, 232, 274, 278,280-283, 295, 322, 323, 326, 337, 341, 344, 245, 356, 357, 365, 373, 382, 385, 388-390, 398, 418, 421, 431, 434, 437, 438, 441-443, 447, 464, 466, 474, 487, 492, 497, 499-505

Власово Орехово-Зуевского р-на МО 485

Волга 31-36, 40, 43, 45, 46, 51, 54

Волоколамск 484

Волоколамский р-н МО 484

Воркута 306

Воробьевка 24

Воронеж 13, 14, 23-25, 29-31, 36, 37, 39, 41, 43, 47, 50, 54, 55, 57, 67, 75, 80, 146, 147, 158, 169, 198, 206, 226, 240, 275, 278, 346, 410, 496.

Воскресенский р-н МО 498

Вторая Речка 14, 19, 122, 127, 133, 134, 137, 144, 150, 166, 173, 254, 29, 282, 344, 356-359, 378, 383, 389, 391, 394, 398, 406, 412, 418, 421

Высокиничи 478, 481, 482, 492, 494

Высокиничский р-н МО (Калужской) обл. 130, 476-479, 481,

Вышний Волочок 505

Вяземлаг 373

Вязниковский р-н МО 483, 484

Гвинея 114

Герасимов Боровского р-на Калужской обл. 475, 476

Германия 53, 82, 110, 340, 425,

Глуховский уезд Черниговской губ. 227

Голицыно 413-415

Голутвин 497

Городец Мозырского р-на Минской обл. 489

Гололобово Коломенского р-на МО 498

Грабченки Каширского р-на МО 483

Греция 86

Грибаново (Б. Грибановка?) 169, 346

Горки Ленинские Ленинского р-на МО 480

Городище Новопетровского р-на МО 478

Горьковская ж.д. 479, 480

Горьковская (совр. Нижегородская) обл. 485

Гродненская губ. 481

Грибово Киржачского района Владимирской обл. 505

Грозный 83

Грузия 60, 86, 381, 382

Гураки Добровинского р-на Могилевской обл. 494

Дальневосточный край 486

Деевка Оренбургской обл. 476

Дединово Луховицкого р-на МО 489

Денгоровка Тетиевского р-на Киевской обл. 485

Детское Село – см. Царское Село

Дигора – см. Христиановское

Днепропетровская обл. 486

Докукино Арсеньевского р-на Тульской обл. 478

Добровинский р-н Могилевской обл. 494

Донецкая обл. 483

Дракино Серпуховского р-на МО 482

Дубечко Владимиро-Волынского уезд Волынской губ. 489

Дубровка Есеновичского р-на Калининской обл. 484

Дубровский р-н Орловская обл. 492

Дулево Орехово-Зуевского р-на МО 486, 495

Дусканья 280

Европа 53, 116, 417, 423

Еврейская автономная область 121

Егорьевск 485, 486

Егорьевский р-н МО 480

Ейск 491

Елабуга 228

Енисей 11

Енисейск 54, 321

Есеновичский р-н Калининской обл. 484

Жуковский р-н Калужской обл. 493

Задонск 24

Закавказье 86

Западно-Сибирский край 147, 327

Запорожский р-н Днепропетровской обл. 486

Зарайск 494

Зачатье Лопаснинского р-на МО 491

Звенигородский р-н МО 480, 482

Зима 120

Златоуст 283

Золотухино Мценского р-на Орловской обл. 484

Ивановская обл. 505

Известковая 120, 121

Иерусалим 128

Израиль 126

Ильинский погост Куровского р-на МО 476, 495

Ильинское Горьковской обл. 485

Инвалидный 280

Иныльчек 340

Иркутск 166, 299, 374

Иркутская обл. 150, 174

Истра 245, 247, 249, 496

Италия 48, 86, 87, 397,

Кадомский р-н Рязанской обл. 484

Казанская ж.д. 95, 96

Казахстан 205, 341, 354

Казуар 68

Калинин 49-56, 71, 75, 94, 107, 109, 189, 190, 197, 249

Калининская обл. (Тверская губ.) 349-351, 393, 484

Калининград 295, 481,

Калужская обл. 475-479, 481, 488, 493

Калязинский р-н Калининской обл. 490

Кама 257

Канск 360, 361

Каргополь 296

Карелия 353, 355

Карело-Мурманский край 219, 256

Карилово Угодско-Заводского р-на Калужской обл. 478

Касимов 296

Катуар Дмитровского р-на МО 484

Каширский р-н МО 483, 487, 488, 497

Кемерово – 139

Кемь 219, 225, 226, 232, 256

Киев 31, 107, 189, 301, 480

Киевская обл. 379, 479, 483, 485

Кимрка, р. 35

Кимры 31, 34, 35, 40, 43

Киржачский р-н Владимирской обл. 505

Киров 115

Кисловодск 81-82

Китайская военная ж.д. (КВЖД) 385

Кишинев 480

Клинский р-н МО 493

Ковенская губ. 488, 496

Коломна 115, 473, 474, 498

Коломенский р-н МО 497, 498

Колотилово Красно-Пахорского р-на МО 489

Колтуши 349

Колыма 17, 66, 67, 113, 118, 119, 126, 128, 130, 138, 139, 143, 146, 147, 157, 162, 164, 170, 173, 180, 184, 210, 211, 213, 233, 256, 259, 264, 271, 274-277, 279, 280, 284, 288-292, 295-297, 300-302, 304-307, 314, 316, 322, 323, 327, 333, 334, 341, 343, 344, 347, 348, 353, 354, 357, 359, 360, 373, 375, 377, 380-386, 388, 392-394, 398, 411, 412, 418, 421, 424, 429, 437, 438,

440, 441, 445, 466-467, 480, 481, 500, 502, 505

Кольчугинский р-н Владимирской обл. 475

Коми 210, 374

Коммунарка 380, 475

Коммунистический р-на МО 493, 495

Коннектикут 399

Константиново Подольского р-на МО 488, 489

Коробовский р-н МО 100

Коростылево Каширского р-на МО 488, 489

Кочкарево Малинского р-на МО 484

Красная Пресня 115

Краснинский р-на Липецкой обл. 483

Краснодар 357

Красное Краснинского р-на Липецкой обл. 483

Краснокутский кантон АССР Немцев Поволжья 488

Красно-Пахорский р-н МО 489

Красноярск 120, 258, 399

Красноярский край 63, 126, 306, 328, 353, 359-361, 480

Кривандино 96

Крым 87, 228, 236, 343, 475

Кудрявцево Кольчугинского р-на Владимирской обл. 475

Куйбышевская область 297

Кунцево 481, 497

Кунцевский р-н МО 494

Кура 85

Курляндская губ. 478

Куровской р-н МО 476

Курск 151, 292

Курская губ. 170, 266

Ламиново Веневского р-на Тульской обл. 485

Латвия 481, 487, 489, 491, 496

Ледово Каширского р-на МО 487

Ленинград и Санкт-Петербург 19, 31, 32, 39, 40, 51-55, 57-66, 69, 75, 82-84, 94, 97, 100, 107, 147, 150-152, 154, 182, 187, 189, 192, 206, 239, 256, 263, 271, 273, 276, 319-321, 325, 343, 344, 349, 350-355, 361-363, 381, 497

Ленинградская обл. 66, 105

Ленинская ж.д. – см. Казанская ж.д.

Ленинский р-н, Крым 475

Ленинский р-н МО 480

Ликино-Дулево Орехово-Зуевского р-на МО 486

Липецкая обл. 483

Литва 475, 488

Лифляндская губ. 474, 495

Лобаново Наро-Фоминского р-на МО 479

Лопаснинский р-н МО 477, 488, 491

Луга 33

Лух Ивановской обл. 497

Луховицкий р-н МО 486, 489

Лямцино Подольского р-на МО 491

Магадан 17, 127, 138, 140, 146, 147, 381, 382, 386, 389, 394, 432, 440, 441, 479, 490, 492, 494

Магаданская обл. 353, 479, 483, 490, 492, 494, 498

Магаданская трасса 359, 360

Магнитка 283

Макеевский р-н Донецкой обл. 483

Малеевка 73

Малинский р-н МО 484, 487, 496

Малоярославец 44, 53, 477, 488

Маньчжурия 385

Мариинск (Мариинские лагеря) 120, 139, 140, 173, 209, 211, 233, 234, 263, 276, 277, 279, 316, 341, 295, 374, 375, 440, 441, 445, 481, 505

Мариинские лагеря – см. Мариинск

Марксштадтский кантон АССР Немцев Поволжья 487, 488

Махачкала 291

Медвежья Гора 232, 256

Мезлужье, Белоруссия 497

Мещера 14, 51, 72, 93

Мещерский 478

Минск 81, 125, 295, 373, 480

Минеральные Воды 483

Минская обл. 489

Минусинск 328

Миргород 505

Михайловка Ямпольского р-на Винницкой обл. 485

Михайловский р-н МО 481

Михневский р-н МО 478

Могилевская губ. – см. Могилевская обл.

Могилевская обл. (Могилевская губерния) 364, 494

Могоча 120, 121

Мозырский р-н Минской обл. 489

Молоди Подольского р-на МО 489

Молодяково Рузского р-на МО 494

Молчановский Жуковского р-на Калужской обл. 493

Монголия 289, 292

Монино 286

Морозовичи, Новогрудский р-н, Польша 486

Морозовка Петровского уезда Саратовской губ. 478

Москва 19, 23–31, 33, 34, 36, 39-41, 44, 48, 50, 51, 54, 55, 57-61, 67-71, 75, 77, 80, 81, 86, 90, 95, 97-99, 104, 107, 109, 110, 112, 115, 120, 124-126, 138, 140, 147, 149, 151, 156-158, 163-165, 175, 189-193, 195, 196, 198-200, 203, 220, 222, 224-228, 232, 237, 239, 240, 242, 244-246, 248, 249, 252, 258, 260, 264, 269, 271, 275, 278, 291, 292, 295, 296, 301, 306, 307, 314, 315, 317, 322-325, 352, 364-366, 368, 369, 373, 374, 384-388, 393, 394, 402, 403, 412, 414, 418, 428, 442, 448, 466, 467, 474-476, 479-483, 487, 492-496, 499-502

Московская область (МО; см. также Подмосковье) 78, 101, 112, 115, 126, 128, 249, 281, 292, 307, 308-310, 313, 335, 448, 458-464, 466, 467, 475-500.

Муйнак 190

Мценский р-н Орловской обл. 484

Мытищи 280, 281

Мытнино Калязинского р-на Калининской обл. 490

Нагаево 161, 359, 388, 438, 440, 445

Наро-Фоминск 148, 327, 495

Наро-Фоминский р-н МО 479, 481

Нахичевань-на-Дону 213

Нева 67

Недер Мунджу Марксштадтского р-на АССР Немцев Поволжья 487, 488

Нексикан 289, 291, 298, 299, 307, 308, 313

Нижний Семчан 384

Никольская Горьковской ж.д. 479, 480

Новогрудский р-н, Польша 486

Ново-Деревенский р-н Рязанской обл. 482

Ново-Местечко Ковенской губ. 488

Ново-Петровский р-н МО 475, 478

Новосибирск 147, 151, 262, 327, 334

Новый Кунэч Покровского р-на Орловской обл. 482

Ногинск 496

Облезьево Каширского р-на МО 497

Огубь Угодско-Заводского р-на Московской обл. 481

Одесса 88, 147, 314, 315, 334, 359, 365,

Одесская обл. 126, 476

Озерская Слобода Веневского р-на Тульской обл. 477

Озеры 497

Ока 296

Окниста Ковенской губ. 496

Окружная 288

Омск 116, 151, 334

Омская обл. 483

Оренбургская обл. 353, 476

Орехово-Зуево 485, 486, 494, 496, 497

Орехово-Зуевский р-н МО 485, 486, 495

Орловская обл. 482, 484, 492, 494

Орловское Марксштадтского кантона АССР Немцев Поволжья 488

Осечек Варшавской губ. 498

Осиповичи 375, 376, 432, 436, 444

Охотское море 359

Ошминта Мариупольского уезда Екатеринославской губ. 496

Панино Егорьевского р-на МО 492

Париж 58-59, 107, 258, 316, 382

Партизан (Баневурово), ж.д. станция 123, 442

Паршино 505

Пенза 67, 100, 294, 295

Первитино Тверской губернии 349-351,

Переделкино 32, 87, 89

Перловская 280

Пески 100

Петербург – см. Ленинград

Петровский уезд Саратовской губ. 478

Петроград – см. Ленинград

Петушки 126, 480

Петушинский р-н Владимирской обл. 485, 486

Печерлаг 140

Печоры

Платис Курляндской губ. 478

Плотная Пронского р-на Рязанской обл. 478

Подвислово Рязанской обл. 481

Подлесье Слонимского уезда Гродненской губ. 481

Подмоклово Серпуховского р-на МО 490

Подмосковье 30, 115, 231, 246, 286, 296, 381

Подольск 487, 489

Покровский р-н Орловской обл. 482

Покровское Коммунистического р-на МО 495

Полтава 505

Польша 292, 485-488, 493, 494, 496, 498

Приамурье 142

Прикумский р-н Терской обл. 494

Приморье 77, 113, 146, 160, 435

Прибалтика 130

Приморский край 122

Принстон 101, 165, 197, 321

Пронский р-н Рязанской обл. 478

Просечье Ново-Деревенского р-на Рязанской обл. 482

Псков 37, 190, 272, 336, 343, 402

Псковская обл. 484

Пухачево Брест-Литовского уезда Гродненской губ. 497

Пушкино МО 126, 476, 479

Равнополье Азово-Черноморского края 487

Радичи Дубровского р-на Орловская обл. 492

Раковка Кадомского р-на Рязанской обл. 484

Раменск (совр. Раменское) 481

Раменский р-н МО 478

Ревель – см. Таллин

Решетниково Калининской обл. 393

Рига 495, 498

Рижский уезд Лифляндской губ. 474

Родоманово Малинского р-на МО 496

Ростов Великий 190, 191, 203, 317

Ростов-Ярославский – см. Ростов Великий

Ростов-на-Дону 213-216, 226, 253, 255,

Ростовская обл. 101

Ростов-Ярославский (Ростов Великий) 190, 191, 203, 317, 477

Ростокино 115

Руза 495

Рузский р-н МО 494

Румыния 494

Рыбак 389, 390

Рязанская обл. 478, 481, 482, 484, 486, 494

Рязань 288

Савелово 31-36, 75

Сагурахи 76, 82

Садовники Ленинского р-на 491

САЗлаг (Среднеазиатский лагерь) 353

Салсяны 85

Саматиха 14, 36, 51, 52, 55, 71-73, 75, 80, 91, 93-102, 163, 189, 190

Самодуровка Уваровского р-на МО 490

Самсоново Боровского р-на МО 477

Сандармох 353, 355

Санкт-Петербург – см. Ленинград

Саперка 141, 144

Саперная сопка 141

Сараевский р-н МО 495

Сараи Сараевского р-на МО 495

Саратов 32, 76, 364, 367-369, 372, 383,

Саратовская губ. – см. Саратовская обл.

Саратовская обл. (Саратовская губ.) 479, 483, 488, 489, 498

Свердловск 120, 356, 407, 477

СВИТЛ, Свитлаг – см. Севвостлаг

Севвостлаг 119, 135, 137, 138, 173, 348, 385, 417, 441, 466, 490

Северная Буковина 126

Северная Осетия 384

Семеновское Коломенского р-на МО 497

Серебряные пруды 475

Серково Вязниковского р-на МО 483

Серпухов 115, 463, 464, 489-491

Серпуховский р-н МО 482, 489

Сибирь 115, 505

Сиблаг 234, 316, 440, 441, 445, 505

Сигегаль Рижского уезда Лифляндской губ. 474

Слонимский уезд Гродненской губ. 481

Смоленск 151, 373, 374

Смоленская область 480

Собакино Наро-Фоминского р-на МО 481

Соловки (Соловецкие острова) 86, 216-226, 232, 253, 256, 259, 353, 355

Сонково 33

Софрино 498

Спас-Клепики 288

Спасский р-н Рязанской обл. 494

Средняя Азия 234

Ставрополь 343

Стайцель Валмиерского уезд, Латвия 494

Сталинград 298

Старые Дороги 483

Стерлитамак 350, 355, 362

Струнино 189-198

Ступино 245-247, 318

Судак 228

Суково Кунцевского р-на МО 494

Сусуман 290, 303, 305-307, 313, 360, 384

Сусуманский р-н Хабаровского края 289, 290

Суханово 140

Сухум 84

Сучан 19, 436

США 49, 312, 399, 499

Сьяново Серпуховского р-на МО 489

Таллин (Ревель, Таллинн) 127, 328, 330, 335, 490, 491, 498

Тара 151, 334

Тараканово Клинского р-на МО 492

Таруса 44, 190, 269, 409, 428, 477, 479, 491

Тарусский район МО (Калужской обл.) 477, 479

Ташкент 16, 40, 150, 190, 234-240, 246, 253, 334, 352, 354, 427

Тверская губ. – см. Калининская обл.

Тбилиси – 76, 82, 85, 86, 88, 365, 479, 480

Тверь – см. Калинин

Тель-Авив 126

Терева, Эстония 497

Тернополь 375

Тетиевский р-н Киевской обл. 485

Тифлис – см. Тбилиси

Тихий океан 51, 115, 134, 135

Томск 54, 158, 213, 316, 317, 321, 375, 441

Торгель, Эстония 479

Троицкое Лопасненского р-на МО 492

Транссиб (Транссибирская магистраль) 122, 442

Тростье Высокиничского р-на Калужской обл. 476

Троя 417, 419, 421, 423, 424

Трубино 286

Туадеми Буденновского р-на Дальневосточного края 486

Тульская обл. 477, 478, 485

Туркмения 86
Турция 86, 88
Тучково 494
Тьмака 46
Тянь-Шань 338

Уваровский р-н МО 490
Углич 33
Угодско-Заводской р-н
    Калужской обл. 478, 481
Узбекистан 234
Украина 123, 292, 371
Улан-Удэ 486
Ульяновск 37, 190, 261, 320,
    406-408, 428
Урал 343, 360
Урожайное Прикумского р-на
    Терской обл. 494
Урульча 120, 121, 474
Успенское Михневского р-на МО
    478
Усть-Утиное 354

Фаустово Виноградовского р-на
    МО 498
Федоровка Макеевского р-на
    Донецкой обл. 483
Федуловская Егорьевского р-на
    МО 480
Филимоново Коммунистический
    р-на МО 493
Филипповское Лопасненского
    р-на 491, 492
Финляндия 381
Франция 86, 380, 381. 425,
Фряново 286, 287, 290, 292, 308,
    309, 310, 313

Хавертово Михайловского р-на
    МО 481
Хан-Тенгри 338, 341
Хабаровск 496

Хабаровский край 289
Харбин 142, 385
Харлово Воскресенского р-на
    МО 498
Харьков 219, 278, 381, 477, 478,
    505
Ховрино 492
Хотимск Могилевской губ. 364,
    375
Хотин Бессарабской губ. 498
Христиановское (Дигора) 384

Цаплино Куровского р-на МО 476
Царское (Детское) село 349-352,
    356

Чай-Урьин 297-299, 384
Часлово МО 477
Чаусово Высокиничского р-на
    Калужской обл. 476
Чебоксары 37, 190, 428
Челкар 353
Челябинск 282, 284, 343
Чердынь 14, 24, 25, 28
Черниговка 436
Черниговская губ.
    (Черниговщина) 227
Черусти 73, 93, 99
Чеховизна Белостокского р-на
    Гродненская губ. 495
Чехословакия 282
Чистополь 257
Чита 37, 190
Читинская обл. 281
Чулымский р-н Западно-
    Сибирского края 152, 334
Чупряково Звенигородского р-на
    МО 480

Шаблыкино Ново-Петровского
    р-на МО 475
Шанхай 209

Шатура 93

Шеншаль Краснокутского кантона АССР Немцев Поволжья 488

Шортанды 54, 176, 189, 190, 193-
195, 197-203

Щелково 286, 287, 288, 292, 313

Эльбрус 281

Эльнежели Ленинского р-на,
Крым 475

Эрленбах Саратовской обл. 488,
489

Эстляндская губ. – см. Эстония.

Эстония (Эстляндская губ.,
Эстонская ССР) 167, 271-273,
328, 477

Эстонская ССР – см. Эстония.

Ягодное 127, 354, 490

Яковка 126

Ялта 71, 87, 343,

Ямпольский р-н Винницкой обл.
485

Ярославль 115, 327, 478

Ярославская ж.д. 190

Ярославская обл. 317, 478

Ярославская-Товарная 115

Литературно-художественное

Нерлер Павел Маркович
ОСИП МАНДЕЛЬШТАМ И ЕГО СОЛАГЕРНИКИ

16+

Подписано в печать 04.06.2014
Формат 84х108/32 Усл. печ. л. 28,35
Тираж 2000 экз. Заказ № 4172.

Общероссийский классификатор продукции
ОК-005-93, том 2; 953000 – книги и брошюры

Ответственный за издание
И. Данишевский

Ведущий редактор
Е.Кравченко

Дизайн обложки:
В.Лебедева

Компьютерная верстка:
А.Грених

ООО «Издательство АСТ»
129085, Москва, Звездный бульвар, д.21,
строение 3, комната 5

«Баспа Аста» деген ООО
129085, г. Мәскеу, жұлдызды гүлзар, д. 21, 3 құрылым, 5 бөлме
Біздің электрондық мекенжайымыз: www.ast.ru

Қазақстан Республикасында дистрибьютор
және өнім бойынша арыз-талаптарды қабылдаушының
өкілі «РДЦ-Алматы» ЖШС, Алматы қ., Домбровский көш., 3«а», литер Б, офис
1.
Тел.: 8(727) 2 51 59 89,90,91,92
факс: 8 (727) 251 58 12 вн. 107; E-mail: RDC-Almaty@eksmo.kz
Өнімнің жарамдылық мерзімі шектелмеген.
Өндірген мемлекет: Ресей
Сертификация қарастырылмаған

Отпечатано с готовых файлов заказчика
в АО «Первая Образцовая типография»,
филиал «УЛЬЯНОВСКИЙ ДОМ ПЕЧАТИ»
432980, г. Ульяновск, ул. Гончарова, 14